D0334986

Ce vaste monde

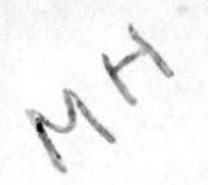

David Malouf

MAL

Ce vaste monde

ROMAN

Traduit de l'anglais (Australie)
par Robert Pépin

Albin Michel

Édition originale anglaise :

THE GREAT WORLD
© 1990 David Malouf

Traduction française :

22, rue Huyghens, 75014 Paris

ISBN 2-226-05420-0
ISSN : 0755-1762

I

1

Aimables, les gens ne le sont pas toujours, mais rien ne l'eût plus été que de dire de Jenny qu'elle était simple.

Qu'en cuisinant, maman découvrît que, chapelure ou farine, il lui manquait quelque chose, et les enfants se récriaient aussitôt à la seule pensée de descendre à l'Embarcadère. « Oh non, pas moi ! Demande à Brett ! s'écriait-on. C'est à son tour d'y aller. »

Ce n'était pas qu'on trouvât à redire au trajet, quoique... (dévaler la colline et quitter la grand-route pour gagner le fleuve prenait du temps), ni même qu'il fallût alors s'arracher à son émission de télé préférée. Au fond, c'était plutôt qu'on allait devoir revivre l'étrange impression que toujours l'on éprouvait lorsque, debout sur le seuil du magasin au ridcau de perles qui n'en finissait pas de tintinnabuler, on découvrait la vieille femme à moitié vautrée sur son comptoir : respirer ainsi, comme un gros poisson tiré de l'eau et jeté à mourir sur la berge ! Parfois même elle dormait. Enfoncer son doigt dans son gros cardigan en laine ? La voir encore une fois sursauter, regarder follement autour d'elle et y aller d'une manière de sourire mouillé lorsque... enfin ! elle s'apercevait que l'intrus n'était pas un inconnu ?

De fait, aux yeux des petits au moins, « simple » n'était pas le mot qui convenait pour la décrire : chez la Jenny qui, le bras épais et la pantoufle traînarde, toujours mollassonnait à droite et à gauche, l'essentiel était bien en effet qu'elle savait dire, et faire, des trucs auxquels on ne s'attendait pas et que, pour finir, on trouvait sans queue ni tête.

Sans parler de l'espèce de doute fondamental qu'on la

sentait jeter sur toute chose. Jenny avait plus de soixante ans, Jenny comptait donc au nombre des ancêtres, mais cela n'empêchait pas les adultes de la traiter comme une enfant de six ans. Il n'était que d'entendre la façon dont ceux-ci lui parlaient.

Les petits n'avaient, décidément, qu'à la regarder pour savoir qu'elle n'avait rien d'une vieille dame bien gentille, ni d'un poisson échoué sur la rive, ni non plus d'une enfant plus âgée qu'eux. Et donc, où était sa simplicité ?

Pour l'heure, Jenny Keen était affalée. Un coude posé sur l'appui de fenêtre à la peinture écaillée, elle regardait, par-delà la cour, le fil à linge et le poivrier pourrissant, l'endroit où s'était assis son frère — au bord du fleuve, là où la berge décrochait vers l'onde.

Ce fleuve était large, de ce côté-ci noyé de soleil, de l'autre plongé dans l'ombre. S'il y avait bien lancé une ligne sur laquelle il tirait de temps à autre, Digger n'en pêchait pas pour autant : il ne faisait jamais rien qu'il ne s'y absorbât entièrement. Eût-il vraiment été en train de pêcher que, sous son vieux chapeau en feutre, c'eût été tout son être qui se fût tendu, qui si fort se fût concentré qu'il eût été impossible de ne pas le sentir — qu'elle, en tout cas, elle l'eût deviné, même de loin (en être capable lui faisait parfois peur). Or, c'était clair, Digger ne se concentrait que sur les paroles de son interlocuteur, sa ligne n'étant que bluff destiné à faciliter la conversation, ou l'écoute.

Jenny fit une grimace. Du bout de la langue, elle poussa sa lèvre supérieure en avant et cligna de l'œil. Et encore elle se frotta la nuque, juste à l'endroit où finissaient ses cheveux, qu'elle avait aussi courts et mal coupés que ceux d'un homme.

— Allez, Dig, quoi ! dit-elle tout haut. Laisse-nous respirer !

Quoique nettement séparés, les deux hommes parlaient en tête à tête — cela se voyait. Digger portait un vieux chandail aux manches avachies et pleines de trous (de bonne taille) qu'elle s'était promis de ravauder. L'autre, Vic, arborait un beau manteau. Quoique du même âge que Digger, il paraissait plus jeune : on prenait soin de sa personne, on savait s'attifer. Vic avait très soigneusement posé ses chaussures — elles étaient neuves et bien brossées — dans la poussière. Jenny le remarqua parce que chaque fois qu'il venait, il en avait d'autres ; il devait en posséder une bonne douzaine de paires.

Elle baissa les paupières et s'efforça de deviner le tour qu'avais pris la conversation — c'était la troisième fois que Vic montait les voir depuis le début de la semaine. De fait, elle n'entendait rien de ce qu'ils se racontaient, pas à cette distance, mais en s'y mettant tout entière, elle arrivait parfois à saisir un mot au passage. Parfois — pas toujours. Une ou deux minutes ayant passé, et rien de nouveau ne lui étant parvenu aux oreilles, Jenny poussa un soupir agacé, se leva et disparut derrière les étagères pour aller voir ce qui se passait dans son four.

Il y avait du mieux. Les scones [1], c'était son point fort et ça prenait bonne tournure.

Elle fit demi-tour et alla replanter ses coudes sur le lino du comptoir. Elle commençait à peine à s'y sentir à son aise lorsque, à tire-d'aile, là, sous ses yeux, deux pies foncèrent sur l'étendoir à linge. S'y perchèrent et, en se dévissant sèchement le cou de droite et de gauche, se mirent à surveiller les environs d'un air intéressé. C'en était fait de tous les réconforts qu'elle aurait pu tirer de la confection dc ses pains au lait.

Les pies, elle leur faisait la guerre. Des guerres, elle en menait beaucoup, mais celle qu'elle leur livrait était, et de loin, la plus féroce et la plus soutenue.

Des espèces de brutes à plumage noir et blanc, avec des petits yeux perçants et des becs qui l'étaient plus encore, voilà bien tout ce qu'elles étaient. Jenny les haïssait et, hormis pour tourmenter les animaux plus faibles, ne voyait vraiment pas dans quel but on les avais mises sur terre. Toujours à trottiner ici et là comme si, tout leur appartenant, il n'était plus que de prendre possession des lieux ! Comme si on leur en avait confié la garde ! Toujours à espionner, à patrouiller, à distribuer des coups de bec, à punir ! Et tout ça en habit noir et blanc, comme des putains de bonnes sœurs !

Que, par exemple, elle sortît le plat à gâteau où elle venait de découper la dernière tranche de pudding et toutes elles

1. Genre de petit pain au lait. (NdT.)

descendaient, à une douzaine, voire plus, et tellement se bousculaient que les petits oiseaux, les roitelets et les pinsons, avaient trop peur pour s'approcher. « Fichez l' camp d'ici ! leur criait-elle en donnant de la botte. C'est pas pour vous. »

Mais comment être là tout le temps ? Elle avait du ménage à faire et le magasin à surveiller. Alors elles paradaient dans la cour comme si elles en étaient propriétaires, sifflotaient, marmonnaient leurs rosaires de pies. Se posaient sur un poteau de l'étendoir et se démanchaient le cou pour suivre jusqu'au moindre de ses mouvements. Qu'elle sortît avec un plein panier de linge et, dans l'instant, elles lui fonçaient sur la tête, tournoyaient et piquaient droit sur elle, de la même manière exactement que lorsque à grands coups d'ailes elles fondaient sur un agneau pour lui arracher les yeux.

C'était une guerre quotidienne et cela durait depuis des années. Jenny l'emportait-elle un jour que le lendemain elle perdait. Dans tout cela néanmoins, elle était seule contre la horde, et la horde ne cessait de grandir.

De temps en temps, une d'entre elles — une vieille — tombait sous les griffes d'un haret ; ou s'étouffait sur un bout de pain, ou mourait sous les coups de fronde d'un gamin. Mais on avait à peine le temps de dire ouf qu'avec septembre arrivaient, encore une fois, les derniers-nés, et que ces derniers-nés étaient aussi gros et méchants que leurs parents, — mais noirs, c'est vrai qu'ils naissaient noirs. Bref, il n'y avait pas moyen de gagner.

Les chats aussi, les harets, elle leur faisait la guerre, mais seulement pour reprendre le flambeau, sans rien y mettre de personnel. De fait, cette guerre-là, Jenny ne la menait que par pure loyauté envers sa mère, uniquement pour empêcher ces grands paresseux d'aller se vautrer dans les plates-bandes et de tout y aplatir en se chauffant au soleil — ce « tout » se réduisant d'ailleurs à pas grand-chose, ici à des gerberas épars, là à un rosier ou deux, là-bas encore à un carré de menthe. Les harets, au fond, c'était pour que sa mère lui pardonne d'avoir laissé tomber le jardin qu'elle s'obstinait à leur courir après.

Ils étaient énormes. Etendus de tout leur long, avec leur fourrure noire ou grise, ils ressemblaient à de vieux tapis de feutre avec un petit œil rouge à un bout. Jusqu'au moment où, tout d'un coup, le tapis se mettait à vivre et, grondant, vous menaçait d'un coup de griffe. « Non mais... et ta sœur! leur lançait-elle. T'imagine même pas d'essayer! » De temps à autre — l'habitude —, elle leur jetait son eau de vaisselle à la tête.

Telles étaient les guerres qu'elle menait ouvertement. Les autres exigeaient plus d'astuce.

Il y avait, par exemple, celle qu'il lui fallait livrer aux jeunes gars qui venaient au magasin avec leurs copines et qui, pour rigoler, se rendaient désagréables, chapardaient un truc ici afin de le remettre là, faisaient chier. Il n'était évidemment pas question de leur gueuler après ou de les foutre à la porte. « Ecoutez, vous aut', si vous voulez m'achetez le pot de confiture, vous m' l'achetez, mais vous restez pas là à l'agiter dans tous les sens! »... oui, sans doute, mais les ennuis n'auraient pas tardé. Sans compter que, un, c'étaient quand même des clients et que, deux, ils étaient dangereux. Ils avaient des crêtes — des fois même vertes. Et leurs nanas étaient tout en noir, comme des veuves, et portaient des boucles d'oreilles, les garçons aussi d'ailleurs, et des tatouages. « Combien c'est? » demandait-on et, pendant ce temps-là, un autre en profitait pour se barrer avec une tablette de Picnic ou un paquet de chips. « Allez, salut! » lui lançait-on enfin, et on claquait la porte, et elle, elle leur gueulait : « Pouvez crever! », mais seulement entre ses dents.

Sa quatrième guerre, et là aussi, il fallait la mener en silence, était celle qui l'opposait à Vic. Elle ne datait pas d'hier.

— Bon alors, qu'est-ce qu'y veut? avait-elle voulu savoir la première fois qu'il était venu. Qui c'est, ce type?

Pour être con, c'était con. A l'époque, elle ne savait pas encore y faire. C'était pas comme ça qu'on arrivait à savoir.

— Y veut causer un peu, voilà tout ce que Digger avait consenti à lui répondre. C'est un copain.

Un copain! C'est vrai que les hommes avaient des « copains ». Alors qu'elle, elle n'avait même pas eu une amie. Elle n'avait jamais eu que Digger, et c'était justement ça qu'elle lui reprochait, à ce Vic : il débarquait, il se mettait au milieu et il finissait par le lui prendre.

La première fois qu'il s'était pointé, elle avait cru découvrir un fantôme : ce qu'il pouvait avoir l'air lessivé ! Blanc comme une patate, qu'il était.

— Qui êtes-vous ? lui avait-elle jeté d'un ton de défi.

Il était resté planté devant elle, sa vieille capote militaire lui tombant jusqu'aux chevilles, là, tout couturé et pas rasé, bas du cul et étroit des flancs, sans même parler de ses petits cheveux de blondinet qui lui rebiquaient sur le crâne. Elle aurait pu le renverser d'un souffle. C'est vrai qu'elle était plus jeune. Elle ne l'avait pas fait, elle ne s'était pas débarrassée de lui une bonne fois pour toutes, elle ne s'était rien épargné des quarante années qui avaient suivi et c'était bien dommage. Il aurait valdingué comme un tas de quilles.

— Vic, c'est moi ! lui avait-il répondu comme si elle aurait dû le savoir.

Ce n'était peut-être pas un fantôme, mais elle ne le connaissait ni d'Eve ni d'Adam.

Elle l'avait bien regardé. Tout minable de quatre sous qu'il fût, il ne se prenait pas pour rien.

— Digger est là ? avait-il ajouté en jetant des petits coups d'œil furtifs autour de lui.

Il faisait évidemment semblant de ne pas la voir.

— Evidemment qu'il est là ! lui avait-elle renvoyé... L'est quelque part par là.

Elle lui avait indiqué la direction du fleuve d'un mouvement de la tête — pour ne pas lui en dire trop (qu'il aille donc y voir lui-même) —, et, les mains enfoncées dans les poches de son cardigan, elle l'avait regardé filer, le monsieur aux oreilles décollées et à la grande capote qui lui pendait aux épaules qu'il avait toutes maigres. Comme si elle ne savait pas où se trouvait Digger ! Il était parti derrière la maison.

— Bon alors, qu'est-ce qu'y veut, ce type ? avait-elle redemandé à Digger d'un ton impérieux lorsque, celui-ci étant enfin reparu, elle avait aperçu Vic en train de traînasser sous les filaos.

Ce n'était pas elle qui allait se faire avoir par ces histoires de « copains ».

— Qu'est-ce qu'y cherche ?

La mine soudain assombrie, Digger avait mis longtemps à lui répondre.

— Pas grand-chose, avait-il fini par lui dire, les yeux tournés vers le fleuve.

Il n'avait pas l'air très pressé de descendre le rejoindre, son « copain ».

— Ecoute, Dig, avait-elle repris en baissant la voix, tu veux que j' le vire ?

— Non, lui avait-il répondu au bout d'un instant. Vic, c'est pas le mauvais bougre. C'est un copain.

Sur quoi, Digger avait traversé le jardin, s'était baissé pour passer sous la corde à linge détendue, s'était arrêté assez près du type au manteau pour qu'en se tournant, celui-ci, son « copain », pût le voir. Vic lui avait alors paru si esseulé, et sa taille était pourtant bien impressionnante, qu'elle aurait presque pu le prendre en pitié. Mais non : dès qu'il avait franchi la porte, elle avait flairé quelque chose en lui qui l'avait aussitôt mise sur ses gardes. Il était plus fort qu'il ne le laissait paraître.

Elle avait observé leur face-à-face.

Une bonne distance les séparait. Digger avait hoché la tête. Et alors, rien qu'à voir l'inclinaison de ses épaules, elle avait deviné l'air qu'il avait pris : c'est qu'on le lisait à livre ouvert, le Digger. Puis il s'était mis en route, avait frôlé l'épaule de son copain. Ensemble ils lui avaient enfin tourné le dos et s'étaient engagés sous les filaos.

Ils étaient si loin d'elle qu'elle n'aurait su dire s'ils sc parlaient ou se contentaient de rester assis en silence.

Le silence était quelque chose dont elle jugeait bien. Pour vivre avec Digger, cela valait mieux.

Depuis lors, Vic n'avait pas cessé de revenir, régulièrement, tous les deux ou trois mois — jusqu'à ces dernières semaines.

C'était toujours la même chose. Après, Digger restait muet comme la tombe ; il n'y avait pas moyen de l'atteindre, pas moyen de se faire comprendre. Elle tournait autour de lui comme un oiseau blessé, elle ne savait que faire ou dire qui pût le ramener devant la table où il se tenait — voire seulement dans la maison —, tant il avait sombré dans ses pensées. Elle essayait de ne pas faire de bruit avec les assiettes, mais à chaque coup ses mains la trahissaient et c'était le tintamarre. Il reposait son couteau et sa fourchette sur la table, elle le regardait s'en aller. Errer au clair de lune, faire les cent pas sous l'étendoir, se perdre encore plus en lui-même.

D'autres visiteurs, tous des « copains », eux aussi, Digger en avait bien, mais jamais ils ne l'ébranlaient autant que Vic. En plus, ils ne venaient pas le voir aussi souvent. Même que c'était ça qu'elle lui reprochait le plus, à ce Vic.

Il y en avait un qui s'appelait Ern. Et un autre qui, joyeux et manchot, avait nom Douggy Bramson. C'était avec ce dernier qu'elle se sentait le plus en confiance. Un, il avait un peu de conversation et ne craignait pas de vous la faire partager — on aimait blaguer —, et deux... il y avait sa manche relevée et toujours très proprement attachée avec une épingle et ça, ce truc qui manquait, ça la faisait fondre. Elle essayait de ne pas regarder, mais ne pouvait s'en empêcher. Il le comprenait et ne s'en offensait pas. Une fois, il l'avait même surprise en flagrant délit, mais s'était contenté de lui adresser un petit clin d'œil.

Douggy avait un élevage de volailles à Regent's Park, près de Parramatta. Il arrivait toujours avec un poulet tout préparé.

Tous étaient de vieux copains à Digger. Ça au moins, elle le savait : le passé, ils ne parlaient que de ça en buvant leur thé et en grignotant des crêpes. Debout derrière eux, elle tournait et virait, allait leur chercher du beurre ou de la confiture de fraise, de temps à autre saisissait des bribes de ce qu'ils avaient à se dire : des noms, des bouts d'histoires bizarres. Les noms, elle essayait de les garder en mémoire au cas où leurs propriétaires se pointeraient un jour, mais cela n'arrivait jamais.

Il y avait « Mac ». Et un certain « Jack Gard ». Jack Gard, c'était le type qui avait avalé quarante-deux œufs durs dans une foire près de Tenterfield. Belle histoire qu'Ern manquait rarement de raconter quand il venait les voir. Invariablement il riait comme si c'était la première fois qu'il la narrait. « Non mais, vous vous rendez compte ? s'écriait-il. Quarante-deux œufs durs à la file ! Qu'est-ce vous dites de ça, hein, ma p'tite dame ? »

Il faisait beaucoup de bruit, ce Ern, mais celui qui lui redemandait des crêpes et lui disait qu'elles étaient bonnes, c'était toujours Douggy.

Une ou deux fois, ils avaient parlé du « Vaste Monde ».

Il leur arrivait aussi de parler de Vic. Jenny dressait aussitôt l'oreille dans l'espoir d'apprendre des choses que

Digger lui aurait cachées. Peine perdue. Loin d'en dire rien de nouveau, ils se contentaient de répéter que c'était un sacré numéro, ce qu'elle savait déjà.

« Z'avez pas vu Vic ces derniers temps? disaient-ils. Quoi... Vic Curran?... Ah bon! Il est encore monté vous voir? »

De fait, ils n'étaient pas mieux renseignés qu'elle. Ils cherchaient à en savoir davantage. Ils attendaient, tout comme elle, que Digger leur sortît quelque chose, mais il n'en faisait jamais rien.

C'est qu'il était tout à fait capable de vous rendre fou, le Digger, avec ses secrets et ses silences! Elle avait appris à faire avec. Assise calmement à ses côtés, devant une tasse de thé, vers neuf heures du soir, disons, la table une fois débarrassée, lui en train de travailler à un truc qu'il avait décidé de réparer, la figure collée dessus, les lunettes en équilibre au bout du nez et elle en train de tricoter, souvent elle l'entendait lui parler dans la tête, avec tant de clarté qu'automatiquement elle lui répondait. Mais, lorsque enfin elle levait les yeux, toujours elle le voyait perdu dans son travail. Il n'avait rien dit. Ou s'il avait parlé, l'avait fait sans s'en rendre compte.

N'empêche : il y avait des fois où il parlait vraiment, et assez soudainement pour qu'elle ne puisse pas s'empêcher de sursauter. « Toi, moi et Billy... » disait-il avec un vague rire dans la voix. Et alors elle sautait presque au plafond.

« Quoi? disait-elle. Billy?... Lequel? »

Billy...

Il y en avait bien un, mais elle n'arrivait pas à croire que Digger le connût. Billy le planteur de tentes. Un jour, il y avait des années de cela, elle était partie avec lui à Brisbane.

« Mais si... tu sais bien.

— Ah bon?

— Mais oui... Je te l'ai déjà dit. Billy, notre frère!

— Ah...! Lui! »

Parce que là, oui, il avait une histoire à raconter et lui narrait quelque incident de leur enfance dont il se souvenait, au contraire d'elle, bien qu'elle eût trois ans de plus que lui. L'histoire du pneu que le père avait accroché au poivrier pour leur faire une balançoire — Digger devait avoir deux ans, mais comment diable faisait-il pour se rappeler des trucs pareils ? —, ou de la boîte à chaussures remplie de vers à soie. Même que, dès qu'il se mettait à lui décrire sa boîte, elle recommençait à y entendre des frémissements, à y voir des petites créatures grassouillettes, tout d'argent, mais aux pattes plus sombres, en train de relever la tête en boulottant et en avançant sur des feuilles ; sentait, ça aussi, à nouveau l'haleine d'un enfant plus jeune dans son cou. Etait-ce Billy ?

Il lui aurait suffi de tourner la tête pour le retrouver. Mais il fallait bien se protéger. Jenny n'avait aucune envie que Billy, leur frère, ressuscitât d'une manière trop réelle. Céder à la tentation, c'eût été se condamner à la douleur de le perdre à nouveau, car il avait disparu, ou alors de le voir grandir et devenir insupportable. Eût-elle permis à ce petit morveux de vieillir —, pour elle, il avait toujours de la morve qui lui pendait aux narines, et jamais, c'est vrai, elle ne la lui ôtait d'un mouvement tournant du doigt — qu'à la fin il eût fini par avoir soixante ans et se fût donc retrouvé avec eux. La merde. Encore plus de draps à laver, encore plus de patates à éplucher, une serviette puante de plus près de la baignoire, des ronflements et des reniflements à n'en plus finir. Il savait s'incruster.

« De quoi qu'il est mort, lui ? » demandait-elle pour abréger.

A long terme, c'était plus gentil.

« Billy, c'était bien la diphtérie... non ? »

Plus gentil et plus rapide. Ce qu'elle regrettait de ne pas avoir procédé de la même façon avec Vic, et dès le début ! Sauf qu'avec Billy, c'était plus facile : Billy était vraiment mort.

L'ennui avec Digger, c'était bien qu'il avait la mémoire longue. Qu'encore un peu, il se serait souvenu de tout.

2

Parmi tous ceux qui, nouveaux venus à l'Embarcadère, allaient le voir pour discuter d'un petit boulot qu'ils avaient envie de lui commander — cela pouvait être une terrasse à rallonger ou une toiture neuve à poser —, personne ne doutait que ce fût la guerre qui lui avait donné son nom. Le visage maigre et tanné comme du cuir, Digger parlait peu et avait toujours un clope au bec, et un autre en réserve, roulé de frais, derrière l'oreille.

De fait, « Digger », il l'était depuis sa naissance, ou presque. C'était comme ça qu'on l'avait appelé, sans prescience particulière, bien avant que s'annonce le moindre conflit auquel il aurait pu prendre part en grandissant.

« Albert » : tel était le prénom que sa mère lui avait choisi — en se gardant le droit de l'appeler « Bert ». Son père, lui, avait tout de suite vu en lui un autre homme dans la maison, mi-copain mi-compagnon de travail.

« C'est ça... creuse ! lui soufflait-il alors que Digger était à peine en âge de le comprendre, faut qu'on y jette un œil, à c'te siphon ! Tu tiens bon ?... Putain ! C'est pas génial, hein ? » Ou bien encore : « Allez, l' Digger [1], faudrait voir à s' magner, sinon la vieille va nous faire not' fête ! C'est pas qu'on aurait envie d'être mal notés, pas vrai ? » Le surnom lui était resté. Au bout d'un certain temps, sa mère même avait fini par s'en servir : c'était à lui que l'enfant répondait. Mais elle avait toujours regretté Albert.

1. Digger : celui qui creuse, le sapeur. Surnom donné aux chercheurs d'or ou aux soldats australiens et néo-zélandais. (NdT.)

« Albert... Bert. » C'était sous ce prénom qu'elle avait pensé à lui pendant tous les mois qu'elle l'avait porté ; sous ce prénom encore qu'elle lui avait parlé et que, plus tard, elle avait cru — ah, ce qu'il pouvait être futé ! — que toujours il se souviendrait des secrets qu'elle lui confiait, celui de son prénom y compris. Mais, dès après sa naissance, c'étaient les besoins et les exigences du père qui l'avaient emporté.

« Digger » il était devenu et il n'y avait bientôt plus rien eu à y faire.

Il y avait eu la première, Jenny. Elle avait l'esprit lent. Lorsque Digger était arrivé, la deuxième, May, n'était déjà plus. Comme elle, la troisième, Pearl, n'avait jamais fait que survivre assez longtemps pour, en mourant, devenir lancinante absence au cœur de sa mère. Qui avait beaucoup misé sur Bert.

Là-bas, au pays, dans l'orphelinat anglais où elle avait grandi, elle avait donc eu un frère, Bert. C'était même la seule chose qu'elle avait jamais eue en propre. Petit bout d'homme trapu et sombre de peau, il avait deux ans de moins qu'elle. A force de s'occuper de lui, elle en était venue à croire qu'il ne pourrait jamais se débrouiller sans elle.

Parce qu'il ne se souvenait pas de leur vraie maison et avait oublié leur mère, elle s'était mis en tête de lui rendre son passé, une histoire après l'autre, s'était efforcée de lui inculquer tous les souvenirs qu'elle avait gardés de la petite chambre enténébrée où ils avaient vécu. Cela n'allait pas loin, mais en lui parlant, un jour, de la robe jaune que portait leur mère, en lui montrant, un autre, la photographie de deux vaches à poil long perdues dans le brouillard, elle avait quand même espéré que, prenant vie en lui, tous ces détails finiraient par lui constituer une mémoire qui ne serait qu'à lui. Elle le lui devait. Tout autant qu'à Ma.

Il suffisait, hélas, que, leurs genoux à s'en toucher, elle l'assît sur un banc en face d'elle pour que très peu de choses lui reviennent en mémoire. Et lui, il était trop petit pour l'écouter. De fait, il n'était pas rare qu'alors elle se retrouvât à scruter son visage pour y découvrir quelque ressemblance qui, les unissant, eût pu raffermir les traits pâles et pincés d'une image de sa mère qui, en elle, avait déjà commencé à perdre de sa netteté. Elle voulait tellement être sûre de ne pas être seule au monde que, par moments, son frère en prenait peur. Se cachait pour l'éviter.

La dernière fois qu'elle l'avait vu : grands yeux et gros genoux, il traînait les pieds et, en rang comme les autres, dans le froid, montait les marches qui conduisaient à la salle de classe. Elle se trouvait au bas de l'escalier et, vêtue d'une robe retaillée, tenait le petit baluchon qu'on venait de lui confier. Elle avait onze ans et s'apprêtait à aller travailler « dehors ». Comme domestique.

La tache sombre de son visage au-dessus de la rambarde en courbe, telle serait la dernière image qu'elle garderait de lui. Il s'était dressé sur la pointe des pieds, il avait froncé les sourcils. Puis il avait levé la main et l'avait agitée en l'air. Lorsque, trois ans plus tard, elle était revenue à l'orphelinat, il était déjà parti en apprentissage à Liverpool.

Ce qui fait que lorsque, ses impressions se vérifiant, elle avait fini par avoir un garçon, elle s'était tout de suite battue pour lui ; dès le premier jour avait scruté son visage pour y retrouver une ressemblance avec Albert, ce Bert dont il portait le nom, et y déceler tout ce qui eût pu lui dire que sa famille, dont elle ne savait rien, se continuait en lui. Mais avait renoncé. Son bon cœur avait eu le dessus. Ellc savait ce qu'était la solitude et, le sachant, avait vite compris combien l'homme qu'elle avait épousé, un gamin, avait envie d'une forme de compagnie qu'elle ne pouvait lui donner ou qu'il était, lui, incapable d'accepter. Digger, s'était-elle dit, ce n'était pas tant un surnom que la certitude que son homme aurait un jour la compagnic qu'il désirait. Car elle ne pourrait pas la lui interdire. En attendant, avant même qu'elle ne l'ait compris, Digger était devenu un prénom, un vrai, l'enfant ne répondant bientôt plus à aucun autre. Albert ou Bert, l'offrande qu'elle avait faite à un passé qui s'étendait au-delà de ses plus lointains souvenirs s'était muée en simple prénom perdu dans un registre. Jamais son fils ne s'en servirait.

Digger n'avait certes pas été son dernier enfant. Un an plus tard il y avait eu Bill. Puis James, puis Leslie. Il n'empêche : Albert, lui, avait déjà fait son temps. De toute façon, eux non plus n'avaient pas survécu, les garçons tout autant que les filles. Tant et si bien qu'à la fin il n'était plus resté qu'eux. Eux deux : Digger et Jenny.

Billy Keen avait filé en France à quinze ans. Lorsque, rescapé des champs de bataille de Pozières et de Villers-Bretonneux, il était revenu au pays, il avait déjà, à dix-huit ans, vécu la grande aventure de sa vie. Bien que marié et plus ou moins établi, en qualité de chef passeur à l'Embarcadère, il avait alors, en esprit au moins puisqu'il sortait à peine de l'enfance, continué à vivre à l'insoutenable niveau de témérité, de terreur et de pure pitrerie qui, jusqu'à la fin, devait l'aider à mesurer ce que doit être une vie d'homme lorsqu'on la pousse jusqu'à ses limites les plus extrêmes.

Pendant un temps, l'Histoire l'avait jeté dans un univers où prendre des risques, jusqu'aux frontières mêmes de la mort, étant une question d'honneur, la force animale avait toute latitude pour s'exprimer. Son élément. Après ça, la vie à l'Embarcadère lui avait fait l'effet d'un châtiment quotidien. Il en avait haï la régularité, avait détesté les horaires du ferry — les six minutes que durait la traversée, et les six autres que prenait le retour —, n'avait pas supporté de devoir rentrer chez lui à l'heure, de se laver et se préparer pour déjeuner à midi et boire le thé à six heures, avait trouvé odieux qu'on s'attarde à des histoires de fourchettes et de couteaux, que sans cesse on se préoccupe de l'état de ses chaussettes. Que les Keen aient vécu à l'Embarcadère depuis plus d'un siècle et que la maison où il vivait portât son nom ne signifiait rien à ses yeux. Il se sentait trop jeune pour avoir la responsabilité d'une famille qui, sortie d'on ne savait où, ne faisait que le bouffer (ainsi voyait-il les choses en rêvant, debout à la barre de son bateau). C'était elle, la fille qu'il s'était dégotée, qui était la cause de tous ses maux.

Il l'avait rencontrée la semaine même de son retour. Elle servait dans un bar de la ville. Il l'avait regardée une fois et s'était dit : « Elle fera l'affaire. »

Il s'était dit ça sans réfléchir : parce qu'il avait dix-huit ans, parce qu'il voulait une fille rien que pour lui, parce qu'il ne savait pas. Enfin il était de retour au pays, la suite, c'était de se marier. C'était ce que faisaient les copains. Comme si l'on pouvait s'y prendre autrement ! Il ne savait rien d'elle, hormis qu'elle était joyeuse, qu'elle venait d'arriver dans le coin et qu'elle avait les lèvres douces et un rien colorées. De la teinte même dont il avait passé trois ans à rêver. Elle régnait sur les voyous qui peuplaient son bar — sis aux Rocks, sur les quais — avec une aisance et une fermeté qui avaient de quoi impressionner. On pouvait la faire marcher, oui, mais jusqu'à un certain point seulement, et elle ne perdait pas de temps à vous le faire savoir. Cela l'avait beaucoup amusé.

Elle avait, elle, tout de suite compris ce qu'il voulait. En cela, il n'était pas différent des autres. Mais il avait quelque chose qui l'attirait. On aurait dit un grillon, toujours à chanter et à tenter sa chance. Ses bravades de militaire ? Elles avaient pris la forme civile de l'impudence, surtout lorsqu'il était question de filles. Il vous regardait droit dans les yeux et paraissait si sûr de son pouvoir qu'elle avait souvent envie de rire. « Oui, c'est bien moi, proclamaient ses airs de matamore. Je ne suis pas mal, non ? » Et alors il clignait de l'œil et vous montrait jusqu'à quel point il était content de lui. « Ça ne suffirait donc pas ? »

En fait, il se trompait. Ce n'était pas cela qui avait emporté la décision. Faire la part d'exagération qu'il y avait dans l'espèce de manière chaloupée, et combien naïve, qui, comme ça, croyait-il (les filles, c'est pas dur à attraper), allait arriver à la vaincre, n'avait rien de compliqué. « Pas de ça avec moi, mon p'tit monsieur », lui renvoyait-elle avec un regard bien à elle, et elle serrait les mâchoires.

Elle aussi était pourtant fort pressée de fuir la vie qu'elle menait. S'établir, elle en avait plus qu'envie. C'était même pour cela qu'elle avait parcouru des miles et des miles. Quelque chose qu'il avait dit, en passant, lui avait fait dresser l'oreille. Il venait d'un endroit qui portait son nom. Là-bas, dans son Angleterre natale, posséder une maison ou un manoir familial, à tout le moins une ferme de quelque importance, cela voulait dire quelque chose. Dès qu'ils se trouvaient sur une carte, les noms de famille acquéraient de la solidité, vous enracinaient dans des réalités mesurables : tant et tant d'acres. Qu'est-ce que c'était que cet « Embarcadère des Keen » dont il parlait souvent ? Pas un manoir, évidemment. Elle savait bien dans quel pays elle vivait ; sotte, elle ne l'était pas entièrement. Mais, sinon un manoir, au moins quelque chose. Pratique comme elle l'était, elle avait enregistré. Et ajouté le renseignement à la réalité immédiate, et combien plus touchante, de ses oreilles.

Billy Keen aurait en effet été fort surpris, voire un rien dépité, s'il avait seulement deviné que ce qui l'avait conquise n'avait jamais été — oh ! que non — son baratin, mais bien plutôt la manière plus que révélatrice dont il rougissait des oreilles. Ce que, même si elle ne s'en rendait pas encore compte, il éveillait alors en elle ? La mère qu'elle ne manquerait pas de devenir sous un an si jamais elle décidait de le prendre pour époux. Billy Keen avait les oreilles en coquillages.

En réalité, ils s'étaient trompés tous les deux. Ce qu'elle avait pris pour des airs de petit garçon effarouché n'était que légèreté dont il ne parviendrait jamais à se débarrasser. De la volonté, il en avait — jusqu'à l'obstination. Billy n'était pas quelqu'un qu'on mène. Cette compétence qui si fort l'avait amusé en elle ? Cette aisance avec laquelle elle savait se débrouiller des hommes, de la monnaie à rendre, des verres à remplir et de toutes ces audaces qu'on avait en parlant ? Plus rien ne lui en avait plu dès que, jour après jour, elle s'était mise à l'en gratifier, lui. Pour être compétente, ça, elle l'était. Et ambitieuse. Et jamais ne lâchait une fois qu'elle avait démarré.

Jamais de sa vie elle n'oublierait le voyage qui l'avait conduite à l'Embarcadère. Peut-être était-ce parce que le destin avait voulu qu'elle ne le fît que cette seule fois. Tous les détails lui en semblaient encore neufs.

Bien des années plus tard, la fin était déjà proche, par un jour venteux du mois d'août, debout au sommet de l'escarpement qui se dressait derrière l'Embarcadère, elle devait découvrir avec stupéfaction que Sydney, qu'elle avait toujours crue à des mondes de distance, plus éloignée même, par certains côtés, que sa lointaine Angleterre, n'avait jamais cessé d'être visible de l'endroit où elle se tenait. Trente miles, à peine, l'en séparant, elle aurait pu venir la contempler à n'importe quel instant de sa vie. Déjà les derniers faubourgs de la cité commençaient à grignoter les pentes de la barre rocheuse où elle était montée.

Car ce n'était pas cette ville-là qu'elle avait connue, puis quittée, plus de trente ans auparavant. Sydney n'était alors qu'une manière de gros bourg campagnard envahi par les tentacules d'un port qui ne cessait de s'étendre. Là le tram à ciel ouvert cahotait et faisait naître des étincelles au bout de ses perches, là se traînaient, tirés par des chevaux, de lourds chariots chargés de tonneaux, des gamins aux pieds nus beuglant à tous les coins de rues les manchettes des journaux qu'ils vendaient ; l'endroit était minable, tout en pentes raides, avec des bateaux de toute espèce, au moins en voyait-on les mâts au bas de chaque ruelle. Ce qu'elle y avait découvert une moitié de vie plus tard ? Des gratte-ciel, et rien de plus.

Parcourir ces trente miles, en train, puis en sulky, lui avait pris une journée entière. Elle avait traversé des faubourgs entièrement faits de bungalows neufs construits en brique et entourés de pelouses envahies par le tauzin et le rhododendron, puis, une fois dépassé le dernier réverbère, avait découvert des jardins maraîchers cultivés par des Chinois. Enfin ils avaient débouché sur un plateau à ciel ouvert et parcouru par des boules de nuages qui filaient sous le vent. De part et d'autre de la voie ferrée s'étendait de la broussaille en fleurs, ici et là brisée par les affleurements de la roche. La petite gare où ils étaient descendus ? Complètement isolée. Ils l'avaient laissée derrière eux et, pour gagner le fleuve, avaient pris une manière de grand chemin en lacet — la « route », leur avait-on dit. Les arbres qui la bordaient étaient, au-dessus et au-dessous d'eux, d'une espèce qu'elle n'avait encore jamais vue. Sortes de géants couverts d'une ramure qui faisait songer à des bouquets de plumes, ils avaient des troncs et des branches dénudés qui, tous de couleur blanche ou rose et incroyablement tordus, semblaient disparaître sous des plis de graisse à la hauteur de leurs fourches. Par endroits, des terrasses s'inclinaient et se jetaient en avant selon des angles divers, l'air étant lourd d'une odeur d'excrément animal à laquelle se mélangeaient des parfums de fougère piétinée. Elle avait vite compris qu'on était loin de l'Angleterre de ses rêves et avait alors senti jusqu'à quel point le romantisme de ses espoirs l'avait abusée.

Ils avaient quitté la grand-route, ils avaient pris un

chemin qui, quoique moins fréquenté, avait lui aussi droit au titre de « route », ils étaient enfin descendus jusqu'à l'endroit où, au bord de l'arc que dessinait le fleuve, le magasin trônait au cœur de sa parcelle de poussière. Moteur au point mort, le ferry les attendait au bord du Hawkesbury.

— Alors ? lui avait-il lancé. Qu'est-ce que t'en penses ?

Elle n'en pensait rien. Cela faisait déjà plusieurs miles qu'elle avait renoncé à penser, hormis pour se jurer de ne plus jamais repasser par ce chemin. Quoi que pût lui réserver l'avenir, elle l'accepterait et essaierait d'en tirer le meilleur parti. Treize mille miles pour arriver d'Angleterre, plus trente pour se retrouver ici, cela suffisait.

La route s'arrêtait à l'Embarcadère, mais, reprenant de l'autre côté du fleuve, filait plus loin — vers Gosford, Woy Woy et Maitland, lui avait-il dit, en prononçant ces noms comme s'ils étaient des lieux de fuite possibles. N'en ayant elle-même jamais entendu parler, elle lui avait répondu qu'elle s'en moquait. Tout comme de Sydney d'ailleurs. On ferait avec ce qu'il y avait.

Cela n'allait pas loin. Modeste grandeur ou simple permanence, tout ce qu'elle avait imaginé et, dans son ignorance, espéré trouver dans une maison et un jardin aux airs respectables, ce serait au paysage même qu'il faudrait l'arracher. Sauvage, celui-ci l'était, mais il lui avait suffi de cesser de penser dans les termes d'antan, d'ouvrir les yeux et de ne plus se refuser à son charme pour être frappée par son immobilité et par l'espace que partout l'on pouvait y respirer.

Ce n'était pas ce qu'elle voulait (mais comment aurait-il pu en aller autrement alors qu'elle ne savait même pas qu'un tel lieu pût exister ?) et, pour s'être pendant l'essentiel de sa vie préparée à tout autre chose, elle n'avait pas été certaine non plus d'avoir les qualités requises pour pouvoir s'en accommoder. Il n'empêche : maintenant qu'elle y était, elle sentait qu'en elle quelque chose désirait cet endroit. Et que ce quelque chose étant nouveau, il faudrait bien que ledit s'en accommode lui aussi.

Alors, advienne que pourra, à cette chose elle s'était dévouée dans l'instant, s'en était fait une mission.

Cela ne faisait pas longtemps qu'il était de retour au pays, mais, déjà, il n'était pas très heureux de ce qu'il vivait. Assis sur une bûche, il l'observait en suant et chassant les mouches.

— Pas trop déçue ?

C'était elle qui avait insisté pour venir. Histoire de jeter un coup d'œil ! Il avait escompté que la tristesse des lieux la ferait reculer. On visiterait un peu, puis on rentrerait à la ville. Lui, c'était Sydney qu'il voulait.

Sauf que l'espèce de résignation farouche qu'il avait alors découverte sur son visage lui avait soudain fait sentir qu'elle n'était peut-être pas la femme qu'il s'était imaginée. Elle s'était mise à marcher, elle avait tout regardé, elle avait posé des questions. Profond, le désespoir l'avait englouti : l'Embarcadère lui plaisait. Elle échafaudait des plans.

Large, le fleuve courait entre des falaises de granite qui, d'un beau jaune orangé sous les rayons du soleil couchant, étaient comme tapissées des mêmes arbres bizarrement carnés qu'ils avaient aperçus en venant. Mais, devant le magasin, il y avait un poivrier et, derrière, se dressaient des pins d'Ecosse. Ces derniers avaient, eux aussi, l'air bien lugubre lorsqu'on les comparait aux arbustes d'un bush tout en aériennes légèretés. Familiers, ils l'étaient certainement, mais c'était justement ça qui lui déplaisait. Il n'empêche : c'était à travers leurs branches qu'on voyait de quoi le bush était fait.

Pas la moindre trace de jardin. Pas même un géranium dans une bassine.

Et la maison n'était rien, qui se réduisait à un magasin à comble sur pignons, tout en planches que l'on n'avait pas dû repeindre depuis des éternités et dont une bonne partie tombait en ruine. Et les trois pièces de derrière étaient minuscules.

Ce que Billy n'aurait jamais pu deviner en la suivant pas à pas et en se sentant de plus en plus mal, c'était que cela dépassait tout ce qu'elle avait connu jusqu'alors. Tout était à faire, certes, mais le résultat lui appartiendrait, à elle.

La porte avait été condamnée avec des planches. « Bah, s'était-elle dit, il suffira de les déclouer. » Il y avait des détritus partout — hormis dans une chambre, celle où vivait Peter, le frère de Billy. Vivait, ou plutôt campait, dans un espace qu'il s'était aménagé en repoussant l'ordure aux quatre coins de la pièce. Ça, il n'avait pas hésité une seconde à la leur offrir, cette maison ! Et à refiler son boulot de passeur à Billy, s'il en voulait. Il mourait d'envie de s'en aller.

Qu'elle avait été impatiente de le rencontrer, ce frère ! Comme elle avait espéré qu'il lui apprendrait des choses que Billy ignorait, ou ne voulait pas se donner la peine de lui raconter. Enfin elle avait de la famille, elle allait en tirer tout ce qu'il était possible d'en tirer. Elle s'était même vue en train de préparer les repas du frère et de s'occuper de son linge. Tout, pourvu qu'en échange il lui fît des confidences.

Un seul regard avait suffi à la faire déchanter. Pour ce que les deux frères avaient eu à se dire, ils auraient tout aussi bien pu ne pas se connaître. Elle avait suivi Peter jusqu'à son tas de bois en essayant de l'arracher à son mutisme, il avait eu peur à en perdre la tête. Appuyé sur sa hache, il avait marmonné des choses d'un air tellement timide et gêné qu'elle avait cru qu'il allait s'étrangler. Il était loin d'avoir la légèreté de Billy. Lequel était resté debout à la porte du taudis et avait beaucoup ri.

Cette maison, Pete ne l'avait jamais habitée que comme s'il l'avait trouvée par hasard sur sa route et — ça aussi, elle l'avait bien vu — c'était dans le même état d'esprit que Billy y était revenu. Le magasin et tout ce qu'elle y découvrait ne signifiaient rien à leurs yeux. Pete était certes resté jusqu'à la fin de la semaine, mais uniquement pour ne pas perdre son salaire. Quant à elle... il n'avait cessé de l'éviter. Après quoi il était parti et n'avait plus jamais donné signe de vie.

Que ces choses qu'elle tenait pour sacrées puissent les laisser aussi indifférents la stupéfiait. Cet endroit ne portait-il donc pas leur nom ? Cette maison n'était-elle pas celle où ils avaient grandi, même si, pour finir, elle appartenait maintenant à des rats-kangourous dont on voyait partout les nids ? L'abandonner ainsi à de grosses araignées avec des poches à œufs accrochées sous le ventre ? La livrer aux cloportes et aux scolopendres ? Retroussant ses manches, elle en avait débarrassé et entièrement nettoyé les trois pièces. Billy n'avait rien fait pour l'aider. A peine s'il avait remarqué son travail. Comme Pete, il n'était jamais aussi heureux que lorsqu'il pouvait camper par terre, porter la même chemise crasseuse pendant une semaine et s'asperger la figure avec deux doigts d'eau tirés dans un seau. Billy était, elle le voyait bien enfin, une manière de sauvage qui, tel le gamin de dix ans, ne supporte pas qu'on lui suggère de se laver le cou, à tout le moins les pieds, avant de se coucher.

La maison ne contenait guère de reliques indiquant qu'on y aurait jamais vécu. Un jour pourtant, en farfouillant au fond d'un buffet, elle était tombée sur un tas de photographies. Elle les avait aussitôt époussetées et, les ayant posées sur le meuble branlant, avait passé le reste de sa matinée à les étudier dans l'espoir d'y trouver quelque chose qui lui dirait un peu sa belle-famille, ses enfants lorsqu'elle en aurait, et le bonhomme qu'elle avait épousé — et longuement questionné dès qu'il était rentré de son travail.

— Ça ?... Ça, c'est Merle, lui avait-il dit d'une grande fille qu'avec ses airs un peu lourdauds et sa mine fatiguée, elle avait d'abord pris pour sa mère.

Billy avait regardé la photo en rajustant ses bretelles sur ses épaules.

— Ouais, c'est Merle, avait-il répété. Elle habite du côté de Lismore. Ou de Casino. Je sais pas.

Elle l'avait pressé, il avait fini par lui donner les noms de tout le monde.

— Ça, c'est Jess. Nom de Dieu ! Quelle sauvage !

— Et où elle habite, elle ? lui avait-elle demandé d'un ton impérieux.

— Mais je sais pas ! Elle s'est mariée, elle est partie dans l'Ouest, quelque part, je sais pas. C'est pas une perte.

Eric devait travailler dans les chemins de fer.

— Un drôle de type, Eric, avait-il dit en riant. Un peu fêlé.

Leslie ?

— Barrée au Queensland, oh... y a des éternités. S'est caltée, comme ça. T'aurais dû entendre les hurlements du père ! J'étais encore qu'un mioche.

Il lui avait dit tout cela sans s'y intéresser vraiment, ni non plus lui fournir aucun détail qui eût pu donner la moindre réalité à son passé. Ils avaient tous filé, il ne les reverrait sans doute jamais plus, et s'en moquait totalement. Avait-il ses raisons ?

Sur une de ces photos, elle avait enfin découvert le père et la mère de la couvée éparpillée. C'était le jour de leur mariage : en chemise à col dur et costume qui semblait le serrer aux entournures, il avait la mine fermée de l'ouvrier qui ne sait pas où mettre ses mains ; assise devant lui sur un siège en forme de cupule, elle portait une jupe large et à son coude avait un piédestal et une urne.

Aussi pétrifiés par l'occasion qu'ils eussent l'air, elle avait essayé de retrouver en eux quelque chose qui pût expliquer pourquoi tous leurs enfants s'étaient, sans exception, sauvés de chez eux sans même jeter un regard en arrière, sans, à tout le moins, elle le voyait bien, en éprouver un quelconque regret aujourd'hui. De la brutalité, et de quelle espèce, chez lui ? De l'insignifiance, de l'ignorance ou de la terne indifférence, et de quelles sortes, chez elle ? N'avait-on pas réussi à s'accrocher ? Ni même seulement à voir, à condition que Pete et Billy en fussent la preuve, qu'il était des choses auxquelles il faut quand même s'accrocher ?

— Ouais, c'est Papa, avait-il dit.

Et avait froncé le sourcil et s'était frotté le menton du plat de la main d'un air irrité.

Il lui avait pris la photo et l'avait regardée de près.

— Ouais... et ça, c'est ma mère, avait-il déclaré comme si, au lieu de vouloir entendre quelque détail qui eût pu la lui rendre vivante, son épouse avait préféré connaître l'identité de la femme qui se tenait à côté de son père. Du temps où elle était encore jeune, avait-il précisé.

Voilà tout ce qu'il avait trouvé à lui dire. Elle l'avait regardé en se demandant ce qui avait bien pu le blesser au point de tout tuer en lui. Etait-ce qu'il n'avait jamais eu de sentiment ?

Au début, elle avait cru que, tout bêtement nonchalant, il n'aimait pas qu'on l'embête et avait mis la chose sur le compte de sa jeunesse. La vérité était autre : Billy n'avait cure de rien et s'étonnait même qu'elle prît tant de choses à cœur. Alors il la regardait d'un air authentiquement surpris, puis en était froissé, puis agacé, mais quelques instants plus tard était de nouveau tout enthousiasme et affection, la chahutait si elle lavait le linge à la brosse, gamin bourru et joyeux, la pressait de se mettre au lit alors qu'il faisait encore grand jour.

— Qu'est-ce qu'y a ? lui demandait-il lorsque enfin ils étaient entre les draps. C'est toi qu'as voulu venir ici, non ? Et moi qui croyais que tu t'y plaisais !

— Voilà la famille de votre père, disait-elle à Digger et Jenny.

Et alors il y avait dans sa voix une véhémence qui, aussi fort qu'elle tentât de la masquer, n'était pas loin de la férocité.

— Et voilà votre grand-mère... Et ça, c'est le papa de votre père, votre grand-père.

Et ainsi de suite pour chacun de leurs oncles et chacune de leurs tantes. Elle avait décidé qu'ils auraient une famille, elle leur en montrait tout ce qu'elle pouvait leur en montrer. Qu'en dehors de Pete, elle n'ait jamais connu une seule de ces personnes la mettait en rogne.

C'est vrai qu'ils auraient tout aussi bien pu disparaître dès après qu'on les avait pris en photo — pour ce qu'ils avaient laissé de traces dans la maison ! Dans la maison ou ailleurs. Car jamais elle n'avait retrouvé un seul de leurs jouets. Pas même une poupée en bois ou une toupie taillée à la main. Même pas dans la cour lorsqu'elle en avait retourné la terre pour défricher son jardin. Personne ici jamais n'avait gravé son nom sur un meuble, gribouillé un dessin sur un mur, marqué d'un trait de crayon sa taille sur une porte. A moins qu'elle ne l'en presse, jamais Billy ne parlait de son enfance et quand par hasard il le faisait, c'était pour n'en rien dire. Peut-être n'en avait-il pas eu. Il était né avec la guerre.

Ses parents à elle ? Jamais, elle en était convaincue, ils n'auraient cédé aussi facilement à l'anéantissement. Elle avait, elle-même, envoyé lettre sur lettre à l'orphelinat dans l'espoir de retrouver Bert.

Défi lancé à cette indifférence quasi criminelle qu'elle sentait du côté de leur père, elle s'était mise à inculquer sa vision des choses, qui était proprement fanatique, à Digger, et aussi à Jenny, autant que faire se pouvait. Toute sa vie durant elle avait dépéri de ne pas avoir ce que ces gens, ces Keen dont Billy faisait partie, jetaient comme aux ordures, jamais elle ne permettrait que ses enfants deviennent comme eux en grandissant.

Et d'abord l'Embarcadère, l'Embarcadère des Keen.

Ils y seraient chez eux jusqu'à la fin des temps : l'endroit portait leur nom. Il ne serait que de regarder la carte pour le constater : au bout des pointillés partant de la grand-route, là, un rond pour le magasin et, à côté, « l'Embarcadère des Keen », en italiques. Lui tourner le dos, ne faire même que s'en éloigner était un crime. Contre soi-même d'abord. Contre ce qu'on avait eu la bonté de vous confier ensuite. Contre le lieu lui-même enfin. Eût-on ignoré de quoi il s'agissait qu'il eût suffi d'ouvrir les yeux et de regarder autour de soi pour le savoir.

La famille ensuite. Car ça aussi, c'était une manière de lieu, dans le temps. Lui tourner le dos, ne faire même que s'en éloigner, c'était perdre tout contact avec le lignage des choses. Et le lignage était sang. Renier sa famille, c'était voir son cœur se vider de son sang.

Elle avait l'air féroce et, c'était déjà ça, Digger en restait terrifié. Aussi bien était-ce une véritable profession de foi qu'elle lui faisait et de cette religion purement personnelle devenait l'implacable incarnation.

Ceci encore : à l'orphelinat, Bert et elle avaient eu droit à de bonnes doses de prédication. Pour l'essentiel, cela ne l'avait guère impressionnée, mais une chose l'avait frappée, qu'elle avait aussitôt incorporée à son credo : ce que l'on décrochait dans l'autre monde n'était jamais supérieur ou inférieur à ce que l'on avait, et faisait de ce que l'on avait, dans celui-ci. Traversait-on sa vie sans rien en tirer que ce rien était très exactement ce que l'on allait retrouver dans l'au-delà. Pareille loi était dure, mais si bien s'accordait à certains traits de son caractère qu'elle l'avait prise au pied de la lettre.

L'avenir, c'était une maison avec des rideaux et des meubles, les visages souriants d'enfants assis autour d'une table où s'empilait de la nourriture (jusques et y compris des ananas) et sur laquelle on avait disposé de beaux couteaux, des verres et des assiettes comme on en avait dans les maisons où elle avait travaillé. Dans une cage, un rollier allemand faisait des trilles, de temps en temps plongeait la tête dans un bain à oiseau, en s'ébouriffant les plumes jetait de scintillantes gouttelettes aux alentours. Ouvrait-on les tiroirs qu'on y découvrait des tabliers, des napperons pour le thé, des serviettes de table, tous joliment pliés — et encore des ronds de serviettes en argent gravés aux initiales de chacun; plus des pinces à sucre et des ciseaux à raisin, ciselés.

Toutes choses qu'elle voyait des plus clairement en esprit, même si, de fait, elle n'en possédait toujours pas une seule. Car elle n'avait rien. Qu'importe : tout était déjà là, attendait seulement qu'elle s'en empare, contribuerait à sa réussite ; car morte, oui, elle trônerait au cœur de ses objets et en serait satisfaite, enfin légitime ; et autour d'elle ses enfants et petits-enfants se tiendraient, et autour d'eux chaque objet se trouverait à sa place, jusqu'au plus insignifiant aurait été sauvé de l'ordinaire, à jamais vivrait dans l'éternel et pourtant serait reconnaissable, tangiblement lui-même.

Ainsi avait-elle tenté d'inculquer son rêve à Digger et à Jenny afin, en partie, de leur faire comprendre pourquoi elle s'accrochait tellement aux choses. Elle avait réussi avec Digger, mais l'avait vu interpréter son idée à sa manière. Il en avait fait quelque chose de trop littéral et ce n'était qu'au bout d'un certain temps qu'elle avait compris que le résultat obtenu ne ressemblait guère à ses espoirs. Certes elle avait fait de lui un prêtre, mais un prêtre qui prêchait une foi bien à lui.

Faire et rassembler, tel était son espoir lorsque, se vouant entièrement à la religion de la chose à acquérir, elle s'était mise en devoir de remonter le magasin.

Elle s'y entendait en chiffres, commandes, factures et autres, elle ne s'en était pas plus laissé compter par les représentants, qui se pointaient avec des échantillons, qu'avant elle n'avait cédé aux poivrots qui fréquentaient son bar. Le magasin prêt, elle était passée à la maison. Dans le catalogue des établissements David Jones elle avait choisi des rideaux et du papier peint ; et, plus tard, avait acheté un service de table, de chez Wood, pas du japonais bon marché, plus un jeu de ronds de serviettes en celluloïd avec initiales gravées.

Billy observait tout cela d'un œil soupçonneux. Qu'elle fût aussi méthodique le mettait mal à l'aise, la tendance qu'elle avait, trouvait-il, à toujours le surveiller — « à s'en tenir à un minimum de décence », aurait-elle dit — ne tardant pas à le pousser à la rage. Il avait épousé une jeune demoiselle dodue avec des boucles blondes et un rien de couleur aux lèvres, il se retrouvait avec une femme qui jouait les patronnes. Et tentait de le diriger, lui.

Au début, il se soumit. Tout pour avoir la paix, telle était sa devise ; les femmes étaient bizarres, il fallait leur passer leurs caprices. Mais lorsqu'elle s'était imaginé de lui donner des ordres, il s'était rebellé. Il n'avait aucune envie qu'elle le lessivât et fît de lui un homme respectable, cela ne lui plaisait pas. Il détesta les jolis petits rideaux qu'elle avait accrochés aux fenêtres, les vastes quantités de linge qu'elle avait toujours fini de laver — et les poteaux qu'il lui fallait alors installer pour rallonger les étendoirs —, les parquets sur lesquels il n'avait plus le droit de marcher avec ses godillots à clous, tout ce qui, entraves et restrictions, disait clairement une entreprise de domestication dont, en plus, elle exigeait qu'il lui fût reconnaissant.

Car enfin... n'était-ce pas pour lui qu'elle se donnait tout ce mal ? Et ce foyer qu'elle lui préparait, hein ? Telle était sa chanson. Sauf que son foyer, il pouvait très bien s'en passer. Qu'au fond, il n'en voulait pas. Tous ces petits besoins qu'elle avait suscitaient sa rancœur et n'étaient, à ses yeux, que critiques qu'elle faisait à sa manière d'aimer la vie. A la fin, il en était même venu à ne plus supporter sa réussite au magasin : elle en tirait trop de pouvoir et cela le rejetait dans l'ombre. Comme s'il n'était pas capable de pourvoir à l'entretien du ménage ! Il n'était nul besoin qu'elle s'en charge et lui montre ainsi combien elle était maligne. Qu'est-ce que c'était que ces manières qu'elle copiait chez des gens qui n'étaient pas comme eux et pour lesquels il n'avait aucune envie de perdre son temps ? Les imiter ? Et allez donc ! Pendant qu'on y était ! Et patali et patala... ! Et ces ronds de serviettes, hein ? Non, la vie qu'elle lui faisait l'attristait. Et l'Embarcadère avec. L'Embarcadère ! Il détestait, depuis toujours. Et la passion qu'elle vouait à ce lieu était exagérée. N'était, pour lui, qu'énième façon qu'elle avait de le critiquer, de le désavouer. Tout ce qu'il voulait, tout ce qui lui donnait des ailes et faisait battre son cœur, elle l'interdisait, ou le considérait avec dédain.

Il se buta. A son corps défendant : il était accommodant de nature et, au début, oui, l'avait très sincèrement admirée, avait voulu qu'elle eût tout ce qui pouvait faire son bonheur. Bref, c'était elle qui s'était butée contre lui.

Alors il s'asseyait sur une souche et passait son temps à jurer au lieu de lui couper son bois pour la lessive, mettait délibérément des heures et des heures à terminer des petits boulots qu'une main dans le dos il eût pu achever en moins de deux, rien que pour ne pas lui donner le plaisir d'être toujours à sa botte. Il traînait avec les copains alors qu'elle lui avait demandé de rentrer pile à l'heure du thé et à eux se plaignait, lorsqu'il avait un verre dans le nez, de la manière dont elle avait réussi à lui passer le harnais. Quelle andouille il faisait ! Il avait vingt et un ans et sa vie était foutue.

Là-bas, dans les tranchées, même à courir le risque de se faire anéantir, non, en fait, surtout à le courir, au moins l'on vivait. Etre soi et le savoir jusque dans son souffle, ses couilles, ses doigts et les petits cheveux qui alors tremblent au bas de la nuque, il en avait éprouvé toute la belle violence. Et avait été pourri d'ainsi entr'apercevoir ce qu'homme on pouvait être. La vie qu'il menait maintenant n'était rien. Peut-être en fût-il allé autrement s'il avait eu quelqu'un à qui dire ce qui le rongeait chaque fois qu'il avait envie de parler.

Jusqu'au jour où, Digger arrivant, il avait enfin eu quelqu'un avec qui être lui-même, un copain ; un allié aussi — dans ce monde dont elle était la maîtresse — contre cette femme qui excluait les hommes parce qu'elle n'en avait rien à faire, n'en désirait que l'animalité brute, le travail et ne leur accordait un rien de plaisir que lorsqu'il s'agissait de faire des enfants. Car en dehors de cela, elles ne voulaient toutes qu'une chose : faire de vous un pantin qu'on abreuve de bêtises sur la propreté des cols de chemise, l'ongle d'orteil qui jamais ne doit trouer le drap, les ronds de serviettes et Dieu sait encore quelles fariboles et autres chichis de dames.

Telle était la substance de ses délires lorsqu'il avait Digger à lui tout seul. Cela étant, lorsque enfin la colère le quittait, il avait quand même d'autres choses à lui transmettre.

Tout de suite, ils avaient été inséparables. Château branlant encore, avec ses couches qui lui pendaient aux fesses et Ralphie qui lui trottait derrière, Digger s'était mis à suivre son père à la trace, s'agenouillant à côté de lui un petit marteau à la main, imitant ses jurons étouffés, copiant jusqu'à la façon qu'il avait de pencher la tête de côté et de se creuser les joues au moment où il allait planter un clou.

C'est qu'il était habile de ses mains, le Billy Keen ! Tout le monde le savait. Table ou armoire à pharmacie, il était capable de vous monter tout ce que vous vouliez, queues-d'aronde y compris. Porte à accrocher à ses gonds ou toiture à réparer, rien ne lui résistait. Et les machines ne lui faisaient pas peur non plus. On prétendait même qu'elles lui parlaient, se prenaient à chanter et à ronronner dès qu'il posait la main dessus. C'était un don. Et Digger l'avait aussi, ou alors — l'intuition — l'avait repris à son père.

Pour Digger en effet, les machines étaient bien vivantes, comme Ralphie. Le gamin était même si proche de ce dernier qu'il lui avait fallu toute une éternité de petit enfant pour comprendre que les chiens et les machines appartenaient à des espèces différentes. La mère, qui ne pouvait pas le surveiller tout le temps — en plus du magasin et de la maison, il lui fallait s'occuper de Jenny —, n'arrêtait pas de lui arracher son assiette à pâtée. « Laisse ça tranquille, petit cochon ! lui criait-elle. C'est l'assiette à Ralphie. Allez, tu me recraches ça tout de suite ! » Un jour qu'il faisait de l'orage, Digger était même allé se réfugier dans sa niche en rampant. C'était sous le poivrier, le tonnerre grondait, il y avait des éclairs, la cour s'était transformée en une mare de boue, jamais il ne s'était senti aussi bien, aussi en sécurité, au chaud. Dans ses rêves, il lui arrivait encore de retrouver l'odeur sombrement animale de la niche, la chaleur de Ralphie, là, tout contre lui. Alors, il avait l'impression d'être enfin arrivé dans un endroit où il se retrouvait vraiment, de redécouvrir, avec chaque grain de poussière qu'il s'enfournait dans la bouche, ce que d'être sur terre voulait dire. Il n'en allait pas autrement avec les machines. Il en comprenait le travail comme s'il n'était rien qui séparât leur nature de la sienne. Pour lui, oui, elles ronronnaient, pour lui, oui, elles chantaient, tout comme elles le faisaient pour son père. Et il n'était pas de mots pour le dire.

A dix ans à peine, et maigrichon, noueux et le talon corné, il avait la peau si pâle qu'on y voyait le rose du soleil à travers, il relevait Billy à la barre, sentait dans ses bras la force énorme du moteur tandis que, surchargée de véhicules, la barge faisait demi-tour en plein courant. Adossé au capot et soufflant de la fumée par le nez, son père lui disait où aller.

« Un jour, pensait Digger, ce boulot sera à moi. » Suivre les traces de son père, il n'avait pas d'autre idée en tête.

Toujours à l'observer, il gardait les manières qu'il trouvait essentielles à l'homme qu'il voyait en lui et ainsi se constituait un jeu d'attitudes qui n'avait rien de particulier à son père. A quinze ans, le Billy Keen qui, peu sûr de lui voulait qu'on reconnût l'homme qui naissait en lui, singeait des gens, ses ancêtres, qui s'étaient battus en France. Ainsi, à sept ans, Digger savait déjà la dégaine du soldat qui traînasse en attendant de monter au feu. Assis sur un talon, il clignait de l'œil pour voir au loin alors même qu'il n'était guère de lointain à découvrir.

La mère voyait tout cela et commençait à regretter l'erreur qu'elle avait commise en lui lâchant la bride. Aussi bien avait-elle cru en avoir les moyens : des enfants, il y en aurait d'autres. Mais tous, ils l'avaient abandonnée en mourant et que Jenny fût une petite chose gentille et bien embouchée n'empêchait pas qu'il ne fût pas possible de compter sur elle. De fait, Digger avait constitué sa seule chance véritable.

Et le miracle avait bien été que, pour finir, malgré la fidélité que Digger avait toujours vouée à son père, elle ne l'avait jamais perdu ; c'était en cela qu'il l'enchantait. Il s'était collé à son père, oui, mais pour autant ne s'en était pas moins collé à elle. Union il y avait eu. Ils avaient eu leurs codes et leurs mots de passe et personne jamais n'avait pu les identifier, jusques et y compris lorsqu'ils étaient tous assis là à la même table. Ils s'étaient parlé en silence. Et parmi les choses qu'ils s'étaient dites, il y avait eu les autres enfants, ceux qui tous s'en étaient allés, Jenny exceptée, mais à l'invisible présence desquels elle s'accrochait encore parce qu'eux aussi, ils s'accrochaient à elle. A ses jupes lorsque, debout devant l'étendoir, elle se battait avec les draps. En gémissant et piaulant dans les coins, en recrachant leur porridge et leurs croûtons à demi mâchés, en restant assis dans l'alcôve pleine de suie, en tapant sur des casseroles avec leurs cuillères. Pour les avoir à peine connus, on eût pu le croire, Digger non seulement les voyait, mais encore pouvait leur parler et vous ressortir certains détails de leur brève existence que, même elle, elle avait oubliés. Il était extraordinaire, le Digger, dans ce qu'il arrivait à voir.

C'était d'ainsi pouvoir rappeler tous ces petits fantômes, si clairement et avec tant de détails que cela vous en brisait le cœur, qui scellait leur union et lui faisait penser que la mémoire de son fils était même capable de remonter plus loin : jusqu'à l'époque où, dans sa profonde solitude, elle avait pris l'habitude de lui parler dans son ventre.

Pour finir, elle aussi, elle avait triomphé. Qu'ils soient donc copains, ou tout ce qu'hommes on est quand on est entre soi ! Qu'ils le soient ! C'est à moi qu'il est uni !

Dure avec lui, elle l'était, il le fallait bien. Comme si elle savait jusqu'à quel point il avait hérité de la faiblesse de son père ! Elle était sûre qu'il s'en rendrait compte un jour et lui en serait reconnaissant.

Eût-elle pu choisir (mais qui le pouvait ?) qu'elle l'eût laissé aller son chemin. Il était une part de sa nature que rien n'eût plus séduite que de se voir en mère pleine de sérénité, comme celles dont on parle dans les livres. Mais en quoi cela lui eût-il été utile ? Et à elle donc !

Les colères qu'elle piquait lui faisaient peur. Parfois, lorsqu'elle le frappait, lui flanquait une taloche ou lui expédiait une gifle bien cuisante en travers de la joue, elle ne savait pas ce qu'elle lui trouvait qui tant la mettait en rage, hormis à se dire qu'il était des moments où sa seule présence suffisait à la faire démarrer — la douceur de son regard sans doute, ses airs vagues. Elle redoutait qu'il s'élance sur les traces de son père. Mais craignait tout autant son intelligence, sa curiosité. C'étaient là des choses qui, elles aussi, pouvaient le lui enlever.

Qu'il fût terriblement habile de ses mains ne l'empêchait pas de vivre dans sa tête et d'ainsi lui opposer une opacité qu'elle n'avait aucun moyen de sonder. Il y avait là trop de choses qui, même lorsqu'elles se réduisaient à des faits, n'étaient d'aucun poids en ce monde ; voilà ce qu'elle voyait, ce contre quoi elle se devait de le mettre en garde. Qu'il s'accrochât seulement à elles et ce serait la dérive.

Mais le père n'était pas aveugle non plus.

« Digger, disait-il à son fils, faut pas te laisser impressionner par ta mère. Les femmes, ça sait pas tout, tu sais... même quand elles le croient. Leur monde, il est pas comme le nôtre. Il est dur, ça, je dis pas, ta mère a pas la vie facile... à cause de moi, en partie. »

Et riait comme si, tout compte fait, il en était plutôt fier.

« C'est qu'on leur dit pas tout ce qu'on fait, tu vois ce que j' veux dire ? On leur raconte pas toutes nos parties de rigolade, ou ce à quoi on peut penser. De toute façon, elles pourraient pas comprendre. Tiens, ta mère... c'est pas que j' veuille en dire du mal, en gros, c'est une femme bien. Mais c'est une inquiète. Comme quoi y a des trucs qu'y vaut mieux garder pour soi, si tu vois ce que j' veux dire. Elles ont leur monde à elles, fiston, et nous, on a le nôtre, et c'est comme la craie et le fromage, ça s'échange pas. Ta mère, elle s'accroche à toi. Elle veut te mettre à l'abri de la vie. J'y en veux pas. Ça s' comprend. Elle a pas envie de te perdre. Sauf que toi, Dig, tu peux pas continuer à essayer de vivre comme elle le voudrait... c'est tout simplement pas possible. Un jour, d'une façon ou d'une autre, faudra que t'entres dans le monde des hommes et alors, crois-moi, fiston, ta mère, elle pourra plus t'aider. J' l'ai souvent vu, fiston. Les types qui pleurent après leur mère en plein no man's land, avec la moitié du crâne emporté ou les boyaux qui s' barrent... Y pouvaient gueuler tout ce qu'y savaient, moi, j'ai jamais vu arriver leur mère. Parce que là, pour être dans un monde d'hommes, on y était. Et c'était sur d'autres mecs qu'y fallait compter. Les brancardiers quand on avait du pot, ou alors les copains. Et ça, c'est la vérité vraie, Digger. Et ta mère, elle te le dira jamais. »

Ces conversations avaient lieu le dimanche matin, lorsque Digger, son père, et Ralphie trottant derrière, tout le monde partait chercher, avec une 202 mm, quelque chose à jeter dans la marmite.

Non loin de l'Embarcadère courait une ligne de chemin de fer d'intérêt local qui, jadis, avait desservi un village de mineurs perdu dans les collines. D'une longueur de douze miles, elle traversait des layons, longeait des falaises abruptes et n'était plus guère qu'une manière de terrain de jeux pour des enfants qui, comme s'il s'agissait d'un exercice de corde raide, se régalaient de marcher sur ses rails en ouvrant grands les bras, que lieu de maraude où, une barre à mine à la main, les hommes venaient arracher des traverses ou ramasser des boulets.

Digger adorait « la ligne », comme on disait. Et Ralphie aussi, qui souvent en dévalait le remblai parce qu'il avait flairé quelque chose, un haret, parfois un lapin. « Chope-le, Ralphie ! Chope-le ! » lui criait-on. Marcher, s'arrêter, repartir, prendre le temps qu'il fallait pour attraper un oiseau et l'enfourner dans le sac, tout cela donnait à ces sorties un rythme qui convenait bien aux histoires, ou à la conversation. Ils n'étaient pas toujours aussi bavards lorsqu'ils restaient à la maison ; qu'ils pouvaient alors travailler des heures entières côte à côte sans échanger un seul mot.

Ces histoires ne variaient pas, étaient sans cesse répétées, mais Digger ne s'en lassait jamais. Exploits, bravades et moments où on l'avait échappé belle, il y découvrait, brièvement, une autre nature chez son père, celle qui, à la maison, était toujours entravée, ne pouvait que l'être parce que Billy avait charge de famille. Dans cette autre dimension, son père n'était guère plus âgé que lui, avait le pied léger, désirait passionnément le monde, était plein d'énergie et de courage. Alors ils avaient le même âge, à la maison comme là-bas, il suffisait que les histoires aient commencé.

« Y avait pas que du vilain, tu sais ! Même que ça pouvait être très marrant, quand on grattait un peu. Mais y avait des tas de fois où c'était vraiment immonde... l'enfer. Le froid, tiens. Horrible que tu peux pas imaginer. Sauf que c'est pas croyable ce qu'on peut endurer... Non, au fond, non. Toujours est-il que moi, j'étais dans les veinards. »

Il disait ça d'un air féroce, puis se taisait, et sa bouche était alors si triste qu'en le regardant, Digger se demandait s'il le pensait vraiment.

Ses histoires tournant toujours autour des mêmes individus, il en était venu à savoir leurs noms comme s'il les avait connus en personne. C'était d'eux, il le sentait bien, que son père était le plus proche, aujourd'hui encore ; à côté d'eux, tous les copains avec lesquels il allait boire au pub, tous les types — les clients réguliers — avec lesquels il lui arrivait de parler à bord du ferry, ou lorsqu'il allait en ville chercher une pièce qui lui manquait, n'étaient rien.

Il y avait Wally Barnes. Digger le voyait, pour la centième fois, qui sait ? filer le long des caillebotis, disparaître. Voyait ses yeux, soudain tout blancs, se couvrir de boue ; et sa bouche se remplir de boue, la boue, toujours la boue, tandis que sous le poids de ses brodequins, de son paquetage — et le sien propre —, lentement il s'enfonçait dans la terre. Sentait tout au bout de ses bras ses cent kilos le tirer vers le bas, fermait les yeux, brusquement, comme son père, pour la centième fois lâchait prise.

Ces histoires, Billy Keen les racontait d'une voix qui l'effrayait lui-même, comme si, même à les dire mille et mille fois, il était impensable qu'on pût jamais s'habituer au fait que tout cela s'était vraiment produit, qu'un jour, oui, il y avait lui-même été mêlé. Il levait la tête, il regardait l'endroit où ils se trouvaient, tout était calme, tout était rayons de soleil, tout était scintillements, sans aucun bruit ou presque, une sauterelle qui s'agite dans l'herbe et encore, et alors, presque, c'était de la présence et de la réalité mêmes de ce qu'il voyait qu'il lui fallait se convaincre.

Digger, lui aussi, soudain se sentait glacé; et le père le voyait et, pris de pitié pour l'enfant, avait honte de l'avoir ainsi emmené au cœur des choses.

« Bah, disait-il, c'est toujours ça que t'auras pas à voir, Dig, non, pas ça. Ça n'arrivera jamais plus. Ça s' peut pas. parce que là, on a fini tout ça pour de bon. Deux fois de suite, c'est pas possible... pas des trucs comme ça. »

« Vraiment? se demandait Digger. C'est une règle? »

Il observait la jeunesse dans les épaules de son père, il voyait la prestesse avec laquelle il enjambait les traverses et se disait : « De toute façon, y s'en est sorti. Pourquoi pas moi? »

Et ce n'était pas qu'à penser ainsi il l'eût pris de haut. Malgré toutes les critiques de sa mère, et elle n'hésitait pas à les lui répéter dès qu'elle le tenait entre quatre yeux, il connaissait les qualités de son père et les admirait. C'était leur guerre à eux, il n'y prenait aucune part.

« Moi, si j'étais que de toi, j' ferais attention », lui lançait-elle en guise d'avertissement.

Ils étaient dehors, sous le poivrier où il l'aidait à étendre le linge, lui déplaçait les piquets, ou alors c'était vendredi soir et, debout au fond du magasin, elle préparait les livraisons, pesant le sel, la farine, le riz et le thé qu'elle allait empaqueter dans des sacs en papier tandis qu'il lui lisait les commandes dans le carnet et rangeait tout ce qu'elle lui tendait dans une caissette à beurre. « Tu vas finir par attraper sa maladie si tu fais pas attention. Tu seras un rêveur, comme lui. »

« Papa est un rêveur? »

Il n'aurait pas dit ça. C'était plutôt d'action que son père était amoureux.

« Et t'appellerais ça comment, toi ? »

Elle jetait un sachet sur un plateau de la balance, posait le poids d'une livre sur l'autre, rajoutait une douzaine de grains au paquet. Elle savait être précise.

Il lui prenait son sachet, en rabattait le haut et le posait dans la caissette.

De fait, elle le mettait en garde contre la différence entre ce qu'elle appelait la réalité, le devoir, ou le destin — les mots variaient selon les occasions — et la soif qu'il avait, et son père aussi, d'un ailleurs qui commençait là où, aussi tangible et claire fût-elle, sa réalité à elle ne pouvait que s'arrêter. D'un ailleurs qu'il savait exister pour en avoir entendu parler par son père ; et par les types qui, la portière de leur voiture entrouverte, bavardaient avec lui pendant les six minutes que durait la traversée ; parce que les livres qu'il avait lus et les films qu'il avait vus lui en avaient montré des bouts ; parce qu'il en avait eu de vagues émois dans le bas-ventre.

Cela avait à voir avec l'énormité du monde, avec l'infinité des événements, des faits et des objets qu'on y trouvait. Avec des choses que l'on pouvait toucher et sentir, mais avec d'autres aussi qui n'étaient que pensées ; qui, pour être bien réelles, pour pouvoir être mises en mots et tournées et retournées dans tous les sens, jamais pourtant ne se voyaient vraiment.

Il n'était dans l'existence aucune balance qui permît de les mesurer. Aucune infinité de petits sacs en papier jamais n'eût pu les contenir, mais dans sa tête on le pouvait, il l'avait éprouvé. La tête. La tête avait la même forme que le monde, de fait, était le monde, mais d'une taille infiniment plus réduite ; au millionième, comme le globe terrestre qu'il aimait regarder, où du bout du doigt l'on pouvait couvrir des milliers de miles carrés, des villes entières aussi, avec chacune des millions d'habitants, mais tout cela uniquement parce que c'était dans sa tête qu'on le voyait. Les savait-elle donc toutes, ces choses ? Refusait-elle de les connaître ou qu'il les découvrît ? Pourquoi cette peur qui se marquait si clairement sur son visage ?

« Ne t'en fais pas, M'man, aurait-il pu lui dire pour la rassurer. Je m'en sortirai. »

A ceci près que ce n'était pas tout à fait de cela qu'il s'agissait et qu'il ne l'ignorait pas. Mais il n'en finissait pas moins par lui passer le bras autour de la taille et, la serrant fort contre lui, lui disait :

— Ne t'en fais pas, M'man. Je ne te laisserai pas.

— Ce n'est pas à moi que je pense, lui renvoyait-elle en le repoussant. Comme si tu ne le savais pas.

— A qui alors ?

— Tu le sais bien.

Et bien sûr, il le savait. C'était à Jenny. Et plus encore qu'à sa sœur, à l'Embarcadère. Sauf que ce qu'elle voulait vraiment dire, jamais personne n'arrivait à mettre le doigt dessus. Que c'était tellement fort que lorsqu'elle y faisait appel, il était capable d'y sacrifier toute sa vie, même si au fond il ne désirait rien tant que de se sauver.

Jenny.

Il n'était, dans son souvenir, aucun instant où sa sœur, où cette grande fille douce qui, de trois ans son aînée, avait les lèvres pétillantes et une haleine de lait, ne se fût trouvée à ses côtés.

Quand il était tout petit, elle aimait s'occuper de lui.

« Allez, lui disait la mère, tu fais attention à Digger. Voilà, à la bonne heure », et rien que pour être totalement à couvert, rien que pour ne pas le perdre de vue, Jenny le hissait sur ses genoux et le serrait si fort contre elle qu'il en perdait le souffle.

« Mais non, ma chérie, je t'ai seulement dit de le surveiller... pas de l'étouffer. C'est un bébé, Jenny. Il va pas se sauver. »

Mais Jenny en avait vu d'autres, et qui s'étaient sauvés. Elle continuait de le serrer fort et, lorsqu'elle ne le faisait pas et voyait qu'il filait en se tortillant, elle se mettait à courir avec ses grosses jambes et criait à sa mère :

« Digger ! Digger, il est aux cabinets ! Digger, y mange de la terre ! Digger, y s'en va ! »

Dès qu'il avait commencé à parler, Digger avait compris que seul le nombre des années le rendait plus jeune que sa sœur. Quoi qu'ils pussent raconter, c'était lui qui, en toutes circonstances, se devait de la surveiller. D'être le passeur entre elle et un monde qui irait toujours trop vite pour elle, ou qui ne lui apparaîtrait que sous des formes qu'elle ne pourrait pas saisir.

Qu'il y ait eu d'autres enfants et que, d'une manière ou d'une autre, ils n'aient pas réussi à survivre avait valeur d'avertissement et expliquait, il le voyait bien, la peur avec laquelle leur mère les protégeait, l'intense possessivité qui était la sienne.

Ce qu'il leur en voulait, à tous ces autres ! Jamais sa mère ne lui permettait de les oublier ; il ne se passait pas de jour que, May, Pearl, James ou Leslie, elle ne lui parlât de l'un d'entre eux.

Pearl n'avait été qu'un nom, qu'une petite diablesse grincheuse qui, chaque fois qu'il cherchait le sein de sa mère, s'y trouvait déjà et l'en écartait. A peine trois semaines avant qu'il ne naisse, May s'était renversé un bidon à kérosène rempli d'eau bouillante sur les pieds. Les hurlements qu'elle avait alors poussés, sa mère, il le pensait, les avait encore dans les oreilles, même lorsqu'elle essayait de garder son calme et de lui parler doucement. May avait été sa préférée, celle dont elle aurait voulu une compagnie que Jenny ne pouvait lui donner. Après ce qui était arrivé à May, sa mère avait perdu confiance. Devenue d'une prudence exagérée, elle était souvent terrifiée par la faculté qu'avaient tous les objets, même les plus ordinaires, de brusquement se retourner contre vous pour vous tuer — et la maison en était pleine.

Il y avait eu les autres, oui, les trois garçons, mais seul Billy avait vécu assez longtemps pour avoir quelque réalité à ses yeux. Tous, il les avait bercés et caressés, mais Billy, lui, avait été le seul à être un jour assez grand pour le suivre au jardin et alors ils avaient joué ensemble, tous les trois. Billy avait eu le temps d'acquérir des particularités, d'avoir son odeur à lui dans la chambre où ils dormaient dans le même lit ; une voix aussi, des exigences, de petites bizarreries qui ravissaient le cœur ou faisaient tant monter les antagonismes que cela lui était resté, parce qu'il se sentait alors différent de lui.

Mais Billy s'était sauvé, et avait été emporté par le fleuve. Après, bruit de ses eaux la nuit, froid que l'on éprouvait en y plongeant une main, le Hawkesbury avait pris un tout autre sens à leurs yeux. Avait cessé d'être seulement une frontière qui disait de quel côté l'on s'en trouvait ou, lorsqu'il faisait soleil, le vaste ruban scintillant sur lequel leur père, et plus tard Digger lui-même, lançait le ferry de l'avant. Y jeter une ligne même avait changé de signification.

« Qu'est-ce que tu fais ? lui avait un jour demandé Jenny en voyant sa ligne traîner derrière. Tu cherches Billy ? »

Jenny disait souvent des choses qu'on pensait sans jamais oser les sortir tout à fait ou, lorsqu'on les sortait, arrêtait net.

Toutes ces morts faisaient de la maison un lieu plus plein que normalement il l'eût pu être, mais plus vide aussi, et, toujours pesantes, les jetaient l'un contre l'autre — comme la mère le répétait sans cesse, Jenny et lui n'avaient qu'eux-mêmes pour compagnie —, et dans un espace si réduit que parfois il y voyait une manière de cercueil. Qu'ils aient survécu leur imposait de lourdes responsabilités ; celle de vivre surtout, pour eux-mêmes, mais aussi pour les autres, afin qu'à nouveau ils puissent s'essayer au monde, en eux trouver un deuxième souffle. Jenny ayant ses limites, qu'elle ne serait jamais à même de repousser, c'était essentiellement sur lui que pesait cette charge.

— C'est pas de ma faute, Digger ! insistait sa mère lorsque l'injustice de la chose le faisait renâcler. Combien de fois faudra-t-il que je te le répète ? Crois-tu vraiment que j'aie envie de te mettre un truc pareil sur le dos ? C'est pas moi, que j'te dis ! C'est la vie !

« Allez, Dig !... Hé ! Digger ! Raconte-moi quéque chose. »

Au début, il lui racontait tout ce qu'il savait. Douce comme du velours dans l'obscurité de leur petite chambre, c'était sa voix qui donnait au monde sa réalité. Beaucoup de choses qu'il disait étaient de son cru. Elle était incapable de s'en rendre compte.

« Digger ! Pour l'amour du ciel ! »

En entendant la voix de son fils monter, comme elle le faisait souvent, jusqu'à un point d'excitation dangereux, leur mère lâchait sa couture, s'immobilisait un instant dans l'ombre de la porte, écoutait. Dès qu'il la voyait paraître, Digger savait qu'elle allait se mettre en colère. Mais était incapable de rien y faire. Touchait-il aux confins d'un possible que toujours il se l'accaparait, le mettait en mots ; à n'en rien faire, et parce qu'énorme, ce possible grandissait alors dans sa tête, il eût pu déraper du centre de lui-même. Sa réaction ? Honteux de s'être fait prendre, il partait d'un grand fou rire.

« Jenny, ma chérie, disait-elle, tu veux être gentille et aller voir si le facteur est pas passé ?

— Il est pas passé, s'écriait-elle. J'ai écouté.

— On ne répond pas à sa mère, mademoiselle ! crachait-elle. Quand je te dis d'y aller, tu y vas ! Allons, pressons ! »

« Espèce de bandit ! lui soufflait-elle ensuite dès que Jenny était hors de portée de voix, mais déjà sa colère s'était éteinte devant la honte qui se lisait dans les yeux de son fils. Digger ! Comment peux-tu faire des trucs pareils ? Terroriser ta sœur ! La pauvre petite ! Mais qu'est-ce qui te prend ? Tu sais comme elle est. Tu mériterais que je te frotte les oreilles. »

Au lieu de quoi, elle tendait la main et lui touchait le coin de la bouche du bout du pouce, comme pour y ôter une miette de pain. Calmé, Digger la regardait. Il n'était jamais sûr de savoir ce qu'elle voulait. Ce qu'elle pouvait être imprévisible !

Elle retirait sa main. Une fois de plus, elle avait réussi à se rassurer : son fils n'était pas modelé sur son seul désir. Il y avait des fois où elle se demandait d'où il sortait. Il ne lui ressemblait pas, ni à son père non plus, pas vraiment. Il ne ressemblait à personne. Il suffisait de lui dire quelque chose une fois pour qu'il ne l'oublie plus. Il se souvenait de faits qu'elle croyait ignorer jusqu'au moment où il les lui rappelait. « Tu te souviens, M'man ? répétait-il avec insistance, tu te souviens ? » et, bien sûr, il avait raison, elle n'avait pas oublié. Bribes de conversations, incidents remontant à Dieu sait quand, noms d'objets, pages entières d'un livre qu'il avait lu, où tout cela (dont elle parlait comme d'autres mères eussent pu parler de nourriture) filait-il dans ses jambes et dans ses bras tout maigres, où emmagasinait-il tout ce savoir qu'il piquait à droite et à gauche ?

Un soir, en l'entendant lire à voix haute quelque chose à sa sœur, et c'était bien après qu'elle leur avait ordonné d'aller se coucher, elle avait piqué une colère noire.

« Digger ! je t'ai déjà dit mille fois de... »

Sauf qu'il n'y avait ni livre, ni lampe allumée dans la chambre. Qu'une phrase après l'autre, Digger était en train de réciter des pages entières à Jenny, de tête. Il avait levé les yeux sur elle et l'avait regardée en toute innocence. Il avait neuf ans.

Alors elle avait compris qu'il était trop tard, qu'elle ne

pourrait plus l'arrêter. Le monde dont elle avait voulu lui barrer l'accès, il l'avait déjà dans la tête, et dans sa tête ce monde grandissait à une vitesse qu'elle était incapable de maîtriser. Elle ne savait pas assez de choses pour l'y suivre.

Parfois, il venait à elle comme un petit enfant, lui serrait la taille, s'accrochait à elle. « Pas de ça ! s'écriait-elle. Tout ça, c'est des mines. Rien d'autre. »

Elle croyait qu'il allait la quitter, mais jamais ne le lui disait ouvertement. Elle se protégeait contre une perte qu'elle sentait proche.

« Non, je ne te laisserai pas, aurait-il pu lui dire pour la rassurer. Jamais. »

Il aurait été sincère, sans l'être.

« Raconte-nous quéque chose, lui chuchotait Jenny dans les ténèbres de la petite chambre. Y sont couchés, y nous entendront pas. »

Sans plus tout lui raconter, Digger lui disait quand même certaines choses.

Il lui disait les gens qu'il voyait en allant faire les livraisons. Les Breen, par exemple. Mme Breen avec ses vieux chaussons en feutre ; Mme Breen qui lui donnait toujours du soda au gingembre dans un verre à beurre de cacahuète ; Mme Breen qui le faisait asseoir à la table de la cuisine, y prenait placc à son tour, en face de lui, et le regardait boire.

Mme Breen avait un fils, un grand garçon de vingt ans, Eddie. Eddie était mongolien. Et tout le temps que durait la livraison, Eddie traînait dans le couloir. Parfois il passait la tête à la porte et lui souriait. « Salut, Digger ! » lui lançait-il, trop fort. A d'autres moments, il lui faisait la gueule, comme s'il lui en voulait de l'attention que sa mère lui prodiguait, quand ce n'était pas des deux ou trois gorgées de soda qu'elle lui avait versées. Un jour, en levant la tête, Digger l'avait vu sortir sa bite et se mettre à jouer avec. Digger avait vite regardé Mme Breen, mais Mme Breen avait fait semblant de ne rien voir, ou n'avait vraiment rien vu : Mme Breen lui donnait toujours l'impression de le dévorer des yeux. Comme s'il y avait quelque chose d'extraordinaire à ce qu'il fût tout bêtement capable de boire un verre de soda au gingembre sans le renverser !

Il y avait aussi les types qu'il rencontrait à bord du ferry, les voyageurs de commerce surtout, et les histoires qu'ils lui racontaient, plaisanteries comprises ; et les trucs que lui disaient les grands près du fleuve, là où il y avait un trou d'eau profonde, où, accroché à une corde, on pouvait s'élancer droit devant, au-dessus de l'onde noire et tournoyante. Plus tard, lorsqu'il avait osé aller au cinéma à l'Ecole des Arts, et traîner dans les bals — avec les potes, on passait dehors, on fumait, on échangeait des mensonges —, il y avait eu les histoires de ceux qui avaient poussé jusqu'à Sydney, ou des saisonniers qui allaient faire un tour à la Riverina pour y cueillir des fruits.

A ces bals, ou à ces séances de cinéma, Digger, qui avait alors à peine quatorze ans, se rendait toujours en cachette. Il attendait que tout le monde dorme, se levait sans bruit dans le noir, enfilait son pantalon et, sa chemise et ses brodequins à la main, filait en catimini pour finir de s'habiller dans la cour.

« Où tu vas, Digger ? lui chuchotait Jenny, parfois même en dormant.

— Chut ! J' te raconterai demain. »

Dans le noir, doucement, il lui disait des choses. Au début il murmurait, mais très vite il s'excitait, attrapait le fou rire, ou alors c'était sa voix qui, par instants, se mettait à couiner fort.

« La ferme, lan d'dans ! Faut dormir ! gueulait le père de l'autre côté du mur, sinon j' viens vous border ! »

Au bout d'un moment, c'était la mère :

« Fais dodo, Digger, tu la lui raconteras demain, ton histoire. Elle aura pas moisi ! »

3

— Alors, lui demanda-t-il, comment que j' me débrouille ? J' m'en sors toujours ?

Vic grimaça un sourire.

— Tu t' démerdes bien. Tu veux que j' te l' mette par écrit ?

— Mais non ! J' te crois sur parole !

Depuis quelques semaines, ce genre d'échanges était devenu un véritable rituel. On plaisantait. Il était encore des sujets qu'on évitait parce qu'on se serait senti timide et mal à l'aise, mais la confiance régnait.

Les coudes sur les genoux, Vic regarda au loin, au-delà même de Digger, le fleuve avec son pullulement de choses dansantes, particules de vie ailée par millions, corps infimes qui par instants attrapaient la lumière, au-dessus des eaux dessinaient un autre fleuve, comme si le premier constamment projetait dans l'air une variante plus lumineuse de lui-même, toute en poussières volantes, libres de planer, tournoyer, danser sur place alors qu'accroché à la terre, le second ne pouvait, lui, que couler et couler encore. De temps en temps, la surface huileuse des eaux se déchirait. Une paire de mâchoires en jaillissait, se refermait d'un coup sec sur une douzaine de ces vies, ou une centaine — autant qu'elle pouvait en attraper. Vic regarda Digger tirer sur sa gaule.

— Et toi ? s'enquit ce dernier.

— Je sais pas. J'ai l'impression d'être encore gagnant, mais y sont drôlement malins. Y a pas moyen de savoir.

— Ce qui fait que tu les as encore aux fesses.

— Oui, répondit Vic, auquel le léger scepticisme de

Digger n'avait pas échappé. Je les ai toujours aux fesses.

Digger fit semblant de s'occuper de sa ligne. Quelques instants plus tard, il revint à un jeu plus ancien et lui dit :

— Je ne vois pas pourquoi tu te tires pas avant que ça tourne au vinaigre. Moi, à ta place, c'est ce que j' ferais. Je sais pas comment t'arrives à supporter.

Il y avait des moments, se dit Vic, où Digger avait quelque chose de tellement compassé qu'il en ressemblait à une vieille femme. « C'est exactement le genre de truc que doit sortir une mère... et avec le même air, encore ! Mi-horrifié, mi-impressionné. » C'était un côté de Digger qui l'amusait beaucoup.

— Et le jeune Alex ? reprit celui-ci.

Le « jeune Alex », comme ils l'appelaient, était le neveu de Vic et, de fait, avait cessé d'être jeune. Il avait quarante-trois ans.

Vic fronça les sourcils.

— Oh, il est contre moi, enfin... je crois, dit-il comme si cela n'avait aucune importance. Sauf que j'arrive pas à en être sûr non plus. Il ne se livre pas des masses.

« Ça ! Pour ne pas se livrer ! » songea Digger.

— Si y m' coincent ce coup-ci, reprit Vic — et, surpris par quelque chose qu'il n'avait jamais encore entendu dans sa voix, Digger leva les yeux —, je jette l'éponge. Tu te rends compte ?

« Il parle sérieusement ? » se demanda Digger. Mais Vic était déjà repassé sur la défensive.

— Et d'ailleurs, c'est peut-être ce que j' devrais faire de toute façon, ajouta-t-il. J' laisse tout tomber et j' monte ici. Il rit, Digger l'accompagnant après une infime hésitation. C'était tellement invraisemblable !

Leurs vies étaient aussi dissemblables que peuvent l'être deux existences qui se frôlent, se croisent et, à des moments comme celui-là, peuvent même couler aussi calmement qu'une seule.

« Quasi qu'on aurait plus existé ! » disait souvent Digger au début. Pour plaisanter. Il ironisait de la manière la plus douce qui fût mais, chatouilleux sur les questions de loyauté, Vic prenait l'air blessé.

« Que veux-tu dire ? Parce que j' me fais un peu d'argent ? Comme si ça changeait quoi que ce soit ! »

Mais, le temps passant, il avait cessé de protester : oui, ça changeait quand même quelque chose. Pas tant côté argent qu'au niveau des cercles dans lesquels il évoluait, des coups qu'il y jouait et de l'intérêt qu'il suscitait.

« Je t'ai encore vu dans le journal », disait Digger et quoi qu'il fût tout heureux que son ami l'ait remarqué — il avait encore soif d'admiration, il n'en avait jamais assez —, Vic faisait la grimace. « Oh, tu sais... le journal ! bougonnait-il, faut pas y prêter attention. » Et pour se faire pardonner le fossé qui s'était creusé entre eux, il se mettait à lui raconter avec franchise, mais légèreté aussi, comment il s'activait « là-bas, chez les cannibales ». Il en rajoutait, se délectait de l'incrédulité, voire de la désapprobation qui, assez souvent, se marquait sur le visage de Digger et, chaque fois qu'il le pouvait, jouait sur la corde sensible.

« Ben ça ! J' préfère pour toi que pour moi ! s'écriait Digger pour qu'on sorte de l'ornière. J' sais pas comment tu fais pour supporter. Moi, j' pourrais pas. Même pas pour du fric. »

De fait, Digger n'était pas très honnête. Il connaissait bien Vic et savait que son ami aurait tout fait pour lui sauver la vie. Mais de là à lui confier quatre sous... Au début, il avait été tout surpris de découvrir qu'un type qu'il connaissait intimement pouvait réussir dans le monde, mais avait fini par comprendre sa naïveté. C'était les qualités mêmes qu'il lui connaissait qui, « là-bas », mais sous une autre forme, étaient les plus demandées. Cela en disait long sur le monde et, à sa manière il en prenait bonne note, sans pour autant laisser entendre à Vic qu'il n'était pas tout à fait dupe.

« Je l' supporte parce qu'y faut bien l' supporter, répétait Vic. J'ai pas l' choix. » Et par là voulait dire que le changement, le risque et l'action étaient essentiels à sa vie.

Chaque fois qu'il montait à l'Embarcadère, Vic avait envie de fouiner partout et de demander à son ami comment lui aussi, il faisait pour supporter. Car l'univers de Digger n'avait besoin de personne. Grands lambeaux d'écorce qui, une fois retournés, devenaient scintillements de couleurs, rayures sur les troncs d'arbres qui étaient autant de vies minuscules et, « kerouip kerouip », cris d'oiseaux qu'on entendait monter des buissons, il n'était, dans tout ce qu'on y voyait ou appréhendait, rien qui ne dît toujours la même chose : tu viens si tu veux, mais pour ce que ça va changer, tu pourrais aussi bien rester chez toi.

Réconfortant, cela l'était, pendant une heure ou deux. Ça vous sortait de vous-même. Après, on commençait à virer au fantôme.

Et c'était de choses qui lui rappellent qu'il était là et bien là que Vic avait besoin. Heureusement pour lui, de ces choses le monde était plein.

Sauf que trois semaines plus tôt, il avait changé la donne : il était monté voir Digger et lui avait demandé un service.

Ce n'était pas qu'il aurait craint que Digger lui opposât un refus : il accepterait, évidemment. C'était plutôt qu'en lui demandant ce service, Vic savait bien qu'il allait détruire un équilibre parfois précaire certes, mais qui tenait depuis plus de quarante ans. Il avait hésité. Puis, comme il le savait depuis toujours, il avait fini par y aller.

— Ecoute, Digger, lui avait-il dit pour commencer, et aussitôt s'était senti un peu timide d'être déjà au but, tu sais bien que c'est pas moi qui te mêlerais à une histoire qui serait pas parfaitement nette. N'empêche que j'ai un service à te demander. Je te le demanderais pas si j'avais quelqu'un d'autre sous la main.

— Qu'est-ce qu'il y a ? s'était enquis son ami sans détour.

Digger n'en revenait pas. Il n'était pas dans leurs habitudes de se demander des services. Y avait-il donc quelque chose que leur amitié n'eût pas pris en compte ?

La pointe d'angoisse que Vic avait décelée dans la voix de son ami l'avait déçu, mais il s'était lancé et n'avait pas menti : il n'avait personne d'autre sous la main. Il s'était dépêché de tout lui avouer en s'en tenant aux mots les plus simples. Digger l'avait écouté jusqu'au bout.

— Mais comment veux-tu que je te rende service ? lui avait-il enfin renvoyé. La Bourse, j'y connais rien, moi !

— Aucune importance. Tu seras même pas au courant. Ecoute, Digger — et là, il avait marqué un temps d'arrêt avant de tout lui sortir —, on f'ra jamais que se servir de ton nom.

Et Vic avait enchaîné au plus vite, afin de masquer

l'embarras qu'il éprouvait. Digger avait l'air de plus en plus mal à l'aise. Etait allé jusqu'à se tordre les mains tant il était gêné.

— On a besoin de quelqu'un qu'est pas connu, quelqu'un qu'on pourrait pas retrouver, enfin... pas facilement, avait-il repris. C'est une question de chrono. Faudrait que tout soit fini avant que ça n'apparaisse dans les comptes. Pas que ç'ait quoi que ce soit d'illicite, remarque. Disons plutôt qu'il s'agit d'une astuce, rien de plus. Tu sais comment sont les hommes d'affaires. D'après les règlements, j'ai même pas le droit d'acheter plus d'un et demi pour cent des actions tous les six mois, même si la boîte est à moi ! C'est con, mais c'est comme ça. Qu'est-ce que tu veux ? La loi, c'est la loi... Toujours est-il que j'ai besoin d'un prête-nom. C'est moi qui mets le fric... enfin, non, pas exactement... disons que c'est moi qui trouve les nantissements, tu vois ce que je veux dire, les boîtes auxquelles j'emprunte et toi, t'as plus qu'à signer les papiers. C'est bien Albert que tu t'appelles ?

— Oui, lui avait-il répondu d'un ton sinistre, c'est bien Albert.

Et sur le coup, l'étrangeté de la chose l'avait soulagé.

— Non, parce que tu vois, avait repris Vic, y a quelqu'un qui me cherche des poux dans la tête. Qui ? j'en sais rien. Ça pourrait être n'importe qui... même Alex. Tout c' que j' sais, c'est qu'ils ont déjà démarré et moi, j' me dis que ça serait bien de les coiffer au poteau. On rassemble le pognon ensemble, on attend le moment opportun et avant que les autres aient eu le temps de bouger, paf ! on attaque et on fait une offre pour tout le bazar. Enfin... on essaie d'avoir tout ce qu'on peut pour en obtenir le contrôle.

Il transpirait. L'audace du coup et le danger encouru l'excitaient. Il n'empêche : des choses à taire, il y en avait. Digger aurait pu prendre peur en comprenant l'énormité de son plan. Celle des sommes qui allaient être mises en jeu, par exemple.

— Ce qu'il faut, c'est en finir au plus vite. Disons quarante jours, maximum. Alors tu vois, ça sera pas bien long.

Digger avait l'air complètement coincé. Vic en avait eu du chagrin pour lui.

— J'ai le dos au mur, avait-il conclu simplement. Si j'avais l' choix, j' te l' demanderais pas. Mais j'ai que toi.

Digger avait avalé sa salive. L'ennui là-dedans, c'est qu'il n'avait aucun point de référence pour juger. Connaissances, expérience de la chose, il n'avait rien, ni personne auprès de qui il eût pu se renseigner. Y avait-il dans tout cela un grain de folie qu'à être au courant de ce genre de trucs on eût pu déceler du premier coup d'œil ?

— J' me raconte pas d'histoires, avait repris Vic d'un ton blessé, enfin... si c'est à ça que tu penses. Je sais que ça a l'air assez dément, mais... Parano ? C'est ça que tu te dis ? Non, sérieux, Digger, c'est comme ça qu'on procède. Ça a peut-être l'air un peu pété, mais dis, tu crois pas que j' sais c' que j' fais ? J'y joue tous les jours, moi, à ce machin-là. Et, crois-moi, je suis bon.

Ainsi Digger s'était-il laissé entraîner, les quelques semaines qui avaient suivi voyant plusieurs cibles de premier ordre, toutes des sociétés vulnérables, passer entre ses mains, exactement comme Vic l'avait prédit et sans le moindre ennui à la clé ; sans même qu'il ait, pour l'essentiel, vraiment conscience de ce qui était en train de se produire. C'était l'existence d'un fantôme qu'il s'était mis à vivre, « là-bas ».

Les sociétés en question — la Morton Holdings, la Ciments et Aciers Cathedral et la J. & R. Randall étaient les plus importantes, mais il y en avait aussi de plus petites — possédaient des entrepôts dans trois Etats, des usines, des locaux avec des bureaux, des classeurs à casiers, des machines à écrire et des ordinateurs, des cafétérias, des parcs de camionnettes, des piles de boîtes en carton ou de poutrelles d'acier, mais tout ce que Digger en voyait se réduisait à des imprimés. Des imprimés qui, semblait-il, n'étaient que promesses de vente, effets de crédit négociables, rien qui eût plus à voir avec des pièces ou de vrais billets de banque qu'il n'avait lui, Albert Keen, à voir avec l'homme qui signait tous ces papiers à la place de son ami.

Digger était confondu par ce qui lui était ainsi révélé, par ce que brièvement il découvrait dans les coulisses d'un monde qu'il avait jusqu'alors toujours cru d'une solidité à toute épreuve.

— Je te l'avais pourtant dit que c'était rien qu'un jeu ! lui répétait Vic. Tu ne me croyais pas ?

Pour Vic, toute la magie de l'affaire résidait dans la chose même qui désarçonnait son ami, dans le fait qu'à être étayée par tant de réalités palpables, son entreprise n'en demeurait pas moins secrète, visible seulement à lui-même, à Digger, à ses conseillers et à quelques collaborateurs qu'il avait mis dans le coup. Solide, son affaire l'était pourtant. « On a des banques avec nous, Digger », lui soufflait-il lorsqu'il voyait son ami se mettre à douter, et il les lui nommait. Mais Digger en était encore plus terrifié qu'apaisé. Des hommes gagnaient leurs salaires, leurs familles se mettaient des vêtements sur le dos et du pain dans la bouche, s'achetaient des postes de télévision et des magnétoscopes, des bâtiments montaient vers le ciel, des denrées s'échangeaient, c'était toute une société qui chaque jour respirait, mangeait et dormait et, à la base même de tout ce bel édifice, il n'y avait que du vent, rien de plus que des promesses et de la confiance.

Vic éclatait de rire.

— Mais comment voudrais-tu qu'il en aille autrement ? lui demandait-il comme s'il avait affaire à un enfant de trois ans.

Et de ça aussi Digger avait peur. C'était d'un commun accord qu'ils avaient pris l'habitude de parler de tout cela le moins possible et sans s'y attarder plus qu'il ne le fallait.

— Ah ! dit-il en remontant sa ligne, tout ça, c'est des jeux de voleurs. Allons voir si Jenny aurait pas une tasse de thé à nous offrir.

Il s'apprêtait à partir lorsque Vic l'arrêta.

— Pas maintenant, tu veux ? On a tout le temps.

Digger en fut surpris, mais ne trouva rien à y redire. Il rangea sa ligne et se redressa sur son séant. Le silence se fit. Il n'avait rien d'inhabituel — il leur arrivait souvent de passer de longs moments assis l'un à côté de l'autre sans rien faire. Il n'empêche : Digger se sentait mal à l'aise. C'était la troisième fois que Vic se pointait depuis le début de la semaine.

— J' suis un peu sur les charbons ardents, lui avait-il avoué la première fois, tu sais... cette petite affaire qu'on est en train de régler. Oui... la dernière. Ça t'embête pas, dis ?

L'état du marché l'inquiétait.

— J'aimerais bien conclure avant la date qu'on avait

fixée, avait-il repris. Les cours sont trop hauts. Pas que ça serait pas bon pour nous, au contraire. Mais moi, j'ai pas trop confiance.

A ceci près que ce genre de conversation ne semblait plus de mise aujourd'hui. Il y avait autre chose.

Ses bottines toujours aussi précautionneusement posées dans la poussière et le dos appuyé contre un filao, Vic sentit le silence s'amplifier. Au-dessus du fleuve pullulant, mais aussi derrière lui, dans la clairière où se trouvait le magasin. Plus loin même, jusque dans le bush. Mais surtout, et plus réellement encore, en lui-même. Tranquillement assis, la tête en arrière, il vit, comme à l'extérieur de lui-même, oui, assez loin, deux vieux copains calmement installés au bord d'un fleuve et, miracle, l'un d'eux, contre toute attente, n'était autre que lui-même. Miracle encore, car il n'y avait pas d'autre mot pour le dire, c'était aussi que cette pause fût même seulement possible, que cet instant, juste après quatre heures, par un après-midi de l'automne 1987, eût attendu tout ce qu'il fallait pour que l'un et l'autre ils pussent s'en saisir, fût à l'image même de ces feuilles qui, pour mieux jeter leurs ombres sur ses mains, avaient poussé aussi longtemps que nécessaire et, enfin prêtes, remuaient maintenant avec des bruits à peine perceptibles à qui n'eût pas tendu l'oreille, silence un rien râpeux dans l'immobilité du soir.

— Ecoute, et pour la deuxième fois Digger avait été troublé par quelque chose de nouveau dans la voix de son ami, tu te souviens d'un type qui s'appelait Anson ?

Digger se creusa les joues et regarda le fleuve. Puis, au bout d'un moment, il lui dit :

— Anson... oui. John Archibald.

Vic souffla enfin, longuement.

— Voilà, dit-il, c'est bien ça.

De fait, c'était la première fois qu'il entendait ses deux prénoms. Jamais pourtant il n'aurait pu expliquer, même à Digger, le réconfort qu'il éprouvait d'ainsi les apprendre.

Agé de vingt ans — vingt et un ou vingt-deux peut-être —, Anson était un « jackaroo [1] » originaire des environs de Singleton. Prétendait avoir été demi de mêlée dans une des équipes de l'Etat, mais mentait, à peu près sûrement. « En

1. Colon récemment venu d'Angleterre. (NdT.)

quelle année c'était, mec ? » lui avaient-ils demandé pour vérifier ses dires. Vic n'avait pas oublié son mensonge.

Un jour, c'était au début, assis au soleil, en short, ils avaient entamé une partie de dames, installés de part et d'autre d'un fût posé à l'envers. Où ? Il ne s'en souvenait plus, mais il faisait une chaleur insupportable et le soleil était aveuglant. Changi. Ou alors c'était avant. Peut-être à bord du bateau.

Yeux bleus. Cheveux décolorés jusqu'au jaune paille, pleins d'épis. Un dur. La ramenait. Sûr et certain de gagner lorsqu'il s'était assis.

« Sauf que j'en étais encore plus sûr que lui », se dit Vic et, même après tout ce temps, il se délecta encore du petit goût de triomphe qui lui était venu, ressentit à nouveau la joie qu'il avait éprouvée d'être aussi malin et d'avoir autant de chance lorsque, son tour arrivant, il avait joué... et gagné : « Ha ! je te tiens ! »

L'étonnement suprême qui s'était marqué sur le visage d'Anson. Oui, de cela aussi il avait été comblé : l'autre n'en croyait pas ses yeux. Avait eu un mal de chien à dissimuler sa colère. Ce qu'il avait pu être certain de l'emporter !

Ils appartenaient à des sections différentes et n'avaient plus rien eu à faire ensemble après ça, même lorsqu'ils s'étaient retrouvés dans le même camp, le long de la ligne de chemin de fer. Mais, un jour qu'il n'en finissait pas d'avaler la portion de riz qui tenait lieu de repas de midi — ils travaillaient alors jusqu'à des seize heures d'affilée et n'étaient guère plus que des morts vivants, constamment en transes pour les trois quarts d'entre eux, tellement malades et brutalisés que c'était à peine s'ils savaient encore où ils se trouvaient —, il avait levé les yeux, Dieu sait pourquoi, pour rien en fait, et avait vu Anson accroupi à quelques mètres des voies.

Il y avait beau temps qu'ils avaient tous perdu jusqu'au moindre soupçon de pudeur, mais cela ne l'avait pas empêché de détourner les yeux, puis, au bout d'un instant, de le regarder à nouveau, au moment même où, l'inquiétude au front, Anson jetait un coup d'œil entre ses jambes (tout le monde en était là) afin de voir ce qu'il avait fait. Et Vic l'avait vu et leurs regards s'étaient croisés.

Toute trace d'animosité avait disparu entre les hommes,

chacun ayant déjà trop à faire de ses propres terreurs pour chercher à savoir ce que pouvait éprouver le voisin. Mais tous ils savaient ce que chier blanc voulait dire. Cela voulait dire choléra. Condamnation à mort.

Il s'en foutait pas mal, de ce type, mais avait alors cru que jamais il n'oublierait son regard, ou le pincement de panique qui lui était venu aux tripes, lorsque tous deux avaient compris qu'ils savaient.

Et bien sûr, le temps passant, il avait oublié. Comme tant et tant d'autres choses. Jusqu'au moment où toute l'affaire lui était revenue en mémoire comme si le temps était resté immobile, ou s'il s'était écoulé, ne l'avait fait que quelques secondes. Le gars était revenu à lui, s'était remis debout et, ses doigts s'agitant gauchement, avait renfilé son short.

Le gars, le gars... mais comment s'appelait-il ? Il lui semblait honteux de ne plus s'en souvenir, même si de fait ils ne s'étaient parlé que cette seule fois. Inquiet, il avait passé tout l'alphabet en revue, avait alors retrouvé d'autres noms qu'eux aussi il croyait avoir oubliés, bien d'autres, mais pas le sien. Enfin il avait laissé tomber, et le nom lui était revenu dans l'instant.

L'avait surtout frappé, après ce premier coup d'œil paniqué que l'autre lui avait jeté lorsqu'il avait compris, l'espèce de modération avec laquelle Anson avait alors regardé ses doigts, s'était débrouillé de son short, avait mené à bien la tâche ordinaire, mais plus que délicate, qui consistait à l'amarrer de façon à ce qu'il ne dégringole pas. La futilité de la chose l'avait empli d'une manière de terreur sacrée, comme si une main glacée s'était posée sur son épaule. Etonnement, mais horreur aussi, il n'en revenait pas de voir toute la pente qu'Anson avait descendue depuis la partie de dames : elle était bien finie, l'arrogance d'autrefois. Avec une espèce de patience morne, Anson avait enfin réussi à nouer deux bouts de ses haillons ensemble, lui avait tourné le dos et s'en était allé.

Ce qu'il pensait maintenant ? Cela n'avait pas grand-chose à voir avec tout cela. Vic se disait seulement qu'il lui avait fallu plus de quarante ans pour arriver à s'accommoder de la dureté de l'existence alors qu'Anson n'y avait mis que quelques mois.

Digger se taisait toujours.

Anson. C'était au début de la liste. Juste après Amos, « Reginald James ». Il aurait pu continuer si Vic l'avait exigé. Serait passé à Aspie, Ball, Barclay, Baynes, Beeston...

Après, il y en avait encore neuf — avant d'arriver à Curran.

4

Les événements d'importance ne s'annoncent pas toujours par de gros nuages. En 1941, l'armée impériale japonaise fit son entrée en Malaisie sur des vélos branlants. Cela ne ressemblait guère au prologue d'un triomphe et n'avait rien d'un grand moment historique.

Ils pédalaient dur entre les hévéas, le fusil jeté en travers du dos, les jumelles scintillant au soleil, les bottes en caoutchouc et les guêtres un coup en haut un coup en bas. Très arachnéennes, ces bicyclettes. On suait beaucoup sous le poids du paquetage. Il suffisait de viser, d'appuyer doucement sur la détente pour que toute l'affaire se mette à capoter. Ils levaient les bras au ciel comme si là-haut, ourlet du vêtement ou gros orteil de l'ancêtre, il y avait quelque chose à quoi se raccrocher pour s'arracher à la terre. Ils se démenaient. Pendant ce temps-là, les roues continuaient de tourner et, la gravité insistant, cyclo et cycliste, tout filait au fossé. Comique.

Mais, les hommes se mettant à mourir, on recula. De gros canons levèrent le nez en l'air et firent pleuvoir un déluge d'obus. La chaleur et le bruit devinrent terrifiants. Les ruelles étroites de la ville chinoise commencèrent à s'élancer vers le ciel. Les murs s'ouvraient, montaient un instant, plâtre et poussière, retombaient par pans entiers. Les indigènes, des Chinois pour la plupart, couraient à droite et à gauche dans des ténèbres d'huile, la caisse, le tapis enroulé ou l'enfant dans les bras — ou le poulet, la machine à coudre ou le porcelet qui hurle. Ou encore ils trottaient avec la moitié de la maison sur le dos, tous pieds de chaises pointés vers le ciel, et s'écroulaient sous la langue de feu qui leur remontait l'échine — alors la charge volait en éclats, s'éparpillait —, ou se relevaient et, en traînant la patte, se reprenaient à zigzaguer entre les blindés et le flot d'ambulances de campagne et de blessés ambulatoires qui envahissaient la chaussée conduisant à la forteresse.

Dimanche. Le soir venu, les types qui, la veille, s'étaient durement battus dans les plantations d'hévéas de l'île, voire au corps à corps dans les usines — et Digger en avait été —, avaient enfin connu le repos et s'étaient préparés pour la suite des événements en ravaudant leurs chaussettes, on les roule bien en boule, on les pousse au fond du sac à dos, dans les coins. Fin prêts, ils avaient compté leurs pièces, s'étaient curé les ongles et, la boîte de lait concentré ouverte d'un coup de couteau, s'étaient mis à y téter un peu de réconfort au goût métallisé.

Partout, à la lumière des feux de camp et dans l'obscurité voisine, les opérations de troc avaient repris : un paquet de papier à cigarettes et deux capotes anglaises contre un stylo à plume ; une once de tabac contre une boîte des meilleures aiguilles de gramophone — en acier —, avec, en prime, un enregistrement du Menuet en sol de Paderevski.

C'en était à croire que toute la division n'avait été formée et expédiée vers le nord qu'au seul propos d'assurer la circulation, d'un continent à un autre, d'une foultitude d'articles qui, sans grande utilité ou valeur, auraient, sans cela, pu moisir dans des magasins de campagne ou dépérir dans des valises rangées sous les lits. Véritable économie clandestine en marge de toutes statistiques, ces échanges étaient incessants, qui se faisaient entre deux bagarres, deux gorgées de lait de noix de coco ou deux plâtrées de singe, deux lits de camp. Jusques et y compris aux feuillées, lorsque, autre tâche des plus discrètes, à deux on s'appliquait à se soulager.

Les transactions. Les bonnes affaires. Elles coûtaient tant d'énergie, engendraient tant de passions qu'on eût pu les prendre pour l'essence même de la vie du combattant, celle qui, persistance tenace du désordre civil au sein même de l'institution militaire, disait au plus près les vrais motifs de ce vaste déploiement d'agissements internationaux. A côté d'elles, liberté, honneur, fierté patriotique et autre civilisation qu'on prétendait sauver n'étaient que baratins propres à enfumer l'esprit.

Brûlante, la nuit était encore épaissie par le nuage funèbre qui montait des entrepôts en feu dans les docks. C'était au milieu d'un vaste théâtre d'ombres embrasées qu'on s'était mis en devoir de monter les tentes. Les voix qui trouaient le silence étaient celles d'hommes qui parlaient en touillant dans la marmite, en jouant au mah-jong ou au black jack, ou qui, paresseusement, faisaient assaut d'obscénités.

Les autres — les bleus en général, mais il y avait aussi des anciens, cela arrivait — ne cessaient d'évoquer la grande bataille à laquelle ils allaient prendre part et qui, demain ou après-demain, liquiderait à jamais tous ces petits fumiers de Nippons.

Conneries. Ceux qui s'étaient déjà battus — Digger, par exemple, et aussi Mac et Doug — refusaient absolument de se joindre au concert. De fait, ce n'était pas seulement l'orage qui pesait sur l'île, pas plus que la fumée qui continuait de monter des entrepôts de l'Empire en feu. La rumeur, car on ne faisait encore que le chuchoter tant on craignait de tout lâcher haut et clair, voulait que l'état-major eût déjà entamé des pourparlers.

A onze heures, la nouvelle devint officielle : au cours d'une entrevue avec le commandant en chef des forces japonaises, le général Yamashita, le commandant en chef des forces Alliées, le général Percival, avait signé la reddition sans condition. Elle prendrait effet à dix heures, heure japonaise.

Comme quoi toutes les montres étaient déjà en avance — ça aussi. On était passé à l'heure ennemie et on y resterait jusqu'à la fin du conflit. On avait, entre autres qualités et sans en rien savoir, perdu son statut de soldat, et depuis deux heures déjà, on n'était plus que prisonnier de guerre.

Dès le lendemain, lundi, à cinquante mille, on le disait, ils commencèrent à marcher, bien que pour l'heure l'affaire se réduisît à parcourir quelque douze miles de route afin de gagner l'autre versant de l'île. La foule était tellement énorme qu'on avait du mal à l'imaginer, Digger s'en sentait incapable, jusqu'au moment où, arrivé au sommet d'une côte, en se retournant, on découvrait toutes les colonnes d'hommes agglutinés en train de fondre lentement dans l'au-delà de la brume de chaleur.

Ils avaient emporté tout ce qu'ils avaient pu — l'armée leur avait au moins appris ça. Ce qu'on avait, on s'y accrochait : rations, équipement, vieille tabatière en fer-blanc, pull-overs et chaussettes de rechange, on ne laissait rien derrière. Pas même la montre de quatre sous échangée ou arrachée à un Chinois, pas même le stylomine, l'écrase-mouche, le Bouddha en bronze, l'exemplaire d'*Autant en emporte le vent,* de *Moby Dick,* le livre d'Edgar Wallace, le ballot de shantung et de soie de Thaïlande, l'encrier, le jeu de cartes ou la bouteille de Johnny Walker étiquette rouge. Sous ses vingt à quarante livres de charge on pliait et vacillait. On avait les poches de chemise bourrées à ras bord ; aux lanières du sac à dos, aux passants de la ceinture, voire au bout du lacet qu'on avait autour du cou, pendaient l'ouvre-bouteilles, le canif, le tournevis, le gobelet en fer, le bidon à eau et autres objets plus légers. On ressemblait moins aux restes d'une armée, même défaite, qu'aux sorciers d'un culte du chargement particulièrement avancé, à une horde de colporteurs syriens s'apprêtant à déferler sur les bourgades de la Nouvelle-Galles du Sud. On titubait, on ferraillait sous la relique (tout ce qu'on avait pu se jeter par-dessus l'épaule, tout ce qu'on avait pu dévisser ici, arracher là), on croulait sous les débris repris à un monde qui avait volé en éclats et qu'il faudrait maintenant, et dans la plus grande improvisation, reconstruire ailleurs — chemin faisant même, si cela s'avérait nécessaire. Heureusement, on s'y connaissait. On était australien. Bricoler, on y avait souvent consacré l'essentiel de son existence.

Objets dépareillés, pièces détachées et autres symboles de la vie civilisée, voilà tout ce qu'il restait pour ne pas douter de l'univers dont on sortait, ne pas perdre la tête devant ce qu'on était vraiment. Dans le bistouri du chirurgien, la paire de tenailles et le rouleau de fil de fer qu'on avait emportés, c'était d'une manière quasi mystique qu'on retrouvait la supériorité indubitable de ceux qui les avait inventés et savaient s'en servir. La civilisation ? Mais c'est nous ! Regardez un peu ça !

La journée s'étirant et, épaules et pieds à vif, cuisses brûlées par la sueur, soleil qui cogne, qui aveugle, pas une ombre, la marche de douze miles tournant au martyre, le chargement avait commencé à se débander, là, aux abords de l'avenir incertain. A la nuit tombée, même le plus sottement obstiné avait fini par apprendre quelque chose, ce quelque chose qu'il avait appris pouvant être ramassé, soupesé, retourné dans tous les sens, déjà même avoir été estimé par les milliers de charognards qui l'avaient accompagné, qui à tout instant s'appropriaient ce qu'il jetait ou laissait tomber, ce qui, le soir même, serait montré à la lueur d'une lampe au fond d'une arrière-boutique et prouverait ce qui jusqu'alors était resté inconcevable : l'extraordinaire puissance à laquelle on avait renoncé, la première fois sur le papier, la deuxième sous une forme que l'on pouvait enfin voir et toucher du doigt, là, dans l'univers de la marchandise. Quelle débandade ! L'étendue du désastre était telle que le nonchalant même en avait les yeux exorbités. Un encrier en cristal, regardez ! sans une seule égratignure !

L'effeuillage avait été général, au cours duquel, qu'on s'en rendît compte ou pas, on avait pris des décisions capitales pour sa survie. Tout ce qu'on avait compris de la nature humaine (la sienne comprise) et de l'imprévisibilité des choses de ce monde s'était cristallisé dans le choix qu'on avait fait entre le réveil à six shillings et la paire de godillots éraflés, oui, mais qui peuvent encore servir.

A un moment donné de la journée, tous en étaient arrivés à un point où à chaque objet, même le plus petit, une charge soudain s'était trouvée ajoutée ; mais tous en étaient eux-mêmes restés plus légers.

Assis au milieu de la multitude, Digger s'était adossé à son paquetage, là, dans les ténèbres étouffantes, débotté, ses chaussettes enfin douloureusement décollées de ses chairs à vif.

Ils se trouvaient dans un camp à ciel ouvert, à la pointe est de l'île. Changi, tel était le nom de l'endroit.

L'unité s'était beaucoup dispersée. On s'était mis en route en bon ordre, mais des hommes avaient bientôt traîné à la remorque, certains pour marchander, entre eux ou avec les indigènes qui leur faisaient un bout de chemin, qui en grimaçant des sourires, qui en gueulant une offre pour l'objet qui lui avait tiré l'œil, d'autres parce qu'ils s'étaient sentis mal, s'étaient pris à boiter, s'étaient effondrés sous les coups de boutoir du grand soleil. Bon nombre d'entre eux arrivaient encore en tirant la patte, de tous côtés les sergents s'affairaient, interminablement faisaient l'appel.

Douze jours plus tôt, Mac avait été blessé — pas trop gravement — à la cuisse. Digger d'un côté, Doug de l'autre, on l'avait presque porté d'un bout à l'autre du trajet. Un bras en travers des yeux, Mac reposait par terre, blanc comme un linge. Inquiet, Digger s'agitait inutilement.

Doug, qui ne pouvait pas rester en place plus de deux minutes, était parti charogner. Telle était l'excuse. A dire vrai, il faisait les cent pas en jubilant devant le spectacle qui s'offrait à lui.

Il était dans son élément. Désordre et saint dérèglement des choses, Australiens perdus au milieu des Anglais, des Hollandais et des indigènes, vaste braiment de la multitude jusque dans les tréfonds de la nuit, tout cela lui donnait du tonus. Il passait d'un groupe à l'autre en dansant — grand, il l'était, mais avait le pied léger —, bouffonnait, saluait des connaissances, de temps à autre se penchait vers quelqu'un pour lui dire un mot, ou repérer le maître ès baratin qui déjà se voyait en combattant glorieux de la guérilla, ou se vantait de ce qu'il aurait pu faire si seulement on lui en avait laissé l'occasion. Il revint avec un paquet d'Ardath et une jolie cargaison d'histoires cocasses.

— Non, j' vous dis, lança-t-il, ça va être un vrai petit Chicago, vous pouvez me croire. La nature humaine, vous allez voir c' que c'est.

La pique s'adressait à Mac. « La nature humaine » était une expression dont il usait et abusait ; Mac et Doug étaient loin d'être d'accord là-dessus, eux qui, de fait, n'étaient pratiquement d'accord sur rien, leur affection reposant sur l'affirmation passionnée de leurs différences. Doug n'avait jeté ça dans la conversation que dans l'espoir de l'exciter un peu.

Comme la plupart de ceux qui n'ont jamais eu un jour de vacance, Doug ne savait pas se débrouiller de la maladie. Il croyait qu'à simplement l'asticoter et essayer de lui remonter le moral, il réussirait à remettre son ami d'aplomb.

— Y disent qu'on va leur refiler toutes nos affaires, reprit-il. Vous vous rendez compte ? Comme si y fallait que ces cons de gradés puissent s' fringuer comme des gentlemen ! Histoire d'impressionner les Japs, sans doute. Chaussures de marche pour tous les officiers, deux paires. On réquisitionne si les gus sont pas d'accord pour les lâcher. Les godasses, c'est drôlement pas cher dans le coin. Les mecs, y les échangent contre n'importe quoi, des clopes, des montres, des bas de soie. Le bas de soie est une valeur qui tient.

Il rit et ajouta :

— Moi, j' préfère quand même les clopes. Mais gaffe à la suite : les clopes, le singe et le lait condensé, ça va être ça, la nouvelle monnaie. Sans oublier les grolles en bon état. Au bout du compte, c'est toujours la même chose : le ventre, le cul ou les pieds. Sauf que pour ce qui est du cul, y en aura pas des tonnes ce coup-ci, enfin... à mon avis. Ça sera tout pour les pieds et le ventre. Vous verrez.

Il sortit son paquet d'Ardath, le secoua, en offrit une à Digger, puis le tendit à Mac. Et leva la tête et contempla l'énorme foule éparpillée sur le terrain sans aspérités. Il n'était soudain plus question de balivernes.

— C'est des nouilles, les trois quarts de ces mecs, reprit-il d'un air peiné. Verraient pas la différence entre leur trou de balle et celui d'un lapin de garenne. Minable, que c'est. Y en a la moitié, on leur pincerait le nez qu'il en coulerait du lait à maman.

Mac avait déjà allumé sa cigarette et, la tête renversée en arrière, en tirait la première bouffée.

— Alors, comment que ça va, chef? s'enquit Doug en s'asseyant à côté de lui. C'est un peu dur, tout ça, pas vrai ?

Il regarda vivement Digger, puis détourna la tête.

Les prisonniers s'étaient répandus sur des terres basses seulement définies, là-bas, dans la nuit, par l'odeur de la mer. Pas de clôtures, pas de fil de fer, pas un Jap à l'horizon. Dans le lointain quelque chose se mouvait, il y avait comme des remuements, on songeait à un animal qui se fût étendu de tout son long sur le sol, on l'entendait respirer, pousser des grondements étouffés. Mais mouvements et bruits de voix lorsqu'on parlait, tout était en demi-teinte, comme si les Japs les surveillaient déjà, présents certes, mais invisibles.

Ils se trouvaient en terrain découvert, sans la moindre

protection, contenus, mais par la seule vertu d'un accord passé par un Anglais qui s'était exprimé en leur nom. L'impression était étrange.

— Qu'est-ce qu'il y a, Dig ?

Mac, qui savait souvent ce que pensait celui-ci, regarda par-dessus son épaule d'un air interrogateur.

— Rien, répondit Digger. Je réfléchissais.

— « Adieu, soldats à aigrettes », c'est ça ? « Et les grandes guerres qui de l'ambition font vertu... »

Il avait parlé d'une voix rauque et lasse, un soupçon d'humour semblant pourtant lui être revenu. Il voyait bien qu'on s'inquiétait pour lui, il faisait un effort.

Doug, qui se sentait toujours gêné lorsque les choses prenaient un tour littéraire, tira la dernière goulée de sa cigarette et fit décrire à son mégot un bel arc embrasé dans les ténèbres.

— « Adieu, hennissant destrier, reprit Digger d'une voix qui avait perdu sa rudesse habituelle, adieu, stridentes trompettes, tambours qui le courage émouvez, fifres qui déchirez l'oreille, royale bannière, adieu, honneur, fiertés, pompes et apparats de la gloire guerrière[1]. »

Il s'arrêta et leva les yeux sur lui, un peu timidement certes, mais sans honte. C'était un jeu auquel ils jouaient souvent.

Sincèrement ravi, Mac arborait un large sourire.

Agé de trente-huit ans, Mac était d'une autre génération. Employé dans les tramways, il habitait à Bondi Junction avec sa belle-sœur, Iris, qui travaillait dans une pâtisserie (toutes choses qu'il avait longuement racontées à Digger) et, la tête farcie d'idées saugrenues, de théories fumeuses et d'optimismes extravagants qui n'eussent même pas eu grâce au Paradis, et encore moins à l'endroit où présentement ils se trouvaient, était ce que Doug appelait un « plouc de la philo ». Son sac à dos débordait de livres. Avant la mobilisation, il ne se passait guère de semaine qu'il n'achetât au moins une douzaine de volumes à des marchands en plein air ou chez des bouquinistes de George Street. Les livres, sa chambre en était tapissée jusqu'au plafond.

1. *Othello*, acte III, scène 3. (NdT.)

— Avec lui, ça ne rate jamais, dit-il en invitant Doug à admirer le phénomène. Etonnant, non ?

Digger hocha la tête. C'était rien, tout ça, des astuces.

Doug s'apprêtait à y aller d'un petit commentaire ironique lorsqu'un autre avis se fit entendre.

— Hé mais, je connais, moi !

C'était Vic, le copain de Doug, enfin... en quelque sorte.

— Bravo, fiston ! lui renvoya celui-ci d'un ton amusé.

Doug et Mac échangèrent un regard.

Grand et solidement bâti, Vic, qui n'avait même pas vingt ans, s'était depuis peu si fort attaché à eux qu'ils avaient du mal à s'en dépêtrer. Originaire, comme Doug, d'un village minier du côté de Newcastle, il y avait vu la possibilité d'un lien entre eux et en tirait le maximum. Il venait juste de terminer ses études et, de l'avis de Digger, n'avait aucune expérience en quelque domaine que ce fût. Il essayait de le cacher en parlant comme un dur et en jouant les gros costauds. Digger ne pouvait pas le souffrir. Et Mac ne le tenait pas, lui non plus, en très haute estime.

Il avait pris Doug dans son collimateur, mais, Dieu sait comment, c'était toujours les autres qu'il finissait par asticoter : on ne l'en appréciait qu'encore moins. A chaque fois qu'on s'en plaignait, Doug, qui était la générosité même, haussait les épaules et disait : « Bah, c'est pas un mauvais bougre, le Vic. » Ce qui ne l'empêchait pas de le taquiner comme les autres.

« Voyez-vous ça ! » disait-il d'un air faussement étonné lorsque, dans l'espoir de les impressionner, Vic se risquait à quelque révélation où l'essentiel était de se faire mousser.

Car celui-ci ne ratait jamais une occasion de s'y essayer et régulièrement se coulait encore plus à leurs yeux.

— Tenez, je vous ai apporté quelque chose, lança-t-il en leur montrant une boîte de lait concentré Ideal.

Doug la lui prit et la tourna et retourna dans sa main.

— Et c'est pour quoi, ça ? s'enquit-il. C'est l'anniversaire à quelqu'un ?

Vic rougit jusqu'aux oreilles. Comme si c'était « pour » quelque chose ! C'était quelque chose qu'il avait choisi pour eux, voilà tout. Il attendit que Dig ait accepté de l'en débarrasser.

— Merci, m'sieur, dit-il enfin avant de poser sa boîte de lait, un peu trop en évidence, sur son paquetage.

Vic en déduisit qu'on l'avait invité à s'asseoir dans l'herbe avec tout le monde.

— Alors, fit-il, nous y voici, pas vrai ? A votre avis, ça va durer longtemps ?

— J' sais pas, lui répondit Doug en lui tendant le paquet d'Ardath. Ça pourrait bien durer toute la guerre, tu sais ? Et toi... qu'est-ce t'en penses ?

— Ben, fit-il, j'ai entendu dire qu'y voulaient nous échanger. Tout de suite, enfin... d'après un type.

— Allez !... Non mais, t'entends ça, Mac ?... Et contre quoi veux-tu qu'y nous échangent ?

— De la laine. Ils en auraient besoin.

Doug éclata de rire, sincèrement.

— Attention l' troupeau de moutons qu'y va leur falloir pour nous échanger ! s'écria-t-il en jetant un coup d'œil à la horde de soldats qui les entourait. Et comment crois-tu qu'y vont s'y prendre ? Au poids ? Remarque que moi, j' devrais plutôt leur plaire. Et toi aussi. Mais Digger, hein ? Tu parles comme y vont vouloir échanger un fil de fer pareil ! Hé, Digger, combien que tu pèses ?

— Cent dix livres, lui répondit celui-ci en riant.

— J' vois ça d'ici ! reprit Doug. Ça serait donc comme à c' putain d' jugement dernier ? Moi, j' my vois vraiment pas, tu sais ?

— C'est-à-dire que... bafouilla Vic qui se sentait mal à l'aise, de toute façon, c'est rien qu'un bruit qui court. On en entend de toutes sortes en ce moment. Personnellement, j' crois pas que ça arrivera jamais...

— Et moi non plus, acquiesça Doug. Tu peux respirer tranquille, Digger, le projet est enterré.

Vic remarqua le sourire qu'ils échangeaient. Il n'était pas bête. Il vit le regard que Digger avait posé sur lui. Méprisant. C'était de lui que viendraient les ennuis. Il ne payait pas de mine, il n'avait rien de particulièrement remarquable, mais des trois, c'était celui qui réfléchissait le plus et qui, parlant le moins, serait le plus difficile à gagner.

« J'aimerais bien qu'y s' barre, se disait Digger. Y voit donc pas qu'on a pas envie de sa compagnie ? Un vrai gâcheur, ce type. »

Il faisait partie d'un vaste contingent de relève qui venait de débarquer dans l'île.

Trois semaines plus tôt, tous se battaient encore avec le mal de mer, à bord du transport de troupes qui les avait pris à Perth, ou, en short ample et brodequins, les épaules déjà couvertes d'ampoules, se penchaient au bastingage pour mieux observer les poissons volants. A peine recrutés, ils avaient été expédiés dans l'île, l'état-major interarmes se proposant de les entraîner sur place. Leur paquetage, plus une semaine de tir à la carabine au polygone de Bukit Timar, il n'en avait pas fallu plus pour faire d'eux des soldats.

La traversée, l'aventure — quitter l'Australie! —, les histoires qui leur trottaient dans la tête, celles des vieux de la vieille, là-bas, dans les pubs de campagne, au boulot dans les scieries et les salles de vente, celles du tonton pendant que les femmes font la vaisselle après le dîner du dimanche, tout les portait à l'impatience héroïque, à une tension que nul règlement militaire ou rigueur de la manœuvre n'avait encore tempérée. L'âme en feu et prêt à en découdre, on avait descendu la passerelle et on s'était retrouvé dans ça : la captivité.

Il y avait eu changement de programme et Vic l'avait pris comme un affront personnel. A dix heures du soir, ce dimanche-là, toutes les qualités qu'il se connaissait auraient donc brusquement passé de mode? Les hommes au milieu desquels il évoluait maintenant étaient tous endurcis, même ceux qui, comme Digger, avaient le même âge que lui. S'ils avaient, peut-être, le droit de le mépriser pour la seule et unique raison que, jeune novice, il n'avait pas eu l'occasion de leur montrer son savoir-faire, il ne le supportait pas. Ce dont il était capable, il le savait parfaitement.

Il s'accroupit sur les talons et prit un air dégagé. Comme si, les mains vaguement posées sur les cuisses et son chapeau de brousse en travers du dos, il n'était pas agréable à regarder! Cela étant, il ne se sentait jamais à son aise. L'irritation, même légère, le tenaillait sans cesse. Très sensible à la raillerie, il resta sur le qui-vive.

Doug avait déjà trouvé un autre sujet d'emportement.

— On dit que Gordon Bennett aurait disparu, fit-il. Vous en avez entendu parler? Il aurait filé au pays dans son petit bateau à rames rien que pour nous laisser dans la merde. Ça y ressemblerait assez, non ?

Doug n'avait guère d'estime pour les gens de pouvoir. A ses yeux, officiers, patrons, petits employés montés en grade et qui, assis derrière leur bureau, passent leur temps à vous jeter des « hm hm » et des « bon, bon » et à vous faire chier avant de vous tamponner le moindre bout de papier, ils n'aspiraient qu'à lécher ou à botter des culs selon que ces derniers se trouvaient au-dessus ou au-dessous d'eux. Tous en effet — et le connard de sous-lieutenant qui allait bientôt parader dans leurs brodequins ne faisait pas exception à la règle — étaient bien décidés à s'accrocher au plus infime des privilèges qu'on leur avait accordés.

— Classique, reprit-il en crachant par terre.

— Oh, j' sais pas, dit Vic.

Il fallait toujours qu'il ajoute son grain de sel.

— Un mec de chez nous ? Bon, d'accord, je sais que c'est un général et tout et tout, mais... y serait vraiment capable de faire un truc pareil ?

Doug garda le silence et, les sourcils haussés, se contenta de le dévisager. Vic n'y tint plus.

— Ben, et toi ?

Doug partit d'un petit rire.

— Ça va pas ? Bien sûr que non ! Mais moi, j' suis rien qu'un fantassin de merde ! Comme si j' pouvais rentrer chez moi quand ça m' chante ! J'ai pas d' bateau particulier, moi ! J' suis comme Mac et Digger : eux non plus, y pourraient pas. Et toi non plus d'ailleurs. C'est vrai que si j'étais général... moi ou toi, d'ailleurs, enfin... non, toi, peut-être pas. En tout cas, j' peux pas jurer de c' que j' ferais si on m'en donnait la possibilité.

Vic fronça les sourcils. Il n'aimait guère le tour que prenait la conversation.

— De toute façon, dit-il, c'est rien que des rumeurs. C'est comme le coup de la laine. Ici, les rumeurs, ça court partout.

Il y eut un silence.

— Bon, reprit-il, toujours est-il qu'on y est, pas vrai ?

Doug jeta un coup d'œil aux alentours et poussa un soupir passablement théâtral.

— J' sais pas, dit-il. Comment est-ce que j'ai fait mon compte pour atterrir dans un truc pareil ? Quand j' pense que je fais toujours vachement gaffe ! Ça, c'est pas moi qu'aurais marché sur les fissures du trottoir quand j'étais môme... ni même après. Et j' changeais de chaussettes deux fois par semaine ! Jamais sorti avec des femmes faciles, jamais passé sous une échelle, jamais cassé un miroir, jamais pris un ticket qu'y aurait eu un treize dessus... Plus prudent que ça, c'est pas possible. Y suffisait que j' voye un Chinois pour foncer vers lui, savez bien, quoi ! on y fait la révérence et on file, histoire d' mettre la chance de son côté. Et v'là que, pour finir, j' suis assez con pour m'engager. Non mais, j' vous l' demande un peu : qu'est-ce qui nous pousse à faire des trucs pareils ? On est des êtres rationnels ou on en est pas ? Nom de Dieu, que j' me dis, y vont m'envoyer à la guerre, la vraie ! En Grèce, en Egypte et ça, j'ai vraiment pas envie ! Mais non : y m'envoient ici. J'avais l' Digger et l' Mac avec moi. Alors, j' me dis : « Bon, ça, ça va. Les nuits tropicales, les p'tites danseuses à dix sous l' coup, les Chinois partout, tu t'en tireras, l' Douggy. Ça ira, allez. » Et maintenant, y a qu'à voir le résultat. Non, j' vous l' demande un peu, vous trouvez ça logique, vous ? Y en a pas un qui pourrait m' dire ce qu'on fait et pourquoi qu'on l' fait quand on l' fait ? Dites, y aurait pas quelqu'un qu'aurait pesé tout ça comme y faut ? Et pas seulement pour qu'on puisse nous échanger contre notre poids en laine !

Il rit et ajouta :

— N'empêche que si c'est qu'on devait en arriver là, faudrait voir à t' remplumer un peu, l' Digger !

— J' suis bien comme j' suis ! lui renvoya celui-ci en souriant.

— Tiens, mec, avale !

Il ouvrit sa grande main, y attrapa la boîte de lait Ideal comme avec une pelle et fit une petite passe à Digger.

— Allez ! Mets-toi ça dans l' bide, dit-il. Hé, Vic ! Ça t'ennuie pas au moins ? Digger, c'est notre poids coq.

— Poids plume, le reprit Digger qui tenait à rester précis.

— Ça, c'est pas nous qu'on pourrait y toucher !

— Ah bon ? dit Vic.

La petite étincelle de défi et d'intérêt qui passa dans son regard n'échappa à personne. Cela le surprit : Digger avait l'air tellement doux.

— Sauf qu'y vaudrait même pas une pelote de laine si

jamais qu'ils étaient sérieux. A peine si y pourrait recouvrir un cintre ou l' côté gauche d'un cardigan d' bébé ! Excuse-moi, mec, dit-il, mais t'es dans l' caca. Tiens, donne-moi ça !

Il lui reprit la boîte, l'ouvrit de deux coups de son couteau de poche et la lui renvoya.

— Merci, m'sieur Vic ! dit-il à la place de Digger.

Digger but une bonne gorgée de lait.

5

Sa réputation de boxeur avait été faite dès leur première semaine de détention. Il avait tenu trois rounds devant un champion d'Etat amateur, puis avait défendu les couleurs de son unité au tournoi interbataillons. C'était Doug qui l'y avait poussé. Digger n'avait, au début en tout cas, révélé à personne qu'il était déjà passé en catégorie professionnelle.

Avant de s'engager, il avait en effet travaillé dix-huit mois durant dans une troupe de boxeurs qui faisait les foires de campagne. Dans une allée violemment éclairée s'exhibaient avec eux des monstres de cirque parmi lesquels on trouvait un Chinois à tête en pain de sucre, un costaud qui crachait le feu et avalait des épées, deux casse-cou à moto qui, mari et femme, affrontaient l'Anneau de la Mort trois fois par soir, une Femme-Eléphant et un Homme-Tronc qui en tout et pour tout n'avait qu'une tête, des épaules et un torse montés sur un plateau à roulettes. Digger avait pour tâche de se tenir dans la foule et, lorsqu'il n'y avait pas d'autre couillon que lui pour le faire, de monter sur le ring et de s'y taper deux ou trois reprises avec un type de la troupe.

C'était depuis toujours qu'il adorait les foires. Les flonflons asthmatiques d'un manège, une douzaine d'hommes en short et maillot de corps bleu en train de monter une tente avec des cordes et des masses et de transformer un terrain vague en site de carnaval, il ne lui en fallait pas plus pour oublier la course dont on l'avait chargé. Combien de fois ne s'était-il pas fait tirer les oreilles pour s'être faufilé sous la tente — et, hélas, être arrivé en retard au thé —, avoir traîné dehors pour écouter les bonimenteurs et, apprendre la parade la plus compliquée lui prenant à peine quelques minutes, être rentré à la maison la tête pleine de bêtises qui tant émouvaient Jenny qu'elle en piaulait aussitôt d'envie d'aller voir toutes ces merveilles à son tour.

Digger adorait les ampoules bleues, rouges et orange qui, accrochées entre les poteaux, jetaient des ombres étranges lorsqu'un vent chaud les frappait, l'odeur de la merde animale, le satin et les paillettes des acrobates. Crasseux, ces derniers l'étaient sans doute lorsqu'on s'approchait d'eux, mais, les lumières et les splendides descriptions du bonimenteur aidant, jamais ils ne manquaient de l'arracher à lui-même.

Haut perchés sur les épaules de leur père, les bambins gazouillaient ou, stupéfaits, se taisaient. La tignasse aplatie sous la gomina et le clope au bec, de bruyants ados faisaient la queue pour fusiller du canard en argile ou donner de la masse jusqu'à ce qu'une cloche retentisse, leurs copines, la lèvre rouge et le cheveu permanenté, ne cessant de les regarder en faisant semblant de ne pas mourir d'ennui. Ce n'était que plus tard, lorsqu'elles se promenaient avec un baigneur, un réveil ou un chien en plâtre sous le bras, qu'enfin elles pouvaient vraiment s'émouvoir. Vautrées dans leur grossière normalité, elles avaient la chair de poule en voyant le Chinois à tête en pain de sucre boire du thé dans un gobelet d'enfant ou en découvrant, oh ! qu'il était mignon, à croquer ! ah ! ces grands yeux tristes ! un bébé veau à six pattes.

Digger, qui hantait ce genre d'endroits depuis qu'il avait dix ans, dérivait d'un lieu à un autre comme s'il était en transes, bruits, sueurs et cruautés, se régalait de tout. Au centre de cet univers — on n'y exhibait pas vraiment des monstres, mais on attirait à soi les débordements d'émotions suscitées par les prodiges des alentours —, invariablement se dressait la tente des boxeurs. Pas tous jeunes, mais, métis et insulaires, tous sombres de peau ; une demi-douzaine, alignés sur une planche, devant une toile peinte.

Sur cette dernière, plus grands que nature, deux boxeurs s'apprêtaient à combattre. Sur une estrade à l'écart se tenait le bonimenteur chargé d'exciter la foule. Déjà gantés et chaussés, en shorts et capes en soie frappées de leurs noms en lettres d'or, les négros hypocrites sautillaient sur place, juste à hauteur d'œil, pourfendant l'air, soufflant bruyamment dans leurs naseaux, jouant les terreurs.

Ils n'étaient là que pour défier le client. Que pour mettre en doute la force et la virilité du bouseux ou du commis de magasin qui, bâillant, une fille au bras et un bâton de cassonade ou de barbe à papa au poing, se demandait, mais en secret, si vraiment il était à la hauteur. Le gogo, quoi.

Plus tard, lorsqu'il racontait ses exploits à Mac et à Doug, Digger se prenait souvent à rire, mais devant ses nouveaux amis se sentait un rien honteux du rôle qu'il avait joué, jusqu'au moment où la drôlerie de la chose finissait par l'emporter. Alors il imitait le jeune paysan musclé qui retrousse ses manches en gardant la bouche ouverte et en respirant par le nez ou les autres qui, trop malins pour risquer de se faire assommer, mais tout prêts à pousser le copain au massacre, lui lancent des vannes ou le chahutent.

Car il y avait là quelque chose de très simple et de très primaire qui ne pouvait que plaire à ces jeunes hommes dont les pères et grands-pères avaient défriché le pays, chassé les Noirs et vaillamment combattu à la guerre. Mais tout cela était bel et bien terminé, vivre se réduisant maintenant à une histoire des plus ternes, où il fallait chaparder pour ne pas crever, toujours s'inquiéter de savoir si on allait pouvoir payer le loyer et donner à bouffer aux enfants, ou, pis encore, on était parfois obligé de faire la queue pour recevoir l'aumône ; sans oublier le vague soupçon qui toujours vous rongeait que, peut-être, « on » (mais de qui s'agissait-il vraiment ?) vous avait laissé tomber, voire trahi, et certain ressentiment tenace qui souvent exigeait qu'il y eût au moins quelque chose à incriminer — ou à cogner.

Or, c'était bien un vrai combat qu'on leur offrait : amateur contre professionnel, blanc contre noir, muscles et adresse de l'homme ordinaire, crémier ou équarrisseur, contre des forces que de temps en temps il fallait bien savoir repousser, écraser et remettre à leur place sous peine de devoir un jour douter de sa propre valeur. Telles étaient les données.

Ce qu'avec son baratin enflammé le bonimenteur arrivait à fourrer dans la tête du gogo avait certes son importance, mais pour une partie seulement. L'essentiel était atteint lorsque, surtout après deux ou trois bières, le badaud voyait enfin du négro se pavaner en gants de cuir et cape en soie verte ou marron avec noms brodés dessus. Car alors il « les » sentait, car alors, malgré tous leurs chichis, ces boxeurs qu'il avait sous le nez n'étaient quand même et jamais que des négros, que de sales aborigènes.

Coup monté, mais le pauvre couillon n'y voyait que du feu. Il y avait toujours et ce, dès le début, assez d'amertume de part et d'autre pour que le combat fût réel. Du sang, voilà ce qu'on voulait. Ah, voir un des négros s'étaler par terre avec une lèvre fendue, ou tout au contraire, pourvu que la fantaisie lui en prît, quelque braillard, la brute du coin, se faire mettre une raclée par un Noir ! La foule était imprévisible, qui pouvait s'enflammer pour l'autre bord sans crier gare.

De fait, rares étaient les challengers qui faisaient le poids, même devant ceux de la troupe qui, pour avoir encore un joli jeu de jambes, avaient connu des jours meilleurs et avaient le crâne ramolli par la bibine ou les tournées qu'ils avaient prises lors de combats véritables. Professionnels, ils l'étaient et savaient toutes les feintes. Jouant à ce jeu — les trois quarts d'entre eux au moins — depuis qu'ils avaient enfilé les gants pour la première fois, ils ne manquaient ni de coffre ni d'astuce, le challenger n'ayant, lui, que sa force brutale à leur opposer, que sa haine du nègre qui la ramène et son désir d'impressionner les copains ou la nana.

Debout en bras de chemise dans la chaleur du soir, Digger avait pour tâche, tandis qu'autour de lui baissaient et montaient les flonflons des manèges et que, là-haut, les insectes allaient s'écraser contre les ampoules, de se fondre à la foule et, gamin de la campagne tout comme un autre (ce que bien sûr il était), d'attiser l'esprit d'émulation et la sauvagerie sans partage.

« M'a pas l'air si costaud que ça, moi, ce type, lançait-il au voisin. Qu'est-ce t'en penses ? », et aussitôt il commençait à chauffer celui-ci ou celui-là. Ce n'était que lorsque personne ne s'y laissait prendre qu'il consentait à se mettre lui-même en avant.

« T'es sûr de vouloir y aller ? lui demandait le bonimenteur tandis qu'il grimpait les marches du podium. Ta mère est au courant ? Mais dis : t'as bien seize ans, au moins ?... Joli garçon, le monsieur, pas vrai, les filles ? C'est dommage pour son nez, mais bon, hein ? Allez, fiston, en piste ! A toi de voir ! »

La première fois, emporté par le bruit, l'excitation et la

confiance en soi, il était monté sur le ring comme le dernier des pigeons qui l'entouraient et s'était fait rétamer dans les grandes largeurs. Mais au bout de deux reprises seulement, et après s'être battu vaillamment. La foule avait aimé ses airs proprets et son astuce. Sentant qu'il avait des possibilités — léger et un peu jeune certes, mais il résistait étonnamment bien aux coups —, le directeur de la troupe était venu le voir pendant qu'il se rafraîchissait la figure et lui avait offert du boulot. Recommencer, mais pour trois livres par semaine, ce qu'il venait de faire pour le plaisir, la seule différence étant qu'il devrait désormais se contenter de jouer la comédie. Il vivrait avec la troupe, voyagerait avec elle de ville en ville et ferait partie du spectacle. Qu'en disait-il ? Il avait sauté sur l'occasion.

Pas tant à cause des trois livres, quoique ce ne fût pas à négliger alors que des milliers de gens se trouvaient au chômage, ni non plus de l'occasion qui lui était offerte de faire partie de la troupe ou de voir du pays. C'était plutôt qu'enfin on lui donnait la chance (et il n'en parlait que du bout des lèvres, avait même du mal à se l'avouer) de sortir du sentier que le destin, ou sa mère qui s'en proclamait l'agent, lui avait tracé. La chance de se tirer.

Il avait gardé la nouvelle pour lui pendant un jour ou deux et avait échafaudé ses plans. Puis il avait tout raconté à son père.

« Bravo, bonhomme ! » s'était écrié celui-ci et, ravi d'être d'un complot et de voir son fils montrer un peu les dents, il avait ajouté : « Te fais pas d' bile, je te couvrirai. Barre-toi pendant qu'il en est encore temps. Ah, j'aimerais bien être à ta place, tiens ! »

Il était jeune et avait pris les choses avec légèreté, coups compris : il fallait bien apprendre. Il l'avait fait dix-huit mois durant, d'Albury était parti droit vers l'ouest et, en remontant la côte jusqu'à Bundaberg, avait vu toutes les villes qu'il y avait à voir. Il s'était acheté des chaussures de boxe, une ceinture en peau de kangourou, un jeu de chemises pour l'épate et n'avait pas tardé à faire plus ample connaissance avec le reste de la troupe.

La Femme-Eléphant avait commencé par travailler dans un magasin d'animaux domestiques, à Vienne. Elle y vendait des alouettes, auxquelles, lui dit-elle, on crevait les yeux pour qu'elles chantent. L'Homme-Tronc, lui, était comptable. Mais, certaines valeurs l'emportant en ce monde, tous les deux avaient décidé, poussés en cela, mais à peine, par un manager, de faire argent de leurs avantages et de monter un spectacle.

La Femme-Eléphant lisait des feuilletons à l'eau de rose, en français, et dans sa roulotte avait un gramophone sur lequel elle se passait de la musique bohémienne. Elle prenait grand soin de ses ongles. Elle avait d'ailleurs de très belles mains, lesquelles étaient, avec ses oreilles, les organes les plus modestes de son anatomie. Sur sa coiffeuse, elle avait toujours une main gantée de velours noir, couverte de bagues et suffisamment rembourrée pour qu'on la prît pour une vraie. Mme Eléphant n'en était pas moins trop raffinée pour ne jamais porter plus de deux bagues à la fois. Sa vedette de cinéma préférée était un Edward G. Robinson qui, le trait lourd de menaces et l'œil plein de violences aussi douces que prochaines, la contemplait de douze endroits différents. Hedy Lamarr était la seule star féminine à avoir les honneurs de son miroir. « C'est une Viennoise, lui disait-elle, comme moi. »

L'Homme-Tronc avait la passion du jeu. Où qu'ils soient, il passait ses journées à étudier les pronostics des courses de chevaux en buvant du rhum Beenleigh. Il avait trouvé la « combinaison gagnante ». On prétendait même qu'il avait, sous *x* faux noms, planqué des milliers de livres dans diverses banques du pays. Américain de naissance, il avait une grande gueule, mais perdait toute sa grossièreté lorsqu'il était à jeun. Il lui avait passé un roman de Theodore Dreiser, affirmait que c'en était fini de l'Europe et pensait que tous les ennuis du monde venaient des juifs.

Jours heureux que ceux-là, malgré la tristesse des temps. Il ne lui déplaisait pas de vivre ce qu'il vivait.

La guerre était arrivée. Son père y était parti, après avoir à nouveau révisé son âge, à la baisse cette fois. Digger et lui avaient bu un dernier coup ensemble à Sydney.

— Tu devrais y aller, toi aussi, lui avait dit son père tout pimpant dans son uniforme de la cavalerie légère.

Mais Digger n'était pas de cet avis. Vivre avec des Noirs lui faisait voir les choses autrement : de biais et avec une pointe d'humour et de scepticisme, comme eux. Il n'était pourtant pas de leur monde et le savait ; cela ne les avait pas empêchés de se montrer aussi ouverts avec lui que s'il l'avait été, au bout d'un moment s'entend. « T'es pas un mauvais bougre », lui disait son copain Slinger. Sauf qu'avec lui, il n'y avait jamais moyen de savoir s'il plaisantait ou pas. « Et si t'étais noir de l'aut' côté de ta peau, hein ? »

Jusqu'au jour où, à Newcastle — il léchait les vitrines et regardait les affiches de cinéma —, il était tombé sur un groupe de jeunes gens qui faisaient la queue pour s'engager. Une plate-forme de recrutement avait été dressée sur le trottoir, avec drapeaux, anglais et australiens, et tout le tralala. En bras de chemise, et même en costume (certains), des hommes s'avançaient vers elle, l'un derrière l'autre. Au bout de la file, un type faisait un petit numéro d'amuseur. Digger s'était arrêté pour l'écouter un instant. Autour de lui on riait, mais d'un air gêné, comme si on se méfiait du tour que prenait le boniment. Le bonhomme parlait comme un communiste.

Grand gaillard en chemise de laine, il fanfaronnait, mais n'en donnait pas moins l'impression d'être plutôt frêle. Eût-il dansé qu'on lui eût trouvé le pied léger et, à sa manière, sa parole était bien une danse. Il flattait son public, toujours le tenait à sa remorque et, le temps passant, Digger commença, lui aussi, à s'y laisser prendre. Une fois qu'il avait ri tout haut, le bonhomme se tourna vers lui et lui dit, comme s'ils se connaissaient depuis toujours :

— Tu me files un clope, tu veux ?

Digger avait lâché le mur contre lequel il s'appuyait, lui avait tendu sa cigarette et s'en était roulé une autre.

— Merci.

Lorsque Digger avait été prêt, le baratineur avait baissé la tête pour allumer son clope.

— C'est Bramson que j' m'appelle, avait-il repris. Doug.

Ceux qui voulaient s'engager les avaient regardés, sans trop savoir qu'en penser, toujours accrochés aux paroles de Bramson. Il le savait et avait fait durer le plaisir.

Après, Digger s'était lui aussi mis à l'écouter sans se cacher. Des fariboles, tout cela, au fond. Il avait songé à Farrah, le grand bonimenteur de la troupe. Mais c'était juste ce qu'il fallait pour tuer le temps pendant que la file avançait à pas traînants. « Il serait capable de parler pendant toute une guerre mondiale, s'était-il dit. Et en plus, avec lui, le temps passerait comme rien. »

Pour finir, Doug s'était tourné vers lui et lui avait demandé :

— Alors, mec, t'es dans la file ?

— Quoi ?

— Tu t'engages ou bien tu fais qu'y penser ?

Digger en était resté tout bête, qui, ne faisant ni l'un ni l'autre, s'était contenté de badauder. Il avait contemplé le trottoir, il y avait écrasé son mégot sous le talon de sa chaussure, il avait regardé Doug par en dessous. Mais celui-ci lui avait déjà tourné le dos. La question avait été posée comme ça. On ne cherchait pas à le sonder.

Mais là, au milieu de ces hommes qui attendaient, Digger avait ressenti quelque chose : la chaleur que l'on trouve à faire, et le plus facilement du monde, partie d'une foule. Comme autrefois. Les soirs où, là-bas, au pays, debout devant un feu de bois à la porte d'un dancing, il fumait, racontait des histoires, écoutait les ragots du coin ou les blagues qu'à ne pas connaître le sabir de l'endroit il eût peut-être fallu se faire expliquer. C'était ça qui lui manquait depuis plusieurs mois. Soudain, il avait eu le mal du pays. Oui, il y avait bien là une aisance qui n'avait rien à voir avec celle qu'il vivait maintenant.

Car les négros étaient susceptibles. Il évoluait dans leur monde et certes ils l'avaient accepté, mais seulement d'une manière provisoire et il était des moments où il se disait qu'il n'arriverait jamais à les comprendre vraiment, Slinger y compris. Il n'avait jamais eu à affronter les indignités qu'on leur infligeait, jamais il n'avait subi les humiliations qu'ils avaient connues. Pour finir, il n'avait pas la moindre idée de ce qui les faisait tenir.

Alors que ces gars-là, il les connaissait. C'étaient bien ceux au milieu desquels, chaque soir, il jouait son rôle. Rien ne l'empêchait de se joindre à eux, ils ne lui trouveraient rien de différent — en tout cas il l'espéra —, à moins qu'au contact de Slinger et des autres il n'eût déjà changé sans le savoir. Une autre façon de se pencher, de tenir ses épaules, de sentir ? Non, il ne le pensait pas. Il éprouva soudain le besoin d'être repris par eux, de partager avec eux tout ce qu'ils étaient en train de se laisser mettre sur le dos, de ne plus avoir à jouer la comédie. Il s'était retourné la peau et, dans l'instant, était redevenu blanc.

Les autres n'avaient rien remarqué. Ils avaient fixé leur attention sur Doug. Dans cette file, la star, c'était lui.

Et tandis que Doug continuait son laïus, d'autres étaient encore arrivés pour prendre la queue. Enfin, ç'avait été au tour de Doug de s'avancer pour signer. Et après lui, à celui de Digger.

— Ecoute, avait-il dit à Slinger le soir même, tu ne me croiras peut-être pas, mais je viens de m'engager.

C'était après le spectacle. Ils étaient en train de se verser des écopes d'eau fraîche sur les épaules, dans une espèce de cabine qu'ils avaient installée derrière le campement.

Slinger était un insulaire [1]. Grand gaillard timide, il avait plus de six pieds de haut : un vrai poids lourd. Il s'était immobilisé, puis lentement s'était versé son écope d'eau sur la tête.

— J'ai fait ça cet aprem, avait repris Digger. C'est con, non ?

Et, s'emparant de son écope, il l'avait plongée dans le baquet.

— Merde, Digger ! s'était exclamé Slinger d'un air authentiquement bouleversé.

Digger en avait été heureux.

— Pourquoi que t'as fait un truc pareil ?

Quelque chose dans la voix de Slinger lui avait rappelé sa mère, mais ce n'avait été que plus tard, lorsqu'il s'était enfin assis pour lui écrire un mot, que Digger avait compris comment celle-ci verrait les choses — comment elle ne manquerait pas de se dire que ce qu'il avait décidé de faire allait encore l'éloigner d'elle.

Digger s'était calmé. L'eau qui lui coulait sur la poitrine était froide.

— Bah, faut croire que j'ai jamais cessé d'être con, avait-il lancé à tout hasard.

— Ouais, faut croire, lui avait renvoyé Slinger. Et dire que j' pensais t'avoir appris des trucs !

1. Fils d'esclaves importés du détroit de Torres. (NdT.)

6

— Frisquet, non ? Ça, dès que le soleil s'en va...

Surpris, Digger leva les yeux. Il était à des miles et des miles de là... combien d'années déjà ? Glaciale, l'eau se déversait encore sur sa tête, le choquait, lui collait les cheveux sur les yeux. Blanc à nouveau, il avait la chair de poule par tout le corps, sa bite et ses couilles se ratatinant au fur et à mesure qu'il continuait de sautiller sur les caillebotis de la douche improvisée, tendant la main pour attraper la serviette de toilette commune.

Vic cessa de le regarder pour contempler le fleuve.

— Bon, et cette tasse de thé dont tu parlais ? dit-il.

En les voyant s'avancer sur le chemin qui montait au magasin, Jenny se troubla. C'était la troisième fois qu'il venait en un peu plus d'une semaine. Cela ne lui était jamais arrivé. Vic cherchait à obtenir quelque chose de Digger et Digger était inquiet. La nuit, elle l'entendait tourner et virer de l'autre côté du mur, mais il refusait toujours de lui dire de quoi il s'agissait.

Le jeudi d'avant, Vic s'était pointé avec un cadeau. Il n'arrêtait pas de lui en faire : sa manière à lui de contourner l'obstacle qu'elle représentait. Depuis combien d'années s'amusait-il à ce petit jeu ? Il n'apprendrait donc jamais ?

Au début, il s'était contenté de lui offrir des babioles. Jusqu'à une barrette à cheveux en plastique rose, une fois. Un autre jour, ç'avait été du parfum : « Soir de Paris ». « Merci », disait-elle, et elle mettait le truc de côté ; sans même y jeter un coup d'œil. Comme si elle avait envie d'accepter ses cadeaux ! Et d'ailleurs, se disait-elle, il leur jetait sûrement des sorts, à ses présents, et il lui suffirait de s'en servir, tiens, un exemple, de se mettre sa barrette dans les cheveux pour devenir sa chose.

Après, les cadeaux avaient grossi, leur emballage devenant de plus en plus volumineux. « Là », disait-il en essayant de l'aider. « J'y arriverai toute seule », lui renvoyait-elle farouchement, et elle le virait. Ce n'était que pour rester polie qu'elle les ouvrait.

Un gaufrier ! Parfaitement inutile ! Puis un autocuiseur qui lui avait flanqué une trouille bleue : aurait-on espéré que l'engin la réduise en cendres ? Et après encore, une poêle spéciale pour faire les œufs pochés, alors que Digger n'en mangeait jamais. Un ouvre-boîtes à accrocher au mur ; même que ce jour-là il était arrivé avec un tournevis et lui avait collé son machin à côté de l'évier en moins de deux minutes. « Là, tenez, je vais vous montrer comment ça marche », lui avait-il dit, et lui avait ouvert une demi-boîte d'abricots, quel gâchis ! alors qu'elle avait déjà préparé du pudding à la mie de pain.

Rien que des bazars inutiles, ou dont elle n'eût pu se servir sans faire beaucoup de chichis.

— Vrai de vrai, s'était-il plaint un jour, vous êtes pas facile à satisfaire !

Et comment donc, mon p'tit monsieur !

Une fois pourtant, elle avait bien failli en avoir une attaque, il s'était pointé avec un gamin. Un petit blondinet de cinq ou six ans vêtu d'une paire de jeans et d'un manteau avec des boutons en forme de tonnelets en bois. Yeux bleus, plus de dents sur le devant. Elle avait retenu son souffle. A quoi qu'il servait, ce môme ?

Assis bien sagement à sa place, il n'arrêtait pas de balancer ses jambes, qui n'arrivaient pas tout à fait au plancher, et, toutes les minutes ou à peu près, se penchait en avant pour regarder par-dessus ses genoux comme s'il s'attendait à avoir grandi depuis la dernière fois qu'il les avait contemplés. Ou était-ce qu'il était tombé amoureux de ses grosses chaussures ? On avait l'air très content de soi.

Et pourquoi pas, après tout ? Quelqu'un, sa mère sans doute, l'avait habillé pour aller chez des gens comme il faut. Joliment cravaté et boutonné du haut jusqu'en bas, les cheveux bien coiffés et les ongles propres, il était parfait, ce gamin — sauf pour les dents. Jenny l'aurait volontiers pris dans ses bras et serré un grand coup sur son cœur, jusqu'à l'étouffer. Mais comme les petits enfants, ça prend facilement peur, qu'elle le savait et n'avait aucune envie de se l'aliéner... Pour finir, elle l'avait amadoué avec une sucette.

Elle la lui avait offerte, il avait regardé Vic (qui était occupé à parler) pour voir s'il pouvait accepter et, lorsque celui-ci avait acquiescé d'un signe de tête, il avait pris la sucette dans sa main, en avait défait le papier et se l'était glissée dans la bouche. Et, horrifié, avait contemplé ses mains toutes collantes de sucre. C'était un petit monsieur très propre.

Elle lui avait pris le papier de la sucette et, se ruant à travers la maison, était allée lui chercher un torchon, mais, en revenant, l'avait trouvé en train de se lécher les doigts comme un chat. La roseur de sa langue l'avait émerveillée. Rien que de la voir, elle avait ri, puis, en se poussant contre lui sur le banc, lui avait demandé :

— Et toi, c'est quoi, ta couleur préférée ? Moi, c'est le jaune. Et côté dessin animé... ?

Alors seulement il l'avait regardée, un pli se marquant sur son front. Il s'était trémoussé sur son siège et s'était rapproché de son père. C'était fini, elle l'avait perdu.

Bref, chaque fois que Vic se pointait, et ça faisait des années que ça durait, il y avait autre chose. Ses cadeaux changeaient, et lui aussi. Il avait forci.

C'était à Digger qu'il en voulait, oui, mais c'était toujours elle qu'il essayait de circonvenir. Elle le savait et l'avait à l'œil. Elle n'était pas si bête que ça.

Et chaque fois qu'il débarquait, c'était dans une voiture différente — ça aussi. Plus grosse, et neuve, à chaque coup. Il la conduisait jusqu'à l'endroit où le chemin obliquait brusquement vers le magasin, se garait sous les sapins au bord de la pente, puis descendait à pied.

Parfois, après avoir bavardé un moment, Digger et lui remontaient jusqu'à la voiture pour l'admirer. On tournait autour, on en ouvrait le capot, on jetait un coup d'œil à l'intérieur. Après, Digger se mettait au volant. Le moteur démarrait, elle retenait son souffle, à chaque fois s'attendait à les voir filer. Jamais pourtant ils ne faisaient plus que de laisser tourner le moteur, jamais ils n'allaient nulle part. Assis dans la voiture, ils se remettaient à parler.

Et quand enfin ils en ressortaient pour regagner le fleuve, elle allait y jeter un coup d'œil à son tour. Elle n'ouvrait pas le capot. Elle se contentait de passer la tête par la portière avant, du côté du chauffeur, de humer l'odeur du cuir et de regarder les chiffres inscrits aux compteurs et autres ceci et cela accrochés au tableau de bord.

Les voitures — les voitures, c'étaient des trucs d'hommes — recelaient un mystère qu'elle n'avait jamais réussi à sonder. Cela avait à voir avec le fait de se bringuebaler ici à là.

Les hommes n'aimaient pas rester en place, elle l'avait remarqué chez son père. Et chez Digger aussi. Cela se voyait à la manière dont ils posaient les mains sur le volant. Il y avait comme une force qui leur passait entre les doigts dès que le moteur démarrait et c'était avec leurs pieds qu'ils la faisaient rugir. Dans leur tête, ils étaient déjà en route.

C'était pour ça que Vic laissait toujours Digger en faire à sa guise : il lui dévoilait un pan du mystère. Et quand ils regardaient sous le capot, c'était à sa source même qu'ils se portaient. Et quand il lui suggérait de prendre le volant et l'autorisait à mettre le moteur en route, c'était, à chaque fois, une chance de partir qu'il lui offrait.

Malheureuse, Jenny faisait le tour de l'engin, en regardait les pneus et flanquait de grands coups de pied dans ceux de derrière. Ils étaient pleins d'air, mais pouvaient crever en passant sur un clou, par exemple. Une fois, elle avait songé à se servir d'une aiguille, mais ils auraient tout de suite deviné.

Cette machine qui brillait et qui, chaque fois plus grosse, était toujours impeccablement astiquée, Vic la garait à l'entrée du chemin pour l'avertir de quelque chose. Pour lui signifier l'étendue de son pouvoir. Pour lui dévoiler le mystère dont, « là-bas », il détenait la clé, ce sur quoi Digger pourrait lui aussi compter si jamais il décidait de s'en aller. C'était énorme, c'était tout en métal et ça brillait. Et dedans, il y avait un moteur qui rugissait et pouvait vous emporter à toute allure. N'importe où.

Une fois, ils l'avaient surprise en plein examen.

— Je vous emmène faire un tour ? lui avait-il proposé, mais non : elle était bien trop maligne pour se faire avoir aussi bêtement.

— Non merci, lui avait-elle renvoyé.

Rusé comme un singe, ce type !

Un jour pourtant, elle avait été à deux doigts de l'avoir. Cette fois-là, et cette fois-là seulement, il était arrivé dans une voiture conduite par un chauffeur. Monsieur semblait dans tous ses états — du jamais vu. Elle avait observé les deux hommes en train de monter et de descendre la colline, puis était vite allée voir ce que fabriquait le chauffeur.

Assis sur le siège avant, il avait ôté sa casquette et, les yeux fermés — ça, il était jeune et beau garçon —, il dormait.

Sauf que non. Lorsqu'elle s'était approchée, non, il ne dormait pas du tout. Il avait comme des petits bouchons dans les oreilles et tapotait du bout de ses doigts — il se rongeait les ongles — sur le volant.

Bah, ça, elle savait ce que c'était. Digger en avait un, lui aussi. C'était Vic qui lui en avait fait cadeau. Sauf que celui de Digger avait une espèce d'arceau métallique qu'il se passait sur le crâne, sous le chapeau. Même qu'il lui arrivait de pas bouger de la véranda pendant des heures entières tandis que, folle de rage, elle montait et descendait la colline en cherchant une bonne excuse pour s'immiscer.

La véranda. Digger y avait installé une vieille chaise longue en velours de Gênes et un nécessaire à fumeur avec un cendrier et, une fois qu'il l'avait mis en route, son « walkman », il était capable de rester assis des heures entières avec son machin sur les genoux. Il fallait gueuler pour qu'il vienne prendre le thé et c'était pas toujours qu'il l'entendait : trop absorbé, qu'il était, le monsieur. Elle se voyait alors obligée de sortir de la maison et de lui faire de grands signes, de se livrer à une espèce de danse lente devant lui jusqu'à ce que enfin il lève la tête et la regarde d'un air hébété, comme s'il était si loin de tout que deviner qui était en train de caracoler ici et là devant son horizon en agitant les bras tenait du tour de force.

S'il se collait ses écouteurs sur les oreilles, c'était pour lui éviter les funèbres nouvelles dont il était plein, elle le savait. Mais lui en voulait quand même et soupçonnait Vic de lui avoir donné ce machin pour encore une fois l'éloigner d'elle. Ça, il n'était pas difficile à subjuguer, le Digger. Le moindre engin mécanique avait raison de lui.

Elle aurait bien aimé écouter, elle aussi, juste une fois,

histoire de savoir si la musique disait des trucs, vous mettait sur la voie. C'était du classique, bien sûr, mais qui sait? Et si elle en avait tiré quelque chose? Malheureusement, chaque fois qu'elle s'en approchait, elle n'entendait qu'une espèce de bruit minuscule et suraigu, comme des piaulements d'animaux, un veau, ou alors une chèvre avec une cloche autour du cou, la biquette égarée qui erre le long de la clôture en essayant d'y trouver un trou pour rentrer.

Il n'empêche : ce qu'elle savait, c'était que, dès qu'il se mettait cet engin sur la tête, toute communication devenait impossible. Il évoluait alors dans un monde entièrement à lui, comme ces gamins qui se pointaient au magasin le dimanche après-midi et y traînaient les pieds au rythme du bruit qu'ils avaient dans le crâne, même que lorsqu'elle leur parlait, elle devait hurler comme si c'était elle, et pas eux, qui était sourde comme un pot. Bref, l'air lointain que le chauffeur avait sur la figure, elle le connaissait bien.

Elle baissa la tête et regarda la lunette arrière, il ne la vit même pas. Il souriait, la tête appuyée sur le haut de son siège, les yeux clos. Sa casquette, noire et munie d'une visière qui reluisait, était posée sur le dessus du tableau de bord. Il tapotait son volant du bout des doigts. Elle n'avait aucun mal à sentir l'odeur du cuir.

Soudain, il se redressa, eut les yeux grands ouverts, là, quasi dans les siens.

— Nom de Dieu ! s'écria-t-il.

Elle lui avait flanqué la trouille de sa vie.

Plus tard, de la maison où elle était retournée, elle l'avait vu sortir de la voiture et ôter sa veste. Dessous, il n'avait que des bretelles. Il était descendu jusqu'au bord du fleuve et s'était assis. Il avait ramassé des bouts d'écorce et les avait jetés dans l'eau. Il les avait regardés filer au loin en tournoyant. Il avait remis ça, encore et encore. Pour finir, elle était allée le rejoindre.

— J' parie que vous diriez pas non à une p'tite tasse de thé ! lui avait-elle lancé aussi légèrement que possible.

Elle n'était pas habituée aux jeunes gens. Elle leur faisait peur.

Il avait levé les yeux vers elle. Il attendait et s'ennuyait à mourir.

— Ma foi, non, lui avait-il répondu avant de lui adresser un petit sourire.

— Avec une crêpe ?

— Ma foi, avait-il répété.

— Et de la confiture ?

Il avait encore une fois levé les yeux sur elle et dans son regard il y avait eu comme un doute. Il fallait toujours qu'elle en rajoute.

— Alors, allons-y, lui avait-elle dit sans tarder.

Elle l'avait fait asseoir à la table de la cuisine et s'était vaguement rappelé avoir préparé ce coup-là bien des années auparavant. A ceci près qu'alors, ç'avait été pour un gamin. Lui ?

— Hé mais ! s'était-elle écriée en posant une assiette devant lui, vous devriez vous les passer à l'amer d'aloès.

Elle parlait de ses ongles. Il se les était bouffés jusqu'au sang.

— A quoi ?

— A l'amer d'aloès. C'est immonde, mais avec ça, vous vous les rongeriez pas.

Il avait rougi et caché ses mains sous la table. Il était beau garçon, mais il n'arrêtait pas de regarder partout. Il se posait des questions sur elle, ou alors, peut-être, sur lui-même.

Elle avait osé quelques questions.

— Vous seriez pas en train de m' cuisiner ! lui avait-il renvoyé pour lui prouver qu'il était malin, et avait ri.

Sauf qu'après lui avoir montré qu'il savait à quoi s'en tenir, il avait été plus qu'heureux de jacasser tout son saoul.

Brad, qu'il s'appelait. Cela faisait deux ans qu'il était le chauffeur de M. Curran. Avant, il avait été coursier et, avant encore, avait travaillé dans un magasin de motos. Ce coup-ci, il avait de la chance. Vic Curran, c'était un patron sympa. Très sévère, attention, mais juste, et l'argent, il y en avait à la pelle. « A la pelle », avait-il répété en reprenant de la crème, et son regard s'était allumé d'une manière qui lui avait beaucoup déplu : Brad était cupide.

— L'a une maison du tonnerre à Turramurra, avait-il repris. Ça, j'aimerais bien y habiter. J'ai un joli petit appart, dans Sydney Nord, un deux-pièces, quatre-vingt-dix-huit dollars par semaine, qu'y me coûte, c'est donné, mais ça, habiter dans un truc comme celui qu'il a, j' dirais pas non. Même qu'un jour, j'en habiterai un moi aussi...

Il aurait bien continué sur sa lancée, mais elle s'était montrée impatiente. Ce n'était pas ça qu'elle cherchait à savoir.

— Vous êtes con ! lui avait-elle dit, méchamment.

Et alors, la bouche à moitié ouverte et pleine de crêpe, il l'avait regardée comme si, se penchant vers lui, brusquement elle lui avait mordu le nez.

Ahuri, qu'il était. Ça lui faisait les pieds.

— Et Digger ? avait-elle repris d'un ton impérieux.

Il avait reculé.

— Digger ? Qui c'est ?

La goutte qui fait déborder le vase. Elle lui avait poussé l'épaule du plat de la main, un grand coup, et tout gaillard qu'il était, il en était quasi tombé à la renverse.

— Ah ben ça, alors ! s'était-il exclamé, et il s'était levé, rouge jusqu'aux oreilles, l'air idiot.

Il ne savait pas comment se débrouiller d'elle. Si ç'avait été un type, il l'aurait étalé d'un coup de poing.

— Pour l'amour du ciel ! avait-il grommelé entre ses dents.

Il avait renfilé sa veste, en tirant dessus comme un sourd, histoire de se redonner de la raideur et de respecter les formes. Dorénavant on ferait dans la dignité. Il était sorti à grands pas.

« J'ai encore tout foutu en l'air, s'était-elle dit avec tristesse. C'était une occasion en or et j'ai tout gâché. »

Elle ne l'avait jamais revu, comme le gamin. La fois d'après, Vic avait pris le volant.

Dans son enfance, on lui demandait souvent de s'occuper de Digger. Celui-ci n'était encore qu'un bébé. « Tu le surveilles, lui disait sa mère, voilà ! t'es une grande fille. Je compte sur toi. » Tant et si bien qu'elle avait fini par croire qu'un jour viendrait où il lui faudrait s'y remettre.

Digger, lui, pensait la protéger et, de fait, oui, la protégeait vraiment : elle comptait sur lui. Mais il était un peu trop confiant. Il savait certes beaucoup de choses, des tas et des tas même, et était capable d'agir. Mais il ignorait tout du monde, alors qu'elle, elle le connaissait et savait combien il était cruel. Car, pour finir, peu importait qu'on sût ceci ou cela ou qu'on se fût rendu ici, là et ailleurs. Digger, c'est vrai, était allé outre-mer, oui ; et même à la guerre, alors qu'elle, elle n'avait pas bougé. A peine si elle avait vu Brisbane. Autant dire rien. Mais quoi ? Cela lui aurait-il interdit de savoir ce qu'était le monde ? De savoir qu'il pouvait vous sauter à la gueule, toute méchanceté et cruauté dehors, d'un seul coup d'un seul ? Qu'il pouvait vous flanquer sa grosse pogne, aussi humide qu'un maquereau, pan ! en plein dans la gueule pour vous renverser ? Comme si alors, en une fraction de seconde, on ne savait pas tout ce qu'il y avait à savoir de sa saloperie ! Sœur Francis de la Lessive, qu'elle s'appelait. Six pieds de haut. Se dressant au milieu d'un nuage de vapeur au moment même où vous sortiez une paire de draps au bout du bâton et vlan ! vous flanquant par terre sans un mot. Les Hauts de Hurlevent que c'était. Ou, pour lui donner son vrai nom, le Couvent de la Toussaint, la Vallée, Brisbane, Queensland, Australie, Monde. L'Enfer.

Il y avait des filles, toutes bien en rang dans leurs uniformes teinte chamois et leur bas de couleur pâle, qui croyaient qu'on y acquérait une bonne éducation. C'est ce qu'elles disaient : elles payaient assez cher pour ça. D'autres, celles qui comme elle avaient déchu et n'avaient aucun endroit où aller, travaillaient à la lingerie. Sauf qu'elle, elle n'avait absolument pas « déchu » — pas avant que sœur Francis ne s'en mêle. Elle avait juste couché, une ou deux fois.

Elle portait encore son enfant lorsqu'elles l'avaient mise à nettoyer les parquets et, après qu'elle l'avait eu — et pour s'assurer qu'il ne lui manquait pas un membre, elles le lui avaient piqué, sans même lui permettre de le regarder —, elle avait travaillé à la lingerie. Terrifiée qu'elle était, la plupart du temps, par sœur Francis, mais encore plus d'être flanquée à la porte.

« S'il vous plaît, je vous en prie, ma sœur ! marmonnait-elle courbée devant ses paumes grassouillettes, c'est pas d' ma faute. Vrai de vrai, ma sœur, je l' jure devant Dieu ! »

Toutes couvertes de savon, les paumes de sœur Francis n'en cessaient pas pour autant de lui tomber dessus, là, sur l'oreille gauche, ou alors en pleine figure, avec, derrière elles, tout le poids de l'énorme vierge irlandaise qu'elle était : sœur Francis ne décolérait pas à l'idée qu'on ait pu déchoir et, qu'ayant alors la chance de se racheter, on restât toujours aussi mauvaise. Tout le poids de l'Eglise catholique, qu'il y avait, derrière les paumes de ses mains ! Alors que Jenny n'était même pas catho !

Pour se sauver, elle s'était sauvée, des tas et des tas de fois ! En tram. Mais ça ne menait nulle part.

« Désolée, gamine, terminus ! Tout l' monde descend. »

En bleu, le bonhomme, avec une petite casquette blanche sur la tête. Le receveur, quoi ! Il avait une sacoche en cuir accrochée à la ceinture et un poinçon pour faire des trous dans les tickets.

Cette fois-là, le terminus, c'était Dutton Park. Elle était descendue du tram, qui était parti attendre en face, et avait grimpé les marches qui conduisaient à un kiosque à musique : des couleurs partout, mais la peinture s'écaillait. N'empêche : de là-haut, on voyait toute la ville, c'était pas très loin, les trois ponts, les méandres du fleuve, et même les Hauts de Hurlevent avec leurs toits noirs et pentus, jusqu'à la falaise, au bord de l'océan.

Tout d'argent le tram continuait de stationner sur ses rails et on pouvait voir à travers, sauf à l'endroit où le chauffeur et le contrôleur s'étaient installés, les pieds sur une banquette, pour fumer.

Pour finir, le contrôleur était descendu. Il était resté un moment à la regarder, puis avait tourné la perche. Et le tram était reparti.

Il commençait à faire nuit. Un couple de marins, des Yankees, avec des filles, étant arrivé, elle avait pris peur.

Et avait fini par refaire tout le trajet à pied. Cela lui avait pris des heures. C'était le black-out, hommes et femmes, on se rentrait dedans sans arrêt sur les trottoirs, dans le ciel les faisceaux des projecteurs se croisaient, attrapaient des étoiles.

Un autre jour, elle était descendue à New Farm Park. Elle était allée s'asseoir sur un banc au milieu des rosiers et il y avait eu un type qui s'était pointé et s'était mis à lui parler à toute allure, et en crachant beaucoup, mais gentil, le gars, vraiment : il lui avait passé le bras autour de la taille. Il sentait un peu la bibine. Après, il lui avait collé sa bouche près de l'oreille, il avait pas les lèvres aussi ignobles que les pattes de sœur Francis, et lui avait chuchoté des cochonneries, avant de lui passer la main sous la jupe. Il aurait servi à rien de lui dire quoi que ce soit. Et puis, des gens avaient débarqué. Elle s'était levée sans demander son reste et les avait suivis. Mais au bout d'une minute, quand même, elle avait tourné la tête pour le regarder.

Il n'avait pas bougé du banc. Il l'avait regardée comme s'il était au bord des larmes, ce qu'il avait l'air déçu ! et elle, elle s'était dit : « Bah, pourquoi ne pas lui donner ce qu'il veut, à ce pauvre bougre ? » Désespéré, qu'il était ! C'est vrai que vouloir quelque chose et s'apercevoir qu'on vous le prend...

Elle était revenue sur ses pas et s'était rassise à côté de lui ; pendant un certain temps, ils avaient dormi dans des abris à tramways et autres. C'était pas si mal. Sauf que quand il se mettait à picoler, il lui flanquait des raclées, comme sœur Francis, et la traitait de conne. Alors elle était revenue.

Même que c'était pas tellement la peur d'être seule qui, chaque fois, la faisait rentrer. C'était plutôt que dehors, il y avait toujours des mains qui, même quand elle se trouvait parmi des inconnus, n'arrêtaient pas d'essayer de l'attraper, de la serrer, de la pincer ou de se muer en poings qui s'abattaient sur elle. Oui, elle le savait, il y en avait certaines qui pouvaient être douces, mais c'était trop risqué. Même lorsqu'elles commençaient par être douces, il y avait jamais moyen de savoir si, à un moment ou à un autre, elles allaient pas finir par se transformer en autre chose. Elle rentrait.

Elle aurait pu essayer d'autres trams (c'était pas les lignes qui manquaient) et descendre ailleurs. Mais elle en avait déjà fait deux et ça lui suffisait. Elle ne voyait pas comment ç'aurait pu être mieux à Ashgrove ou à Enoguerra. Ou même à Kalinga ou à La Grange. Elle était restée. Jusqu'au jour où Digger s'était pointé et lui avait dit : « J'ai parlé à la patronne, la mère supérieure. Tu peux rentrer à la maison. » C'était fini. Digger, lui aussi, on l'avait bouclé quelque part, mais il avait réussi à se sauver. Où ? Elle l'ignorait.

Ce qui fait qu'elle n'avait rien vu d'autre.

Mais le peu qu'elle avait vu du monde l'avait tellement étonnée qu'elle en avait encore le souffle coupé rien que d'y penser. Ce qu'on pouvait faire là-bas dehors, la cruauté dont certains étaient capables, et le désespoir dans lequel on se retrouvait dès que ça vous rentrait dans l'âme, tout cela était proprement terrifiant. Et il y avait pas besoin d'avoir beaucoup d'expérience pour le savoir. Deux secondes, pas plus, et c'en était fait de sa capacité à résister. Même qu'il n'y avait que ça qui comptait. Le reste était sans intérêt.

La différence avec Digger ? Le fait qu'il n'avait jamais rien connu de pareil. Que jamais dans le vaste monde il ne s'était trouvé dans une situation où l'écrasement était inévitable.

— Pas facile à amadouer, la sœur, lui avait dit Vic.

C'était tout au début, il avait encore l'espoir d'y parvenir.

— Ça ! C'est-à-dire que... elle a ses idées à elle, lui avait répondu Digger. Mais moi, je me ferais pas de souci pour elle.

Sauf qu'il s'en faisait.

Et qu'aujourd'hui, tout en tapant furieusement sur ses pots — « Tiens ! là ! prends ça ! » —, elle ne le lâchait pas des yeux. Elle s'était mis un truc dans la tête.

Ils avaient commencé à boire leur thé, elle continuait de le regarder fixement. A la fin, brusque comme toujours, elle lui avait tout lâché.

— Hé ! s'était-elle écriée en n'hésitant pas à l'interrompre. Qu'est-ce t'as fait du gamin ?

Quand ils ne pigeaient pas du premier coup, elle devenait folle de rage et se mettait à hurler.

— Ouais... celui que t'avais ramené !

Ce fut Digger qui, le premier, comprit de quoi il retournait.

— Mais Jenny chérie, lui répondit-il en essayant de glisser, ça remonte à des siècles, cette histoire-là, tu le sais bien !... C'était Greg.

Il avait jeté un bref coup d'œil à Vic et avait ajouté :

— C'est qu'il a grandi, tu sais ! Ça remonte à des siècles, cette affaire !

Quoi ? Le marmouset aux doigts collants auquel elle avait donné une sucette ? Elle n'en revenait pas. Comment avait-il osé ? Elle s'était dit qu'elle était vraiment conne. « Ça remonte à des siècles », qu'il disait, le Digger.

C'est vrai qu'elle ne l'avait pas revu et n'avait pas pensé à lui depuis un certain temps, mais... Et lui, il en aurait profité pour grandir au point de devenir un monsieur ? « Un monsieur qui ? » s'était-elle demandé, et avait failli s'en enquérir, mais s'était ravisée.

Mais s'en était sentie toute triste. Il y avait là quelque chose qui l'abattait, vraiment. Quelque chose qu'elle attendait avec impatience et qui, elle le savait maintenant, jamais ne lui serait accordé.

Elle avait levé les yeux. Vic. Qu'est-ce qu'il pouvait avoir l'air bizarre ! Comme s'il n'était plus rien. Comme si quelque chose, ou plutôt non, quelqu'un, une sœur Francis quelconque, avait surgi du néant et pan ! l'avait étalé raide. Alors, sous l'être qui se tenait devant elle, Jenny avait revu le type tout maigre et blanc comme une patate, le type en manteau long qui, un jour, était venu voir Digger. Et, rien à faire, alors elle n'avait pas pu s'empêcher de songer : « Ah, le pauvre bougre... Mais dis, qu'est-ce qui t'est arrivé, à toi ? »

II

1

En émail blanc, la cuvette était écaillée, et noire sur le pourtour. La dernière année, juste avant qu'elle ne meure, Vic la lui avait apportée jusqu'à des trois ou quatre fois par jour. Quand il était à l'école, ou jouait dehors, c'était un voisin qui s'en chargeait.

Il la lui tenait près de la figure et, les premiers temps au moins, détournait le visage pour ne pas vomir à son tour. Cela ne changeait rien à l'affaire. Il n'y avait pas moyen d'échapper à l'odeur, ou aux bruits qu'elle faisait lorsque ainsi elle s'arrachait les dernières forces du corps. « Je m'excuse, mon trésor, je m'excuse », murmurait-elle encore et encore.

Il nettoyait le plus gros, il allait vider la cuvette dans un coin de la cour, là où s'empilaient les boîtes de conserve rouillées, les manches de côtelettes et les carcasses de crabes délavées, puis, en tournant la tête, et en inspirant vite un peu d'air, à petites bouffées qui sentaient la poussière de charbon, il faisait tout disparaître dans le sable, du bout du pied.

La cour s'adossait à des dunes sans végétation. A son extrémité, au pied de la pente, le sable était toujours en mouvement. A une certaine époque, pas si lointaine d'ailleurs, il y avait installé une cage à lapins — aujourd'hui enfouie sous plusieurs mètres de dune. Derrière elle, plus loin, il y avait même eu des arbres. Il se souvenait d'y être grimpé. De s'être parfois demandé combien de temps il faudrait attendre avant que la maison ne soit engloutie avec eux. La nuit, il passait des heures entières à écouter le vent, entendait, l'un après l'autre, des millions de grains de sable se mettre à rouler. La grande vague blanche s'ébranlait. Elle allait s'écraser sur lui pendant qu'il dormait. Au début, ce ne serait guère plus qu'une petite coulée qui s'infiltrerait dans les fissures des murs. Mais, bientôt, elle pousserait contre les fenêtres, fort, jusqu'à ce que les vitres éclatent. Alors le sable dévalerait sur la table, avalerait les chaises et, les poutres lâchant sous la charge, la montagne lui passerait sur le corps. Il se battait pour remonter à l'air libre.

La cahute où ils vivaient comportait une seule pièce. Les murs étaient en bois (de vieilles caissettes, pour l'essentiel, avec ici et là des pans de fibrociment) et le toit en tôle ondulée : tout ce que le père avait réussi à chaparder à droite et à gauche.

Les w-c se trouvaient derrière, dissimulés par un rideau que sa mère avait cousu dans de la toile à sacs.

Les voisins étaient tous des squatters, comme eux. Ici, d'une manière ou d'une autre, tout le monde avait eu maille à partir avec la justice, ou perdu son boulot. Cela faisait déjà quatre ans qu'ils n'habitaient plus une vraie maison, dans une vraie rue, avec de vraies barrières pour séparer les jardins mitoyens et un numéro au-dessus de la porte. Comme au 6, Marlin Street.

Il rinçait la cuvette à la tonne, une fois, deux fois, puis rentrait lui mouiller le front avec un chiffon humide et lui versait de l'eau pour qu'elle puisse se nettoyer la bouche.

« T'es un bon garçon, lui soufflait-elle tandis qu'il lui redressait son oreiller gris et raide de crasse. Aucune mère ne pourrait souhaiter mieux. »

Il faisait tout ce qu'il pouvait. Assis sur une caisse de beurre, il lui lisait les livres qu'une de leurs voisines, Mme Webb, empruntait à la bibliothèque — derrière la boutique de Williams. A neuf ans, il lisait déjà très bien. Il était rare qu'il trébuchât sur un mot.

Une heure avant la tombée de la nuit, il filait jouer au cricket avec les autres, et souvent s'arrêtait un instant pour s'enfouir le nez dans la manche du tricot.

Il en haïssait l'odeur, où il savait la saleté rentrée dans la peau, la poussière du charbon, le sel marin, le gras de mouton et le lait tourné. Torse nu dans l'appentis, une savonnette « Sunlight » dans une main et une brosse à chiendent dans l'autre, il se meurtrissait les chairs jusqu'au sang, mais la puanteur résistait. C'était un état, quasi une maladie, et si profondément enfouie dans l'être qu'on ne pouvait l'atteindre ; on eût dit un trait de caractère, un attribut. C'était comme ça qu'ils sentaient, « eux ». Quoi que pût en dire la réclame, la savonnette « Sunlight » restait sans effet.

A l'école, ses camarades se bouchaient le nez dès qu'ils le voyaient arriver. « Beurkh ! » disaient-ils, même ceux avec lesquels il était copain. Il crânait, mais sa fierté vacillait. Il aimait sa mère et détestait avoir honte d'elle. Son père, c'était une autre histoire. Lui, on ne pouvait rien y faire, personne.

Il supportait tout cela en silence, il était orgueilleux ; et puis, c'étaient tous plus ou moins des parias, les gamins qui comme lui vivaient le long de la voie ferrée ou au pied des dunes.

Morose, il ne l'était pas de nature. Eclat de ses yeux bleus et fermeté du regard, vivacité et solidité des membres, tout en lui disait un enfant au tempérament ensoleillé. Se mouvoir dans le monde eût dû lui venir aisément, mais les circonstances de la vie lui avaient appris à ne pas se laisser aller. L'art du détour et un rare souci du secret pour tout ce qui comptait vraiment faisaient maintenant partie de sa deuxième nature, la première survivant en lui sous la forme d'une certitude inébranlable qu'il tenait de sa physiologie même : un jour, quitte à l'y forcer un peu, le monde serait à ses pieds, il en était de plus en plus convaincu.

Le prompt sourire et la vivacité qui lui venaient avec tant de facilité ? C'étaient là des qualités qui, il s'en était rendu compte, pouvaient vous rendre très vulnérable, à moins qu'on en usât comme d'un masque. Cela désarmait. C'était comme cela qu'il convenait de s'en servir.

Il aurait dû être sans espoir, mais son corps en était plein et il lui faisait confiance. Vic n'entreprenait jamais rien que d'abord, parfois jusqu'à l'impatience, il n'en eût beaucoup attendu. Petit gamin encore, il lui arrivait souvent de lâcher ses jeux, de rentrer ventre à terre et, soudain, de s'arrêter net sur le pas de la porte pour se demander, maintenant qu'il était à bon port, pourquoi il avait mis tant de hâte à revenir chez lui : avait-il donc espéré que sa maison changerait de fond en comble pendant son absence ? Sa mère voyait bien l'air qu'il avait et en avait le cœur transpercé.

Examinait-il le monde dans lequel il se trouvait qu'invariablement il lui venait qu'il y avait erreur dans l'agencement des choses. Et en était blessé. Cela n'allait pas lui simplifier la vie. Mais il s'appliquerait à rectifier la situation et saurait se montrer sans pitié pour tout ce qui avait décidé de lui voler son dû.

Debout dans la lumière faiblissante du soir, il savait que dès qu'il ferait demi-tour pour rentrer, ses yeux ne pourraient plus suivre la progression d'une balle dans les airs ou saisir tel ou tel autre frémissement dans l'herbe, et il essayait de ne pas perdre le contact avec l'animal qui était en lui : à ça au moins il faisait confiance et sentait alors tout son corps se porter au bord de quelque chose — quelque chose dont, lui aussi, il pourrait s'emparer si seulement il arrivait à deviner de quoi il s'agissait.

Aux confins brumeux des ténèbres, les pierres mêmes semblaient ne plus être aussi nettes, s'allégeaient un instant, allaient s'envoler. Son corps, il le vivait, quittait la terre. C'était cela, l'animal qu'il avait en lui, et cet animal avait le pied sûr et jamais n'était en retard d'une seconde. La bête s'envolait en un bond allongé, il retenait son souffle.

La brise de terre était tombée, s'apprêtait à tourner. Tout était en suspens, comme accroché un ultime instant entre le jour et la nuit, entre la vie ensoleillée et cette autre qui, enténébrée, s'égrenait au long des nuits. Il n'était pas jusqu'à son corps qui, lui aussi, ne fût en équilibre.

Mais, au bout d'un moment de légèreté quasi miraculeuse — il se disait que oui, il avait réussi, que oui, tout s'était transformé —, il retrouvait la terre. Aussi infime fût-il, le poids de son corps reprenait ses droits. Redevenait trop important pour qu'en s'ébrouant il pût le faire glisser de ses épaules.

Déjà la brise de mer était plus vive, dans les cuisines qui bordaient la plage on allait bientôt en sentir la fraîcheur. Ses yeux s'habituaient. A nouveau, les lumières étaient fenêtres à petits carreaux, dures.

« Et s'il n'était pas d'autre vie dans laquelle entrer par effraction ? se disait-il tristement. Et si tout ne faisait que durer, que mener à l'épaississement, à la lourdeur grandissante au fur et à mesure que l'on s'imbibe de l'instant? Et s'il n'était que cela? »

Il se le disait, mais n'arrivait pas à y croire. Ce genre de fatalisme jurait trop avec sa nature. Alors il soupirait, puis rentrait chez lui — mais pas sans espoir, jamais, au grand jamais, sans aucun espoir.

Tôt le matin, en allant chercher le lait, il regardait les hommes se rassembler autour des arrêts d'autobus pour partir à la mine. D'autres, qui venaient de villages plus éloignés sur la côte, passaient à vélo devant eux et parfois les hélaient. Ils avaient leurs petites musettes et semblaient relativement heureux. C'étaient les veinards, ceux qui avaient encore du boulot. Pas rasés, certains même en pyjamas, les malchanceux bricolaient derrière leurs clôtures. On bêchait un peu, on s'occupait. Plus tard, toujours pas rasés, mais en bretelles et chemise sans col, on s'agglutinait à l'entrée du pub et on se tenait assez tranquille — jusqu'au moment où ça démarrait. Les chevaux, voilà ce qui passionnait, ou les courses de lévriers et les équipes de foot.

Le week-end, on allait au stade en groupes, toujours les mêmes, les mains dans les poches. Les jeunes avaient mis le costume pour l'épate, les filles qui les accompagnaient ayant enfilé des bas et des chaussures à hauts talons; elles marchaient à côté d'eux, parfois elles appelaient un type qu'elles connaissaient, ou alors une copine du voisinage. Les hommes avaient un dixième de la loterie en poche, des fois aussi une capote anglaise, au cas où.

« Ça pourrait être pire, pas vrai? »

Posée par un homme plus âgé et un rien jaloux, la question suffisait à satisfaire le besoin d'être reconnu, pour la plupart d'entre eux au moins.

« Y a pas à s' plaindre. »

Ainsi répondait-on. Pure convention, litote.

L'air frais et bien astiqué, le cheveu dégagé autour de l'oreille, et plaqué à l'huile de coquelicot de Californie, et le costume. Les enfants qui, comme Vic, allaient encore pieds nus et portaient de vieux tricots troués au coude — à force de frotter sur le pupitre — étaient censés en avoir plein les yeux et deviner que c'était à cela qu'ils auraient, eux aussi, droit un jour, à condition de faire ce qu'on leur disait, de ne pas enfreindre la loi, et de voir la Dépression prendre fin.

Vic réfléchissait et n'en pensait pas grand bien. Sa vie, il se la bâtirait lui-même. Jamais il ne se contenterait des miettes qu'on lui refilerait. C'était comme ça, il le savait.

Son père était mineur, ou plutôt : l'avait été jusqu'au jour où une ancienne blessure de guerre s'était rappelée à son bon souvenir — « avait tenu sa promesse », comme disaient les cyniques. Il avait « décroché la pension » et, hiver comme été, passait ses journées à la jetée, au quai de chargement des charbonniers, et là toujours retrouvait des gens pour bayer ou taquiner le merlan. Là, ou dans l'un des trois pubs de la ville.

Sombre de peau, il était solidement bâti, avait les yeux bleus de son fils (qui le lui reprochait, même s'il n'y avait rien de mieux pour blouser les gens) et un style naturellement débraillé que Vic trouvait offensant. C'était pour être sûr et certain qu'il n'y eût jamais la moindre ressemblance entre eux que ce dernier se forçait à la dureté et se meurtrissait les chairs à la brosse de chiendent.

« Coulant », rien n'eût pu mieux décrire son père. « Coulants », Dan et Till Curran l'avaient, l'un comme l'autre, toujours été à l'époque où il travaillait encore et où la grosse femme qu'elle était ne détestait pas descendre une bière ou deux, voire faire une partie de poker. Ils avaient des amis partout. Petit encore, Vic n'avait rien oublié de Marlin Street et de ses chahuts nocturnes.

Peu à peu, son père était devenu une véritable célébrité. Ivrogne et chapardeur, il n'arrêtait pas de tournicoter autour des clients qui se pressaient en foule au Pacific ou au Prince de Galles et alors, il venait toujours un moment où, dans sa longue journée d'ébriété — Vic en avait été plus d'une fois le témoin et, pour jeune qu'il fût encore, ne parvenait pas à en effacer l'horreur —, il se mettait, avec force mines bonhommes et clownesques, que diable ! on était « coulant » ! à faire tout ce qu'on avait envie de lui demander, pourvu qu'il y eût une bière à la clé ; porter des messages, raconter des histoires, avaler des insultes, n'importe, mais surtout, sans jamais cesser de sourire d'un air idiot, de baver d'impatience de se rendre agréable.

Parce qu'il ne savait plus la honte, voir jusqu'où il pouvait aller divertissait beaucoup les petits malins du coin, dont bon nombre étaient tout aussi éhontés que lui. C'était avec un mélange de vil plaisir et de dégoût fasciné, une pointe de peur aussi, devant ce que, peut-être, on avait de commun avec lui, qu'on l'abreuvait d'insultes et s'émerveillait de constater que pas une fois il ne s'arrêtait de sourire et de cligner des yeux, que jamais il ne faisait le moindre effort pour se défendre.

Il était prêt à tout, le Dan Curran, dès qu'il en avait assez dans le nez. Jusques et y compris à vous laper les glaviots et à vous en remercier en riant. Mais attention : après, il fallait le bock, et il le descendait d'un seul coup.

D'autres, d'anciens camarades de classe ou des types honnêtes qui avaient travaillé à la mine avec lui, supportaient mal l'humiliation de le voir se traîner pareillement dans la boue.

« Bon, c'est pas grave, lui disait parfois l'un d'entre eux avec quelque raideur, celui-là, c'est pour moi », et lui jetait deux ou trois pièces sur le comptoir afin de le sauver de ses faiblesses. Rien à faire pourtant : une ou deux minutes plus tard, Danno retrouvait son verre vide et recommençait à s'aplatir devant ses bourreaux. Aussi bien était-il, au bout du compte, plus rentable de compter sur eux que sur le bienfaiteur de passage.

Lorsque enfin il rentrait à la maison, il était rare qu'il ne fût pas d'humeur à gueuler. Jusqu'au moment où, tout d'un coup, il s'effondrait et se mettait à pleurer.

Toutes les étapes de sa déchéance quotidienne dégoûtaient son fils et le confirmaient dans l'opinion qu'il s'était faite un jour : l'espèce de brute geignarde qui se disait son père n'avait rien à faire avec lui.

Le plus honteux de l'affaire était bien qu'au début, à l'époque où la situation n'avait pas encore complètement dégénéré et où, récemment licencié et passant donc toutes ses journées à la maison, son père avait le temps de l'emmener à la pêche et de lui raconter ses histoires de guerre, ils avaient été vraiment copains ; séduit, Vic lui avait même, et plus d'une fois, proposé d'aller lui chercher deux ou trois cannettes au pub, à la porte de derrière quand c'était l'heure de la fermeture. Jimmy, le barman du Pacific, les lui ayant filées en douce, il rentrait à toute allure afin de savoir la fin de l'histoire que Dan avait commencé à lui raconter. C'était un secret et Jimmy, son père et lui, ils n'étaient que trois à le connaître. Les cannettes étant toutes entourées d'une gaine en paille, ils allaient vite brûler ces dernières dans un coin de la cour afin que la mère n'en sût rien, ah, le beau feu que c'était ! et jetaient les bouteilles vides au diable, là-bas, dans les dunes.

Un jour pourtant, Jim Hardy, le bistrotier, avait eu vent de l'affaire et l'avait dit à sa femme. Qui l'avait répété à la mère qui avait fondu en larmes et s'était mise en colère contre Vic. Ne comprenait-il pas ? Ne voyait-il donc pas ce qui était en train de se passer ?

Pour voir, il avait vu. Alors qu'ils avaient toujours été heureux ensemble, son père et sa mère avaient commencé à s'engueuler et, en un rien de temps, lui avait-il semblé, n'avaient plus cessé de s'entre-déchirer.

« T'es qu'une putain de rabat-joie, se plaignait Danno lorsqu'elle refusait de boire avec lui. Ça, je m'y attendais pas ! Non, je m'attendais vraiment pas à c' que tu deviennes une putain de bordel rabat-joie ! Parce que moi, s'y a une chose que j' peux pas supporter, c'est une putain de geignarde qui me casse ma baraque ! »

Et quand il rentrait, il voulait en découdre, était prêt, question d'honneur, à s'offenser de tout et de rien.

« Comme si t'avais besoin de ravauder des trucs pour la femme à ce connard de Sam Goddard ! hurlait-il. Tu parles d'une salope ! Allez, donne-moi ça ! » et lui arrachait le travail d'aiguille, quel qu'il fût, jupe à rallonger ou chemisier neuf, qu'elle avait encore entre les mains. Résistait-elle qu'il la frappait.

Déjà, quand son père essayait de l'attraper, l'enfant jouait des coudes pour le repousser.

« Laisse-moi tranquille ! » lui soufflait-il, et il n'aurait pas hésité à se battre s'il l'avait fallu. « Compte plus sur moi pour te chaparder des trucs ! » Et, dans le noir, il allait s'asseoir sur le tas de bois et contemplait la hache fichée dans le billot. De l'océan montait une petite brise qui lui rafraîchissait les lèvres, il la laissait le purifier.

Il rentrait. Aussitôt sa mère lui disait :

« Tu devrais pas y causer comme ça, Vic. T'imagine pas de croire que c'est pour moi que tu fais ça. »

Elle avait la lèvre fendue ou un œil au beurre noir ? Elle le lui disait quand même.

Il ne la supportait plus. Cette façon qu'elle avait de toujours lui trouver des excuses et s'accommoder de tout ! Combatif, il l'était, et voulait qu'elle le fût comme lui.

« Vic, mon chéri, lui remontrait-elle, tu peux pas comprendre. Ne sois pas trop dur avec moi. »

Plus tard, quand ils le croyaient endormi, il les entendait s'agiter dans le grand lit. Elle n'arrêtait pas de répéter le nom de son père, encore et encore le hoquetait, avec sa lèvre fendue embrassait et caressait son homme.

Il l'aimait fort, sa mère, mais sa faiblesse le faisait enrager. Lorsque son père la dérouillait à coups de poing, lorsque tous les trois, ils s'acharnaient comme des sauvages, hurlaient et donnaient de l'épaule et du coude, il aurait volontiers rendu l'âme rien que pour elle, était alors tellement aveuglé par la rage et l'impuissance qu'il pensait en mourir ; mourir de se prendre à leur jeu, mourir de s'interposer un instant pour se retrouver à la porte la seconde d'après, mourir d'y taper du poing pour rentrer, mourir de honte, surtout ça, mourir d'être incroyablement grand pour son âge et de ne rien pouvoir faire.

Dans l'intimité de ces moments, lorsque ainsi ils se débattaient et hurlaient, on eût dit des créatures au bord d'accoucher — d'un monstre, avait-il pensé jusqu'au jour où il avait compris de quoi il retournait, avait enfin osé se dire que c'était au meurtre, ni plus ni moins, qu'on allait. Un jour prochain, dès qu'il serait assez fort pour manier la hache, il tuerait son père.

Puis sa mère était tombée malade. En l'espace de quelques semaines, la grande femme douce qu'il avait connue n'avait plus eu que la peau sur les os. Il avait commencé à lui apporter la cuvette, il l'avait regardée se lever de sa chaise en se tenant le flanc d'une main, se traîner jusqu'à la table, arriver à la poignée de la porte, traverser la cour ensoleillée pour gagner les w-c. Son père ? Il avait disparu de la circulation. Il ne rentrait plus. S'était, au début, abstenu de boire pendant un ou deux jours, mais était, maintenant, saoul du matin au soir, même s'il se tenait plutôt tranquille.

Les cris avaient cessé. Dan rentrait après minuit, Dan se faufilait dans la maison en catimini, Dan n'ôtait même plus ses chaussures avant de se coucher.

Trop jeune pour voir plus loin que l'horreur immédiate de ce qu'il vivait, Vic n'avait jamais songé que son père pût céder à la panique. Que ce qui domptait ce dernier, ce qui le poussait encore plus profondément en lui-même, mais aussi l'éloignait de tous, n'était rien d'autre qu'une manière de terreur animale devant ce qui lui arrivait, devant la déchéance du grand corps auquel il s'était accroché, c'était à peine s'il le reconnaissait, oh ! toutes ces douleurs qui sauvagement les séparaient jusque dans leur lit, sans cesse les griffaient et les déchiraient. Car son père ne touchait plus sa mère, point final. Et quand par hasard il le faisait, n'avait plus qu'une envie : repartir au plus vite.

Sa mère savait ce que pensait son fils : « Tu ne comprends pas ton père », lui disait-elle, mais d'une voix qui déjà ne dépassait plus le chuchotement. Et, trop faible pour cela, elle ne précisait pas.

Elle mourut, enfin. Il avait dix ans. Son père pleura et tenta de le cajoler. « On n'est plus que tous les deux », lui dit-il. Mais il ne s'y laissa pas prendre et refusa de compatir. Lorsque son père s'accrocha, il le repoussa.

Sa douleur était immense. Il s'en débrouilla. Mais garda ce qu'il lui restait de tendresse pour lui-même. N'en eut aucune pour la brute avinée qui gémissait, reniflait et prétendait vouloir le reprendre, mais ne faisait que le couvrir de honte.

« T'es dur, lui disait son père d'un ton amer. J'aimerais pas vivre dans un monde où tu ferais la loi. Ah, non alors ! Dieu m'en défende ! T'as pas de cœur. C'est pas comme ta mère. »

Encore une fois, il essayait de l'amadouer. Vic se bouchait les oreilles.

Tant que sa mère avait été assez lucide pour le remarquer, par amour pour elle et pour se tenir à bonne distance du débraillé paternel, il avait tenté de maintenir un semblant d'ordre dans la maison — comme si « lui », il faisait le moindre effort ! —, avait essuyé la toile cirée après les repas, avait rincé le baquet en fer galvanisé dans lequel on se lavait, avait balayé partout.

C'était dur. Aussi souvent qu'on passât le balai, on avait toujours du sable, un rien, sous les pieds. Il se déposait sur les plinthes et les appuis de fenêtres, il se glissait entre les draps et grattait la peau quand on se couchait.

Immanquablement il y en avait, deux ou trois grains, dans la tasse qu'on décrochait du râtelier.

Pendant les dernières semaines, tandis que, déjà dans le coma, sa mère gardait constamment la bouche ouverte, il avait craint de la trouver étouffée en rentrant à la maison, en avait fait des cauchemars : c'était avec les doigts qu'il lui fallait enlever le sable qui s'était engouffré dans sa gorge.

Sa mère une fois morte, il ne fit plus rien. Pour contrarier son père et lui montrer jusqu'à quel point il s'était chargé de tout, il laissa le sable s'accumuler. Bientôt, la bouffe s'empila sur la table, ne fut plus que pagaille de miettes de pain, de pots de confiture ouverts, de couteaux barbouillés de saindoux. Enormes, les mouches rappliquèrent. Les cafards se multipliaient, filaient partout. Les lits restaient défaits, au fil des semaines les draps se raidirent sous la crasse. Le lait tournait dans le pichet. Les chaussettes sales et les chemises s'entassaient. Toute la maison se mit à puer le poisson, le lait caillé, la sueur, et quand enfin les vitres furent couvertes de suie et de sel, elles le restèrent. Pas question de lever le petit doigt. Et lui aussi, il se mit à puer, le sut, c'était pire que jamais, ça le démangeait sans arrêt.

Alors que, quelle qu'elle fût, il détestait la saleté, il lui laissa le champ libre et, de dépit, apprit à faire avec, se punit pour témoigner contre son père.

La seule chose qu'il nettoya fut la hache, surtout son fil. Torse nu devant le bout de glace accroché au mur de l'appentis, il gonflait le biceps du bras droit. Plus de cent fois, il se vit accomplir son geste jusqu'au bout. Ne se fût-il pas affirmé ainsi que jamais peut-être il n'eût toléré la situation, la boue dans laquelle ils vivaient, la mine que prenait son père lorsque, assis sur son lit, en maillot de corps, un pied sale posé en travers du genou, il jouait les vexés et s'apitoyait sur son sort.

« Allez, fiston, file-moi un coup de main. Dis, tu voudrais pas me passer mes bottes ? C'est ça qui s'rait gentil. »

« Va les chercher toi-même », lui renvoyait-il et, avant de partir pour l'école, tirait sur sa chemise, serrait d'un coup sec la ceinture de son pantalon d'emprunt.

« T'as pas d' cœur », gémissait le vieux tandis que, debout devant la fenêtre, l'enfant mâchonnait un quignon de pain en avalant de grandes rasades de thé, car, alors, eût-il même songé à l'aider qu'il n'avait qu'à l'entendre pour ne plus pouvoir faire autrement que de se boucher les oreilles.

« C'est pas toi qui donnerais sa chance au copain, pas vrai ? »

La toiture n'était pas isolée. La nuit, il suffisait de lever les yeux pour y voir, sous la cime en tôle ondulée, les souris courir sur les poutres nues. Enfant, Vic s'était souvent dit qu'en fait, il vivait dans un arbre gigantesque, tout en branches. Et dans cet arbre il y avait une chouette et parfois, pendant son sommeil d'enfant, il arrivait qu'elle se cognât dans sa tête, que doucement, tout doucement malgré son poids, elle sautillât entre les poutres en faisant hou-hou et en clignant ses yeux jaunes. Ses fientes étaient chaudes, il les sentait. Des fois même il battait si fort des bras pour chasser le gros oiseau de sa tête qu'il finissait par se réveiller.

Cela faisait des années que ce rêve l'avait quitté. Mais voilà que le gros oiseau était revenu. Il voletait à droite et à gauche, battait follement des ailes, lâchait ses fientes chaudes. Lorsque, enfin éveillé dans son rêve, l'enfant levait les yeux sur lui, l'animal tenait une souris dans son bec. Et ses fientes étaient sang. Vic se réveillait, et c'était avec du sang chaud dans la bouche, et s'étouffait trop pour hurler.

Un soir, le père ramena une femme, une grosse fille de dix-sept ans, Josie.

Vic l'avait déjà vue plus qu'il ne fallait, trois ou quatre bambins à la remorque, ses frères et sœurs, et se rappela les histoires que lui avaient racontées les grands : elle baisait à tout vent.

Le lendemain matin, au petit déjeuner, qu'elle avait déjà préparé lorsqu'il se leva, elle le regarda sans méchanceté, mais sans essayer de le gagner non plus, comme si, propriétaire des lieux, elle découvrait qu'il faisait partie des meubles. Elle avait l'air d'avoir trouvé tout ce dont elle avait eu besoin, la bonne théière, la seule qui eût un bec à peu près convenable, et d'avoir percé à jour la très curieuse façon que, dans cette maison, on avait de tout étiqueter, certes, mais de ranger le thé dans la boîte marquée « sagou » et le sucre dans celle qui aurait dû contenir du riz. Elle s'était fendu son bois, ça aussi, et avait mis la table ainsi qu'il convenait. Josie était du genre à se débrouiller de tout et semblait savoir comment s'y prendre.

Il lui en voulut de la facilité avec laquelle elle avait décelé l'étrangeté toute masculine de leurs agissements ménagers. Avait été gêné — il s'était, comme d'habitude, réveillé avec la gaule — de devoir s'habiller devant elle, bien qu'elle ne lui prêtât pas la moindre attention. Et lorsqu'il était rentré déjeuner, elle était toujours là et nettoyait la maison. Aussi furieux fût-il, il avait, en voyant que les carreaux étaient à nouveau propres et le parquet astiqué, senti jusqu'à quel point lui importaient l'ordre et l'odeur du savon en paillettes.

Son père ne changeait pas, mais Josie n'avait pas l'air de l'exiger. Elle prenait les choses comme elles venaient. La nuit, Vic les entendait, et fut troublé par la violence de leurs ébats. Il avait presque douze ans.

Josie était gentille avec lui et n'attendait rien en retour. Elle semblait faire partie de ces êtres qui n'espèrent rien de rien et cela le toucha, mais il se garda : il se méfiait d'elle. Lui en voulut de la manière dont, s'emparant d'objets que sa mère avait chéris, elle en modifia l'usage.

Elle tenait la maison propre, leur lavait leur linge et chantait un peu en poussant les perches de l'étendoir où elle l'accrochait. L'après-midi, en rentrant, il la trouvait souvent en train de lire une revue, *Photoplay* ou *Pix*[1], les pieds nus posés sur une chaise et était heureux d'avoir enfin quelqu'un à qui parler. Après avoir mis sa revue de côté, elle lui demandait ce qu'il avait fait à l'école et, malgré qu'il en eût, insensiblement il se laissait aller à discuter avec elle.

— Ça, reconnut-elle un jour, j'ai jamais été très bonne en analyse grammaticale. En algèbre, oui... c'était là que j'étais la plus forte.

De temps en temps, elle lui faisait la lecture : « Myrna Loy et William Powell, commençait-elle, sont de grands

1. Soit : « Ciné ». (NdT.)

amis, tant à l'écran que dans la vie. Depuis qu'ils ont tourné ensemble dans *The Thin Man*... »

Parfois ils faisaient une partie de Ludo, qui était le seul jeu qu'elle parût connaître.

Quand ses camarades se moquaient de lui, à l'école ou à la sortie du cinéma, il se retrouvait souvent en train de prendre sa défense. Ce qui était très exactement ce qu'ils cherchaient. « Alors, on s' fait des p'tites baises, pas vrai, l' Curran ? » raillaient les grands. Il rougissait et se jetait sur eux.

Il fendait toujours du bois, pour ne pas perdre la main ; elle crut que, galant, il le faisait pour elle, ses fantasmes de gamin s'en compliquèrent d'autant : pourquoi se mettait-elle toujours en travers de ce qui, jusque-là, n'avait été que pure violence ? Il n'arrivait plus à savoir de quoi il retournait. Il ne rêvait que pour son seul plaisir et n'avait aucune envie d'y renoncer.

Pour finir, toute l'affaire lui fila entre les mains : un soir, son père, qui avait retrouvé un peu de sa pugnacité, se battit. On vint avertir Josie, ils accoururent. Pour une fois, cela en avait tout l'air, Danno ne s'était pas laissé marcher sur les pieds et, refusant de se prêter à quelque humiliation (pas pire qu'une autre, sans doute, mais Dieu sait ce qu'il y avait vu), avait frappé avec un verre vide. Furieux de se voir ainsi défié, surtout par un type pour lequel le dernier des derniers même n'avait que mépris, l'offensé, qui comptait au nombre de ses bourreaux habituels, avait cassé le goulot d'une bouteille et s'était mis en garde.

Ce qui s'était passé ensuite, personne ne le savait vraiment. D'après l'offensé, Curran se serait jeté sur le tesson de bouteille et s'y serait déchiré la gorge. Vic sur les talons, Josie avait fait irruption dans le bar. Qu'on se soit mis à plusieurs pour le retenir n'empêchait déjà plus rien : son père agonisait. Il avait le cou ouvert sur plus de dix pouces, il y avait du sang partout.

Vic en resta hébété. Dans sa gorge, le sang gronda. Il regarda ses mains.

Les hommes s'étaient reculés en cercle, leurs brodequins faisant comme une barrière autour de la tête sous laquelle la gorge n'était plus qu'une longue blessure qui béait. Déjà les joues et le front étaient gris, comme du gras de mouton, et la sciure répandue par terre faisait songer au plancher maculé de sang d'une boucherie.

On fut gentil avec lui. On le tira à l'écart et on lui donna un petit remontant qui lui fit venir les larmes aux yeux, mais ce fut à cause de cette gentillesse même, et non pas de sa douleur, qu'il pleura.

Josie était inconsolable. Ils s'assirent à table et là, sous les poutres qui ressemblaient à des branches, il chercha sa chouette. Il n'avait fait montre d'aucun chagrin.

— T'es un vrai salaud, tu sais ? lui lança-t-elle d'un ton enflammé.

Elle avait le teint blafard et, dans ses habits de grosse fille, on eût encore dit une enfant.

— Mais t'inquiète pas, môssieur la vertu en personne, un jour, tu comprendras !

Voyant la mine qu'il avait prise, elle rit.

— Qu'est-ce t'as dit ? reprit-elle bien qu'il eût gardé le silence. Bah, les trucs que tu sais pas, y en a des tonnes !

Elle se pencha vers lui et, l'espace d'un instant, il crut qu'elle allait le frapper tant elle avait l'air méprisant. L'eût-elle fait qu'il n'eût pas cherché à se défendre.

Il tremblait. Leurs deux visages s'étaient encore rapprochés. Un pouce de plus et il eût pu l'embrasser.

Ils restèrent ainsi pendant une minute entière, puis elle fondit en larmes. Il la serra contre lui jusqu'à ce qu'elle retrouve son calme.

Plus tard — elle s'était déjà couchée —, il alla jusqu'au tas de bois et s'assit. La hache était toujours là où il l'avait plantée, à toute volée, lorsqu'il lui avait fendu des bûches à l'heure du thé. Bien fichée dans le billot.

Le sang de son père ! Vic en était encore abasourdi : si épais, si plein de vie. Il avait vu le sien se ruer jusqu'à son cœur, filer à travers lui comme en un tourbillon, pousser jusqu'à la racine de ses cheveux, gonfler les veines de ses poignets.

Obscurément il avait senti, et ce n'était pas la première fois, que son imagination était bornée, que, peut-être, il ne saisissait pas les choses dans toute leur complexité. Le désespoir l'avait submergé comme une vague. Ce qu'on pouvait se tromper ! Sa mère l'avait pourtant bien averti. Il s'était senti buter contre quelque chose, un mur qui ne cédait pas. Et s'il était dit que plus jamais il ne découvrirait ce qui se trouvait de l'autre côté. Car un mur, il y en avait un, il le savait, et ne pas avoir réussi à le percer avait son importance. Sans y prendre garde, il renifla sa main.

Sueur. Sa sueur à lui, et la crasse de tout ce qu'il avait touché. Il se frotta à son short, fort. La culpabilité le prit. Pourquoi ? Il ne le savait pas : il n'avait rien fait.

Peut-être (et son cœur en fut envahi d'ombres) était-ce pour quelque chose qui allait bientôt venir.

Et cette colère dont il avait espéré se débarrasser ? Qu'il avait voulu annihiler à jamais d'un seul coup de hache ? C'en était fini, il ne connaîtrait plus de repos, elle l'habiterait à jamais.

Il frotta à nouveau ses mains sur son short. Pour finir, c'était son père qui avait eu raison de lui.

Il s'assit dans l'ombre du tas de bois. Derrière lui, le mur de la maison ; devant, le flanc des dunes éclairées par la lune, il en vit tressaillir la grande paroi. Qui se mit à avancer. Il ne bougea pas. Déjà elle passait sur les ordures entassées dans le coin de la cour où il avait si souvent vidé la cuvette, en étouffait la puanteur, avalait les bouts de chiffons et les vieux papiers, les cendres refroidies de la paille des cannettes de bière, les boîtes de conserve rouillées et les arêtes de poisson, puis ce fut au tour du tas de bois, jusqu'à ce que enfin seul en émerge le manche de la hache ; et lui aussi, elle l'engloutit, et roula vers les fenêtres de la cahute, poussa, les brisa, recouvrit les chaises, la table, les draps gris et raides de crasse qu'on avait jetés sur les lits, grimpa jusqu'aux tasses à thé, là-haut, tout là-haut suspendues à leurs crochets, et bientôt la pièce fut remplie jusqu'aux poutres, jusqu'au plafond, et, la toiture disparaissant enfin, plus rien ne fut là pour dire ce qu'ils avaient été ou la vie qu'ils avaient menée, plus rien, hormis ce qu'il avait dans la tête.

2

Sa vie changea brusquement, et d'une manière si proche de celle qu'il avait chérie en secret que, plus tard, il se demanda si, sous l'effet de quelque pouvoir qu'il n'eût qu'à moitié deviné, il ne l'avait pas fait advenir, et si ce n'était pas en cela que résidait sa faute.

Son père, qui n'avait pourtant rien à lui léguer, avait rédigé un testament dont Vic était le seul bénéficiaire. Fait autrement plus important, il avait aussi nommé un exécuteur testamentaire, un certain capitaine Warrender de Strathfield, Sydney. Trois ans de guerre durant, Dan Curran avait été son ordonnance, le capitaine acceptant alors, au cas où Curran viendrait à mourir, de s'occuper de tout enfant que celui-ci pourrait laisser derrière lui. Et, oui, il semblait bien que, presque vingt ans plus tard, ledit capitaine Warrender fût prêt à tenir sa parole.

Grand et timide, celui-ci portait un costume trois pièces. Il lui tapota sur l'épaule, il lui serra la main, Vic sachant aussitôt que, des deux, c'était M. Warrender qui se sentait le plus mal à l'aise.

Il était monté de Sydney en train. Sale, la bourgade qu'il découvrait maintenant se répandait le long de la côte. Les maisons en étaient en bois nu et en ferraille rouillée, les courettes envahies par le sable et les détritus, portée par un fort vent de sud-ouest, une fine poussière de charbon volait partout. L'air marin en était âcre de suie. Rien là, en somme, qu'il connût vraiment. Pas plus en tout cas que le gamin aux pieds nus et aux cheveux grossièrement coupés qu'il avait devant lui.

Mais, aussi timide fût-il, M. Warrender regardait les gens dans les yeux, sans méchanceté, avec une parfaite franchise : on savait ce qu'on faisait et ne se voilait pas la face.

Vic, qui avait mis une chemise propre et s'était peigné les cheveux en les mouillant, lui renvoya son regard sans broncher. Il n'ignorait rien de ses propres qualités et, ne doutant pas que le capitaine les décelât un jour, lui fit confiance.

M. Warrender l'observa longuement, lui tapota à nouveau l'épaule et hocha la tête.

Vic ne se détendit pas pour autant, pas encore, mais comprit que M. Warrender, lui, le faisait déjà. C'était bon signe.

Ce qu'il avait senti d'instinct ? Que le capitaine n'était au courant de rien et qu'il valait mieux que rien ne changeât de ce côté-là. Quelles que fussent les idées qu'il avait dû se faire en découvrant leur taudis, jamais il ne devinerait l'étendue du désastre. Vic le comprit et sentit qu'il allait falloir veiller à ne rien lui en révéler, à tout enfouir au plus profond de soi-même, bref, à redevenir un enfant. Il réapprendrait à vivre (ou ferait semblant), et dans les termes mêmes où M. Warrender voyait l'existence. Il lui avait suffi de le regarder pour saisir que c'était bien là ce que le bonhomme attendrait de lui.

Lorsque M. Warrender lui expliqua qu'il allait l'emmener à Sydney, Vic garda le silence. Le laissa poursuivre.

Mme Warrender et les filles (au nombre de deux) avaient entendu parler de lui et attendaient son arrivée avec impatience : il allait y avoir un homme de plus dans la maison ! Vic garda encore une fois le silence, mais se sourit à lui-même tandis qu'afin de le mettre à l'aise — précaution inutile puisque « à l'aise » il l'était déjà et que s'il y avait quelqu'un de nerveux, c'était bien son interlocuteur —, M. Warrender lui faisait ainsi remarquer qu'ils étaient tous les deux des hommes.

Il aurait sa chambre, bien sûr, et irait au lycée. Sauf qu'il faudrait peut-être commencer par aller chercher des chaussures en ville.

Par peur de le blesser, ou parce que le « chagrin » et tout ce qui s'ensuit le plongeait dans l'embarras, M. Warrender ne lui dit absolument rien de son père, et Vic s'en étonna. Et se demanda ce que le capitaine avait espéré trouver en lui lorsqu'il l'avait regardé pour la première fois. Non pas ce qu'il avait découvert — ça, il le savait —, mais ce à quoi, à n'avoir connu que son père, il s'était attendu.

Assis à côté de M. Warrender, Vic fut très impressionné par l'odeur de laine humide qui imprégnait le compartiment — elle lui était d'un étrange réconfort — et regarda le paysage filer à travers le reflet fantomatique de son visage dans la vitre. Il portait des shorts, un pull-over et des brodequins neufs, ces derniers trop grands d'une pointure, et sentit son corps se rétracter. Là, sur la banquette en velours, fort, compact et aussi solide que le capitaine, il l'était. Et enfin devina toutes les conséquences de l'affaire. « Je ne reverrai plus jamais cet endroit », se dit-il tandis que, l'une après l'autre, les mornes étendues de la plage disparaissaient derrière lui. Il ne regretta qu'une chose, la tombe de sa mère.

Il se tenait tranquille et continuerait de le faire jusqu'à ce que enfin il s'y retrouve. Il voyait bien qu'observateur comme il l'était, M. Warrender s'émerveillait beaucoup de la fierté que, sans être impoli pour autant, il mettait à ne pas dire « merci » à tout instant. Il avait redressé les épaules et, chaque fois que le capitaine lui parlait, levait la tête et prenait l'air franc et calme : il fallait absolument que son protecteur ne vît jamais en lui que le reflet de sa propre absence d'artifice. Vic lui était reconnaissant de l'occasion qu'il lui offrait de se montrer sous son meilleur jour et de lui donner à croire que, chez lui, la franchise et le calme étaient des qualités sur lesquelles on pouvait compter. Il eut un élan d'affection pour cet homme plein de timidité.

— Vic, lança M. Warrender, il vaudrait mieux que tu me dises « Pa »... si tu n'y vois pas d'inconvénient. C'est comme ça que m'appellent les filles.

Vic se détendit et y alla d'un petit sourire : il avait, lui aussi, fait sa moisson d'observations.

Pour fumer, M. Warrender tenait sa cigarette entre le pouce et l'index, à la manière d'un crayon, et aspirait comme un gamin qui tire sa première goulée. Chez un homme à la stature aussi imposante, cela surprenait. Cela dit, il le faisait avec volupté. Vic trouva la chose très bizarre, mais, au bout d'un moment, conclut que s'il en allait ainsi, c'était parce que, malgré ses grands airs assurés, voire inébranlables, M. Warrender était effectivement très bizarre. Le manque d'aisance qu'il avait senti en lui ? Il n'était pas uniquement dû au caractère embarrassant de la situation dans laquelle il se trouvait, mais faisait partie intégrante du bonhomme. Celui-ci n'avait, en outre, rien d'intimidant, rigoureusement rien. Il n'était nul besoin de s'inquiéter.

Il lui vint alors à l'esprit que son père avait sûrement vu en lui un homme facile à duper, et se raidit fortement à cette pensée. « Raison de plus pour me montrer ouvert et honnête avec lui », décida-t-il.

Déjà ils arrivaient à Sydney. Une rue scintillante après l'autre lui passant sous les yeux et, là-bas, des jardins avec des poulaillers et des lignes de légumes et encore, dans le lointain, des fumées qui montaient de cheminées gigantesques, il sentit s'ouvrir en lui des horizons plus vastes, devina l'immensité de l'univers vers lequel il allait, tout ce dont, espace et perspectives, celui-ci était riche.

Strathfield, lorsque enfin ils y entrèrent, se présentait sous la forme d'un faubourg ancien pas très éloigné du centre ville, avec des avenues bordées de villas qui, jadis, avaient dû être du dernier chic, mais semblaient maintenant vouées à un élégant abandon. Le long de la voie s'ouvraient des rues à l'aspect moins rassurant, qui, faites de maisons d'ouvriers ornées de terrasses passablement mesquines et galeuses, donnaient naissance à des ruelles envahies d'immondices. Il n'empêche : enfin il était à Sydney, la ville des villes, et jamais n'avait rien vu de semblable.

Mme Warrender, « Ma », l'accueillit à bras ouverts.

Les filles, Lucille et Ellie, se montrèrent sceptiques au début, il le vit bien, mais sut ce qu'il fallait faire pour s'en débrouiller.

Il y avait aussi une vieille dame, une tante de Mme Warrender, qui n'avait pas toute sa tête à elle et le prit pour quelqu'un d'autre.

Mme Warrender lui ayant montré sa chambre, ils restèrent immobiles un instant, sans trop savoir que dire. « Ma » était visiblement très gênée.

— Allez, Vic, dit-elle enfin, je te laisse te familiariser avec les lieux.

Elle pensait qu'il avait peut-être envie de rester seul avec sa douleur.

— Si jamais tu as besoin des toilettes, reprit-elle (et si ce n'était que ça ? songea-t-elle, elle n'avait pas l'habitude des garçons), c'est la première porte dans le couloir.

Debout sur le seuil de la chambre, elle le vit se planter, avec ses brodequins, au beau milieu du tapis et la regarder d'un air qui voulait dire : « Ne vous en allez pas, je n'ai pas besoin d'être seul. » Elle se frotta un peu les mains et s'en fut.

Il s'assit sur le bord du lit, qui était plutôt haut, et contempla ses chaussures. Elles étaient lourdes. Ses épaules se tassèrent, il s'entendit soupirer. Fut envahi non par le désespoir mais par la désolation, par un sentiment de complète solitude qui, venant après la confiance qu'il avait ressentie lorsqu'il se trouvait encore au rez-de-chaussée, le surprit. Etait-ce la taille de la pièce ? Sa blancheur ? Celle qu'il allait peut-être trahir, il le craignit, en y laissant des traces de doigts sales ? L'impression de vide qu'elle donnait, également, puisqu'on ne pouvait quand même pas dire qu'il l'occupât, elle était trop grande pour ça ?

Il regarda la valise qu'il avait emportée. Petite, elle était en carton et fermée par une courroie en cuir. Sa mère, à l'époque où elle faisait encore de la couture à la maison, y rangeait ses boutons, des bouts de rubans et des chutes de tissus pour faire des empiècements. Elle ne renfermait plus maintenant que les chemises neuves que M. Warrender lui avait achetées, plus quelques caleçons, et même des chaussettes ! Vic n'avait rien pris d' « avant », hormis ce qui, pour être invisible, n'en était que d'autant plus pesant et, ça aussi, il l'aurait bien abandonné s'il l'avait pu, ou poussé dans le conduit venteux des toilettes du train — sauf qu'il y n'avait aucun moyen de mettre la main dessus. Que c'était dans la racine de ses cheveux qu'il l'avait emporté, dans les traces de doigts qu'il laissait partout qu'il fallait le chercher.

Tissé de malheurs, d'amertumes et de colère rentrée, un autre enfant l'avait accompagné, qui, chaque matin maintenant, lui enfoncerait les pieds dans ses chaussures, laisserait des traces de saleté sur les cols de ses chemises, souillerait son lit, ses draps propres, avec la sueur de ses rêves.

De cet enfant il sentit le désespoir couler dans son cœur, eut envie de vomir. Se levant promptement, il gagna le miroir allongé de sa commode et, pour tenter d'en déloger l'autre gamin, se tint aussi droit et raide que, croyait-il, M. Warrender l'avait vu dans ses habits neufs.

Il se tourna de côté et, roulant les yeux, aussi loin qu'il le pût, se regarda aussi sous cet angle. Puis il approcha son visage de la glace, souffla fort, ses traits disparaissant aussitôt dans la buée qui se répandait sur la glace.

Au bout d'un instant, lorsque enfin ils reparurent, il alla jusqu'à la première porte du couloir et entra dans la salle de bains. Elle était carrelée de vert. Il déboutonna son short, souleva la lunette, pissa et, son affaire faite, joua avec sa bite jusqu'au moment où enfin il banda. Puis il tira la chasse et regarda la cuvette se vider.

Dans une conque en porcelaine fixée au-dessus du lavabo il trouva une savonnette neuve, toute douce, et blanche. Il la huma, puis se lava soigneusement les mains La savonnette était parfumée aux épices.

Il regarda ses ongles, se saisit d'une petite brosse et se les frotta. Ils n'en furent pas propres pour autant, pas tout à fait, mais avec du savon comme ça ils le deviendraient, c'était clair.

Il s'essuya les mains, mais l'odeur de la savonnette y resta. Elle y était toujours lorsqu'il descendit au rez-de-chaussée. A nouveau confiant, il le vérifia encore, juste avant de passer dans la pièce où M. Warrender, « Pa », l'attendait pour lui faire visiter les lieux.

La maison des Warrender était grande et vieillotte; délabrée par endroits et moderne en d'autres, elle était munie d'une véranda à poutrelles en fonte sur le devant, et d'une autre, en bois, sur l'arrière, celle-ci fermée par des vitres roses et vertes afin qu'on pût y dormir, le tout flanquant une tour carrée à toit fortement pentu. Bâtie au milieu d'un jardin envahi de sapins et de pins-bunyas[1], elle jouxtait un bâtiment en briques, avec des barreaux aux fenêtres et, derrière, une cour pavée encombrée de diables et de barils. Ces derniers arrivaient sur des camions dont les côtés portaient l'inscription « Needham » en grosses lettres dorées. Lorsque Vic et M. Warrender débouchèrent dans la cour, il y en avait justement un de garé devant la plate-forme

1. Variété d'araucaria aux fruits comestibles. (NdT.)

de chargement. Deux hommes en tablier de cuir étaient en train de faire descendre un tonneau le long d'une planche.

— Salut, Alf, lança M. Warrender au plus vieux. Comment ça marche ?

Alf posa le pied contre le flanc du baril afin de le caler, puis lui répondit :

— Plutôt bien, monsieur Warrender. Le chargement est beau.

Il se passa le dos de la main sur le nez, il avait le nez qui coulait, et regarda Vic.

— Je vous présente Vic, dit M. Warrender. Vic, voici Alf Lees... et Felix.

Sombre de peau, Felix était jeune et musclé. Il arborait un sourire méchant et garda le silence. Resta planté là, les mains sous son tablier en cuir, qu'il souleva un petit coup. Vic crut à une insulte. Il rougit et se demanda si M. Warrender avait remarqué. Mais voilà que Felix s'était mis à rouler des yeux blancs, comme s'il se barbait, et que ses grosses mains étaient toujours sous son tablier, qui battait et battait encore.

— Vic est venu habiter chez nous, expliqua M. Warrender comme si les deux autres avaient besoin de le savoir.

Le pied toujours posé contre le flanc du tonneau, Alf acquiesça d'un signe de tête.

— Je me suis dit que si je lui montrais un peu...

La pause qui suivit fut longue.

— Nous veillerons à ne pas vous gêner, dit-il enfin.

Vic se sentit brusquement paralysé par la timidité de M. Warrender. Le pied contre son tonneau, Alf n'en semblait pas moins embarrassé.

C'est alors que, pour la première fois, Vic comprit une autre de ses bizarreries : M. Warrender avait un mal fou à conclure. Démarrer ne lui posait aucun problème, mais comment poursuivre ? M. Warrender contempla les pavés, puis, très rythmiquement, commença à soulever et abaisser son énorme masse sur le bout de ses orteils. Et au bout d'un moment, surprise, il se mit à chantonner.

— Allez, l'interrompit Alf sans ménagement, c'est pas que les carnes auraient le droit au repos... En avant, Felix. Reste pas là comme ça, quoi ! et, ignorant M. Warrender, il dégagea son pied du tonneau et permit à ce dernier de rouler jusqu'au bas de la planche.

Soudain plein d'entrain, le soulagement sans doute, M. Warrender les salua :

— A bientôt, les enfants.

En partant, Vic se retourna et vit que, sous sa tignasse noire, Felix lui souriait d'un air méprisant. Mais déjà Alf lui faisait signe de se remettre au boulot.

Il suffisait d'entrer et de s'enfoncer dans les ténèbres à hautes poutrelles de l'usine pour sentir le travail. Rien là de visible, ou très peu, mais du bouillonnement, une fermentation qui faisait trembler l'air et dégageait une chaleur nettement perceptible. L'atmosphère était plus épaisse. Aussitôt on suait.

A l'origine de tout, une grande cuve. M. Warrender l'y conduisit et, l'espace d'un instant, contempla la chose avec une manière de terreur sacrée qui lui parut surprenante : c'en était à croire que le bourdonnement sourd qui en montait l'avait ensorcelé. M. Warrender approcha sa tête de la paroi métallique, comme s'il voulait y entendre quelque chose qui lui eût enfin expliqué un problème qui le troublait depuis longtemps. Malheureusement pour lui, il semblait qu'on lui parlât dans une langue qu'il n'avait jamais réussi à apprendre.

Enormité de l'objet sous les hautes poutrelles du toit, silence respectueux de M. Warrender, Vic pensa à un autel. Qu'il ne fût pas très fort en églises ne l'empêcha pas de se dire que c'était la seule chose qui pût expliquer l'impression que lui donnait M. Warrender de se trouver en présence d'un être aussi majestueux qu'invisible.

En blouse blanche, deux hommes apparurent au détour du cuveau, l'un d'eux disparaissant aussitôt après les avoir salués d'un bref hochement de tête. L'autre, qui n'avait pas l'air plus content que ça, songea Vic, continua d'avancer vers eux.

— Qu'est-ce que c'est? avait déjà demandé l'enfant. Qu'est-ce qu'ils fabriquent?

L'homme en blouse blanche étant déjà sur eux, M. Warrender fit un petit geste dans sa direction, comme si, peut-être, c'était à lui que revenait le droit de lui répondre. Mais, le bonhomme se taisant, il fut obligé de poursuivre.

— Du savon, Vic, fit-il. Oui, du savon. Dans ce chaudron,

il y a des graisses... du suif, essentiellement... c'était d'ailleurs ça qu'Alf et Felix étaient en train de décharger dans la cour... ça et de la soude caustique.

— C'est exact, dit l'homme en blouse blanche.

— Je vous présente Vic, enchaîna M. Warrender. Vic, voici M. Hicks. M. Hicks est notre directeur... Et après, reprit-il, quand tout ça a bouilli dans la vapeur qui est là-dedans... tu la sens ? dis... le savon se sépare des glycérines (on aurait dit un élève en train de réciter sa leçon), et quand on a tout fait rebouillir un coup, mais avec de la saumure cette fois, on a du savon. ... Enfin, fit-il après avoir marqué un temps d'arrêt, si l'on s'en tient à une version assez superficielle des choses, pas vrai, Hicks ?

Vic sentit bien qu'engoncé dans sa blouse blanche et ses lunettes rondes à monture en or sur le nez, M. Hicks trouvait que cette version des faits étaient effectivement assez superficielle et que M. Warrender n'avait pas très bien expliqué son affaire, mais sa sympathie n'en resta pas moins avec ce dernier.

Ayant contourné les intrus, M. Hicks se planta devant le cuveau comme s'il était chargé de le protéger afin d'empêcher que le mystère qui s'y déroulait ne fût en rien gêné par le genre même d'intérêt superficiel qu'il pouvait susciter. Vic sentit son hostilité. Et l'impatience qui l'habitait. Il ne faisait aucun doute qu'il voulait retrouver au plus vite le rôle qui lui était assigné dans le processus en cours. Si M. Warrender était certes le propriétaire de l'entreprise, il n'en restait pas moins vrai qu'il marchait sur des terres qui ne lui appartenaient pas.

Avec tout le flair qui était le sien en matière de territoire, Vic le vit aussitôt et, parce qu'il avait envie de protéger M. Warrender, se sentit un rien blessé pour lui. Ne pas avoir l'air à sa place dans une usine dont on était le propriétaire !

— Plus loin, reprit M. Warrender, nous avons ce que nous appelons la « liquidation » et l' « épinage ».

Des yeux, Vic chercha la moue sur les lèvres du directeur.

— Un jour, M. Hicks te montrera tous les stades de l'opération... d'accord, Hicks ?... et tu pourras voir tout ça toi même, de bout en bout.

— ... L'ensemble de ces phases, ajouta-t-il et, cela se voyait, c'était la seule qui l'intéressait vraiment, a reçu le nom de « transmutations ».

Il rougit un peu en le disant. Pour lui, le mot était lourd de sens.

— Plutôt poétique, non ?... pour du savon...

Incapable de s'en cacher, M. Hicks fit la grimace : il y avait affront. Se sentant, qui sait ? des instincts de propriétaire sur ce terme, il n'appréciait guère que M. Warrender en usât à sa manière alors que le mot avait un sens scientifique précis. Ou bien était-ce qu'il trouvait à redire à ce que le patron osât même seulement le prononcer ? Aux yeux de M. Hicks — Vic le devina —, M. Warrender ne s'était pas montré assez respectueux, ou n'avait eu de respect que sous une forme qui ne pouvait convenir. Il y avait du congé dans le regard dont il les gratifia.

— Bon, eh bien, merci de nous avoir autorisés à pénétrer dans ton sanctuaire, dit M. Warrender... C'est que M. Hicks ici présent est assez strict sur les visites, vois-tu. Nous sommes des privilégiés.

M. Warrender parlait de son directeur comme on parle d'un enfant, lui passait ses caprices, mais d'une façon que ce dernier, cela se voyait, n'aimait guère.

— Les grosses sociétés ne nous les lâchent pas, passe-moi l'expression, nous sommes entre hommes, reprit-il. Tu sais bien... et prenant le ton de voix fruité propre aux réclames de la radio, il précisa : les types de chez Lux. On est à sec.

Mais, même en disant cela, il donnait l'impression de réciter une leçon.

— Alors, qu'est-ce que t'en penses ? demanda-t-il enfin.

— J'aime bien.

— Bon, s'écria-t-il, moi aussi. Mais je n'ai pas eu tout ça d'entrée de jeu, tu sais ? L'usine appartenait à Mme Warrender. Et « bien aimer » ne suffit pas, jeune homme.

Il marqua un temps d'arrêt, regarda Vic et, après avoir réfléchi un instant, décida d'en rester là.

— C'est pas tout ça, fit-il, nous ferions bien d'aller voir les filles. Elles pourraient se sentir délaissées. Elles te plairont, tu verras.

En fait de « filles », il s'avéra que certaines d'entre elles avaient plus de soixante ans. Emballeuses, elles travaillaient dans une odeur d'épices qui, pour l'avoir tant ravi dans la salle de bains, était ici proprement renversante. M. Warrender se montra des plus galants avec elles. En retour, on fit toute une histoire de sa visite, et on n'oublia pas l'enfant qui l'accompagnait.

— Ça y est, dit M. Warrender, tu as tout vu. Et maintenant, que dirais-tu de filer à la cuisine pour voir si Meggsie ne nous aurait pas préparé une bonne tasse de thé ?

3

Il en vint à beaucoup aimer les Warrender, monsieur surtout, « Pa ». Il le ravissait de pouvoir enfin donner quelque latitude à ses meilleurs instincts. Lui qui depuis toujours avait rêvé d'être un fils idéal avait maintenant la tâche d'autant plus facile que les Warrender étaient des parents presque aussi parfaits qu'il eût pu les imaginer. Il mit le passé derrière lui, redécouvrit une manière d'innocence et laissa libre cours à sa fougue. Ce n'était qu'après avoir fermé la porte de sa chambre qu'il renouait avec ses penchants les plus pénibles. Alors, oui, il pouvait avoir des airs si lugubres qu'à les voir, Mme Warrender eût été atterrée. Inquiète comme elle l'était, toujours à chercher ce qui allait mal tourner, elle n'eût pas manqué de se demander ce qu'on avait bien pu lui faire pour le rendre aussi malheureux.

Les Warrender lui étaient une source d'étonnement continuel. La vie qu'il avait menée jusqu'alors avait été trop dure pour que s'amuser y eût sa place. Les parties de poker dans lesquelles se lançaient ses parents n'étaient que durs moments pendant lesquels on fumait et buvait à qui mieux mieux.

L'exubérance qui régnait chez les Warrender était des plus impétueuses. On y aimait des jeux plutôt enfantins, auxquels on s'adonnait le soir, toutes lumières éteintes, et en faisant le plus de bruit possible. Il n'était pas jusqu'à Ma qui, en chaussettes et les cheveux dénoués, ne se ruât partout et, s'abandonnant à d'aimables audaces, ne hurlât plus fort que ses filles : aussi déchaînées fussent-elles, ce qui était encouragé, Ma les enfonçait.

Tante James, qui était trop vieille pour ce qu'elle appelait « ce genre de pitreries », restait assise dans les ténèbres de la salle à manger et riait sous cape tandis que, sur la pointe des pieds, Ellie, Lucille ou Ma rentrait dans la pièce et venait se cacher derrière son fauteuil. Les lumières s'allumant et s'éteignant dans le couloir, tout n'était bientôt plus que cavalcades, tâtonnements dans le noir et grandes fuites où l'on n'avait vraiment que faire des chaises ou des vases, que glapissements et rires enfantins lorsque celui, ou celle, qui collait s'écriait : « Ça y est, Pa (Pa, Ma, Lucille, Ellie ou Vic), je t'ai attrapé ! »

Ces jeux nocturnes n'étaient pas les seuls auxquels on s'adonnait et Vic, qui était plutôt prude, y fut souvent mis à l'épreuve d'une manière à laquelle il ne s'attendait pas. S'étant toujours cru trop voyou pour eux, il ne fut pas peu surpris le jour où, Pa s'étant mis à parler pets le plus naturellement du monde, les filles en rajoutèrent, Ma allant même jusqu'à en piquer une grande crise de rire.

Insouciants, ils avaient, pour tout ce qui, à son idée, était l'essence même des convenances et de la bonne conduite, une indifférence qui lui serait toujours étrangère. Ils adoraient se faire des farces, physiques de préférence, et trouvaient que plus elles étaient dures, mieux ça valait ; Tante James même n'était pas épargnée. Prendre ces petites cruautés avec équanimité, voire un certain humour, était éprouvant. Vic ne fut pourtant jamais aussi ravi que lorsque, accepté dans leurs jeux, il s'en retrouva pour la première fois victime. Mais se faire attraper et subir les moqueries de tous, il ne s'y habitua jamais. Au bout d'un certain temps, il lui vint aussi à l'esprit que cela sonnait faux. Que si l'on faisait semblant d'avoir la peau dure et d'être insensible à la douleur, on était, en réalité, toujours en train d'essayer de se protéger de vérités qui eussent pu faire vraiment mal et que toutes ces mêlées un rien brutales n'étaient, il le comprit enfin, que la manière qu'on avait trouvée de le masquer.

Lucille, par exemple. Vic ne fut pas long à deviner qu'au fond, elle était très peinée par toutes les excentricités et plaisanteries d'un goût douteux qu'adoraient ses parents. Qu'elle les haïssait. Fière comme elle l'était, il avait cru que c'était à cela qu'il fallait attribuer son hostilité envers lui. Il voyait maintenant que ce qu'elle lui reprochait n'était autre que l'étendue même de ce qu'ils lui avaient dévoilé de leur vrai caractère. Elle craignait que, l'envie de juger le prenant, Vic ne méprisât ses parents. Qu'elle le fît parfois elle-même, et en eût honte, n'empêchait pas qu'orgueil oblige, elle lui en refusât le droit.

Au début, cela le flatta, mais il sentit vite qu'il lui faudrait sacrifier son amour-propre pour la convaincre qu'on pouvait avoir confiance en lui. Car on le pouvait. Sa loyauté envers Pa et Ma était indubitable. Cela valait mieux — surtout côté Pa : toute la vie de la maison tournait autour de l'admiration qu'on lui vouait. C'était à chaque instant que l'on devait respecter ses caprices et ses sautes d'humeur. Ma veillait à ce que rien jamais ne le contrarie, grogner n'empêchant ni les filles, ni Tante James, ni même Meggsie, de lui obéir au doigt et à l'œil. M. Warrender était le tyran du gynécée, ses femmes ne cessaient de le gâter et d'en faire grand étalage. Cette manière de le combler sans arrêt n'en était pas moins que l'ersatz de quelque chose qu'il désirait par-dessus tout et que, selon elles, il n'aurait sans doute jamais. Si l'on faisait tant de chichis autour de lui, c'était pour lui cacher que, de fait, il n'avait aucune autorité véritable. Malheureusement, Pa était trop intelligent pour ne pas s'en rendre compte. Il ne fallait pas aller chercher beaucoup plus loin pour comprendre que parfois, cela arrivait, son foyer branlât beaucoup.

Le bonhomme était bien étrange. Aussi généreusement bâti fût-il, il ne se donnait pas. Les gens qui croyaient que tous les grands costauds sont joyeux et amoureux de la vie le trouvaient décevant. Joyeux, il ne l'était pas le moins du monde et, loin de dire une vitalité un peu grossière, la brutalité des jeux et des farces auxquels il aimait se livrer renvoyait à une image de lui-même à laquelle il essayait de tendre, sans jamais y parvenir. Il était souvent découragé, parfois même carrément sinistre. Le soir, lorsqu'il n'était pas d'humeur à jouer bruyamment, il restait assis sur sa chaise et, les yeux fermés et le front baissé, laissait Ma ou l'une des filles lui masser les épaules afin d'apaiser les douleurs qui lui venaient d'être ainsi complètement enfermé en lui-même.

Aussi bien avait-il passé toute sa journée à lutter dans un monde dont les tempêtes étaient épuisantes. Comment n'eût-il pas eu besoin d'être remis en état, de s'abandonner à ces douces mains qui soignaient ? Que lesdites tempêtes fussent purement morales ne changeait rien à l'affaire. Le résultat était le même.

Il avait, comme le disait Meggsie, passé « toute sa sainte journée à se faire piétiner », avait couru la maison à la recherche de ceci ou cela que, lui ou un autre, on n'avait pas rangé à sa place, avait abreuvé de ses colères tel ou tel autre avocat de la ville, voire les journaux ou le conseil municipal, s'était, bref, tellement abruti de fatigue à des vétilles que jamais il n'avait pu se mettre sérieusement au travail.

Lequel travail, lorsqu'il arrivait à « s'y mettre », n'était pas des plus clairs. On parlait — c'eût été son genre — d'une histoire du régiment qu'il eût été en train de rédiger et dans laquelle, se disait Vic, il n'était pas impossible que figurât son père, mais le plus souvent seulement de « quelque chose de littéraire ». Il avait bien un cabinet, équipé d'un bureau qui lui venait du père de Mme Warrender, mais n'y était pas plus tôt entré qu'il en ressortait pour savoir où l'on avait mis son taille-crayon, sa blague à tabac ou le journal, quand ce n'était pas le livre de Gibbon qu'il avait feuilleté aux toilettes ce matin-là, ou ses lunettes, ses vieilles savates.

Le jour où, une fois le mois — « nos effroyables vendredis », disait Ma —, il lui fallait assister à la réunion du conseil d'administration de la Needham, non seulement il en rentrait épuisé, mais, « vidé », n'était plus que l'ombre de lui-même, et encore. D'un bout à l'autre de la séance, il s'était montré d'une irritation proche de la folie, avait écouté, mais à peine, ses experts financiers lui faire de sinistres rapports auxquels il n'avait rien compris, ses représentants de commerce lui en faire d'autres, nettement plus emportés et qu'il avait aussitôt réécrits dans sa tête, sans les fautes de grammaire, les diversions et les détails inutiles — on avait eu affaire au directeur de tel ou tel autre grand magasin, au gérant de la pharmacie X et à la patronne du salon de beauté Y —, avait, sous les yeux même du président, passé son temps à remplir les marges de son cahier de gribouillis représentant des petits animaux à demi mythiques, ou des personnages au sourire méprisant.

De ces réunions il riait beaucoup le lendemain, y trouvait inépuisable matière à bouffonneries, mais, sur le coup, n'en avait pas moins énormément souffert. Il savait bien qu'il n'y était d'aucune utilité, qu'homme de paille on ne l'y invitait que pour faire nombre et montrer qu'on avait un membre de la famille avec soi. Il avait honte de la légèreté avec laquelle il se croyait alors obligé de se conduire, mais ne voyait guère comment faire autrement. Il se sentait humilié.

Vic était surpris, douloureusement parfois, par la différence qu'il y avait entre cette espèce de grand paumé domestique et l'homme plein de mâle assurance, de chaleur et d'aisance avec lequel il avait pris le train. Cela étant, il n'en continuait pas moins d'honorer le contrat qu'ils avaient passé ensemble. Jamais il ne devait oublier que c'était sous l'effet d'une générosité innée que, le rencontrant pour la première fois et ayant tout le temps de l'observer, Pa ne s'était arrêté qu'à ses meilleurs côtés et avait aussitôt décidé de lui accorder, à lui qui n'était pourtant qu'un gamin, toutes ses chances. A ses yeux, la question était purement sentimentale, la tendresse et la loyauté que ce premier souvenir suscitait en lui ne devant jamais se démentir par la suite.

C'est vrai qu'il s'était présenté sous le meilleur jour possible. C'était l'occasion où jamais et il l'avait saisie. Que Pa en eût été peut-être abusé n'empêchait pas que sa vérité s'y fût elle aussi manifestée, ce que Vic lui avait alors montré n'étant bel et bien que ce qu'au plus profond de lui-même il aspirait à devenir.

Il n'était pas non plus impossible que Pa y eût lui-même vu l'occasion de lui laisser deviner ce qu'il avait de meilleur. Ce qu'il lui avait donné à voir ? Ainsi que le gamin avait été prompt à le découvrir, l'enveloppe de son être, et rien de plus. Mais Vic le comprenait et jamais n'eût permis que cela changeât quoi que ce fût à ses sentiments.

Analyser tout cela jusqu'au bout, il ne le faisait pas. Avec Pa, il pouvait toujours en revenir à un état où, s'étirant à l'extrême, l'émotion des premiers moments qu'ils avaient passés dans le train finissait par colorer toutes les années qui avaient suivi. Jamais, à partir du moment où elle avait été fondée, l'intelligence dans laquelle ils s'étaient trouvés n'avait faibli.

A cette affaire il était encore une autre dimension, les difficultés de Pa lui offrant, du moins le pensait-il, la possibilité d'entrer en scène et de lui montrer que les qualités qu'il lui avait si généreusement reconnues étaient bien réelles et qu'il pouvait les mettre à bon usage. Un jour, oui, il ferait, pour eux, tout ce dont un fils est capable, car qui sait si ce n'était pas justement cela qui depuis toujours devait se jouer ?

Ce fut à la lumière de cette manière de dessein plus vaste, et pourtant toujours officieux, qu'il vécut l'attitude d'une Tante James qui, dès le premier jour, refusa de voir en lui un simple étranger. Membre de la famille, il l'était, mais, la vieille dame ayant une vision bizarre de ce genre de chose, en secret. Le fait qu'elle n'avait rien compris au détail de l'affaire ? Passé à l'as.

« J'ai gardé toutes tes lettres, lui avait-elle chuchoté la première fois qu'ils s'étaient trouvés seuls. Je savais que tu reviendrais. Ils me disaient que tu étais mort, mais je savais bien que ce n'était pas vrai. Car ce n'est pas vrai, n'est-ce pas, Stevie, mon chéri ? »

Et, en riant, elle lui avait décoché un coup de coude dans les côtes, comme si ne pas être un fantôme était une bonne blague qu'il valait mieux ne pas répéter aux autres.

« Comme si ta propre sœur ne savait pas qui tu étais ! » avait-elle conclu.

Stevie était le frère de Mme Warrender. Bien des années auparavant, à l'époque où le mariage entre Ma et Pa n'en était encore qu'à la phase des tractations, il s'était mis dans un mauvais pas, avait été expédié en Nouvelle-Zélande et, là, avait mis fin à ses jours.

Vic se sentait mal à l'aise. C'était complètement fou, voire inquiétant : fantôme, Tante James l'était un peu elle-même. Lorsque les Warrender se lançaient dans leurs jeux, il se tenait toujours à l'écart de la salle à manger où, assise dans son fauteuil, elle voyait et entendait d'autant mieux qu'elle était plongée dans le noir. « Stevie, lui murmurait-elle, souvent au moment même où, sur la pointe des pieds, il passait devant la porte, c'est toi ? Viens te cacher derrière moi. Jamais il ne t'attrapera, lui. »

Le jour, cela ne le gênait pas. On pouvait en rire. Mais voir, là, dans les ténèbres, ses cheveux gris tout hérissés de points lumineux à l'endroit où la lumière du jardin les frappait et entendre la passion qui épaississait alors sa voix, déjà passablement basse et cassée, lui donnait des frissons dans le dos. Parfois même il s'arrêtait net, était incapable de bouger.

Malgré toute la générosité de M. Warrender à son endroit, Tante James était toujours fidèle à un polisson de Stevie dont elle attendait maintenant le retour depuis plus de vingt ans. Et M. Warrender le savait. Et, sans aucun doute, en était très troublé, mais n'en continuait pas moins d'accepter la chose en la mettant au compte des déconcertantes excentricités de la dame.

Ce qui fait que lorsqu'elle avait pris son arrivée pour le retour du beau-frère prodigue et banni, elle avait cherché la bagarre. Avait essayé de le rallier à elle afin de mieux lutter contre Pa.

Tout le monde se montrant des plus ouverts là-dessus, Vic résolut de jouer ce côté de l'affaire avec légèreté, en se faisant passer pour la victime des lubies de la vieille folle : M. Warrender ne l'était-il pas lui aussi ? Cette ligne de conduite l'inquiétant pourtant un peu, il en fut, advienne que pourra, encore plus décidé à ne jamais faire quoi que ce fût qui pût être perçu comme une trahison de Pa.

En cela il fut d'ailleurs aidé par les inconséquences mêmes de la Tante. Il était en effet des moments où, son esprit sautant soixante plutôt que vingt ans en arrière, il devenait son propre frère, Bob, enfant gâté et maladif qui s'était tué dans un accident de cheval à l'âge même qu'il avait maintenant. Alors, presque certaine que personne n'allait la voir, Tante James lui tirait la langue et, lui chapardant son pain dans son assiette, n'hésitait pas à crier : « C'est pas la peine de lui en donner à ce petit fumier ! » Parfois aussi, elle se penchait vers lui et le pinçait un grand coup, le mettait au défi de la dénoncer en poussant un hurlement.

Il ne savait comment réagir. Se sentait tout bête de ne pas bouger alors qu'une vieille folle le pinçait : la pincer en retour était difficilement concevable. Mais, pour avoir, du plus loin qu'il leur en souvenait, elles-mêmes supporté les mauvais tours de Tante James, les filles étaient ravies et trouvaient tout cela parfaitement hilarant. Il n'était pas jusqu'à Pa qui ne s'en amusât, ce qui ne l'empêchait pas de toujours lui jeter un regard qui semblait dire : « Eh bien, tu vois, mon vieux, c'est la même chose avec moi. Mais que veux-tu y faire ? »

Cela étant, Vic comprenait maintenant pourquoi les filles ne demandaient jamais à leurs amies de passer les voir si Ma ne les avait pas d'abord assurées que Tante James ne se mettrait pas au milieu, pourquoi aussi elles s'étaient, au début, montrées si peu à l'aise, même avec lui.

Ellie n'était pourtant pas timide — ou plutôt : ne l'était pas restée longtemps. Elle n'était, c'est vrai, encore qu'une petite fille et, du genre déchaîné et garçon manqué, avait été fort heureuse d'avoir quelqu'un de plus avec qui jouer dans la maison, un garçon surtout. Lucille, elle, avait dû être conquise.

Ce qu'il avait fait en essayant de n'en rien faire, en lui laissant le soin de découvrir par elle-même jusqu'à quel point il était solide et loyal.

Ils avaient le même âge, pour finir, elle fut, elle aussi, heureuse d'avoir un garçon dans la maison, même si ses raisons n'étaient pas celles d'Ellie. A treize ans, Lucille était déjà grande, ou le croyait, et, très consciente du pouvoir qu'elle exerçait sur les gens, n'en redoutait encore guère les effets.

Elle ne se mit pas en tête de le transformer en adorateur, mais il en devint un. Le petit jeu auquel il lui avait fallu se livrer pour circonvenir son caractère difficile et, dans le même temps, la flatter et l'impressionner, se mua vite en habitude où le plaisir se mêlait à la souffrance. Amoureux d'elle, se dit-il, avant longtemps il commença, ainsi qu'il en avait coutume, à l'inclure dans les visions qu'il se faisait de sa vie future.

Ce qu'au début elle accepta. Elle avait juste l'âge qu'il fallait, celui où l'on aime et parle rêveusement d'à jamais. Mais elle grandissait plus vite que lui et il n'arrivait pas à la suivre. Plus souvent qu'il ne l'aurait souhaité, il se retrouva à se tourner vers Ellie pour s'adonner aux jeux un peu brutaux dont le jeune garçon qu'il était encore avait faim, fut blessé lorsque, en faisant la moue, Lucille jugea bon de se moquer de lui.

A quinze ans, Lucille Warrender était déjà une jeune femme et, fort exigeante et changeante, avait toute une tribu de prétendants à ses trousses. Il refusa de désespérer lorsqu'elle se mit à sortir avec des garçons plus âgés. Il savait qu'il lui restait encore un ou deux ans à grandir. Mais, à l'agonie, il fit si longue figure que Ma, qui voyait ce qui se passait et l'aimait de plus en plus, ne sut plus comment s'y prendre. Impassible, il savait l'être, mais souffrait facilement. Et avait un léger penchant pour le romantisme. On eût pu ne pas la voir, mais cette tendance n'échappa point à Ma. Qui était bien en peine de l'aider.

De fait, Mme Warrender avait peur de sa fille aînée qui lui paraissait trop adulte. Et trop imbue d'elle-même. C'était parfois jour après jour qu'elle se laissait aller à des sautes d'humeur, à des caprices et à des engouements de petite femme que Ma n'avait aucune envie de supporter. Jusqu'au moment où, tout soudain, c'étaient les grandes eaux et où l'on voulait se faire câliner et pardonner comme une fillette. Femme et fillette à la fois, Lucille n'était jamais vraiment l'une ou l'autre. Fière et très critique, elle se montrait cruelle sans le savoir ; non pas tant par nature que par manque d'expérience. Parce qu'elle ne se connaissait pas, elle ne savait comment faire pour s'épargner, ou épargner les autres. Et c'était Vic qui, pour l'essentiel, en faisait les frais.

« Après tout, ce n'est quand même pas que tu serais un inconnu, non ? Alors, qu'est-ce que ça peut faire ? » Tels étaient les mots dont usait Ma lorsqu'elle montait dans sa chambre — ce qu'elle avait mis un certain temps à faire —, afin de lui demander son avis. « Toi au moins, je peux te parler, Vic. Dieu sait que ce n'est pas comme avec les filles ou Pa ! » Et par là voulait dire qu'elle n'avait pas envie de les alarmer avec ses craintes.

Elle pensait qu'aussi jeune qu'il fût, Vic était avant tout coriace et doué de sens pratique. « Avoir le sens pratique » était une des expériences préférées de Mme Warrender et, dans sa bouche, avait valeur de compliment. Alors, oui, il se sentait fier de lui : dur et carré, il avait effectivement le sens pratique, au contraire d'elle qui ne cessait d'envisager le pire. L'univers du désastre était le seul vers lequel son imagination s'envolât volontiers.

Ma était une inquiète. Un magazine à la main — le *Bulletin* ou les *London Illustrated News* dont elle s'était saisie afin d'être sûre d'avoir quelque chose à faire —, elle arpentait souvent la maison tel un fantôme sans joie, jetant un œil dans les pièces que, du temps où l'on avait cinq femmes de chambre, sa mère avait remplies de broutilles et de souvenirs de voyages — objets en verre de Venise, petites boîtes et autres figurines en porcelaine, en marbre de Paros ou en bronze qu'on avait alors les moyens de faire épousseter tous les jours, mais qui, aujourd'hui, n'eussent plus rien eu de pratique. A la demande insistante de Pa, et pour des raisons de sens commun évidentes, meubles en lugubre acajou, fauteuils en velours et bric-à-brac général[1], elle avait tout viré pour passer à un semblant de moderne.

Mais il y avait un hic : ses vieilleries lui manquaient. Tendant la main en avant pour caresser un meuble familier, elle avait horreur de découvrir qu'il n'était plus là. Ou bien encore, avec Meggsie, passait la moitié de sa matinée à faire tous les tiroirs de la maison afin de retrouver quelque vieille coupure de journal qu'il lui fallait absolument consulter ou un bouquet de violettes qu'elle avait envie de piquer à son chapeau — ou la boucle d'oreille assortie à celle qui, au bout de sept ans, avait enfin refait surface, mais dont la sœur, qu'elle cherchait, était restée, elle s'en souvenait alors et son cœur battait fort, dans l'un des tiroirs du buffet qui était parti chez Lawson lorsqu'elle avait tout vendu.

Car la maison était celle de ses parents, celle où elle avait grandi. Et, pour beaucoup parler sens pratique, Ma n'avait jamais fait, elle le sentait bien, qu'essayer d'en chasser l'esprit que son père et sa mère lui avaient donné. Et en avait maintenant honte. Jamais elle n'aurait dû se le permettre. Et comme, en plus, elle n'avait même pas réussi son coup...

Debout devant la grande baie vitrée du salon, elle regardait l'usine et sentait la présence de son père dans son dos. Il avait l'air furieux, il attendait, et sans faire montre de beaucoup de patience (c'était un rustre qui n'avait jamais reçu la moindre éducation), qu'elle s'explique. Qu'avait-elle donc fait de sa splendide entreprise ?

Elle songeait à une réponse possible : « Pour l'amour du ciel, P'pa, on est en 1936 ! (Comme si, en soi meilleur que celui de 1919, année où il était mort, ce chiffre pouvait contrebalancer tous ceux qu'il lui faudrait avouer et qui, depuis quelque temps, étaient toujours à la baisse !) Il ne faudrait quand même pas oublier la Dépression ! »

1. En français dans le texte. (NdT.)

Sauf que tout cela était ridicule, bien sûr. « J'aurais dû être un garçon », se disait-elle alors et, parfois, le disait aussi à Vic : « Comme ça, on m'aurait appris à faire ce qu'il faut pour redresser la situation. » Malheureusement, le garçon, c'était Stevie et, dans un accès de pharisaïsme qui s'était avéré fatal, son père avait anéanti ses chances en le chassant. A qui donc fallait-il en vouloir ? Et pourquoi était-ce elle qui se sentait coupable ?

A toujours errer à travers la maison en chaussettes, avec élégance, certes, mais sans s'en soucier, il arrivait souvent qu'elle fût là, sur vous, comme Meggsie manquait rarement de s'en plaindre, avant qu'on ait eu le temps de se retourner — à moins de l'avoir sentie venir.

« Dieu bénisse les Irlandais ! s'écriait Meggsie lorsque Mme Warrender lui apparaissait ainsi et n'avait de cesse qu'on s'assît à la table de la cuisine pour parler de quelque problème qu'avaient les filles, vous m'avez flanqué une trouille bleue ! »

Des filles, Meggsie en avait aussi : deux grandes, casées et malheureuses en mariage, et une troisième qui s'affairait encore à rassembler son trousseau. Meggsie connaissait Lucille et Ellie depuis leur naissance. Elle les gâtait, prenait toujours leur parti et ne leur trouvait jamais le moindre tort, à l'une comme à l'autre.

Mais Mme Warrender n'avait nullement l'intention de s'en laisser compter. Comme par habitude, et en ignorant délibérément le déplaisir évident de Meggsie, elle gagnait le placard, en sortait un petit couteau aiguisé et se mettait en devoir de l'aider à éplucher et vider des pommes : qu'on en parle donc, de ce problème !

Meggsie était furibarde. Elle avait sa façon à elle de procéder et celle de Mme Warrender ne lui plaisait pas. Ma s'énervant de plus en plus, il n'était pas rare qu'une bonne moitié de la pomme à laquelle elle travaillait disparût en épluchures. Quand c'étaient des petits pois qu'elle écossait, un par cosse, au moins, achevait sa course dans sa bouche. Au bout d'un moment, Meggsie n'en pouvait plus. De dix ans son aînée, elle décidait de la traiter comme si elle n'était guère plus qu'une petite fille. N'hésitant pas à lui prendre son couteau des mains, ou à ramener le sac de petits pois de son côté de la table, elle lui disait : « Bon alors, écoute-moi, ma petite. Tu arrêtes de te faire du mauvais sang et tu laisses aller les choses où bon leur semble, tu veux ? La nature, faut savoir la laisser faire, quand même ! »

Mme Warrender en était atterrée. Laisser faire la nature, elle avait vu ce que ça donnait. Et c'était bien ce qui la terrifiait.

« Ce sont de bonnes filles, reprenait Meggsie, toutes les deux ! Ça, vous ne savez pas votre bonheur ! Allez, faites-moi confiance ! Quand est-ce que je vous ai jamais servi des patates pourries, hein ? »

Mme Warrender restait immobile un instant. De fait, elle se sentait mieux. Peut-être était-ce les deux minutes qu'elle venait de passer à travailler avec ses mains, à faire vraiment quelque chose. Plus vraisemblablement, c'était la lumière qui régnait dans une cuisine qu'elle n'avait jamais cessé d'aimer depuis que, petit bout de femme de rien du tout, elle venait y faire cuire des pâtés dans le four. Ou alors, c'était Meggsie et le rythme que, dans cette pièce, elle savait donner aux choses. Car il était différent de ceux qui avaient cours dans le reste de la maison et, à son goût, étaient ou trop frénétiques ou trop calmes — elle devrait y veiller, bien sûr, mais comment ? A seulement se tenir dans cet endroit qui, en plus d'être frais, se trouvait à l'arrière de la maison, Ma se sentait régénérée et regrettait souvent qu'avec ses instincts de propriétaire, Meggsie en eût fait un lieu un peu trop exclusivement à elle. Elle n'eût rien souhaité de mieux que de pouvoir travailler à la cuisine, si seulement Meggsie l'avait voulu : ah ! éplucher des pommes de terre, hacher des légumes, plonger les mains dans de l'eau graisseuse, faire l'esclave dans sa propre maison ! Malheureusement, polie mais ferme, Meggsie n'avait qu'une envie : se débarrasser d'elle au plus vite.

— Bon et maintenant, vous allez me faire le plaisir d'aller vous reposer sous la véranda. Je vous apporte une bonne tasse de thé dans cinq minutes. J'ai du travail, moi. Il faut que je pense au pudding. Parce que si je m'en occupe pas, je vois pas comment qu'on en aura au repas.

Plus calme, mais congédiée, Mme Warrender s'en allait.

« Je regrette beaucoup que mon père ne m'ait jamais donné la permission d'apprendre à taper à la machine, aimait-elle à répéter. Ça ou autre chose... jusques et y compris servir dans un magasin. Au moins, je saurais faire quelque chose et on ne me parlerait pas comme à une idiote. Ce n'est quand même pas qu'on naîtrait sans le moindre sens pratique, non ? »

Vic ne faisait pas partie de la famille depuis bien longtemps lorsque Ma se prit à le coincer dans le couloir dès qu'il rentrait de l'école. Plus tard, lorsqu'elle commença à voir en lui — comme il était solide, parfois jusqu'à la gravité — un équilibre qui, pensait-elle, ne pouvait lui venir que de l' « expérience » (d'où diable la tenait-il ? à l'âge qu'il avait !), ce fut à toute heure qu'elle se mit à entrer dans sa chambre, à s'asseoir sur le bord de son lit et, ceci ou cela, à s'ouvrir à lui de tout ce qui la tracassait.

Parfois, d'un air absent, mais sans pour autant cesser de lui parler, elle ramassait une chaussette sale qui traînait par terre, ou une de ses chemises, un caleçon, et les roulait en boule. Un jour, elle porta une de ses socquettes à son nez, la huma longuement et n'en parut pas autrement offensée — de fait, Vic eut même le sentiment que cela lui plaisait. Ou bien alors, elle ouvrait et refermait les tiroirs de sa commode, déplaçait du linge, veillait à ce que tout fût convenablement plié. Elle ne l'espionnait pas, c'était clair : il eût d'abord fallu qu'elle regardât ce qu'elle touchait. Qu'elle ne se contentât pas de tout frôler, de s'assurer vaguement que ceci était en coton et cela en laine, que de cet article-là il y avait tant et tant de paires. Ainsi s'aidait-elle à organiser ses pensées et remettait-elle sur une base maternelle — les chaussettes, les chemises et les caleçons étaient des affaires de mère — l'intimité de leurs rapports.

« M. Warrender, Pa, lui disait-elle, est un homme merveilleux. C'est l'être le plus gentil, le plus généreux, le plus... On ne s'en rend même pas compte. Il n'y a qu'à voir la façon dont il se comporte avec Tante James ! Cela dit, comme nous tous, il a ses limites. Il ne peut pas faire de miracles. On lui en demande toujours trop. »

Vic restait assis en silence et, en suivant ses évolutions inquiètes à travers la pièce, s'étonnait de la manière qu'elle avait de défendre le client comme si elle s'adressait à un jury invisible et de ce que ce fût toujours Pa qui alors se retrouvât dans le box des accusés.

Il était trop jeune, au début, et trop peu habitué à recevoir des confidences, pour faire plus que de tout enregistrer sans rien dire. Cela ne l'empêchait pas de se demander qui ce « on » pouvait bien être. Ses parents à elle ? Tante James, Meggsie, M. Hicks ? Au bout d'un moment, il décida que Ma était un rien dérangée, ou surmenée — hystérique ? Pendant quelque temps il joua les amusés et, en secret, la traita avec un mépris affectueux.

Ce ne fut que lorsqu'il commença à mieux connaître la famille qu'il comprit enfin que Ma était la seule à réfléchir sérieusement. Comme lui, et elle le vit et lui en fut reconnaissante. Au fur et à mesure qu'il grandissait et devenait plus responsable, leurs petites « parlotes », comme elle disait, se transformèrent en grandes discussions sur les affaires de famille, où l'on abordait aussi bien la gestion de l'usine que la question des emprunts, des intérêts qu'il fallait rembourser, en somme, tout le financement de l'entreprise. C'est qu'elle en savait beaucoup plus long que ce à quoi l'on eût pu s'attendre, Ma, sur les emprunts et autres transactions de cet ordre ! Et ce qu'elle savait, elle le lui faisait partager. Ça allait mal : en gros, tout était là. Et c'était à cela qu'elle essayait de faire face.

Ils ne se donnaient pas de grands airs, les Warrender — ils avaient trop de classe pour ça. Ils auraient eu honte de paraître opulents alors qu'autour d'eux tant de gens étaient en train de se faire broyer. Leur automobile, une « Hup » grise, était encore celle qu'ils avaient commencé à conduire, à toute allure, quinze ans plus tôt. Elle démarrait à la manivelle. Aussi grande fût-elle, la maison était en mauvais état et comprenait une bonne moitié de pièces où l'on n'entrait jamais, hormis lorsqu'on jouait. Il n'était que Meggsie pour y remédier un peu. Les filles avaient été élevées dans l'idée qu'elles étaient pauvres, et auraient fort bien pu aller en haillons si Ma n'avait pas repris la situation en main.

Tout cela n'était pourtant qu'une manière d'assurance contre l'avenir, qu'offrande propitiatoire que l'on jetait au destin. Pauvres, les Warrender ne l'étaient pas, au moins selon les critères du commun, mais pouvaient très bien le devenir avant longtemps. A l'heure qu'il était, la pauvreté savait frapper sans prévenir. Ma l'avait vue à l'œuvre et la craignait. De fait, c'était surtout de ne pas savoir ce qu'il lui faudrait affronter, et comment elle s'y prendrait, qui la terrorisait.

Vic, lui, le savait et eût pu le lui dire, mais qu'y eût-elle appris ? Sans compter qu'il eût alors été contraint d'enfin dévoiler ce qu'il était toujours fermement décidé à tenir celé, même à elle.

Parfois, en rentrant de l'école, il voyait un homme dans la cour — souvent même, au fur et à mesure qu'il grandissait, il ne s'agissait que d'un garçon à peine plus âgé que lui —, et cet homme coupait du bois pour Meggsie, tâche qui, normalement, lui était réservée.

Pour se reposer, l'homme s'appuyait un instant sur sa hache. Noire sous ses aisselles, sa chemise lui collait au bas du dos. Lentement il passait un poignet en travers de son front ruisselant de sueur et, sous son chapeau graisseux, lui faisait un petit signe de la tête. Casser du bois, certains de ces hommes n'en avaient pas l'habitude, cela se voyait. Ils bousillaient le travail.

Batailleurs sans emploi, ils frappaient à la porte de derrière et, fendre des bûches, nettoyer le caniveau ou vider les égouts, étaient prêts à tout faire pourvu que ce fût un travail. Meggsie avait reçu le droit, ou se l'était arrogé, de leur donner un petit quelque chose — des tartines de pain au saindoux ou un bol de soupe, en général. Le travail effectué disait qu'on avait bien gagné ce qu'on mangeait, était apaisement d'une fierté masculine qui tenait absolument à ce que jamais l'on ne confondît juste salaire et charité. Ces hommes, Meggsie les connaissait comme sa poche. Ils eussent pu être ses fils ou ses frères. Cela ne l'empêchait pas de les avoir toujours à l'œil.

Hommes ou gamins poussés en herbe qui, quelques mois plus tôt, avaient creusé des galeries de mine ou travaillé comme commis ou employés dans des agences maritimes, tous le hantaient. Il lui suffisait de les voir pour sentir ses épaules s'affaisser. Il était humilié. Parfois, il ôtait sa veste d'uniforme et, après avoir retroussé ses manches, allait leur faire un brin de causette — des riens, mais dans leur langue.

Ils étaient gênés. Il ne parlait pas comme un patron, mais c'était quand même bien là qu'il habitait, non ? C'était quoi, ce bonhomme ? Qu'est-ce qu'il leur voulait ? Au bout d'un moment ils avaient envie qu'il les laissât travailler en paix. En eux, Vic sentait alors ce qui s'était raidi parce qu'à seulement y toucher, il les avait offensés et, sachant pourtant de quoi il s'agissait, n'avait pu s'empêcher de le faire. Il trouvait un prétexte et, les mains dans les poches, errait dans la cour de l'usine en donnant des coups de pied dans les cailloux disposés au pied des sapins.

Le pire était de leur tomber dessus tandis que, penchés sur le bol de soupe que Meggsie leur avait octroyé, ils se nourrissaient dans un coin, à l'écart.

Ils lui faisaient peur. Pas physiquement : de ce côté-là, Vic n'avait pas peur de grand-chose. Moralement. Il en avait l'esprit qui frissonnait, en était couvert de sueurs froides. Il y en avait partout. Ils traînaient devant les cinémas sans un sou en poche, les plus effrontés d'entre eux ayant encore le toupet de siffler les filles, faisaient la queue sur le trottoir. Il eût fallu se mettre derrière eux et lentement remonter jusqu'à la tête de la colonne pour découvrir ce qui, là-bas devant, avait bien pu les attirer. Il n'avait pas vraiment envie de le savoir, mais sentait confusément que quelque chose n'allait pas. Il s'en était trop facilement tiré pour que ce rêve qu'il vivait fût le bon.

Pendant un temps, il sortit avec une fille. Ce n'était pas une amie d'Ellie et de Lucille, il l'avait rencontrée dans un bal. Elle habitait Granville et travaillait comme vendeuse dans un magasin de la ville. Plus âgés qu'elle, ses deux frères étaient sans emploi, comme son père. Capable de taper cent mots à la minute et de prendre des notes en sténo, elle devait pourtant se contenter de vendre de la peinture dans une droguerie. Il n'arrivait à rien avec elle, mais s'en moquait tellement elle lui plaisait : ce qu'elle pouvait être pleine d'entrain, sûre de ses compétences et contente d'elle parce qu'elle avait du travail ! Toute sa famille vivait à ses crochets.

Mais, un soir brûlant qu'il était allé la rejoindre, comme il le faisait parfois, à l'arrêt du tram, il la trouva en larmes. Refusant de lui parler, elle passa vite son chemin dans ses jolies chaussures à hauts talons et, en sanglotant, le repoussa lorsqu'il la rattrapa.

Elle venait de se faire virer. « Ils » l'avaient virée parce qu'elle était rentrée du déjeuner avec trois minutes de retard.

Il faisait si chaud qu'avec une de ses copines elle s'était arrêtée un instant dans un jardin public et, s'asseyant au bord d'une fontaine, y avait mis les pieds et s'était laissé asperger par les embruns du jet d'eau. Trois minutes ! Trop sûre d'elle-même après ce bref moment passé à la fontaine (elle en pétillait encore dans tout son être), elle avait tenu tête au patron, qui les avait virées, toutes les deux — alors que sa copine n'avait pas dit un mot ! Elle était inconsolable. Le regardait, puis rien. Comprenait-il ce que ça voulait dire ? Etait-il trop bête pour ne même pas le voir ?

Qu'il fût assez vain pour se croire capable d'apaiser un scandale dont elle était pleine et qu'il ne comprenait même pas la plongeait dans la fureur.

Avoir ainsi perdu jusqu'au plus petit bout de territoire sur lequel elle pouvait se tenir droite ! Ne plus avoir la possibilité de choisir ! Voilà bien ce qui, outre la honte de les avoir laissés faire ce qu' « ils » lui avaient fait, avait eu raison de ce qui l'animait.

Le monde dans lequel ils vivaient était en proie à des forces qui se moquaient des existences ordinaires et, la situation se tendant, Vic voyait enfin que les craintes de Ma, qu'il avait toujours trouvées exagérées, n'avaient rien que de très réel. C'était tout autour d'eux que des gens étaient jetés au caniveau et ne pouvaient plus sauver leur peau.

Des amis des Warrender qui avaient pourtant l'air à l'abri de tout, prospères même, ne faisaient plus depuis longtemps, on l'apprit du jour au lendemain, que semblant de vivre bien. Le père, qui était avocat, avait échoué en prison. La mère, la fille et le fils étaient partis pour Melbourne.

Le piège se refermait. Par amour pour Ma enfin, et pour Pa aussi, Vic décida de se mettre à travailler, mais sans rêver, pour les sauver. Pa était trop nerveux et sensible pour réussir dans les affaires. « Parfait, se dit-il, sensible, je ne le suis pas, je n'en ai pas les moyens. Les affaires m'iront très bien. Faire la fine bouche n'est pas mon genre. »

Au début, il crut pourtant qu'il le fallait : sa promptitude à se salir les mains en gagnant de l'argent ne disait-elle pas qu'au fond, ses instincts les plus nobles même étaient des plus grossiers ? Mais, lorsque enfin il commença à voir les choses en face, il ne tarda pas à s'interroger sur la valeur d'une noblesse de sentiments qui semblait n'avoir pour autre résultat que celui de paralyser l'action — et c'était dans l'action qu'il avait envie de se prouver.

Il soumit la grossièreté de son être à un nouvel examen. De fait, il ne s'agissait quand même guère plus que de vouloir faire sa place au soleil et de savoir, sans faiblesse, aller jusqu'au bout des décisions qu'il fallait parfois prendre pour y parvenir.

Et d'abord, il convenait de voir les choses sous leur vrai jour. Inutile de s'en aller créditer les gens de vertus qu'ils n'avaient pas. Les gens ! Comme si les trois quarts d'entre eux n'étaient pas que des égoïstes ! Et leurs motivations plus souvent viles que nobles ! C'était de là qu'il fallait partir. Se conduire avec noblesse était certes un devoir (auquel il ne se déroberait jamais), mais ne s'attendre à rien de bon de la part d'autrui en était un autre.

S'en accommoder, il le pourrait : il n'avait pas l'estomac délicat. Comme si les temps que l'on vivait ne montraient pas clairement de quoi le monde était fait ! La situation se durcissant, il se pourrait bien qu'il y eût même quelque avantage à ne pas faire le délicat.

Il avait pourtant toujours foi en ce que, la première fois qu'ils avaient visité l'usine, Pa lui avait laissé entrevoir des « transmutations » ; la chose l'avait ému et, pour autant qu'il trouvât encore quelque utilité à ce terme, eût pu les qualifier de « poétiques ». Il n'était pas sans idéalisme — ni sans imagination non plus. Dans sa réalité physique au moins, cela ne l'empêchait pas de ne prendre ce processus que pour ce qu'il était : une série de phénomènes naturels assignables à des lois purement chimiques et, si nécessaire, parfaitement quantifiables en termes d'équilibre des coûts.

La cuve ! A peine l'avait-il aperçue que l'avaient séduit sa froideur, son mystère, la ronde énormité de sa masse, les rangées de rivets dont elle était ceinte, les tuyaux qui, partant dans tous les sens, montaient le long de ses flancs, l'activité dont elle emplissait un air qui, tout autour d'elle, vibrait sans cesse avec un surcroît de chaleur. Vingt-quatre heures sur vingt-quatre, doucement elle se chantonnait à elle-même, et ce n'était pas seulement du savon qu'elle fabriquait, pas seulement les petits parallélépipèdes du blanc le plus pur que partout l'on voyait monter et descendre sur les tapis roulants pour sortir de la pièce et, une fois empaquetés par les ouvrières dans la salle d'emballage, partir en camion vers les grands magasins, les pharmacies et les salons de beauté où des vendeuses les serreraient dans leurs mains, toute l'affaire leur revenant enfin sous la forme de belles pièces que Pa faisait tinter dans ses poches et que, Ma s'en servant pour faire marcher la maison, le samedi matin, il donnait comme argent de la semaine à chacun. Non, l'usine fabriquait aussi autre chose, et dont on ne vivait pas moins. Elle était dynamo produisant une énergie qui, de l'autre côté de la cour, déclenchait toutes les petites actions et réactions qui tissaient leur vie quotidienne. (Pas littéralement, bien sûr, les termes dans lesquels il était présentement en train de penser comptaient parmi ceux que Pa eût trouvés « poétiques ».)

Debout devant la fenêtre de sa chambre, Vic cherchait souvent des yeux, par-delà les ténèbres de la cour, la pâle lueur qui en émanait, n'était rassuré que par le murmure incessant qui en montait. Il la voyait jusque dans son sommeil. Terrible, énorme, la cuve n'en était pas moins agréablement familière. C'était son énergie même qui allumait ses rêves.

L'après-midi, en rentrant de l'école, il filait parfois à l'usine pour y « embêter » M. Hicks, lequel avait vite deviné son sérieux et, sentant que son intérêt dépassait la simple curiosité du gamin qui veut savoir « comment ça marche », n'avait été que trop heureux de lui montrer tout ce qu'il savait. Le jeune homme était intelligent, il ne fallait pas en douter. Et ne manquait pas d'idées non plus. Il voyait les choses en grand.

— Voilà une bonne question, Vic, lui avait-il dit un jour en mâchonnant sa moustache. Même que si on savait y répondre, ce serait la porte ouverte aux millions.

— Aux millions ? Vraiment ?

Hicks avait marqué un temps d'arrêt. Vic, il le voyait, l'avait pris au pied de la lettre. Dans son esprit, le mot de « millions » avait un sens très précis.

— Des millions, j'exagère peut-être, avait-il repris. Disons que nous pourrions nous planter fermement sur nos jambes.

Mais cela ne lui avait pas suffi. Pour commencer, oui, bien se carrer sur ses jambes pouvait suffire. Mais gagner des millions... ! Vic avait décidé de garder le renseignement en tête, même si celui-ci ne se présentait encore que sous la forme d'une question. Il saurait la travailler.

De fait, Hicks n'avait pas vu que, même au sens littéral, le terme de « millions » évoquait bien plus que de simples liquidités dans l'esprit du jeune homme. Que plus que de sommes précises, il s'agissait pour lui d'une échelle de grandeur. Et qu'à ses yeux au moins, agir à ce niveau-là ne pouvait qu'effacer, jusqu'à l'insignifiance, la grossièreté du propos initial.

Aussi bien Vic souffrait-il encore beaucoup de certaine négativité qu'il sentait en lui. Mais n'en était que d'autant plus décidé à la nier, et à trouver le moyen de s'en servir dans des actions empreintes de noblesse. Car ses motivations, elles, l'étaient déjà. Tout cela, ce serait pour eux qu'il le ferait — et tout ce qui pourrait lui en revenir au passage ne serait que pur bénéfice. N'y aurait-il donc aucune noblesse à rembourser mille fois sa dette ? A tout rendre par millions ? Allez ! Meggsie même pourrait en être impressionnée.

Car s'il était quelque chose qui l'irritait, c'était bien ce grain de scepticisme qui, logé au plus profond de sa nature, ne lui laissait aucun repos. Qui faisait que jamais il ne pouvait, en quelque circonstance que ce fût, s'empêcher de chercher l'infime lueur qui, dans l'œil du voisin, lui dirait que, eh bien non, on n'était pas dupe ; que malgré toute la poudre aux yeux qu'on avait jetée, on s'était fait repérer. Et certes, il en retirait du plaisir, mais ce plaisir était sombre et Vic ne savait pas à quoi l'attribuer. Pourquoi fallait-il qu'en quelque compagnie qu'il se trouvât, ce fût toujours celui-là même qui n'avait pas marché, qui, malgré toutes les astuces auxquelles il avait eu recours pour le gagner, avait refusé de succomber, qui l'intéressât ?

Et, bien sûr, il essayait à nouveau. Il n'y avait rien là que de très naturel. Mais en lui-même, il restait toujours une part qui souhaitait qu'on lui résistât.

C'était d'une vérité dont on ne pût se moquer qu'il était en quête.

Il avait bien vu, dès que M. Warrender l'avait emmené à la cuisine pour la lui présenter, que dans cette maison Meggsie était la seule et unique personne à laquelle il devrait prendre garde.

— Alors, comme ça, c'est Vic qu'on s'appelle, pas ? lui

avait-elle lancé en le regardant de haut en bas pour voir de quoi il était fait. Eh bien, va falloir faire attention à pas coller ses bottes partout sur mon parquet, jeune homme. Je viens juste d'y passer la pièce.

Telles avaient été les premières paroles qu'elle lui avait adressées. Il avait regardé par terre. Du lino. Avec de grands carrés noirs et blancs, comme un damier.

« C'est un bon garçon, allez ! » lui avait assuré Pa (mais, sous la force de son regard, avait tout de suite commencé à en douter).

Parce qu'ils parlaient la même langue, Vic avait tout de suite compris ce qu'elle avait voulu dire.

« Un parquet comme ça, t'en as jamais vu, pas vrai, fiston ? » Voilà ce qu'elle avait voulu dire. « Et y a pas que le parquet, hein ? Y a aussi les chaussures ! Mais que je te dise un bon truc : le parquet, il est à moi. Parce qu'ici, c'est moi qui commande. Et côté chaussures, faudrait voir à rester dans ses pointures ! T'impressionnes peut-être le populo, mais moi, tu m' la feras pas. »

Aucune agressivité là-dedans, mais l'avertissement était clair et le petit air amusé qu'elle avait pris disait bien que s'il ne lui déplairait pas de le regarder essayer, elle ne ferait pas de quartier : « ses » filles passaient avant tout, et les garçons ne l'intéressaient pas.

Avec elle, il y alla doucement : il était inutile d'essayer de la circonvenir. Elle eût repéré la manœuvre dans l'instant. Elle connaissait le monde d'où il sortait et, pour l'en avoir ôtée à la force du poignet, savait la crasse qu'il accumulait sur ses cols de chemise et n'ignorait rien de l'état de ses draps. Entre eux, une manière de petit jeu s'instaura, d'un genre que les Warrender n'eussent pu comprendre. On s'y moquait beaucoup, Meggsie restant attentive et prête à frapper, mais non sans une certaine affection. « J' te connais, jeune homme. Des types de ton acabit, j'en ai vu des centaines. Crois-moi, j' te lis à livre ouvert. »

Avec elle, il n'y aurait jamais moyen de sortir de la mise à l'épreuve. C'était là le cœur du problème.

En dehors de M. Warrender, auquel elle était farouchement dévouée, Meggsie n'avait qu'un seul homme qu'elle jugeait digne de l'interrompre : l'acteur Sessue Hayakawa.

Vic le connaissait bien parce que sa mère l'avait, elle aussi, placé parmi les plus grands.

« Un vrai rêve, ce monsieur, leur disait-elle lorsque avec les filles il se ruait dans la cuisine pour y racler quelque fond d'assiette.

— Et moi qui croyais que c'était un Jap, lui renvoyait-il effrontément.

— Peut-être, mais c'est un gentleman. On peut pas en dire autant de toi... avec les mains que tu te paies ! »

Ce qui signifiait qu'il avait les ongles sales. Il avait honte de ses mains, qu'il trouvait trop grandes, il les cachait aussitôt.

« T'es même pas dans la course, allez ! concluait-elle.

— Comme si j'avais envie de décrocher l' nipponpon ! » marmonnait-il dans sa barbe (pour les filles), et pouffait. Mais cela n'avait déjà plus le don de les amuser. Un an plus tôt, elles auraient ri, mais maintenant il n'y avait plus qu'Ellie pour le faire, par loyauté. Il se sentait tout bête.

« Il est si suâââââve ! » reprenait Meggsie, et Vic voyait alors l'espèce d'amant onctueux, cruel et sombrement attentionné dont elle devait rêver : à cent lieues de tout ce qu'elle avait pu connaître dans sa chair. Ça, on était loin de tous « les jeunes mecs du coin », comme elle disait !

« Bah, pensait-il, peut-être, peut-être, mais c'est pasqu'elle aurait jamais dû lui changer ses draps, à lui ! »

« Toujours dans ses nipponeries, la belle Meggsie ? » écrivit-il aux Warrender après que les Japonais eurent attaqué Pearl Harbor.

Bien du temps avait passé, mais il n'avait pas oublié l'humiliation qu'elle lui avait alors infligée devant Lucille. Quatre ans devaient s'écouler avant qu'enfin il n'ait réponse à sa question.

III

1

Les premiers jours à Changi furent d'inaction et d'abandon pur et simple. Surpris par la soudaineté avec laquelle ils s'étaient effondrés et, par milliers, leur étaient tombés entre les mains, les Japonais n'avaient pas la moindre idée de ce qu'ils allaient faire de leurs prisonniers. Laissés à eux-mêmes, ceux-ci passèrent leur temps à battre la semelle. Après avoir cru que tout serait facile comme bonjour, Doug lui-même s'enferma dans le mutisme et fut déprimé.

Pour Digger, l'affaire tenait du cauchemar : tous ces instants où, jour après jour, on s'agglutinait à des groupes informes, ne faisait rien, se débandait, cédait au désordre, brusquement s'enflammait de colère, était révolté, puis, l'endroit prenant un air fantomatique, semblait succomber à la maladie du sommeil !

Comme le camp que rien ne fermait, le temps dans lequel ils évoluaient était sans limites. Et, sans frontières, il n'avait pas de sens. De jeunes gars qui, à peine quelques semaines auparavant, débordaient de fougue et de combativité, se défiaient à la course, organisaient des matchs de boxe ou gagnaient le « Monde du Bonheur [1] » à vélo pour s'y faire dire la bonne aventure, jouer les gros bras et trouver des filles, traînaient maintenant les pieds tels des vieillards à l'hospice, tétant leurs mégots, faisant assaut de rumeurs, attisant de minables griefs. Le laisser-aller était général : on ne ramassait pas le grain de riz qui, tombé par terre, allait attirer des essaims de mouches ; aux latrines, on était trop

1. Nom d'une grande foire de Singapour. (NdT.)

flemmard pour enfouir sa merde. On avait les boyaux qui se liquéfiaient. Tout ce qu'on avalait se transformait en chiasse.

Le désespoir était physique, tellement puéril et dégradant qu'adultes, certains en pleuraient. « Je déteste ça, se disait Digger, il n'y a rien de pire. » C'était le soleil qui leur grillait la cervelle, le manque d'activité, la honte et la désespérance que l'on ressentait de s'être fait vendre par les gradés, l'échec des officiers à remettre de l'ordre dans tout ça, la mollesse originelle de l'homme de troupe, son rejet de l'autorité — ainsi allaient les théories.

Peu à peu cependant, un jour en suivant un autre, une manière d'ordre commença à émerger. Rudimentaire certes, version simplifiée de l'ancien à n'en pas douter, il n'en grandit pas moins par bonds et par crises et, de pièces et de morceaux, défia longtemps toute compréhension.

Des tentes de fortune firent leur apparition, édifices branlants érigés avec ce que l'on avait piqué à droite et à gauche. Des abris à roulantes furent dressés. De la nourriture fut distribuée trois fois par jour — du riz et quelques légumes avec, parfois, un bout de poisson au milieu. Il n'était pas rare qu'on passât plus d'une heure à faire la queue pour en avoir. Plusieurs officiers qui croyaient encore aux vertus civilisatrices de l'instruction et pensaient qu'avec l'ennui et l'oisiveté ainsi imposés aux hommes, c'était l'occasion où jamais de s'y mettre, commencèrent à donner des cours. Ils avaient des manuels, un tableau et de la craie, ils ouvrirent une « université » où l'on donna des conférences sur toutes sortes de sujets. Un jour, Digger alla écouter une causerie sur la Rome antique, et apprit tout ce qu'il fallait savoir sur les réformes monétaires entreprises par l'empereur Dioclétien. Une autre fois, l'Union soviétique étant au menu, tout se termina par une bataille rangée sur le pacte germano-soviétique. Des deux côtés, la colère était assassine.

Mac tenta de convaincre Digger de se lancer dans l'étude du français. Première leçon, puis deuxième, ils suèrent sang et eau. Apprendre une langue étrangère prendrait des années, Mac lui-même le voyait bien, et ils n'avaient aucune idée de ce que leur réservait l'avenir.

— Ferait mieux d'apprendre le japonais, merde alors !

s'écria Doug. Sauf que j' vois pas que ces fumiers nous l' proposeraient. Et pis, ça s'rait mauvais pour le moral des troupes.

Un jour qu'il faisait la queue pour avoir sa ration de riz, Digger s'entendit apostrophé par un type qu'il ne connaissait ni d'Eve ni d'Adam. On marmonnait beaucoup et Digger n'avait pourtant jamais fait autre chose que tourner un peu la tête pour voir à qui il avait affaire.

— C'est rien que des putains de voleurs, dans ce camp! lui déclara le jeune garçon d'un ton passionné. Ça m'a déjà coûté un stylo-plume de toute beauté, bordel! Y a une ordure qui me l'a piqué dans mon sac!

Un autre, qui se tenait en retrait, partit d'un grand rire méprisant.

— Ç'aurait pu être pire! fit-il remarquer.

Puis, se tournant vers Digger, il ajouta :

— Le pauv' con sait même pas écrire.

— Ah ouais?... Et ça change quoi? s'écria la victime du vol en commençant à donner des bourrades dans le dos du rieur. J' l'avais échangé contre une bonne paire de chaussettes, moi, ce stylo! On devrait jamais s' voler entre potes!

Devant ce farouche rappel aux devoirs de l'honneur, l'autre haussa les épaules et s'éloigna.

— J' m'appelle Harris, lança alors le jeune homme à l'adresse de Digger. Wally, précisa-t-il comme s'il avait senti que, dans cette foule, c'était le seul homme qui pût s'en souvenir jusqu'à la fin de ses jours.

Il attendit que Digger réagisse, mais celui-ci se détourna : il n'avait que faire de ces gens-là. Il était arrivé en retard, il convenait d'en rester là. Des gens à lui, il en avait. Mais le jeune homme refusa d'être ainsi rejeté.

— C'est que j' devrais pas être ici, moi, avoua-t-il. J'ai que seize ans. J' leur ai menti. Ma mère, ça y était égal.

Son gobelet et sa cuillère à la main et son chapeau repoussé loin en arrière sur ses boucles, il donnait l'impression d'être tout à la fois pas peu fier du bon tour qu'il « leur » avait joué et atterré par les conséquences de son acte. Il essayait de se rendre intéressant. Comptant au nombre de ceux que jamais on ne remarque, il mourait d'envie de s'accrocher à quelqu'un — quel qu'il fût. D'instinct, il avait compris que le camp était un lieu où l'on ne pouvait survivre qu'à condition d'avoir des copains.

— C'est que j'aurais pu l'échanger contre quéque chose de vachement bien, ce stylo, reprit-il. Il était drôlement bath.

Puis, en baissant la voix pour que l'autre n'entende pas, il ajouta :

— Ecoute... qu'est-ce qu'y faut faire, à ton avis ? J' me sens pas très bien. J'arrête pas d'avoir la chiasse et ça va vraiment pas. Qu'est-ce que j' peux faire ?

Mais Digger était déjà arrivé à la tête de la colonne. Il prit sa ration de riz et s'éloigna. Il vit le gamin se retourner et le chercher du regard, mais des types qui erraient comme des âmes en peine dès que les rangs étaient rompus, c'était pas ça qui manquait.

— Moi, j'en bouffe pas, déclara un autre, que, lui non plus, il ne connaissait pas.

C'était une autre fois, Digger faisait à nouveau la queue.

— Non, moi, j' bouffe pas d' cette merde-là !

Digger se demanda pourquoi l'autre attendait qu'on lui en servît. Grand blond aux épaules lourdes, l'homme avait le visage rouge et couvert de pustules.

— Si y z'arrêtent pas de nous refiler ça à bouffer, on va avoir les yeux qui partent de côté... tu savais pas ? C'est un prof qui me l'a dit. Sauf que c'est c' qu'y veulent, ces salauds ! Y veulent nous transformer en coolies. Ils peuvent pas saquer les Blancs.

Digger fronça les sourcils : le bonhomme était-il fou ? Pourquoi s'était-il mis à lui danser autour, son gobelet bien lavé et prêt à servir à la main ? La faim : il semblait bien qu'il n'y eût pas d'autre réponse à sa question.

— Sauf que moi, j'en bouffe pas, tu vois ? reprit le dingue. C'est quand même pas qu'y pourraient te forcer, non ? Faut pas croire, moi, y m'auront pas. Plutôt crever. Ça fait rien d'autre que de t' filer la courante.

Un instant plus tard, Digger le vit, l'œil blanc et l'air dérangé, s'enfourner la nourriture à pleine bouche. Leurs regards se croisèrent, Digger tourna vivement la tête de côté.

Plus que jamais il s'accrochait à Mac et à Doug : seule la

compagnie des proches assurait quelque continuité au rationnel et à la nécessité de rester propre. Sauf qu'avec Vic, ils formaient maintenant un quatuor qui, soudain déséquilibré, n'avait plus la solidité du trio originel. Toujours inquiet de ce que l'on pouvait penser de lui, Vic était tout en pièges et arêtes vives et, mal dans sa peau, roulait les mécaniques et n'avait de cesse qu'il ne se mette en avant, ou ne vous coince. Digger ne le supportait pas.

« Bah, disait Doug, c'est pas le mauvais bougre. T'as qu'à pas t'occuper de lui. »

Le quatuor n'en commença pas moins à se scinder en deux blocs inégaux.

Doug regrettait Digger : sa légèreté et sa bonne humeur lui manquaient. Digger, lui, se montrait civil envers Vic, mais reprochait à ce dernier la façon qu'il avait de toujours se mêler de ce qui ne le regardait pas. Mac et lui en étaient d'accord. Mac et Digger étaient d'accord sur beaucoup de choses.

Un drôle de type, ce Mac. Capable de jaspiner jusqu'à vous en faire tomber les oreilles s'il lui en prenait l'envie. Rien à voir avec un Doug qui, pour aimer avoir du public et adorer plaisanter et vous faire marcher, s'y prenait toujours d'une manière plus calme et réfléchie.

Mac avait la tête farcie d'histoires, d'anecdotes et de théories bizarres glanées au hasard des rencontres qu'il avait faites, des conférences auxquelles il avait assisté et des grands laïus qu'il avait entendus au Domain [1] — et encore en lisant et en s'entretenant avec untel et unetelle à la Croix.

Pendant un certain temps en effet, il y avait eu un appartement et, penseurs radicaux, poètes et journalistes écrivant pour le *Herald* et le *Smith's Weekly*, y avait connu toutes sortes d'individus. Toute une éducation. « Sans la Croix, disait-il à Digger, Sydney ne serait pas Sydney. C'est là que tu devrais aller quand tout ça sera fini. La Croix. Y a rien de mieux. »

Pour avoir visité beaucoup d'endroits, Digger avait l'impression de n'avoir rien vu : pas avec ce que lui racontaient les autres. A entendre Mac lui dire ce qui se passait dans les trams et les différents dépôts de la compa-

1. Célèbre place de Sydney. (NdT.)

gnie des transports municipaux, les trajets qu'il avait effectués jusqu'à Bondi, Bronte, Clovelly et Watson's Bay, les meilleurs pubs et stands de tourtes, un « Sargents » où travaillait sa belle-sœur (on y confectionnait les meilleurs gâteaux de la ville), c'était toute la métropole de Sydney qui se mettait à vivre devant ses yeux. Alors le reprenait l'envie de découvrir un monde d'idées, de discussions et d'action dont jamais il ne se lasserait, dût-il vivre jusqu'à cent sept ans. Il n'en manquait pas un détail, chacun en était d'autant plus frappant qu'il lui fallait d'abord le façonner dans son esprit.

La longue montée de Cooper Park, par exemple. Pouvait-il y avoir plus verdoyant par un bel après-midi de dimanche ? Avec les garçons, Mac et Iris y allaient souvent pique-niquer, Mac entraînant toujours le plus jeune, Jack, au saut en hauteur une heure après la fin du repas.

« Probab' qu'y sera plus junior quand on rentrera, disait-il avec regret. Y pousse comme une asperge, ce gamin. Y a pas moyen de l'arrêter. Doit pas faire loin d'un mètre soixante-dix à l'heure qu'il est. Tu devrais l' voir s'envoler ! Tu parles d'un élan ! » Et Digger voyait toute la scène : les jambes du jeune homme cisaillant l'air au-dessus de la barre, Iris assise dans l'herbe devant une grande nappe à carreaux, les restes du thé qu'on venait de prendre, le bocal de cornichons qu'on avait peut-être emporté, qui sait ? Le temps aidant, à force d'exemples, de descriptions fragmentaires et de bouts d'histoires, la famille de son ami commença à se dessiner dans sa tête.

La maison qui donnait dans l'avenue Bon-Accord ? Il la voyait comme s'il y avait passé toute sa vie.

Mac dormait dans la véranda, où il avait lui-même ouvert une pièce en se faisant aider par un copain qui, comme lui, travaillait à la compagnie des tramways. Du plancher jusqu'au plafond, sa « piaule » était tapissée de livres, ces derniers s'empilant jusque sous son sommier en fer et de part et d'autre de l'entrée. Ces livres, Mac ne les avait pas lus — enfin pas tous —, mais s'était promis de les étudier quand il serait en retraite. Il en avait néanmoins parcouru la grande majorité : comment y résister ? La dernière chose qu'il faisait le vendredi soir en rentrant chez lui ? Après en avoir acheté d'autres, il regardait longuement sa chambre : alors il n'en pouvait plus d'aise en voyant tous les volumes qui, empilés autour de lui, attendaient qu'il les lise.

Manuels techniques qui, de la reliure à la télépathie, traitaient de tous les sujets, romans, journaux intimes, récits de voyages, livres d'histoire et de psychologie, voilà ce qu'il aimait. Il lisait depuis qu'il était enfant, comme Digger. Shakespeare, Shaw, Dickens, Jack London, Victor Hugo, tout y passait. Digger et lui commencèrent à s'échanger leurs personnages préférés, à se raconter mille et mille fois en riant telle ou telle autre scène de roman. Un rien intimidé au début, Digger lui récita bientôt des passages entiers d'*Hamlet* ou de *Henry V*, ceux-là mêmes que Mac préférait entre tous.

« C'est renversant, lui disait-il, absolument renversant. Non, j' te jure, Digger, tu devrais faire du théâtre. Qu'est-ce que j' ferais pas, moi, si j'avais ton talent ! »

« Comment ? » s'étonnait Digger.

Avant que tous ces événements ne se produisent, celui-ci avait déjà compris, et on ne peut plus clairement, qu'à supposer même qu'il devînt la chose qu'il chérissait le plus, ce « talent », comme disait Mac, ne ferait jamais ni sa gloire ni sa fortune. Que de cette manière-là, jamais il ne lui serait d'une quelconque utilité. A ses yeux au moins, ce don avait en effet un tout autre sens, qui avait à voir avec l'image que sa mère lui avait fourrée dans le crâne, ce dernier étant, selon elle, une manière de pièce où tout ce qui faisait la vie d'un homme se devait d'être rassemblé. Comme elle, Digger était un collectionneur : il s'accrochait aux choses. Sauf que sa pièce à lui était d'une espèce tout aussi différente que les objets qu'il y accumulait.

Mac avait été marié — de fait, il l'était encore. L'affaire avait duré deux ans. C'était elle qui l'avait quitté ; pas pour un autre, c'est vrai ; pour aller vivre sa vie en dirigeant une maison d'enfants dans les Montagnes-Bleues.

« Elle en a eu marre de moi », disait-il, et il prenait un air amusé. A ceci près, et Digger le savait bien, que l'humour de Mac n'était qu'une des manières que, tout comme un autre, il avait de se protéger des blessures de la vie. « Je n'ai jamais compris ce qu'elle voulait, reprenait-il. Je l' croyais, comme les trois quarts des mecs, mais, de fait, j'en ai jamais vraiment eu la moindre idée. Elle se marrait pas, la pauvre. Et moi non plus. » Lorsque son frère était mort en chargeant un bateau dans les Iles [1], il était allé habiter chez sa belle-sœur qui, en plus de la rentrée d'argent supplémentaire que cela représentait, n'avait été que trop heureuse d'avoir un homme à la maison pour l'aider à s'occuper de ses garçons. Mac recevait des lettres d'elle, en avait déjà cinq qu'il relisait presque tous les soirs.

— Si jamais y m'arrivait quoi que ce soit, dit-il un jour à Digger, j'aimerais bien que tu les gardes.

L'offre était solennelle et Digger, qui en avait senti tout le poids, en avait été très ému.

— D'accord, lui avait-il répondu.

Digger, lui, n'avait reçu qu'une lettre — de sa mère, et rageuse. Son père avait « réussi » à se faire blesser en Crète.

Mais, plus importants, tout compte fait, que ses histoires à dormir debout, voire que des envolées passionnées, et parfois pédantes, qui, comme le disait Doug, le rangeaient très clairement au côté des « rats d'égout », étaient, aux yeux de Digger, les instants où, assis côte à côte, ils nettoyaient leurs affaires ou cousaient un peu ; où, sans dire grand-chose, ils se contentaient de savourer le plaisir d'être ensemble.

La maîtrise de soi — telle était, chez Mac, la qualité qui l'attirait le plus. Rare, celle-ci lui semblait en effet, plus il y songeait, être la seule base véritable de toute masculinité. Jamais il n'était parvenu à l'acquérir et se demandait parfois s'il y arriverait un jour : sans cesse à sauter comme un cabri, qu'il était, lui aurait dit sa mère. Tout retenait son attention et l'écartait de lui-même. Une tempête après l'autre, il ne savait pas tenir en place ou garder son calme. Le monde lui était par trop plein d'intérêt. Il s'y perdait.

Parmi les choses auxquelles Mac l'avait initié, il y avait la musique. Elle occupait, aux yeux de ce dernier, une position à mi-chemin entre une parole et un silence avec lesquels elle avait de grandes similitudes, ceci à condition qu'on pût imaginer semblable contradiction. De fait, se disait Digger, c'était même ce qui expliquait le lien qu'il sentait exister entre la musique et le genre de maîtrise de soi qui était si particulier à son ami. A comprendre la première,

1. Soit la Nouvelle-Guinée, les îles Salomon et les Nouvelles-Hébrides. (NdT.)

il ne devait pas être impossible de se faire une idée assez claire de la seconde.

Digger l'encourageait souvent à lui parler des morceaux qu'il aimait. Professeur né, Mac n'était que trop content de lui faire découvrir tel ou tel autre fragment d'opéra ou pièce de Chopin et de Fritz Kreisler.

« Nessum dorma », « nul ne dormira », en voilà un qui lui avait drôlement plu. Ils l'avaient écouté un soir, tout au début, avant le débarquement japonais. Cela ne faisait pas une semaine qu'ils se trouvaient en Malaisie. Digger en était resté tout émerveillé. Cela s'était passé en plein air, à la belle étoile, un millier d'hommes ou presque vautrés dans l'herbe à côté d'eux. Ce n'était pas la musique qui manquait, à Changi. Ceux qui avaient emporté leurs disques avec eux passant souvent leurs morceaux préférés, c'était par dizaines, par centaines parfois, que l'on sortait des tentes pour les écouter dans le noir. Digger s'asseyait toujours un peu en retrait et modelait son attitude sur celle de Mac.

Dont l'expression la plus caractéristique était alors celle d'un homme qui, l'air tout à la fois douloureux et comique, se fût appliqué à allonger son visage. Comme cela allait bien avec celui que Doug aimait appeler le « plouc de la philo » !

« L'ennui avec toi, lui disait-il, c'est que t'en sais un peu trop pour ton bien. Ça te rend tout chose et moi, j' vois pas l'intérêt.

— Mais, j' suis pas tout chose du tout, lui renvoyait Mac.

— Bien sûr que si ! s'exclamait Doug. Plus chose que toi, je connais pas. Non, sérieux, Mac : tu devrais te regarder dans la glace ! Que j' te dise, mec : quasi qu'on dirait que la fin du monde, c'était lundi dernier et que tu viens juste de l'apprendre. »

Pareilles sorties étaient de pure amitié. Elles décrivaient tout un pan du bonhomme qui, de l'avis de Doug, était excessif. Il ne fallait surtout pas qu'il y cède, le rire étant le meilleur remède. C'était son côté « rat d'égout », celui de toute les utopies ratées, mais pas oubliées, pour lesquelles les idéalistes à tout crin dans son genre étaient toujours prêts à sacrifier leur vie — et celle des autres quand ils arrivaient à les convaincre de les suivre, au nom, bien sûr, d'un avenir qui n'excitait l'envie de personne, ne servait à rien et, inadaptable en soi, ne pouvait être vécu qu'à condition de tellement secouer les gens qu'ils en perdaient bientôt jusqu'à la moindre trace d'humanité.

Mac se défendait, perdait son sang-froid, devenait alors le très angélique soldat des sections d'assaut que Doug lui reprochait d'être, jusqu'au moment où, après avoir éclaté de rire, il prenait son air comiquement souffrant et, sans jamais s'avouer vaincu pour autant, faisant semblant de s'accuser de tout.

C'était à chaque coup qu'à force de cynisme brutal Doug avait raison de lui, mais à chaque coup aussi qu'une fois l'affrontement passé, va savoir comment, Mac se retrouvait invaincu. Maître de lui, il l'était, mais passionné aussi, et plein de contradictions. Ce n'était que lorsque, penché en avant, il se laissait absorber par la musique que, leur conflit se résolvant enfin, les différents aspects de sa personnalité se fondaient ensemble. En lui, on (Digger en tout cas) ne voyait plus alors que l'essentielle pureté.

« Je ne serai jamais comme ça, se disait-il. Il n'en est pas question. »

Mais, surprenant son regard, Mac lui adressait un clin d'œil et en lui, on ne voyait plus alors qu'un bien étrange humoriste.

Lorsque enfin l'occasion se présenta d'aller travailler, et vraiment, à l'extérieur du camp, ils ne la laissèrent pas passer. C'était du boulot de coolie, oui, du travail de forçat — et dans les docks —, mais ils avaient besoin d'exercice. Rien de déshonorant à ça, il suffisait de voir les choses autrement. En plus, dans les réserves des comptoirs, la razzia serait bonne. Plus important encore, ils retrouveraient à nouveau l'initiative, seraient loin de la langueur, des accès de violence et de la saleté du camp. A trois cents ou presque, ils iraient s'installer dans les stands et les jardins abandonnés du Vaste Monde, parc d'attractions où, peu après leur arrivée, ils étaient allés boire de la bière chinoise, danser avec des taxi-girls et se faire prendre en photo. C'était de là que, chaque matin, en petits groupes, ils partiraient rejoindre les docks au pas cadencé.

— Mais c'est drôlement bien, non ? s'exclama Digger en découvrant les lieux.

Un terrain de foire ! Il eut l'impression d'être revenu au pays.

Ils passèrent la première nuit à tout nettoyer et à remettre les douches en état. L'eau courante ne manquait pas. Une fois lavés et pomponnés, ils se répandirent dans les allées et sentiers qui couraient entre les stands. Un vrai labyrinthe assurément — fresques rudimentaires à demi effacées et représentant des chevaux sur fond de montagnes brumeuses et chapeautées de nuages, alignements de taureaux aux yeux exorbités et pagodes miniatures, tout y était en plâtre et torchis qui s'effritait. Le décor semblait irréel, au milieu duquel ne se pressait plus aucune foule, d'où ne montait plus un bruit, une odeur de sueur, un relent de nourriture qui cuit, la senteur du charbon de bois embrasé dans les fourneaux.

On errait par petits groupes, au bout d'allées et de contre-allées on tombait sur d'autres. Ce qu'on avait l'air bizarre dans ses seuls brodequins et shorts un peu amples ! Des gamins, se disait Digger, des gamins enfermés dans le magasin après que le propriétaire est parti, après que taxi-girls, acteurs du théâtre chinois et autres vendeurs de baumes et de potions de virilité, tous sont rentrés à la maison.

On se saluait d'un air timide, devait se serrer pour s'enfiler dans les boyaux les plus étroits, était tout gêné de musarder dans des lieux aussi muets. Il y avait le clair de lune, tout paraissait bleu. Bleu « céleste », les murs l'étaient déjà de toute façon. Sous leurs reflets, les hommes avaient, de loin, le visage lumineux et l'allure de fantômes. C'était plus étrange qu'effrayant.

L'interlude était de jeu pur, mais chacun se sentait tellement subjugué par le vide de l'endroit que c'en devenait onirique. Pour finir, on se mit à siffloter comme des poivrots assagis : on débordait de fougue, mais craignait de réveiller quiconque.

A notre image, se dit Digger, tandis que les semelles des bottes crissant sur le gravier, l'écho des rires s'en revenait à travers les murs.

2

Ils avaient travaillé toute la matinée, petit groupe au sein d'un plus grand, mélange d'Australiens, d'Anglais et de Hollandais, dans l'un des plus grands entrepôts des docks. Immense, l'endroit évoquait une cathédrale, qui sur cent cinquante yards de longueur et soixante de largeur était fait de murs de lattes, où la lumière qui passait au travers de ces dernières était aveuglante, où, tout là-haut, dans la pénombre qui noyait les poutrelles, les rayons du soleil étaient envahis de poussière.

Elle montait des sacs de balle qu'ils portaient sur le dos, ou que d'autres s'étaient jetés sur les épaules avant eux. Ils étouffaient. Ils avaient les yeux rouges et les cheveux collés, étaient, jusqu'au nombril, recouverts d'une fine couche de poudre qui, gluante de sueur, leur dégoulinait dans les shorts, leur détrempait les couilles, douloureusement les grattait, s'enfonçait dans la peau. C'était bien au cœur d'une manière de vaste folie qu'ils évoluaient. A demi nus, la plupart d'entre eux sans chaussures, ils titubaient dans une tempête où ils étaient ombres courbées vacillant sous des charges d'un quintal.

Les gardes souffraient eux aussi. Ils s'étaient noué des foulards sur la bouche et le nez, mais la poussière se glissait sous le col de leurs uniformes, leur colmatait les cils et saupoudrait le front d'une étrange blancheur. Ils portaient de lourdes bottes et des guêtres, signe qu'ils étaient bien les maîtres du lieu, mais le payaient en sueur.

Dans ces entrepôts, des générations de coolies, chinois pour l'essentiel, mais aussi tamouls, avaient jadis déchargé de pleines cargaisons de caoutchouc, de laine et de coton ; et encore des sacs de farine, de sel, de sucre et de riz ; des cartons de viande salée, de lait condensé, d'oreillons d'abricots et de tranches d'ananas en boîtes. Coolies d'une espèce nouvelle, les prisonniers devaient maintenant tout vider afin que les derniers patrons de ce coin du globe pussent envoyer leur butin chez eux.

Comme les autres, Vic se jeta un sac en travers des épaules. C'était un travail de chien, même si l'homme pouvait s'en acquitter, et oui, la poussière était insupportable, mais cela ne l'affectait guère. Pas plus que le poids de sa charge, que ces deux cents livres qui lui pesaient sur le cou et qu'au petit trot, il lui faudrait porter sur une distance de cent yards. Il y arriverait. Il était assez costaud pour ça. Et, en lui, avait quelque chose que ce genre de situation ne pouvait atteindre. Il était comme illuminé par la certitude de sa propre invulnérabilité. L'avait été la matinée durant. Sans raison aucune.

Il n'ignorait pas les dangers inhérents à ce genre d'état d'esprit : ils l'avaient poursuivi toute sa vie. Enivré comme il l'était alors par sa force et sa jeunesse, il perdait toute mesure, devenait téméraire et, tôt ou tard, par pure exubérance du corps, finissait par lâcher des choses qu'il n'avait aucune envie de dire, ou par frapper. Là était le péril. Il le savait. Et il se surveillait.

Le blessait aussi, au point le plus sensible de lui-même, la conscience de ce que quelque part, et ce ne pouvait être loin, devaient se livrer des combats auxquels participaient des hommes aussi jeunes que lui et certainement pas plus audacieux, et qu'à ces épisodes d'une guerre dont on parlerait jusqu'à la fin de ses jours il n'aurait pas pris part ; pour lui, jamais il n'y aurait de médailles, de croix de telle ou telle autre campagne, d'histoire à raconter qui ne fût celle de cet insigne déshonneur. Il vivrait tout ce pan d'histoire et jamais n'aurait le droit d'y jouer le moindre rôle.

Il était suffisamment sûr de son courage pour croire que, placé dans les circonstances ordinaires de la vie militaire, il aurait pu, à condition qu'on lui donne sa chance, s'acquitter de sa tâche d'une manière plus que convenable. N'avait-il pas passé toute sa jeunesse à apprendre la noblesse d'âme ? Malheureusement, le monde dans lequel il se trouvait maintenant lui faisait mystère. On ne se prépare pas à la honte.

Les gardes étaient nerveux. Toute cette poussière, et la chaleur des lieux, les rendait fous. Eux aussi, ils étaient jeunes. Et se sentaient humiliés de devoir surveiller des coolies. Pour retrouver un semblant d'honneur, souvent ils frappaient, tout d'un coup, de sorte qu'il n'y avait jamais moyen de savoir à quel moment, et d'où ça allait arriver. Ça partait du nuage de poussière, c'est tout, et pan! on le prenait en pleine figure.

Pour autant, il n'arrivait pas à se convaincre que la situation dans laquelle il travaillait fût de pure contrainte. Depuis le matin il se sentait l'esprit léger et plein de fanfaronnade. La réalité était brutale, il avait le dos cassé et, aveuglé comme les autres, titubait dans une poussière épaisse, étouffait, dégoulinait de sueur, once par once, éprouvait les deux cents livres de charge qui reposaient sur son cou. Qu'importe : aussi léger qu'un poulain, il l'était, et rien ne pouvait l'atteindre.

Au bout d'un certain temps, à force d'impuissance, la rage commença à monter en lui. Y aurait-il eu une fille dans les parages que son énergie aurait sans doute trouvé un autre exutoire; mais il n'y en avait pas. Chaque fois qu'il se redressait, il se sentait au bord d'exulter et amer de toujours et encore avoir à se contenir. C'était un de ses grands moments — pas un nerf en lui qui ne le lui dît — et il allait le manquer pour la seule et unique raison que cela tombait mal. Voilà ce qui le blessait. Le fait que cet instant et avec lui, et quel qu'il fût, l'événement qui en faisait partie, serait perdu et ne se représenterait pas. Pareille injustice le rendit fou.

Jamais il ne devait être sûr de ce qui se produisit alors. Comme il passait devant lui, le plus colérique de leurs gardiens, un jeune et élégant caporal — il s'ennuyait, peut-être, ou avait le mépris paresseux de ceux qui, investis d'un pouvoir momentané, n'ont pas assez de champ pour l'exercer, ou, plus vraisemblablement encore, jeune lui aussi, il avait, d'un seul regard, découvert la rébellion qui couvait chez son prisonnier —, paresseusement donc, presque avec indifférence, se pencha en avant et fit mine de le frapper de sa canne. Car il n'y eut pas contact. Il n'empêche : son sac sur le dos, Vic s'arrêta, se retourna et malgré qu'il en eût, donna libre cours à sa fougue.

Et même en voyant ce qui arrivait, n'en fut pas atterré. Une partie de lui-même l'était bien, oui, l'énormité de son acte le glaçait, mais, presque triomphante, l'autre le faisait exulter. Longuement il pivota sur lui-même, le dos écrasé sous les deux cents livres de son fardeau, longtemps ils restèrent face à face, nez à nez ou presque : le temps s'était arrêté, net. Il sentit tous ses cheveux se dresser sur sa tête, son corps lentement décoller de l'endroit où ses pieds touchaient le sol. Du flux des choses l'instant se détacha, grandit, fut absolu. Alors il cracha dans la figure du garde.

Il aurait dû tomber mort aussitôt. Telle était la logique de la situation. Mais, au moment même où le garde se jetait sur lui, Mac, qui le suivait, se cogna contre lui et, perdant l'équilibre, lâcha son sac. Il y eut comme une infime explosion et, tous les trois, ils disparurent dans une tempête de blancheurs.

Une seconde plus tard, une nuée de Japonais s'abattait sur eux. Lorsque, en tête du détachement, on se retourna pour voir ce qui se passait, les gardes donnaient déjà de la crosse et de la baïonnette en hurlant, sans plus se contrôler.

Son sac lui pesant toujours lourdement sur le cou, Vic se tenait au cœur d'un véritable déchaînement de fureurs où, à coups de botte, de tête, de crosse et de baïonnette, tout le monde frappait dans tous les sens. On poussait la lame d'acier en grognant, instantanément la victime hurlait. La bouche grand ouverte, Vic hurlait lui aussi, mais c'était Mac qu'on cherchait.

Pour Digger, et jusqu'à la fin de ses jours, cet instant devait rester en dehors de tout, être à jamais absolu, dont les vraies secondes toujours grandissaient en lui jusqu'à ce que son corps soudain se retrouvât comme suspendu au-dessus d'une béance où, le soleil se figeant, toute chronologie cessait d'être opératoire. Alors la durée ne se mesurait plus qu'à la faculté qu'avait l'esprit d'appréhender tout ce qui s'y passait.

Il s'était retourné au premier signe d'ennui (c'était Vic, forcément), avait lentement pivoté sur un pied. Entendu des cris. Vu les gardes se ruer, puis, dans le nuage de poussière, avait aperçu quelqu'un qui tombait. Il se trouvait à trente pieds de là et avait toujours son sac en travers des épaules. Y voir clair dans pareille confusion était impossible.

Il y avait déchaînement de folie, il le savait, mais c'était bien tout. Alors que, quelques secondes auparavant seulement, ils évoluaient dans un monde qui, aussi dur leur fût-il, avait encore quelque chose de familier et d'humain, ils venaient soudain d'être jetés en un lieu où tous les coups étaient permis, et donnés, où dans la pénombre et la fureur la plus animale, tout n'était plus que sang, vacarme, cris rauques que l'on pousse avant de parler. Et tous en faisaient partie car tous hurlaient.

Ça passerait. Forcément. Mais jusqu'à ce moment-là, une éternité durant, on l'aurait dit, ils étaient restés en dehors de toute loi, perdus à l'ordre, avaient retrouvé le monde des bestialités premières.

Debout sur un pied, Digger s'était élevé. N'avait plus touché terre, ainsi voyait-il les choses. Comme accroché par les épaules, il était demeuré suspendu en l'air, avec pour tout lest le poids d'un sang qui lui courait vers les mains et les muscles fortement veinés de la nuque, celui, aussi, de la charge qu'il portait. Libres de toute attache, sans que la gravité les retienne plus, ses membres battaient avec une passion que jamais il n'avait connue, qui, le tirant hors de lui-même, le projetait au-dessus d'horizons qu'il n'avait même pas imaginés.

Pris dans une sorte de danse, extatique, il vociférait des syllabes qui, poumons, bouche, conscience, le traversaient comme s'il n'était plus que l'agent insensible du rythme même dont il martelait la poussière de l'entrepôt, par-delà les os qui se brisaient et le sang qui giclait. Les cris qui sortaient de lui appartenaient à une langue qu'il ne reconnaissait pas et, malgré tout son talent (il savait des pièces entières par cœur), lorsque enfin son pied retrouva la terre, il fut incapable de s'en rappeler un seul. Ils faisaient partie d'un langage que, l'instant une fois passé, son esprit n'avait plus la forme de recevoir.

Son pied toucha terre. Le sac l'écrasant de nouveau de tout son poids, il suffoqua. On eût dit un homme qui, sur des miles et des miles, a porté un message qu'il n'a plus maintenant assez de souffle pour réciter... et dont la teneur lui est, de toute façon, complètement sortie de l'esprit.

Toujours en proie à la panique, en hurlant, en allant même jusqu'à se gifler tant ce qui s'était passé les poussait à récriminer, les gardes les rassemblèrent en troupeau, puis, véritable mur de fusils, à coups de canne et de latte les forcèrent à s'asseoir en un grand tas bien serré, à même le sol de l'entrepôt, mains derrière la nuque, tête entre les jambes.

On gardait les yeux baissés, n'osait plus relever la tête. Montrer à un garde quelque chose d'aussi incroyablement vivant et gélatineux que le globe d'un œil eût pu faire tout repartir. Toujours incapables de se dominer, les Japonais ne cessaient de vociférer en se bousculant.

Digger s'obligea à tenir la tête baissée, serra si fort ses doigts ensemble qu'un instant il crut que jamais plus il ne pourrait les dénouer. Son cœur lui martelait la poitrine. Aussi fort qu'il se raidît, il tremblait. Les gardes les entouraient de toutes parts, soulevaient de la poussière en tapant des pieds, furieux, virevoltaient et s'en prenaient les uns aux autres, poussaient des hurlements gutturaux et suraigus.

D'un côté, un déploiement d'activité aussi fou qu'incompréhensible, de l'autre, l'immobilité palpitante et figée de prisonniers qui se tassaient les uns contre les autres, à l'endroit même où, en une seule masse, ils s'étaient laissés tomber.

Digger avait la bouche de Vic contre l'oreille. Il sentait la fétidité de son haleine — de la terreur ? Il ruisselait de sueur, les autres aussi. Ce que, tout tordu et coincé entre eux deux, il avait pris pour le bras de Vic était celui d'un autre. Cela n'avait guère d'importance.

Alors il vit très clairement ce qu'ils étaient : de la viande, ou peu s'en fallait. De ce côté-ci de la ligne, l'éclair d'un instant.

Car il y avait une ligne. D'un côté, se dit-il, nerfs et sueur, on était ce qu'on était. De l'autre, on n'était plus que viande.

Réunis en troupeau, le souffle court, ils se trouvaient à cheval sur elle. Tout pouvait partir d'un côté ou de l'autre. Ce ne serait que lorsque, cessant de s'engueuler et de se ruer à droite et à gauche dans leur panique, leurs gardes voudraient bien se remettre à marcher à allure humaine et qu'ayant, eux, le droit de se désimbriquer de l'amas qu'ils formaient, ils pourraient relever la tête, qu'enfin ils seraient à nouveau du juste côté des choses.

Pour Mac, c'était trop tard. Déjà ils l'avaient jeté de l'autre bord, là-bas, quelque part. Il reposait. Digger même n'osait tourner la tête pour voir où, mais c'était tout près, à en avoir les nerfs brisés. Tout au fond — dans la demi-pénombre de l'entrepôt. Dans un amas confus de poussière humide. Mais bien plus loin aussi, dans une dimension qui, pour leur être à tous des plus proches, déjà les dépassait.

Vic, lui aussi, s'était tassé sur lui-même et, le corps douloureusement tordu, était plongé dans un silence qui, se disait-il, ne pouvait être qu'une forme de surdité. Tout autour de lui, il voyait hurler les gardes, l'un d'entre eux avait dû le rendre sourd. Une membrane invisible le séparait du monde. Sous elle il étouffait et cherchait à reprendre son souffle.

Ils étaient serrés en tas, sans le moindre espace, peau et os saillants contre peau, mais il se sentait, lui, complètement coupé de tout ; se vivait à cent lieues des hurlements qu'on poussait, de la panique qui régnait, de la présence brûlante des corps qui se pressaient contre le sien. C'était comme si l'espace avait maintenant le pouvoir de s'étirer, qui, à peine un instant auparavant, n'était pas séparable du temps. Désespérément il tenta de rendre à nouveau opératoires dans son corps les lois de l'un et de l'autre, de réintégrer l'univers dans lequel se trouvaient ses voisins. Quel que fût le prix à payer, il le paierait. Il ne se faisait aucune illusion sur ce qu'on pensait de lui.

Tout ce qui parvenait à ses sens était comme frappé d'irréalité et pourtant, jamais encore il n'avait été aussi conscient de sa présence physique, de l'extrême sensibilité de ses lèvres, toutes gonflées de sang lorsqu'il les caressait du bout de sa langue sèche, de la légèreté de son ventre, de l'horrible flexibilité de ses poignets.

Que, par éclairs, son esprit se remît à travailler et, dans l'instant, il revoyait tout ce qui s'était passé, en était envahi de honte. Mais toujours c'était son corps qui avait le dernier mot, et son corps pensait autrement. Ne vivait que pour lui-même et n'avait cure de rien.

« Comment ai-je pu laisser faire ? se demandait-il, comment ? » Le moment d'agir était enfin venu, où il aurait dû s'engouffrer dans la brèche qu'il s'était ouverte mais, se mettant aussitôt en retrait, il n'avait rien fait. Trop lent à réagir, trop étonné de ce que ce moment qu'il avait tant attendu fût vraiment là, était resté planté en l'endroit. Ou bien alors, c'était que, plus lent que son esprit, ou plus rusé, ou couard, ce grand corps dont il était depuis toujours encombré n'agissant qu'au plus près de ses intérêts, il n'avait pu qu'hésiter, une ou deux secondes, tout au plus, pendant que, poursuivant sa course, le monde le poussait définitivement de côté. Les baïonnettes s'étaient abattues, et l'avaient manqué. En s'épargnant, son corps l'avait sauvé, mais honteusement, en lui laissant une vie entière à se cacher de celle qu'il avait su lui garder. Et le plus horrible était bien qu'il serait tout à fait capable de ne pas en mourir. Il respirait fort. Tout son sang lui battait dans les veines. Il était plein de son odeur.

Tout son corps le lui répétait : tu ne mourras pas, fiston. Pas de ça.

Enfin muets d'horreur devant ce qu'ils avaient fait, les gardes les aidèrent à se remettre debout, les pressant gentiment, comme des enfants. Tant chez les premiers que chez les seconds nul n'était prêt à affronter le moindre regard.

Vic, lui aussi, se releva. Personne ne daignant même le voir, il se sentit au bord du défi. Comme l'enfant injustement accusé, il commença à bâtir sa défense. Comme s'il avait jamais demandé à Mac de le protéger contre la catastrophe qu'il venait de provoquer ! « J'y avais rien demandé, moi ! »

Ils se remirent en rang et reprirent leur travail en silence. Et s'aperçurent que le corps de Mac n'était plus là lorsque, de nouveau chargés, ils retraversèrent l'entrepôt.

C'était encore le silence. Ils y avançaient bien, mais en osant à peine respirer. Comme si le moindre bruit, un souffle seulement, eût pu déclencher autre chose. Qu'après avoir tiré sur sa chaîne, l'un d'entre eux en laissât retomber bruyamment un maillon et tous ils sautaient comme des grenouilles, tous, comme si le simple cliquetis du fer frottant le fer pouvait ricocher et fracasser des têtes.

Lorsque le repas arriva, Vic ne sut plus que faire : pouvait-il s'asseoir avec eux ? Toujours tendu à l'extrême, il était au bord des larmes, mais avait décidé de jouer les durs. Il prit son gobelet et alla s'asseoir un peu à l'écart de l'endroit où Digger et un autre type, Ernie Webber, avaient commencé à manger.

Mais en entrant dans la pièce à son tour, Doug comprit tout de suite où on en était et, sans faire d'histoire, vint s'asseoir à côté de Vic, mais ne le regarda pas.

Au contraire de Digger. Qui, lui, leva les yeux, remarqua ce qui se passait et se détourna pour continuer à mâcher sa nourriture.

Vic baissa la tête, comme un animal, et plongea sa cuillère dans son vague brouet. Mangea. Il crevait de faim — le corps, une fois de plus. Il avait honte, mais ne se rassasiait pas de la gluante mixture qu'il s'enfournait dans la bouche. Il aurait pu en avaler des livres entières sans jamais satisfaire le besoin qui le tenait. Il mangea vite, tête baissée, comme une bête, les larmes qui montaient en lui se faisant de rage pure.

Lentement, dans les jours qui suivirent, sa vie lui revint, de nouveau fut ordinaire, la sienne.

En lui, la blessure était toujours ouverte et, chaque fois que son esprit retrouvait la fraction de seconde qui avait précédé l'instant où Mac s'était affaissé, son sang ne faisant qu'un tour, il s'avançait et sa jeune fougue faisait ce qu'il fallait pour lui sauver l'honneur. Il mourait heureux.

Et, en se réveillant, se sentait en proie à un nouveau déferlement de honte. Rougissait jusqu'à la racine des cheveux et regardait vite autour de lui pour voir si l'on s'en était aperçu.

Il partait travailler avec les détachements habituels, dans le même groupe ; chargeait son sac sur son dos courbé et, au petit trot, le portait à l'endroit où il fallait le jeter. Il avait la chance de pouvoir se perdre dans l'épuisement qui éteint toute pensée, il l'accueillait à bras ouverts. Le jeune garde était là tous les jours et se conduisait comme si de rien n'était. Les prisonniers prenaient leurs repas en groupes, exactement comme avant, et ne l'oubliaient pas lorsqu'ils partageaient le produit de leurs chapardages. Lorsque c'était lui qui trouvait quelque chose, il l'offrait à tout le monde et Digger même ne refusait pas ses cadeaux. La boule qu'il avait en travers de la gorge commença à se dissoudre.

« J'ai dix-neuf ans », se disait-il. Il ne prenait pas ça pour une excuse. Plus qu'autre chose sa jeunesse l'affligeait. Lui rendait les choses difficiles. « Mes dix-neuf ans sont tout ce que j'ai », voilà ce qu'en fait il voulait dire. Somme de toutes ses expériences, c'eût pu paraître beaucoup, mais c'était à l'avenir qu'il pensait. « Tout ça pourrait devenir bon, reprenait-il, le temps aidant. Tout ce qu'il me faut maintenant, c'est du temps. » Et, baissant à nouveau la tête comme un animal, il se remettait à ce qui devait être la première phase de l'opération.

Car ce n'était pas seulement qu'il lui fallait survivre à la honte et oublier le sang qu'il avait sur les mains. Il se devait aussi de leur prouver à tous, quels qu'ils fussent, que cette sienne vie épargnée, oui, à ce prix-là, valait bien la peine qu'on la sauvât.

En attendant, il en usait avec les autres comme on en usait avec lui. Il s'était préparé à l'hostilité que Digger lui montrait.

Ils n'avaient certes jamais été proches, mais il y avait maintenant, dans l'évitement que celui-ci lui imposait, une dureté plus grande, une manière de mépris. Ce que cela signifiait ? A mes yeux, tu n'es même pas là, tu es mort ; tu es mort là-bas, à l'endroit même où tu aurais dû le faire, à sa place. Et, comme autrefois, s'il lui en voulait profondément, il était aussi une partie de lui-même qui acceptait ce verdict. Entre tous, Digger devint celui dont il quêtait le plus l'estime — parce que Digger, il le savait, ne la lui accorderait jamais.

Ce fut de propos délibéré qu'il chassa les Warrender de son esprit : il les avait trahis en se trahissant lui-même. Voir avec leurs yeux, ceux de Lucille surtout, le mal qu'il avait fait le blessait. Il décida de ne plus vivre que dans le présent. Il y referait sa vie. Un jour cependant, son père lui apparut en songe. Vic, qui avait toujours redouté cet instant, se recroquevilla en lui-même.

Son père était saoul, bien sûr, et arborait un sourire méprisant.

— Tiens, tiens, fit-il, j'aurais jamais cru te retrouver ici ! Dans le même bateau... !

Il était ravi que son fils fût tombé si bas.

— Bah, c'est quand même pas qu'on serait pas de la même engeance, non ?

— On ne l'est pas ! s'écria Vic, mais libre à toi de le croire.

— Ah bon ? reprit son père. Et si on allait demander à tes copains ce qu'ils en pensent ?

Et rit, d'un rire baveux, Vic repensant aussitôt à toutes les heures qu'assoiffé de sang, il avait passées dans l'ombre du tas de bois.

— Alors, fiston, quel effet ça te fait, hein ? Tu te crois toujours supérieur à tout le monde ? Quasi que j' t'entendrais déjà pleurer après une deuxième chance !

Il s'arrêta. Vic tremblait de tout son être.

— Eh ben, allez ! A la tienne ! Sauf que j' vois toujours pas que tu m' l'aurais jamais redonnée, ma chance, tu sais ?

C'était surtout ça qui le hantait. Mais, comme tout ce à quoi il avait résolu de tourner le dos, il bannit aussi cette pensée de son esprit. Il fallait bien sauver sa peau.

3

Digger lui aussi était inquiet. Eprouver autant d'hostilité, et pour l'un des siens, même pas un Japonais, le troublait beaucoup. Désir de voir payer Vic ou regret que, la situation évoluant autrement, ce n'ait pas été lui qui ait trouvé la mort dans l'entrepôt, les pensées qui lui venaient l'effrayaient. Jamais il ne se serait cru capable d'un tel désir de vengeance. Mais la perte qui l'avait frappé était trop vive pour qu'il pût se raisonncr. Et puis, décida-t-il, il était des choses sur lesquelles on ne pouvait pas se montrer raisonnable — et même, ne le devait pas. Tout cela jusqu'au moment où il se demandait : « Et où étais-je, moi, quand Mac avait besoin de moi ? Qu'ai-je donc fait ? »

C'était au point de chargement qu'ils s'étaient croisés pour la dernière fois. Dans la file, Mac se tenait juste derrière Vic et lorsque, après avoir posé son sac sur son dos, il était passé devant lui en titubant, il avait bicn vu le regard que celui-ci lui avait jeté, la fin au moins, derrière ses cheveux ruisselants de sueur.

Il n'avait rien d'extraordinaire, ce regard. Il faisait partie de ces petits gestes d'affection qui, tout naturel, aident à tenir le coup, rien de plus ; qui vous rendent la terre un peu plus ferme, rien de plus. Sauf qu'à ce moment-là, ils n'étaient déjà plus qu'à vingt secondes, trente peut-être, de la catastrophe. Aurait-il pu y déceler quelque chose s'il avait été plus vif? Voilà ce qui le torturait. Le fait que Mac n'était plus qu'à trente secondes de mourir. Le fait qu'alors, ils s'étaient regardés droit dans les yeux.

Vingt pas plus loin — il courait déjà, le cou penché sous le poids de son sac —, il avait entendu des bruits d'algarade et avait pivoté gauchement sur un pied pour voir de quoi il retournait.

C'était Vic. Il l'avait compris tout de suite. Qui d'autre eût-ce pu être ? Un sac s'était déchiré, des silhouettes se démenaient au milieu d'un déchaînement de poussière blanche, à en juger par la carrure d'une des formes qu'il apercevait, un garde était mêlé à l'affaire.

Pouvait-il vraiment avoir vu le visage de Mac à ce moment-là, alors que tout était confusion et nuages de poussière farineuse ? Il le pensait : l'image qu'il avait gardée de la scène était trop claire dans son esprit.

Un visage vide de toute expression, voilà ce qu'il avait aperçu, ou alors... était-ce à cause de la farine qui lui était retombée dessus après la bagarre ? Qu'importe : ce que Digger pensait avoir vu n'était autre que l'air que, peut-être, l'on prend quand on est au bord de disparaître et que, le sachant, déjà on s'autorise à en être bouleversé. Impersonnel, c'était un air où il n'avait lu ni panique ni désespoir ; un air qui disait la certitude de cette mort qui, physiquement, l'envahissait déjà de la tête aux pieds, manière de pâleur, le transformait en le traversant.

C'était, pour reprendre ce que disait souvent Doug, son air de « grand affligé », celui qu'ils lui avaient vu des milliers de fois, mais tellement exacerbé que tout ce qu'il avait de personnel en avait été effacé, un air tellement à lui pourtant qu'ils l'eussent reconnu dans n'importe quelles circonstances.

Mais, était-ce bien cela qu'il avait vu, ou seulement quelque image que son esprit lui avait offerte afin de satisfaire un besoin qui n'appartenait qu'à lui ? Jamais il n'arrivait à en être sûr. Le temps passant, cette vision restait pourtant claire, voire gagnait en précision. Tant et si bien même que, pour finir, c'était peut-être ce qu'il n'avait pu voir qui, à ses yeux, avait le plus d'importance.

Il avait gardé la pile de lettres que Mac lui avait laissées. Lorsque, quelques mois plus tard, après avoir été réorganisés en corps, ils furent expédiés en Thaïlande, elles l'y suivirent.

4

Ils se trouvaient dans un endroit qui avait nom « Hintock River Camp » et faisait partie des dizaines de camps de travail du même genre qui, sur plus de trois cents miles, s'étendaient entre les frontières de la Malaisie et de la Birmanie. La géographie du lieu ne leur était pas des plus claires, la connaissance qu'ils avaient de ces contrées se limitant au carré de jungle qui les emprisonnait et à la ligne de chemin de fer, encore imaginaire, à laquelle ils travaillaient.

Elle devait relier Bangkok à Rangoon, leur tâche consistant, sous la direction d'un ingénieur japonais et de plusieurs milliers de gardes japonais et coréens, à la faire sortir des limbes du provisoire ; à lui donner sa vie de rails et de traverses, ici, le long d'un col de montagne, là, au-dessus d'un fleuve, là encore, lorsque son tracé y butait, à travers une muraille de roche. Jusqu'au jour où tous ces bouts de ligne se souderaient ensemble. En attendant, seuls les concernaient leur secteur (avec ses bambous, ses pans de roche, la pluie et les déferlements de boue qu'elle y déclenchait), le caractère de chacun de leurs gardes, le nombre d'heures de travail que l'on exigeait d'eux (en constante augmentation), la quantité de longerons que les autorités voulaient qu'on posât chaque jour, ou la longueur de tunnel à terminer, et leurs forces, qui ne cessaient de décliner. Leur univers se réduisait à la vingtaine de huttes en attap [1] qui

1. Terme malais désignant les palmes dont on se sert pour construire des cabanes. (NdT.)

formaient leur camp — en retrait, l'une d'elles tenait lieu d'hôpital, de mouroir plutôt —, et, là-bas, au bout de jungle où, jour après jour, ils subissaient leur supplice.

Ils avaient rallié leur destination à coups de marches nocturnes — il faisait trop chaud pour se déplacer pendant la journée —, et depuis la frontière malaise, d'où partait la ligne, avaient traversé nombre de camps semblables au leur, certains meilleurs, deux ou trois nettement pires. « Nakam Patam », « Kanburi », « Nan Tok », ceux-ci portaient des noms indigènes, ou, « Rin Tintin » ou « Camp de la Baleine », avaient au contraire été baptisés comme on l'eût fait au pays, en pensant à une rivière ou à un camp de vacances. Il n'empêche : l'un d'eux s'appelait tout de même le « Camp du Choléra ».

Le travail était tuant. Tout comme la chaleur. Tout comme les pluies, dès qu'elles commençaient.

Dans leurs divers pays d'origine, tous, jusqu'au plus péquenot, avaient appartenu au monde des machines. Apprendre à conduire était le deuxième but qu'à vouloir être homme on s'y fixait dans l'existence — le premier pour certains. Bricoler allongé sous un camion ou une voiture, bidouiller des motos et des moteurs de bateaux, monter des postes à galène, toutes ces activités quasi somnambuliques faisaient partie d'une manière de seconde nature, où ils (ou leurs mains) voyaient un élargissement de leur propre cerveau. Entre eux et les machines dont ils s'occupaient, cette deuxième nature avait créé un genre de communion qui, différent de celui qui les liait aux chevaux et au bétail, n'en était pas pour autant guère éloigné. Pour la grande majorité d'entre eux, la machine était en effet tout aussi essentielle au monde dans lequel ils évoluaient que ses arbres et ses rochers. Tracteurs, moissonneuses-batteuses, rouleaux compresseurs, grues... tout le monde, jusqu'au plus timide des pousse-crayon, s'était un jour arrêté au coin d'une rue, ou avait risqué un œil derrière une palissade de chantier, pour voir un énorme marteau-pilon enfoncer des piliers dans le sol. Et l'image qu'on se faisait de soi-même en avait été profondément changée. Apprendre, jusqu'à l'incorporer, une technique nouvelle, c'était appartenir à une espèce nouvelle. Et il n'était pas de retour en arrière, jamais.

Enfin... en théorie.

Parce qu'ils se retrouvaient maintenant dans des lieux, et face à une tâche, où rien de tout cela n'avait cours. Où tout ce qu'ils avaient été aurait très bien pu ne jamais être. Où l'univers qu'ils connaissaient les avait éjectés. Où il n'était que des muscles pour travailler. Les muscles, une masse de huit livres, une barre à mine et tout ce qu'on pourrait, peut-être, trouver d'inventions technologiques pour mieux casser du caillou.

L'employé côtoyait le comptable. Le tondeur de moutons le clerc de notaire, le taste-vin le bottier, le plombier le représentant en matériel de cuisine ou en lingerie féminine. Tous, ils avaient appris les règles de la grammaire, avalé la table de multiplication par treize et rabâché les différents systèmes de poids et mesures en vigueur dans le commerce et la joaillerie. « Ça te servira un jour, gamin. Les coups de canne que je vais te donner, c'est pour ça. » Combien d'entre eux, qui s'endormaient sur leurs pupitres (on s'était levé à quatre heures et demie du matin pour aller traire les vaches), ne s'étaient-ils pas un jour fait ainsi réveiller par leur maîtresse d'école ! Tout cela pour finir homme de peine. Les calculs compliqués ? On s'en chargerait pour eux. Fini le travail de l'esprit ! Tout se réduisait maintenant au nombre de pouces qu'avec masse et barre à mine — et, à raison de dix à douze heures d'enfer quotidien —, deux perceurs travaillant bien ensemble pouvaient forer dans la roche. A la quantité de gravats (tant et tant de pieds cubes) que pouvait soulever et transporter un prisonnier qui de cent soixante-dix livres de poids était maintenant tombé à cent, qui, à peine deux jours avant, crevait encore de malaria.

Le travail était tuant. Tout comme la chaleur. Tout comme les pluies, dès qu'elles commençaient. On souffrait de dysenterie amibienne, on était à deux doigts de succomber à la malaria (y compris celle avec complications cardiaques), à la typhoïde, à la pellagre et au choléra.

Toutes ces maladies, les médecins qui se trouvaient parmi eux les diagnostiquaient sans mal, mais... à quoi bon ? Aucun des médicaments qu'il eût fallu avoir pour se soigner n'étant disponible, à quoi pouvait-il servir de savoir que c'était bien de la pellagre qu'on mourait et que l'enfer que l'on vivait était situé dans un endroit qui s'appelait Sankurai ? Aussi exotique fût-il, jamais ce nom n'eût pu arriver à la hauteur de l'extraordinaire univers auquel était jeté le malade, des choses dont, comme s'il y trouvait soudain le droit de sombrer dans n'importe quel type de folie, son corps était alors capable.

Il n'était, de fait, plus qu'une chose pour les distinguer de tous les coolies qui, un empire après l'autre, s'étaient, des siècles durant, tués aux mêmes tâches : ils savaient ce qu'ils étaient en train de construire — l'avenir : celui-ci n'aurait-il donc pas fait partie du monde dont ils sortaient ?

Tout se passait comme si, apercevant une machine à vapeur dans le lointain du temps, quelque visionnaire avait soudain décidé de construire — avec les outils les plus primitifs, mais cent mille esclaves — la voie ferrée sur laquelle, si jamais ce monstre devait jamais exister, il lui faudrait bien rouler. Que la ligne fût posée de bout en bout et la machine finirait bien par se montrer : telle était la logique de l'affaire. Et l'on ne se trompait pas — dans ce cas au moins.

Un jour, à seulement terminer la ligne et à en joindre tous les bouts ensemble, on ferait forcément retour sur le monde même que l'on venait de quitter : celui de l'avenir. Lorsque, ses roues (parfaitement adaptées à la voie) pesant de tout leur poids sur les traverses et sa cheminée crachant la suie, la locomotive enfin apparaîtrait au détour du virage, tous ils sauraient que, ressoudé, le temps serait à nouveau un et que, loin d'être un rêve impossible à atteindre, le monde qu'ils avaient connu au pays n'avait jamais cessé d'être réel.

5

Les fièvres revenaient tous les dix jours.

Un jour qu'il ouvrait les yeux dans son délire — c'était la première fois qu'elles le frappaient —, Digger aperçut Vic à ses côtés. Accroupi sur les talons comme un enfant, celui-ci le regardait avec la férocité d'une bête. Une cuillère à la main, il puisait du riz dans un gobelet et se l'enfournait dans la bouche à toute allure. Il bavait. Un deuxième gobelet, vide, était posé entre ses pieds. Voyant que Digger l'observait, il cessa de manger un instant et, les yeux très grands ouverts au milieu de la figure, ne bougea pas. Puis, sans se détourner, il recommença à se nourrir, plus rapidement encore.

« Mais c'est mon riz qu'il est en train de bouffer ! pensa Digger. Ce fumier me bouffe tout mon riz ! » Mais, rien que d'y songer, en eut l'estomac retourné. « Eh bien, qu'il le bouffe ! »

Lorsqu'il se réveilla de nouveau, une petite ride entre les sourcils, Vic était en train de lui passer un linge puant sur le front. Il avait l'air aussi inquiet qu'un enfant. « Du Vic tout craché ! pensa-t-il. Hier, je te vole ton riz de la bouche, oui, mais aujourd'hui j'essaie de me rattraper en jouant les infirmières ! Tout à fait son genre ! » Mais l'humidité du linge lui faisait du bien, le rafraîchissait, et les mains du chapardeur étaient si douces qu'il referma les yeux et repartit dans ses rêves.

Il n'en revenait pas de l'absolue candeur avec laquelle Vic Curran l'avait regardé lorsqu'il l'avait surpris en train de vider sa deuxième timbale de riz. Il n'avait même pas tenté de se cacher. N'avait pas eu honte. Et Digger y avait vu quelque chose qu'il ne voulait pas laisser passer. Une vérité à laquelle il avait besoin de s'accrocher. Qui le troublait.

Comme cela était différent des regards qu'il savait vous jeter lorsqu'il cherchait à vous faire un cadeau ! Alors, oui, il avait l'air sournois et calculateur. Mais lorsqu'il vous volait la nourriture de la bouche, c'était tout le bonhomme que l'on pouvait percer au jour. Il y avait en lui une innocence qui, purement animale, s'emparait de tout ce dont elle avait besoin et jamais ne s'en excusait. C'était là-dessus qu'on fonctionnait, pas sur des principes.

Digger comprit qu'il y avait quelque chose à en tirer : une sagesse têtue qui sauverait Vic et pourrait bien, à son heure, le sauver lui-même.

Cette heure arriva dès que, de nouveau sur ses jambes, il eut la force de retourner au travail. Les fièvres ayant alors frappé Vic, ce fut à son tour de lui manger sa timbale de riz, de le tenir dans ses bras lorsqu'il délirait, de lui passer un linge humide sur le front.

Entre eux, il y eut bientôt une affinité qui touchait au comique. Le premier tombait-il malade que le second se portait bien, en gros tous les dix jours. Parce qu'il n'y voyait qu'un fait de nature, qu'une manière d'arrangement utilitaire qui leur profitait à l'un comme à l'autre, Vic accepta la chose sans broncher. Au début, Digger, lui, résista : ce qui le séparait de ce type avait quelque chose de vraiment fondamental. Il n'en eut malheureusement plus le loisir lorsque la fièvre le reprit.

Quoique farouchement opposées, leurs deux natures s'accordaient là-dessus : ils étaient faits l'un pour l'autre. Digger trouvait la chose ironique, mais quoi ? L'ironie n'était-elle pas monnaie courante dans l'univers où ils évoluaient ?

Liens étroits qui, physiquement, les unissait, droit de vider, de temps en temps, la gamelle de l'autre, soins désagréables, parfois même révoltants, qu'ils devaient se prodiguer, et dont Vic s'acquittait avec une tendresse, une simplicité, un sens pratique et une sollicitude qu'on ne lui eût pas soupçonnés, l'influence de cet arrangement devint telle, entre eux fit naître une amitié si profonde et libre de toute honte qu'ils en perdirent jusqu'à la conscience de ce qui les différenciait.

Il ne s'agissait pourtant pas d'amitié, pas exactement : ses amis, on les choisit. C'était autre chose. Quoi ? Nul ne le savait. Cela n'avait pas de nom.

Chez Digger, l'amertume d'antan avait néanmoins beaucoup de mal à mourir. Vic le savait et ne s'en offensait pas. Digger avait parfois le sentiment que c'était même pour cela que Vic recherchait sa compagnie. Sauf que cela le regardait, lui — et lui seul.

Il y avait des jours où ils ne supportaient pas de se voir. C'était inévitable : ils étaient toujours à cran. Avaient toujours un tel souci d'eux-mêmes que, la mesquinerie de leurs soupçons et de leurs agacements les poussant au dépit, ils se disputaient souvent comme des chiens enragés. Digger se vomissait d'être capable d'autant de haine. Contre Vic, cela s'expliquait, mais aussi contre le pauvre Doug. Alors il filait, la tête basse sous l'humiliation et la honte.

Il n'empêche : ces accès de colère les purifiaient aussi. Que dans ces instants où ils se flagellaient ainsi, c'était tout le mépris qu'ils avaient d'eux-mêmes, et, bien sûr, de la crasse dans laquelle ils vivaient, qui ressortait ; et avec lui, l'avilissement que, parce qu'il leur était infligé par leurs gardes, ils ne pouvaient qu'accepter ; honte suprême pour des hommes qui se croyaient d'une générosité inviolable, la rancœur larmoyante qui leur venait lorsqu'ils voyaient un grain de riz disparaître dans la bouche du voisin. Il y avait du soulagement à se débarrasser de semblables poisons.

« C'est un vrai miracle, songeait Digger au bout d'un certain temps. Sans jamais l'avoir voulu, voilà que je suis plus près de ce type que de n'importe qui d'autre. Même de Slinger. Même de Doug. »

Jusqu'au moment où un autre nom lui revenait : même de Mac ? De Mac qui jamais n'aurait su se montrer aussi souple ?

Digger se haïssait de le penser jusqu'au bout. S'il le pensait, c'était, forcément, qu'il était au plus bas. Nourri de culpabilité, le ressentiment qu'il éprouvait alors à l'endroit de Vic montait en flèche. Ecœuré, mais surtout de lui-même, il s'écartait de lui et chaque fois était surpris par la manière donc celui-ci le supportait et s'accommodait de ses humeurs.

Encore et toujours, Digger s'en trouvait renvoyé à cet air d'innocence animale, de culpabilité candide qu'il avait découvert sur le visage de Vic lorsqu'il l'avait surpris en train de finir sa timbale. C'était un air qui bravait le jugement, voire l'invitait, et soudain, dans sa transparence même, révélait que, de fait, il n'y en avait aucun à porter.

6

Dans ses accès de fièvre, Digger se retrouvait souvent à passer et repasser dans ses vies.

Il y avait, pour commencer, les conversations avec sa mère. Elles se déroulaient en dehors du temps que mesurent les pendules et les calendriers — ni avant ni après.

Il flottait. Il avait une bouche et des oreilles. Il avait son sexe. Mais très loin ; au-delà de tout ce que ses poings, à condition qu'il les ouvrît, eussent jamais pu atteindre. Sa mère lui parlait à la manière d'autrefois, sans mots.

« Digger ? lui disait-elle, Digger ? T'arrêtes ça tout de suite. Il est pas question de m'abandonner en mourant, tu m'entends, mon garçon ? Tu te remets à respirer immédiatement. Et après, tu manges. Ce truc, c'est moi qui te l'ai donné, et je suis fermement décidée à ce que tu l'avales. Tu sais comment je peux être quand je m'y mets de tout mon cœur. Il y a des étoiles, Digger, et des gerberas, c'est moi qui les ai plantés. Y a pas que ça, mais j'ai pas le temps de m'y attarder. Alors tu te reprends et t'arrêtes ça.

« Et ça, dis, tu le vois ? Ça, c'est de la terre, mon garçon, de la poussière. Tu sais que tu vas en avaler tout un paquet avant la fin... avant de mourir, s'entend, et monsieur n'en a encore avalé qu'un ou deux grains ? C'est qu'y va t'en rester des tonnes à bouffer, tu sais ? Faudrait voir à s'y mettre, tu m'entends, Digger ?

« Hé !... C'est ta mère qui te cause. Si, si, tu me connais ! C'est pas la peine de faire semblant du contraire. Et tu fais pas semblant de dormir non plus ! J'vais pas te lâcher comme ça, moi ! Tu parles comme tu m'as eue ! J'ai encore des tas de choses à te dire, Digger, et j'ai pas envie de te laisser jouer les grands sourds. C'est que j' suis capable d'être une terreur, moi, tu le sais. Non mais ! toujours à filer... ou à essayer ! Ah ça, toi et ton père ! Mais, faut pas croire, Digger, je m'en vas venir te chercher. Echapper au destin ? Tu rigoles ! J'ai déjà assez de fantômes sur les bras sans que t'essayes d'en devenir un autre. Je le tolérerai pas, t'entends ? Allez, tu te remets à respirer, fiston, à res-pi-rer ! Tu reviens à la réalité et tu me lâches tous ces rêves, vu ? Tiens, avale ça. »

Elle lui tendait quelque chose. Un fil de laine. Et voilà que, sous ses yeux, elle défaisait la manche d'un vieux pull-over plein de trous. Que, du haut de l'épaule, il en voyait les points ressauter par-dessus des aiguilles invisibles au fur et à mesure que, se dévidant jusqu'au poignet, une rangée après l'autre, la manche traversait un mur invisible et se désagrégeait dans le néant. Il lui fallait tourner le poing de plus en plus vite pour que le fil de laine ne tombe pas.

Autre manière qu'elle avait de lui parler, tout cela — et il n'y résistait pas. Sombre et rapide, le fil courait entre eux jusqu'au moment où ce vêtement qu'il avait porté quatre hivers durant, nuits comprises, et sur lequel il avait laissé son odeur, ayant enfin entièrement disparu, il retrouvait sa mère avec neuf pelotes de laine à tricoter sur les genoux.

Presque plus que la douleur physique qui le broyait à chaque accès de fièvre, il commença à craindre ces face-à-face obligatoires.

Elle ne lâchait jamais prise. Il battait l'air de ses bras, il nageait dans ses sueurs, jamais elle ne le laissait en paix.

Il se faisait anguille, l'anguille est insaisissable. Se forçait à ne plus être que bouche et yeux — plus d'oreilles, plus de sexe, plus de doigts —, furibarde, elle le tirait du rien et lui redonnait forme à grandes bourrades.

Il essayait de se traîner à quatre pattes. « Digger ! hurlait-elle, je sais bien que t'es là, espèce de ver ! Non, ça, c'est à Ralphie. Allez, arrive ! »

Il était dehors, il ne rentrait pas. Ici les étoiles, là-bas les gerberas. Il tonnait, Ralphie lui léchait le cou, il sentait la langue râpeuse du chien sur sa peau.

Enfin il savait qu'il était à côté de son corps. Eh bien, mais c'est parfait, se disait-il, le moyen en vaut un autre ! C'était la légèreté de sa tête et de son sexe qui le lui soufflait.

Il s'agenouillait dans la poussière. En avalait des tonnes, comme on le lui disait. Et trouvait la gamelle d'eau de Ralphie, en lapait le contenu et c'était l'eau de la vie : fraîche, douce, elle étanchait une soif qui, aussi fort qu'elle le tourmentât, n'était pas celle de son corps, mais celle de ce que ce dernier avait laissé en l'éjectant de lui-même.

Il lapait et lapait, Ralphie ne lui en voulait pas, ne lui reprochait pas cette eau qui déjà disparaissait dans sa gamelle, ni non plus son os grouillant de vers. Il y plantait les dents, défiait les mouches de l'attaquer. Sa faim était satisfaite, un corps plus ancien que celui qu'il avait abandonné s'en trouvait rassasié, bien. En lui, l'animal qu'il aimait tout autant qu'il avait aimé Ralphie, celui qui, de fait, était Ralphie, bouffait tout, vers y compris, et de ce tout prenait force et se sentait illuminé. Et ses forces lui revenant peu à peu, légèrement, à quatre pattes, il se mettait à courir sur la terre. Sous la lune, longeait des buissons qui se tassaient contre le sol afin qu'il pût les franchir, traversait des plaines en feu mais qui ne brûlaient pas. Encore et encore il courait et n'en perdait pas l'haleine et, au petit matin, dévalait la piste qui conduisait à l'Embarcadère.

Et se réveillait rafraîchi et nourri. En lui le corps qui rêve avait rassasié sa carcasse amaigrie et brûlante, étanché sa soif, à grands coups de ramponneaux l'avait ramené à la vie.

« Je n'y passerai pas, se disait-il, pas cette fois. Je vivrai. »

7

Leur épuisement était tel lorsqu'ils rentraient de la voie ferrée que parfois l'un d'entre eux s'endormait la gamelle à la main, avant même d'avoir avalé la moindre bouchée de nourriture.

« La rosse est foutue, pouvait-il hurler dans son sommeil. F'rait mieux de l'abattre tout de suite, c'te pauv' conne. » Ou encore : « Non, non, laisse-moi faire, Marge. Je m'en charge. »

Stupéfaits de le voir s'en aller aussi vite, les autres le regardaient faire. Hésitaient à le rappeler.

Le corps avait plus d'un tour dans son sac.

Un jour qu'ils étaient assis devant leur maigre repas, un des types qui ne les lâchaient plus depuis le Vaste Monde, y alla d'une de ses « remarques ».

Aussi agréable fût-il, Ern n'était pas très instruit, et, véritable outre à propos catégoriques, avait, qu'on le lui demande ou pas, toujours envie de vous faire partager ses opinions. « C'est comme la fois où je lisais le journal... », disait-il souvent en guise d'introduction et, sans attendre, se lançait dans quelque histoire idiote où la rumeur le disputait tellement à l'ânerie qu'on avait du mal à garder son sérieux. Il n'était pas rare que, croyant avoir affaire à une très subtile variété d'humour, les nouveaux venus ne l'offensent gravement en éclatant de rire dans l'instant. Ce qu'il avança ce soir-là n'était pas plus sot que d'habitude :

— Je l' savais bien qu'on aurait des ennuis avec ce Musso, fit-il. J' l'ai dit tout de suite. Dès que j'ai vu comment qu'y s' collait avec les nègres et les Abyssinions.

— Les quoi ?

Alors qu'il ne disait jamais trop rien, la question que Clem Carwardine venait de poser était si blessante qu'autour de lui, on se remit sur son séant. C'est vrai que depuis longtemps la connerie et l'ignorance d'Ernie jouissaient de l'immunité générale. Hébété, ce dernier battit des paupières.

— Nom de Dieu ! reprit Clem avec une sauvagerie dont il n'avait jamais fait montre, et moi qui pensais que côté rien dans la tête, y avait pas pire que le serin. Faut croire que, comparé à certains d'entre vous, le serin serait pas loin de faire la nique à Einstein !

— Serait-ce ton dernier mot sur la théorie de la relativité ? lui lança Doug.

Il faisait de son mieux pour qu'on en restât au terrain des plaisanteries, mais Clem lui décocha un regard assassin et, se tournant vers Ernie, ajouta :

— Un crétin de six ans en sait plus long que toi ! Qu'est-ce que t'as dans le crâne ? Du vent ?

Ernie se sentait bien trop perdu pour s'indigner. Jamais il n'aurait imaginé qu'un type aussi chouette que Clem Carwardine pût s'en prendre à lui avec une pareille méchanceté. Plus âgé qu'eux et le propos toujours mesuré, Clem ne l'avait en effet jamais traité en inférieur. Tous autant qu'ils étaient, il les regardait maintenant avec un tel mépris et une telle fureur qu'ils en furent gênés pour lui. Sauf que dans son regard il y avait aussi une manière d'étonnement. On eût dit qu'il n'était pas moins surpris qu'eux par ce qui lui sortait de la bouche. Il en semblait même de plus en plus abasourdi. Brusquement, sans avoir ajouté un mot, voilà qu'il rejetait la tête en arrière, ruait des deux pieds, retombait sur le dos.

Mort. Malaria avec complications cardiaques. Comme ça. Digger, qui l'aimait bien, trouva particulièrement horrible que ses derniers mots lui eussent aussi peu ressemblé. Rien à faire pourtant : ce serait là l'ultime souvenir qu'il leur faudrait garder de lui. Ernie en fut bouleversé. Ne cessa pas de revenir sur cet instant comme si quelque chose lui avait échappé et qu'à jamais il eût dû se le reprocher.

Ça aussi, le corps en était capable.

C'est qu'ils n'y avaient guère prêté attention, à ces corps qui, solides et toujours prêts à servir, étaient les leurs. Pas touche et on ne regarde pas, le principe était clair et on n'avait pas perdu de temps à le leur enfoncer dans le crâne. Tu t'avales ta demi-douzaine de bocks avant la fermeture ? Si ça va trop vite, tu dégueuleras. Tu cavales après un ballon le samedi aprem et tu fais l'amour ? Bon, ça te tuera pas, mais attention : rien d'extravagant ni de trop passionné. Rien qui sorte de l'ordinaire. Tu t'es égratigné ? T'es difficile, t'y mets une goutte de Solyptol et t'attends que la croûte se forme. Des verrues ? Oui, des fois ; un panaris de temps en temps. Des engelures quand l'hiver était assez froid pour ça. La rougeole, les oreillons, la varicelle. Ça n'allait jamais beaucoup plus loin. Le corps suivait son petit bonhomme de chemin. Il fonctionnait. On pouvait oublier son existence.

Pas ici, où il régnait en maître. Jour et nuit on le surveillait, en devenait obsédé au fur et à mesure que, ses chairs s'avachissant, les côtes et les énormes articulations qu'on avait aux doigts apparaissaient sous la peau.

Jamais ils n'auraient cru, si on le leur avait dit, qu'il pût filer aussi vite. Quoi ? Finie toute cette viande dont ils étaient faits ? Fini, tout ce que, grands-pères et arrière-grands-pères, on leur avait enfourné dans la bouche pour tendre les vastes carcasses qu'ils avaient trimballées jusqu'ici ? Finis, tous les muscles qu'ils y avaient accrochés ? Mangeurs de porridge et bouffeurs de boudin, les gamins qu'ils avaient été auraient tout aussi bien pu laisser tomber. A quoi bon avoir saucé et s'en être mis plein les doigts à force de racler l'assiette ? Les circonstances s'y prêtant, tout cela pouvait fondre en une nuit, vous transformer en squelette qui, aussi loin qu'on s'en souvînt, jamais n'avait connu autre chose que les deux ou trois gorgées de bouillie auxquelles il avait maintenant droit, que ce bouillon clair comme chiasse qui des lèvres filait droit au cul, qui du cul ressortait en chiasse aussitôt qu'on s'accroupissait.

Jamais ils n'auraient imaginé que l'égalité qu'ils réclamaient, et pensaient avoir déjà atteinte, pût ressembler à ça. A chacun la même louche de brouet, matin et soir.

Les grands costauds étaient les premiers à partir, qui prenaient plus durement que les autres la honte que leur infligeait leur corps en exigeant plus que sa juste part et en se retrouvant plus faible de ne pas l'avoir. Certains partaient même si vite que c'en était pathétique. Ils ne savaient pas —

et, en temps normal, n'auraient jamais cru que la vie pût se charger de le leur apprendre — jusqu'à quel point ce qu'ils étaient se réduisait à une question de viande.

On n'avait rien d'autre que son corps, c'était tout ce que les Japs vous laissaient. On ne cessait pas de le nourrir, il ne cessait pas de s'effilocher. Ici, seuls les outils, ici, seules les pioches et seules les pelles qu'on portait avaient le pouvoir de peser de leur vrai poids. En serrer le manche dans son poing, éprouver la solidité du bois et de l'acier dont elles étaient faites, il n'était que cela pour être sûr de quoi que ce soit tandis qu'en files débandées, on se traînait jusqu'à l'entrée d'un chemin, que précautionneusement on posait un pied devant l'autre, qu'aussi dure que fût devenue la plante des pieds, toujours on craignait la racine ou l'épine cachée qui — une égratignure y suffisait — vous coûterait une jambe si jamais, les chairs ayant décidé de s'ouvrir, un ulcère s'y mettait. Il vous couvrirait la moitié de la jambe, la rongerait jusqu'à ce qu'à la fin il s'y trouvât plus d'os que de chairs. Alors les médecins feraient chauffer une cuillère pour en ôter les purulences. Avec un peu de chance, la jambe n'y passerait pas. Dans le cas contraire, elle serait perdue. Soit encore : vous lâcherait à jamais.

Tant et si bien qu'expert — à force —, on connaissait tous les tours dont il était capable, ce corps qui, pour crasseux et grossier qu'il fût, n'en demeurait pas moins un trésor qu'on maniait avec la plus grande délicatesse, où des yeux l'on cherchait la moindre altération, où pas un pouce carré de chair n'échappait à l'examen, jusques et y compris le dessous des couilles et qui donc, étant normal, eût jamais fait ça auparavant ? C'est qu'il avait une imagination bien à lui et qu'à n'en avoir aucune, à tout le moins de cette espèce, chacun ne pouvait qu'être stupéfait par les horreurs qu'il inventait, que béer devant la tache brune qui soudain s'étalait sous le regard, grandissait, commençait à noircir.

Digger se rappela la remarque que Slinger lui avait faite un jour en plaisantant : « Et si c'était sous la peau que t'étais noir, hein ? »

C'était maintenant tous les jours qu'il voyait des types noircir du dedans. Que sur tel ou tel autre visage il voyait la peau durcir comme de la corne. Qu'il voyait le maigre enfler jusqu'à en devenir aussi gros que la Femme-Eléphant — sauf qu'ici personne n'aurait payé pour le voir parce qu'ici personne ne faisait marché de pareilles abominations. Parce qu'à la fin, le maigre était si énorme qu'il ne pouvait plus bouger, pas même pour se retourner sur sa paillasse. Qu'il fallait qu'à deux on le remît sur le dos ou le ventre, doucement, comme un baril de cent litres rempli d'un liquide dangereux. Qu'il avait les couilles en ballon de football et faisait huit pouces de tour de bite. Mais que personne n'en riait parce que ce n'était pas rigolo. Parce que seuls les traits de son visage demeuraient reconnaissables, mais se perdaient au milieu d'une tête en pain de sucre où la figure était minuscule et les yeux envahis de terreur : énorme était ce qui lui arrivait, où ses chevilles se transformaient en troncs d'arbres, où ses pieds étaient ronds comme des boules et si lourds, oh ! si lourds qu'il n'eût même pas songé à les soulever.

« Si y z'arrêtent pas de nous filer du riz à bouffer, on va avoir les yeux qui partent de côté. »

Digger s'était moqué de lui — aurait à tout le moins pu le faire s'il n'avait vu la fureur qui habitait son regard. L'ignorance était si crasse qu'il s'en était senti à l'abri.

Sauf qu'avec ce qui se passait maintenant, avoir les yeux de travers eût été un moindre mal. Devenus fous, leurs corps lentement les repoussaient vers cette ère où, à peine sortis du chaos, il leur allait falloir trouver forme humaine.

Il y avait même des moments où il se disait que, tout compte fait, Mac ne s'en était pas si mal tiré. Et craignait ces pensées qui lui venaient malgré lui : elles étaient dangereuses. Céder au désespoir, même le plus passager, c'était permettre que le corps s'y accrochât : il n'attendait que ça, à chaque instant il fallait le surveiller. Sans cesse on s'épiait. Digger surprenait-il le regard que Doug, ou Vic, ou un autre encore avait posé sur lui qu'aussitôt il se disait : « Mon Dieu ! mais qu'y a-t-il ? Qu'a-t-il vu ? Ç'aurait donc déjà commencé ? »

Et lorsque effectivement cela commençait, on faisait semblant de ne rien remarquer, comme pour Doug. Ni non plus de voir la terreur dans les yeux du malade car, bien sûr, celui-ci savait déjà, avait en lui senti la petite angoisse se tasser en boule, commencer à enfler.

Doug. A son heure, ils le roulèrent comme un baril, jour

après jour le transportèrent jusqu'au chantier, pour faire nombre ainsi que l'exigeaient les Japs. Pour ces derniers, du matin au soir et du soir au matin, tout était question de chiffres. De vrais fanatiques.

« Faites gaffe, les mecs, leur disait-il en plaisantant lorsqu'ils le déposaient à côté de la voie, je fuis comme un rien. »

Et tout le jour il restait en cet endroit, la patience même, sans jamais se plaindre, parfois leur criait des trucs, oui, mais seulement pour ne pas être en reste, pouvoir encore, avec eux, compter au nombre des vivants. A la nuit tombée, on le rapportait au camp.

Plaisanter, songea Digger un peu plus tard, voilà ce qui l'avait gardé en vie. Rien de plus que ce petit bout de bonne santé qu'il avait encore en lui, que le refus obstiné de ne pas caler devant le poids des choses, rien de plus que de toujours et encore miser sur la légèreté. Enfin il avait cessé d'être énorme, enfin il avait retrouvé ses formes, sa maigreur et sa solidité d'antan, plus que jamais avait été certain de résister à tout ce qu'on pourrait lui infliger par la suite.

Il n'était pas jusqu'à Vic qui, au sortir de sa phase de monstruosité, n'eût peu ou prou retrouvé sa forme ancienne — mentalement au moins. Car lui, il aimait à le croire, c'était le travail qui l'avait sauvé. C'est vrai qu'à elle seule, la charge d'un sac bourré de gravats et vous sciant l'épaule suffisait parfois à vous rappeler que le corps était toujours là : pierres ou corps, la gravité s'appliquait à tout.

L'accepter, c'était se donner la possibilité de vivre. Le refuser, c'était se faire avoir.

Etre ainsi privé de tout l'avait, à sa manière, confirmé dans une idée qui lui était venue dès le début — savoir que quand on va au fond des choses, force est de reconnaître qu'on n'a rien.

Un jour, et l'ironie de la chose était bien amère, il repensa à l'instant où, lui ayant piqué son pain dans son assiette, Tante James s'était écriée : « Qu'il s'en passe ! » L'horrible vieille fille. Que de méchanceté ! Ou bien était-ce que, dans sa folie même, elle avait vu clair dans son avenir et tenu à le mettre en garde ?

Et Vic avait repensé à tous les types qui, assis sous l'arbre, devant la porte de la cuisine, se gavaient de la soupe que

Meggsie leur donnait. Avait à nouveau éprouvé la honte de se trouver du mauvais côté des choses parce que oui, il s'était libéré d'un peu de cette honte et de cette humiliation qui, de tout temps, auraient dû être siennes. Sauf que maintenant il avait payé. Cela faisait-il donc le poids ?

« Oui, je racle le fond, se disait-il, mais, oui aussi, je saurai tenir la distance. Comme si j'étais venu au monde avec la promesse de manger trois fois par jour, et attention : avec une cuillère en argent ! Les belles promesses d'avenir ? Il n'y en a jamais eu. Pas pour les gars dans mon genre. Faudrait-il même continuer à vivre comme ça jusqu'au bout, en tenant sur sa seule volonté, que j'en serais capable. La réalité, je connais. J' suis pas comme Digger, moi. Les rêves, j'en ai pas besoin. »

Il y avait des moments où rien qu'à l'entendre dire sa façon de penser, il devenait fou. « Tiens, dans un mois jour pour jour, ou l'année prochaine, ou alors à Noël, lâchait-il parfois, tout ça sera fini. La ligne sera terminée et ils nous ramèneront chez nous. »

Des gars qui pensaient comme Digger, il y en avait partout. Tous des rêveurs. Toujours à essayer d'imaginer de quoi demain serait fait.

C'était un luxe qu'il se refusait, au moins aussi fort que celui d'avoir un passé. Car il n'était jamais qu'un seul endroit où l'on fût avec quelque certitude : ici. Et, côté ligne, il n'y avait que celle qui filait au néant, qui, une descente après l'autre, conduisait droit à la poussière. A cela il s'accrochait de toutes ses forces et, tenace, n'en disait rien.

Et s'il le pensait, c'était parce qu'il était dans sa nature de raisonner, de trouver plaisir à toujours savoir la dureté des choses, leur rudesse, à constamment se délivrer de l'illusion.

A ceci près que s'en remettre au seul corps, c'était, et Dieu sait pourtant s'il l'avait déjà vu à l'œuvre en d'autres circonstances, ne pas compter avec la faculté qu'il avait d'aller et de penser à sa guise. Un jour que brusquement il était tombé de l'espace dans le temps et qu'en lui l'esprit faisant défaut, l'instant s'était ouvert au flux des choses, en levant la tête, il avait vu, droit devant lui, tellement sur la même ligne qu'à moins que l'un ou l'autre ne sautât de côté au dernier moment, ils se rentreraient dedans, une silhouette qu'il avait reconnue, ou cru reconnaître. Les cheveux étaient si blancs et les épaules si carrées que, sans qu'il pût s'expliquer la tendresse qu'il avait alors ressentie, un très bref instant, il s'était pris d'intérêt pour elle. Avait été surpris d'éprouver pareil sentiment et, parce que cet étonnement l'avait distrait, n'avait pas tout de suite compris de qui il s'agissait.

Alors qu'il s'agissait de lui-même : là-bas, dans le lointain d'un instant vers lequel, à des années et des années de là, inévitablement, on l'eût dit, il allait. Il commençait à le comprendre lorsque la silhouette fut sur lui, lorsque, sentant s'ouvrir son corps, il la laissa le traverser.

Il ne se retourna pas pour la revoir : c'était interdit, il le savait. L'eût-il seulement aperçue que, l'un et l'autre, ils se fussent perdus.

Encore un rien hébété, il avait continué de regarder droit devant lui, n'avait pas refusé de respirer lorsque le souffle lui était revenu — oui, alors même qu'un peu de la chaleur et de la tendresse qu'il avait éprouvées ne l'avaient pas quitté.

« Bah, s'était-il dit, si c'est comme ça que ça doit se passer, je vois pas que j' pourrais faire autrement que de m'accrocher, pas vrai ? »

8

Parce qu'il n'avait lui-même reçu qu'un bref billet, ses biens les plus précieux étaient encore les lettres, toutes soigneusement pliées, qu'il avait héritées de Mac. Il les avait transportées de camp en camp, sans jamais se les faire prendre lors d'une fouille.

Il les connaissait par cœur, bien sûr. Quel mal aurait-il eu à les apprendre alors qu'il était capable de réciter des pièces entières et, noms et numéros de matricule, avait tout son détachement en tête ? Elles ne faisaient jamais que quelques centaines de mots. Même si ces mots n'en étaient qu'une partie.

Lire, voilà ce qui importait, prenait du temps. A force d'avoir été pliées et repliées, elles s'étaient déchirées et, l'humidité constante aidant, l'encre y avait coulé au point de les rendre difficilement lisibles. Chaque fois qu'il les sortait de sa poche — surtout lorsqu'il avait les doigts mouillés ou agités de tremblements —, il courait le risque de les endommager. Qu'importe : il aimait bien leur aspect après qu'il les avait dépliées. Et aussi leur poids, qu'il sentait sur la paume de sa main : elles étaient si légères ! Leurs taches mêmes avaient de l'importance. Comme la couleur de l'encre dont Iris s'était servie pour les écrire et qui changeait de lettre en lettre, parfois même de page en page. Il n'éprouvait aucune difficulté à repérer, ou deviner, l'endroit où la belle-sœur de Mac avait posé son stylo, là, en plein milieu d'une phrase, pour s'en aller faire quelque chose : ce qu'il lisait ne se réduisait pas seulement à des mots.

Il fermait les yeux et se représentait Iris en train de gagner la porte d'entrée : on avait frappé. C'était le commis du boulanger, forcément. Il avait une panière dans les bras ; brûlants, ses pains reposaient sous un linge. (Il en cassait un petit bout et se l'enfournait tout chaud dans la bouche : absolument délicieux.) Ou alors c'était un des garçons qui l'avait appelée. Ewen, voilà : il cherchait ses chaussettes de foot. Quoi ? Elles n'étaient pas sèches ? Ou alors Jack qui encore et encore pleurait après sa glace à la noix de coco. Digger pouvait laisser libre cours à son imagination : Mac lui avait suffisamment décrit sa maison pour qu'il n'eût pas de peine à s'y retrouver. Façon comme une autre, car il y en avait d'autres, de rentrer au pays.

Pas question de se gaver de mots : Digger ne lisait qu'une lettre à la fois, et en y mettant tout le temps qu'il fallait. Mais il y avait aussi les jours où il avait besoin de s'empiffrer. Alors, oui, il les lisait, toutes les cinq, à la file et recommençait.

Etrange histoire en vérité. Parce que ces lettres existaient déjà dans sa tête avant même qu'il ne les lise, il fallait que l'affaire se transformât, jusqu'à la simultanéité ou presque, en un processus où chaque mot se devait de lui tomber de la mémoire avant qu'il ne le retrouve — la nouveauté de la redécouverte était à ce prix.

Jouer du piano ne devait pas être bien différent. N'y fallait-il pas, quand même on eût joué un morceau mille fois et le connût jusque dans ses mains, toujours et encore se vider la tête de tout ce qu'on savait de la note suivante pour qu'en la trouvant, le doigt pût se surprendre ?

« J'ai planté des pois de senteur », avait-elle écrit le jour de la Saint-Patrick.

Plus de deux ans s'étaient écoulés depuis lors. Les pois avaient dû germer, escalader la tonnelle, y éclore, embaumer le jardin de leurs senteurs sucrées, puis mourir. Il n'empêche : toujours il sentait l'endroit où ils s'étaient remis en terre, et, voyait les couleurs, roses, mauves et blancs, qu'Iris leur avait prêtées. Il y en avait un mur entier, tout de vert pâle sous les feuilles qui le couvraient (elles grattaient au bout des doigts, on eût dit des pattes de mante religieuse) et la lumière qui s'y glissait. Une ombre et puis une autre, la tonnelle se répétait sur les planches à recouvrement. Là-bas, les échalas raides comme des hommes qu'on aligne, mais doux au sentir, étaient couverts de bourgeons qui, à angle droit contre la tige, s'ouvraient comme oriflammes, oui, blancs, mauves et roses.

Elle en avait coupé un petit bouquet serré et l'avait mis dans un verre dans le salon de devant. La pièce était vide. Digger en voyait les rideaux tirés — le soleil pouvait taper fort, même en hiver. Avec ses deux sortes de lumière — une d'air, l'autre d'eau —, le verre trônait au milieu de la table. Les queues des fleurs étaient pâles et leurs pétales l'étaient encore plus. Debout dans le couloir, Digger respirait l'odeur des pois de senteur et en était revigoré.

Le soleil se couchait, la pièce s'assombrissait, le verre était toujours là, central en son eau, source de lumière. Digger s'immergeait dans sa fraîcheur, dans sa clarté, au cœur de la pièce silencieuse et enténébrée. Dans les chambres qui donnaient de l'autre côté du couloir, le souffle des dormeurs : dans la première, Iris, dans l'autre, les garçons, Ewen et Jack, à l'abri de leurs rêves d'enfants, et, tout au fond, dans une troisième, celle qui était fermée, les disques et les livres que Mac avait empilés partout.

Sans cesse il retournait dans cette maison où il n'avait jamais mis les pieds. Laissait Mac lui en montrer toutes les pièces, l'une après l'autre. Ils étaient impeccables, tous les deux ; bien lavés, les cheveux peignés à l'eau, les pieds propres.

Il y avait un égouttoir en bois accroché au-dessus de l'évier. On y avait posé des assiettes — blanches, épaisses. Penchées de côté, elles séchaient, avaient été mille fois lavées avec un morceau de savon Sunlight enfermé dans une manière de petit grillage en fer, rincées, sorties de l'eau, laissées là. Belles ô combien. Il se serait volontiers assis à table rien que pour les regarder, éternellement, encore et encore. Parce que c'était comme ça que ça se passait — encore et encore.

Régulièrement, trois fois par jour, on les descendait de l'égouttoir, les disposait sur la nappe, s'en servait, et les lavait à nouveau. Et c'était ça qui était beau. L'ordre, la répétition.

Mais d'un ennui à mourir ! Toujours pareil, jour après jour, encore et encore ! Mais beau — justement. La nappe qu'on secoue dans la cour, les moineaux qui arrivent à tire-d'aile. La lumière sur les assiettes : elles en sont comme couvertes d'un vernis, elles sont d'une folle douceur dans l'égouttoir. Sur le mur, le calendrier est au bon mois, rouges et noirs, les chiffres des jours se remplacent, jour de travail, jour de repos, week-end, la page qui suit déjà là, et la suivante, et la suivante après la suivante, du début de l'année jusqu'à Noël.

Dans les ténèbres de la maison endormie Digger attendait, sans bruit, dans la cuisine était ému par la lumière qui montait des assiettes, dans ses mains sentait la dureté sèche d'un bout de pain rassis. Il y en avait un plein bol, au matin on le distribuerait aux poules, tout était prêt. Sa fermeté s'effritait un peu, il en avalait un morceau : les poules ne diraient rien, non, même s'il les entendait s'agiter sur leurs perchoirs, pattes recroquevillées dans le noir.

Une nuit, il entendit du bruit derrière lui : Iris était descendue à la cuisine, en combinaison. Elle ne le vit pas, bien sûr. Lui passa devant, gagna l'évier, y prit un verre, le remplit d'eau du robinet et but, très lentement, en regardant fixement la cour plongée dans l'obscurité.

Il la regarda comme si, ordinaire au possible, son geste était un miracle.

Il l'était. Il avait étanché sa soif.

9

La mémoire était un don du ciel — quand on s'y mettait vraiment.

Les listes : il suffisait d'en commencer une pour pouvoir l'allonger sans fin, de plus en plus loin en arrière, et, en la répétant sans cesse, d'arracher au passé une formule magique qui permettait de rester présent au monde ou de s'en effacer pendant un temps.

Pour certains, cela tenait du jeu de nombres. On essayait de retrouver les numéros d'immatriculation de toutes les voitures qu'on avait possédées ou, parfois, seulement conduites pour le compte de telle ou telle autre compagnie où l'on avait travaillé. Les nombres, il n'y avait rien de mieux. Ressuscités dans l'ordre — le bon — comme la combinaison d'un coffre-fort, ils devenaient clé capable d'ouvrir l'univers entier. Mais il fallait d'abord les retrouver dans l'ordre et ce n'était pas des plus faciles vu que ce dernier n'avait rien à voir avec celui dans lequel ils s'étaient imprimés dans la mémoire. Et pour que ça marche, c'était cet ordre-là qu'il fallait retrouver — le bon. Alors, l'étincelle se produisait et, les six et huit cylindres de toutes les Buick, Chevvie, de Soto et Ford qu'on avait eues se mettant à pousser ensemble, le grand moteur vous emmenait au loin.

Pour d'autres, c'étaient les gares. Toutes celles de la Western Line, à partir de Redfern, par exemple. On les égrenait lentement, dans la chaleur du matin parfois, mais aussi dans les froids brumeux de l'hiver, en se rendant au travail. Les voies passaient très au-dessus de la rue. En se penchant à la fenêtre, on y voyait des hommes marcher pieds nus, un lévrier en laisse, le long d'un jardin public, des enfants sur le chemin de l'école, le cartable sur le dos, des filles aux longues jambes, les plus vieilles habillées de jupes de guingan à carreaux. Au bout d'un moment, on refaisait le trajet dans l'autre sens. Au crépuscule cette fois-ci, les noms des gares reparaissant dans l'ordre inverse. Des sirènes d'usine hurlaient au-dessus des marécages. On avait de la graisse plein les doigts. Les visages des voyageurs attendant sur les quais étaient flous, le train roulant trop vite pour qu'on pût lire les gros titres qui défilaient sur les panneaux lumineux, on finissait par sombrer dans le sommeil.

Pour d'autres encore, c'étaient les noms de toutes les filles qu'on s'était faites. Tout comptait, même quand on n'avait réussi qu'à y mettre le doigt. Muriel, Gloria, Pearl et Isobel, on remontait jusqu'à l'entrée en sixième, la première fois où on avait pu.

Après les noms venaient les détails. L'endroit où ça s'était passé : derrière les bains-douches, sur un banc d'école, à l'arrière d'un camion garé le long du trottoir. La date : pendant les vacances de Noël, le pont du jour anniversaire de la Reine. Parfois aussi, les conditions météorologiques du moment et ce que portait la fille — ses chaussures, toutes n'en avaient pas, son soutien-gorge et sa culotte, la couleur et les motifs de sa robe, l'odeur de sueur dont cette dernière était imprégnée, ou de savon quand le vêtement sortait de la lessive. Comment ça faisait d'avoir le cul nu collé sur le cuir (lisse ou à coutures) de la banquette arrière d'une Vaux ou sur le plancher plein d'échardes du cinéma Elite, entre deux rangées de fauteuils en toile. Le goût de glace à la vanille, de pop-corn, de Wrigley's Spearmint, ou de chips bien graisseux que la fille avait dans la bouche. Ah ! les chips ! C'était quelque chose.

Le menu de la Pension Maher (pour hommes), le même toutes les semaines et tous les soirs de toutes les semaines : bœuf en daube, tourte à la viande, et cetera. Et les sauces. Divines ! Et la photo au-dessus du buffet, un tirage de chez Pear représentant une fillette de deux ans en petit bonnet, debout dans le baquet en fer galvanisé, nue...

Ou les paroles de toutes les rengaines répertoriées dans le numéro du *Chansonnier du Boomerang* de mars 1941 : « Il était un peintre qui peignait une clôture... » Ou celles des comptines que fredonnaient les sœurs et leurs petites copines en sautant à la corde le soir après l'école, sur le ciment brûlant de l'appentis, pendant qu'on suait sur sa leçon d'histoire (Oliver Cromwell et la Guerre civile), ou fixait une aile à son avion en balsa avec un bout d'allumette enduit de colle, des fois on s'arrêtait pour aller s'allonger sur le lit, histoire de se tirer un peu sur le bout.

Par-dessus le mur du jardin
J'ai laissé tomber le bambin,
Et Maman l'est sortie me flanquer une tournée
Que j'en ai encore l'estomac tout retourné...

et après on se nettoie, vite vite, avec un mouchoir tout raide, ah ! cette odeur et celle de la colle !

D'autres préféraient dire tous les horribles canassons sur lesquels ils avaient misé tant de bon et bel argent et qui jamais ne gagnaient ; après quoi on passait à tous les as qui avaient remporté la Melbourne Cup, jusqu'en 1870 — il s'appelait Archer.

D'autres encore, les noms de leurs vaches laitières : Myrtille, Trèfle, Princesse Gitane, Angèle, Cocotte en Sucre, Petite Reine, Minnie la Traînarde.

Digger, lui, se souvenait, et ce fut bientôt à titre officiel, des noms et des numéros de matricule de tous les hommes du détachement ; y compris ceux qui s'étaient fait tuer, avaient disparu ou été remplacés, et par qui ; y compris l'endroit où chacun avait été expédié après la reddition, que ce fût à Sandakan dans l'île de Bornéo, ou dans celle de Blakang Mati où, on le disait, se donnaient les plus beaux spectacles de pugilat de Malaisie ; sans compter, en plus de l'arme et de l'affectation précise, les noms et numéros de matricule des veinards qui étaient restés à Changi, ou avaient été envoyés en Thaïlande. Officiel. C'était en permanence qu'on gardait ces renseignements dans le dernier endroit où les Japs auraient pu avoir l'idée d'aller les chercher.

C'est qu'il n'avait vraiment rien de remarquable, le Digger ! Que, pieds nus, crasseux, en pagne et décharné au possible, il ressemblait tellement à tout le monde que personne n'aurait deviné ce qu'il avait dans le crâne, cet homme qui, comme tous les autres, portait une pioche et un sac rempli de pierres et de gravats.

A peine faisait-il entrer un nom dans sa mémoire que celui-ci y demeurait à jamais. Digger était capable de faire défiler tout le détachement dans sa tête, les morts comme les vivants, tous bien propres et en forme à nouveau, même si untel avait tiré la paille courte, ou la longue, et, alors, avait été envoyé ici ou là.

Lui, c'était d'eux qu'il se souvenait, nom et matricule. Les autres se rappelaient ce dont ils avaient besoin pour rester en ce monde ou s'en évader à moitié. Numéros d'immatriculation de leurs voitures, filles, chansons, gares, parfums des milk-shakes et marques des whiskies qu'on servait au Café de la Sirène, magasins des rues Elizabeth, George ou Swanston — trottoir de gauche et de droite —, favoris des champs de courses et vaches laitières, tout y passait, et, mis bout à bout, formait quelque chose qui, en secret, à jamais demeurait vivant : ce qui défile dans la tête d'une armée qui ne défile plus depuis longtemps.

Il en était pourtant d'autres, et Vic comptait à leur nombre, qui n'entendaient nullement s'embarrasser de souvenirs, même agréables. Ceux-là se raccrochaient aux choses qu'ils pouvaient toucher, aux pièces et morceaux de tout et de rien qu'ils possédaient avant d'arriver à Changi ou avaient ramassés sur la route ou trouvés à telle ou telle autre étape et gardaient pour le jour où ça pourrait servir. Aiguilles de machine à coudre Singer, clous, vis, bouts de ficelle ou de corde, clés, piles, cartes de jeu dépareillées et pages de journaux, tout ce qui, broutille en d'autres lieux, eût à peine valu qu'on s'y arrêtât était ici relique des plus précieuses — et utile puisqu'on pouvait l'échanger contre une autre et avoir ainsi toujours quelque chose de nouveau dans la main.

Vic avait démarré avec un bel assortiment : des petits trucs essentiellement, et qui tous ensemble tenaient dans une seule de ses poches de short — il aimait à les y tourner et retourner. Pas à la légère, non : en se laissant aller avec eux. Il les connaissait tous du bout des doigts.

Mais, un mois en suivant un autre, les avait échangés contre des mégots ou des bouts de trucs dont il avait eu un besoin urgent ; ou bien encore, une fois ou deux, contre des objets inutiles, mais qui l'avaient ravi comme un enfant. D'autres encore, et ça le rendait fou, avaient été perdus. Volés, peut-être — il avait ses soupçons, sur tel ou tel, pour ceci ou pour cela. Ou bien alors avaient filé par un trou de sa poche : il ne s'en apercevait pas toujours à temps. Tant et si bien qu'à la fin il ne lui était resté qu'un seul trésor : un bout de fil de coton de deux mètres cinquante de long. Il l'avait enroulé en huit, le conservait dans la poche gauche de son short, bien à l'abri, et était fermement décidé à le garder jusqu'à la fin, quoi qu'il arrive.

Il aurait pu l'échanger des dizaines de fois, mais s'y était toujours refusé : pareille longueur de fil ne pouvait que tomber à pic, tôt ou tard, c'était forcé. Un jour viendrait où il en aurait besoin pour attacher son short et que deviendrait-il s'il ne l'avait pas à ce moment-là ? En plus, il aimait bien le toucher du doigt. Pouvait passer des heures entières à le frotter entre son pouce et son index. On se moquait de lui : « Qu'est-ce tu fous, Vic ? Encore à jouer au billard à poches ? » Utile ou pas, il le gardait quand même, pour rien. Parce que c'était la dernière chose qu'il avait.

Blanc au début, son fil de coton avait viré au brunâtre. Qu'il pût s'esbigner, voilà ce qui l'inquiétait. Faisait que toutes les cinq minutes ou à peu près il mettait la main dans sa poche pour voir s'il y était toujours. Il prenait ses précautions. Il ne voulait pas le perdre, être foutu.

10

« Des coolies », murmura celui qui le suivait.

Digger eut le temps de lui couler un regard. Bref parce que, du genre à matraquer plutôt que de daigner vous voir, l'un des gardes coréens les surveillait de près.

Ils s'étaient mis à travailler la nuit, « à toute allule ». Des feux de bambous brûlaient jusqu'au bout des voies, illuminaient les flancs de la clairière de lueurs rougeâtres, y projetaient des ombres bizarres. Plus substantielles, certaines de ces dernières s'arrêtaient, creusaient, vacillaient sous les paniers de gravats, dans un vacarme assourdissant de hurlements, de cris rauques, de coups. Les gardes couraient dans tous les sens, la poussière était brume que les feux transformaient en incandescence immobile. Leurs corps y étaient pris, luisaient de sueur ; lorsqu'il était moins épais, là-haut, dans les ténèbres de la nuit, l'air avait la couleur de la chair meurtrie, bleu, jaune sale, puis noir.

Il les vit à travers la sueur qui lui piquait les yeux et la poussière en suspension : les Indiens. Des Tamouls, sans doute, à demi nus, en pagne (comme nous, se dit-il). Ils portaient des petits balluchons avec presque rien dedans, une bouteille d'eau, parfois un réchaud ou une lampe. Pendant près d'une heure ils défilèrent. Toutes les deux ou trois minutes, il se redressait, essuyait la sueur qu'il avait sur le front du revers de ses poignets et, en surveillant le garde du coin de l'œil, ne cessait de les regarder passer.

Ici et là, il y avait bien quelques familles, des femmes avec des nourrissons sur les hanches, mais, dans l'ensemble, il s'agissait surtout d'hommes, surtout jeunes, quoique certains d'entre eux fussent âgés.

Il en avait déjà vu travailler à la voie ferrée, dans l'arrière-pays, ou dans les rues des villes, en bataillons serrés, la plupart campant au bord du trottoir, sous des tentes orange, ou couchant à la belle étoile sur des matelas déroulés à même la poussière. Et voilà qu'ils étaient avec eux. Ils avaient changé de maîtres, un point c'est tout. S'étaient mis à construire un autre empire.

Il repensa à l'air qu'avait pris un de ses compagnons pour lui dire : « Ils veulent nous transformer en coolies. » A la sauvage indignation qui s'était peinte sur son visage : violer ainsi l'ordre naturel des choses, l'indubitable supériorité de l'homme blanc ! Mais aussi à la peur ancestrale que cet homme avait ressentie à l'idée de retomber dans le servage.

Malgré toutes les indignités dont avait souffert son peuple, « qui est aussi le mien », songea Digger — patrons, maîtres d'école, directeurs de banque ou femmes, les gens qui avaient le pouvoir d'humilier ou de dire non ne manquaient pas —, toujours il lui était resté un rien de dignité auquel se raccrocher : je ne suis pas un coolie, j'ai le choix. Malchance, injustice ou obstination que mettent les choses à vous être contraires, qu'on fût privé de ceci ou de cela n'empêchait pas que toujours il y eût ce dernier bien qu'on ne pouvait vous ôter. Tous l'avaient cru. Sauf qu'ils savaient maintenant qu'il en allait différemment. Que cet ultime rien pouvait, lui aussi, vous être arraché instantanément. Sans aucun mal.

Où se trouvait-il, ce type ? Dans les parages ? Dans l'un des camps installés tout au long de la ligne, sans doute. A moins qu'il n'ait été matraqué ou battu à mort par un des gardes coréens. Ou ne soit tombé pour ne plus se relever lors d'une de ces marches forcées qui, meurtrières, une nuit après l'autre, les avaient décimés depuis la frontière thaïlandaise. N'ait succombé au béribéri, à la dysenterie, à la malaria avec complications cérébrales ou péri d'un empoisonnement du sang ou d'un ulcère gangrené ; ou encore, comme bon nombre des plus jeunes, n'ait tout simplement pas résisté à l'épuisement et au désespoir. Revêtu d'un pagne ou de son short raide de crasse, pieds nus, couvert de plaies, était-il en train de se baisser pour charger un panier sur son dos ? Ruisselant de sueur, ruminait-il éternellement son amertume ?

« Voilà, lança-t-il à cette part de lui-même qui, un peu en retrait, savait encore observer les choses, voilà ce qui nous est arrivé dès que nous sommes sortis de chez nous. Devait-il en aller autrement ? C'est possible. Peut-être tout cela n'était-il destiné qu'aux seuls coolies. Mais ce qui leur est arrivé, nous le subissons, nous aussi. Qu'est-ce que tu dis de ça, hein ? »

Cela faisait des semaines et des semaines qu'il en discutait avec Doug, même si, de fait, leurs échanges ne dépassaient pas les deux ou trois mots : ils étaient, l'un et l'autre, bien trop épuisés pour raisonner. Il n'empêche : les idées qu'ils avaient en tête continuaient de raisonner, certaines d'entre elles réussissant même à se faire entendre — on se comprenait. De fait, c'était Mac qui aurait dû éclairer le sujet. Il s'en serait beaucoup mieux sorti. Digger ne faisait que le remplacer, du mieux qu'il pouvait.

Certains en venaient à professer des opinions religieuses — cela se comprenait, Digger le voyait bien. L'un d'entre eux, surprise, s'y était même mis au sortir d'une crise de béribéri, et n'était autre que Doug.

Au début, tout le monde eut du mal à y croire. On pensa qu'il faisait le pitre et se moquait. Il ne rigolait pas. Au cœur même de l'horreur qui s'était abattue sur lui, quelque enseignement lui était remonté de son passé de jeune dévot. Dix ans s'étaient écoulés depuis lors, mais voilà que brusquement de lugubres pensées presbytériennes qui avaient éclos dans sa tête bien avant que, s'affirmant, il ne s'écrie « Au cul tout ça » et refuse de retourner à l'église, que des vérités qu'il avait à moitié entendues — cela se passait le dimanche matin, il regardait par la fenêtre, laissait son esprit se détendre comme fronde qui tire l'hirondelle, ou bien encore, du bout de sa bite raide remontait la cuisse d'une fille — lui paraissaient incontournables.

— Mais regardez donc autour de vous, mes amis, et moquez-vous si vous le pouvez, mais dites, n'est-ce pas là ce qu'on essayait de nous faire découvrir ?

— Et c'était quoi, ce qu'on essayait de nous faire découvrir ? voulut savoir Digger. L'enfer ? C'est à ça que tu penses ?

Et il songea à son père et à tous les dimanches qu'ensemble ils avaient passés le long de la ligne de chemin de fer. L'enfer... n'était-ce pas, tout simplement, le mot qu'ils avaient trouvé pour décrire tout ce qu'on pouvait imaginer de pire, pour dire le pire qui puisse jamais vous arriver ? Eh bien, oui : le pire arrive toujours, un point c'est tout. Et personne ne le mérite. Et ça, fiston, tu ferais mieux d'y croire tout de suite parce que tout ce que tu pourrais croire d'autre ne serait que folie. Non, nous ne méritons pas ça. Personne. Non, nous n'avons rien fait de mal, pas à ce point, même le pire d'entre nous, même pas l'espèce de vieux salaud que tu es, Douggy ! Il n'empêche que c'est ça qui nous est tombé dessus. La Thaïlande ? Un lieu parmi d'autres, et rien de plus. Et il est des gens qui y passent toute leur vie. Et les coolies, hein ? Pour eux, tout ça est normal parce qu'ils n'auront jamais rien d'autre. C'est pas qu'ils auraient commis des péchés, tu sais ? Il pleut beaucoup, y a pas à chercher plus loin. La jungle est épaisse comme un mur, tout pourrit, y a des bestioles qui vous collent leurs larves partout, y compris sous la peau si jamais on s'écorche, c'est comme ça. Il a jamais été dit qu'on devrait être ici, c'est vrai, mais on y est. Huit heures par jour avec la pause cigarette, la justice est un peu rude, mais c'est de la justice quand même. Je dis pas qu'y pourrait pas y avoir mieux, mais qui a jamais dit qu'on n'aurait que le meilleur ? Et puis, à qui se plaindre ?

— Mais je ne me plains pas, moi ! lui lança Doug.

— Tu devrais ! lui renvoya-t-il avec passion.

Le voir aussi humble — lui, Doug, pas un autre ! — le mettait en rogne.

Doug ne lui accordant qu'un demi-sourire, Digger comprit qu'il venait de s'empaler sur son propre raisonnement.

Mais le maintint. Bien obligé.

Il était si difficile de ne pas perdre la tête au milieu de tout ça ! Ce qu'ils vivaient tenait de la folie, mais devait, quand même... contenir un grain de raison, ce n'était pas possible autrement. Dans tous ces virages et retournements de situations, il ne pouvait pas ne pas y avoir une ligne droite qui les ramènerait à la vie. Et Digger était fermement décidé à s'y accrocher. Parfois même, il y parvenait.

Plus tard. A moitié endormi, il était assis dans sa propre puanteur et raclait le fond de son bol de bouillon avec une cuillère. Il avait matière à réfléchir et cette matière était nouvelle : en revenant du chantier, il avait marché sur une épine. La plaie allait s'infecter, s'ouvrir et s'ulcérer. Forcément. De quoi inquiéter n'importe qui.

Un autre détachement était en train de longer la voie. On entendait des bruits de pieds dans les feuilles, une rumeur nouvelle se répandait. « Le choléra. C'est des Tamouls et les Tamouls, ils ont le choléra. » Chuchotements infinis.

« Comme si le bol n'était pas déjà assez plein comme ça ! » songea-t-il en se servant d'une expression qui, ici, n'avait plus aucun sens.

Mais, plus que tout, c'était son pied qui l'inquiétait. Après s'être redressé dans le noir, il courait jusqu'aux latrines (jusqu'à des quatre ou cinq fois par heure), il les entendait passer : les Tamouls. Par milliers, au moins.

Car le choléra n'était pas simplement un malheur : c'était le pire des maux. Tous l'avaient vu à l'œuvre dans un camp qu'ils avaient traversé en montant jusqu'ici. On n'avait plus qu'une envie : filer au plus vite. Comme si le bol n'était déjà pas...

Dès que son pied touchait le sol, son esprit l'y suivait, gagnait l'endroit où l'épine lui était entrée dans les chairs et s'inquiétait, encore et encore.

On eût dit un œil, cette blessure, et cet œil voyait les choses à sa façon : l'obscurité le fascinait ; il n'aimait qu'elle. Digger s'allongeait-il pour essayer de dormir qu'il ne voyait plus que par lui : le chemin qu'il suivrait, la manière qu'il aurait d'entraîner le reste du bonhomme (pour ce qu'il en restait !) jusque dans les noirceurs de la chair tuméfiée, jusqu'à ce que ce fût son corps tout entier qui se mît à boire les ténèbres des lèvres mêmes de la bouche qui, là, s'était ouverte car cet œil était aussi une bouche et, bouche ou œil, la belle affaire ! tout avait faim d'autre chose que de chair, mais aussi de chair.

L'ennui, se dit-il, c'est qu'on ne vous apprend jamais rien de vraiment utile. Même pas dans les livres. Même pas dans les plus grands. Il faut toujours tout apprendre par soi-même, au fur et à mesure.

Bah ! Pour apprendre, il apprenait, comme tout le monde. Parfois, le maître était le ventre : oui, on peut vivre de pratiquement rien et quand même et encore se traîner de jour en jour. L'histoire des empires et ce qu'il en coûte de les construire, telle était la leçon du moment. Excellent élève, qu'il était ! Ah, les bonnes notes qu'il avait ! Mais voilà que c'était maintenant à son pied de lui enseigner des choses. Dieu sait quelles leçons il allait encore en tirer.

Déjà il se gonflait des sombres illuminations de l'ultime sagesse. Principes premiers. Chimie originelle. Un battement de sang après l'autre, en était inondé jusqu'en ses plus lointaines galaxies, aux confins extrêmes de son être. « C'est comme ça que tout commence, se disait-il, genèse. Ceci est la vérité et vite elle se répand, est piqûre d'aiguille au début, et lentement vous dévore, des chairs jusqu'aux os. Rien d'abstrait là-dedans. Il suffit de regarder pour voir, ça se ramasse à la cuillère chauffée à blanc. Plus de réalité à ça, personne n'en voudrait. »

11

Pour couronner le tout, ils leur firent passer le test de la tige de verre : avec environ quatre-vingts autres, Digger apprit qu'il avait le choléra. Expédié au pavillon de quarantaine, de l'autre côté de la cour, il découvrit un deuxième enfer au sein du premier. Il était là depuis toujours, mais Digger n'en avait même seulement jamais soupçonné l'existence. De nouveaux malades y étaient amenés tous les jours, deux ou trois d'entre eux, parfois plus, y mourant chaque nuit. Des types qui, à peine quelques heures plus tôt, étaient encore capables de chuchoter avec une langue et des lèvres de chair s'y transformaient soudain en momies toutes jaunes et desséchées, comme couchées là depuis des siècles. Des brindilles mortes leur tenaient lieu de doigts. Et leurs pieds étaient de bois. Seul le bracelet qu'il portait permettait de distinguer un cadavre d'un autre.

Un peu à l'écart du camp, dans une clairière, se dressaient les bûchers. Tous les jours il fallait brûler de nouveaux morts et, parce qu'il était encore relativement en forme, Digger le faisait. Le bois devait être coupé la veille. Les corps étaient transportés sur des sacs de riz tendus entre des perches en bambou.

A peine pénétrait-il dans la clairière que le sommeil le gagnait. Cela commençait au moment même où, quittant le sentier qu'empruntaient les détachements de travail, il s'engageait dans celui qui, s'en éloignant fortement, au bout d'une centaine de mètres s'enfonçait dans les ténèbres de la forêt. Hormis ceux qui les portaient, seuls les morts prenaient ce chemin. Pour entrer dans ce lieu il fallait déjà faire soi-même partie des morts, en esprit au moins — l'endroit l'exigeait. Vous gagnait alors une manière de sommeil, de torpeur spirituelle, même si vos membres fonctionnaient encore assez bien.

Ceci est l'antichambre de l'au-delà : voilà ce que disaient les ténèbres — elles étaient d'un bleu-gris qui jamais ne changeait —, l'humidité glaciale des lieux, le silence, l'absence de toute activité. Même les feuilles de bambou qui partout ailleurs ne cessaient de tomber ici ne tombaient pas.

D'où que l'on vînt, l'on ne pouvait alors se trouver plus loin de son point de départ, ni non plus faire montre de la moindre qualité humaine. L'endroit n'admettait pas qu'on fût homme, ne l'avait jamais admis depuis l'origine des temps. Originel, il était d'humidité végétale, où rien d'humain n'avait encore été conçu.

Bleuâtre, l'air y était tellement glacé que la buée toujours se portait à l'avant de celui qui respirait, comme si, en cet endroit, l'esprit avait plus de substance que la chair.

Les feuilles tombaient en bruine lente, de longs rubans de brouillard stagnant dans l'air à hauteur de visage. Autres buées.

La lenteur du sang était celle du lézard, disait la vie des reptiles. Se tenir debout et se laisser aller aux sensations humaines pouvait être fatal, aucun espace n'étant prévu pour ça. Se préserver signifiait sommeiller tel le reptile, permettre que l'esprit lentement s'abaissât vers la terre.

Il n'était pas question de cérémonies. Les mots qu'il y eût fallu vous seraient revenus aux lèvres, humides et glacés.

Rien de plus terrifiant donc que de voir, lorsque les bûches de teck ronflaient sous les flammes, les morts qui, au bout de vingt-quatre heures, n'étaient plus que brindilles desséchées, soudain se redresser et se mettre à gémir au cœur du brasier. Pareille résurrection et la chaleur qui montait des bûchers étaient trop. Alors on retrouvait ses jambes et on filait aussi vite que la respiration le permettait. Ça, on fuyait.

12

— Ecoute, mec ! lui soufflait Vic.

Qu'est-ce qu'il foutait là ?

— On m'a parlé d'un truc... y a un type qu'a essayé et y dit que ça marche... Hé, Digger ! Tu m'entends ? Allez ! Je t'aide à te redresser. Désolé, mec.

L'endroit bourdonnait de voix. Dans le toit en attap, là où la pluie ne cessait de dégoutter, des petites bêtes remuaient, lézards, souris, scorpions, cafards. Parfois l'une d'entre elles en dégringolait. Un cri montait aussitôt, le malade se griffant furieusement pour chasser l'insecte.

Les autres patients, lorsqu'ils avaient la force de se tenir debout, ne restaient jamais en place — du moins Digger en avait-il l'impression. Sans cesse ils trottaient jusqu'aux latrines, cinq, voire six fois par nuit pour certains, ou interminablement erraient entre les bat-flanc en se parlant violemment à eux-mêmes.

Des bestioles crissaient dans les plis de ses haillons, il les entendait. Elles se tapaient les unes dans les autres, là, dans les rainures du châlit. Soupirs, grognements, le hurlement d'un homme qui rêve, cauchemars.

Se lever ? Jamais plus il n'y parviendrait, on le lui avait assez dit. Pas sur ses deux jambes en tout cas ; sur une peut-être, et encore. Des légèretés plein la tête, lentement il descendait vers des lieux de clarté intérieure, avait décidé de s'abandonner, permettait à son corps d'en user à sa guise. C'était ce qu'il y avait de mieux à faire.

— Digger ? Allez, quoi !... Bon, et maintenant, je te lève, d'accord ? Ça va faire mal, je sais. J' te demande pardon ;

mais y a pas d'autre solution. T'as pas envie d'y laisser une patte, hein, dis ?

La voix était celle de Vic, mais le ton celui de sa mère. Il se demanda ce qui était arrivé à son compagnon pour qu'il pût ainsi l'imiter à la perfection, mais n'en fut pas autrement surpris. Cela faisait déjà longtemps qu'entre les choses les frontières avaient perdu de leur netteté.

— Digger ?

Quelqu'un le soulevait, l'emportait loin de ses clartés. Quand il rouvrit les yeux, il faisait nuit. La hutte de l'hôpital n'était qu'ombres humaines poussant contre la lumière extérieure.

— Mais qu'est-ce que tu fabriques ? gémit-il en sentant le bras que Vic avait passé sous le sien pour le soulever.

Il ne pesait plus rien, il le savait, mais fut tout étonné de voir que Vic n'arrivait quand même pas à ses fins.

— J' tiens pas sur mes jambes, dit-il.

Vic fit la sourde oreille. Il l'avait remis debout, lui avait fait décoller les pieds du sol. Digger l'entendait haleter, sentait son haleine. Fantomatiques, des malades erraient sans les voir.

— Où va-t-on ? s'enquit-il lorsque, après avoir traversé l'espace à découvert qui s'étendait devant les huttes, ils entrèrent dans le sous-bois.

Vic s'était pris à grogner et ne répondit pas.

— C'est le plus dur, dit-il enfin.

Ils s'étaient enfoncés dans les fourrés.

— Tu t'accroches, hein, Digger ? Hé, Dig !

Ils étaient arrivés sur une berge qui, pleine de boue, descendait en pente raide vers une eau étincelante où, çà et là, les ténèbres roulaient en tourbillons. Digger en contempla la vaste étendue. Le fleuve.

— Ecoute, lui disait Vic. Je vais t'allonger sur le dos, d'accord ? Y va falloir glisser vers le bas. Ça va faire mal, je sais. J' te demande pardon, mais y a pas d'autre solution. T'es prêt ?

Il n'avait pas la force de résister. Il sentit qu'on l'asseyait au bord de la berge, commença à glisser. Eut l'impression qu'on lui arrachait les os. Ils allaient se briser, c'était sûr ; il attendit le bruit qu'il n'avait que trop souvent entendu dans la hutte de l'hôpital, l'indicible craquement de la jambe qui casse, là-bas, dans le noir où quelqu'un s'est retourné. Seule lui vint la douleur. Il s'évanouit, se retrouva comme enchâssé dans une boue épaisse. Elle lui dégoulinait sur tout le corps. Puante, fut dans sa bouche, ses yeux. Heureusement, il n'était pas assez lourd pour qu'elle l'engloutît. Pas de paquetage, pas de brodequins, et il n'avait plus de chair. Son poids ne comptait plus. Il flottait, pataugeait dans une boue qui n'était que vases grisâtres encombrées de racines.

— Digger ! Hé, Digger ? Ça va ?

Vic — encore lui.

« Pour l'amour du ciel, se dit-il, il a donc pas d'autre prénom en tête ? Comme si j'étais le seul con à torturer ! »

— Bon, reprit Vic, on peut se reposer un peu, y a pas l' feu. Allez, Digger, repose-toi.

Vic avait le nez dans la boue. Ça puait le chiffon à effacer l'ardoise d'école communale. Il suait. « Y a pas l' feu », se dit-il.

Il se sentait partir, c'était gênant. Mais plus que tout, il y avait l'horreur de découvrir qu'une partie de ses chairs puait encore plus que la vase, sentait le cadavre. Dans les profondeurs de son corps, voilà, un cadavre était en train de grandir.

Il n'y avait pas le feu, mais il ne pouvait quand même pas attendre. Que cette mort le frôlât encore un peu et il deviendrait fou : la guérison était si proche ! Sauf qu'une fois de plus, Digger était incapable de bouger. Tout à l'heure.

« Je peux attendre, se dit-il à nouveau, y a pas l' feu. Les poissons attendront. Si seulement j'arrivais à sortir mon oreille de la boue (il leva la tête), je les entendrais. »

Les épinoches, voilà ce qu'il voulait dire, celles qui, en bancs tout au bord du fleuve, remuaient la queue, battaient des ouïes pour respirer, les reniflaient : de la viande. Il tendit une main en avant et toucha la surface de l'eau. Tout doucement elle fit une bosse sur ses doigts. Elle allait quelque part. Même à n'être que boues gluantes, elle le laverait.

— Hé, Digger ? dit-il.

Il se redressa lentement, colla son visage contre celui de Digger — Digger n'était que vase —, et, comme s'il pouvait, par la seule force de sa volonté, lui insuffler la vie par tout le corps, répéta :

— Ecoute, mec, je vais te relever, d'accord ? Hé, Digger ! Dig !

Digger roula la tête de côté, un rien. Il y avait des étoiles, là, des grosses, tout près et si brillantes qu'il en avait mal aux yeux. Elles étaient lourdes, il le savait bien. Etaient tonnes et tonnes de gaz et de minéraux en fusion, mais roulaient, filaient dans l'espace et pourtant jamais ne tombaient du firmament. Leur poids et la finesse de leur équilibre avaient de quoi encourager.

— D'accord ? Allez, on y va ! lança la voix. D'accord, mec ? J' vais te mettre debout. Et hop et là ! Debout !

Vic n'en revenait pas. Digger n'avait que la peau sur les os, mais pesait un poids énorme. Ce devait être la boue dont il était couvert. Non, se dit-il, c'est autre chose. C'est la mort qui l'habite, comme du plomb. Elle est si lourde en lui que je n'y arriverai peut-être pas. Il se raidit encore, la sueur ruisselant plus vite sur son corps.

— C'est bien, Digger, ça marche. On y est. On a réussi.

Il s'immobilisa, soutint Digger qui le soutenait. Il entendit la folle agitation qui régnait à la surface de l'eau, là où les étoiles l'effleuraient, là où déjà on les voyait pulluler.

— Vous en faites pas, les poissons ! lança-t-il.

C'était sa voix, il la reconnut, il devait avoir trois ans d'âge.

— On arrive, on arrive ! reprit-il. Y en a plus pour longtemps !

— Là ! dit la voix et, en le portant et tirant à moitié sous les étoiles (à quoi s'accrochaient-elles donc, hein ?), il lui fit faire quelques pas en avant.

C'était un fleuve. Digger en vit la surface étincelante, les bouillonnements charbonneux. « Qu'est-ce que c'est que ça ? se demanda-t-il. A quoi joue-t-il ? Comme si ça allait nous aider ! » Le mot qui lui vint à l'esprit — et, aussi loin qu'il remontât dans le temps, il n'avait pas souvenir de s'en être jamais servi — était « baptême ». Sauf que Vic ne faisait quand même jamais que le tirer en avant — un pas, puis un autre. Il sentit la chaleur du flot lui monter au-dessous des genoux. L'eau était animée. Il en sentait le vif.

— C'est quoi, ça ? s'enquit-il comme s'il était retombé en enfance. Qu'est-ce qui s' passe ?
— C'est les poissons, dit Vic. Te casse pas la tête, mec, y t' feront pas mal.
— Quoi ?
— Chut ! Leur fais pas peur... non ! C'est rien que des épinoches. Elles te feront pas mal.

Vic, lui aussi, en était tout émerveillé. Au début, il avait eu envie de vomir rien que d'y penser : se faire grappiller tout partout par des petites bouches goulues ! De fait pourtant, ça le calmait. Là-haut les étoiles, ô combien immobiles, et là, en bas, sous l'eau, dans ce qui semblait être du silence, mais s'y refusait, là, tout près, les mâchoires qui se disputaient leur juste part du festin. Et pour toute sensation on n'en avait, à cette distance, que celle d'un agréable contact ? Comme, sauvage pourtant, leur toucher était doux !
— Ça chatouille ! s'écria sottement Digger.
— Ben ouais, lui renvoya Vic en se mettant à rire à son tour, c'est rien que des épinoches.
Comme tout cela était bizarre ! Mais le bien que ça faisait !
— Encore une minute et c'est fini.
Il faudrait d'abord qu'elles leur aient sucé le sang.

Digger comprit enfin, mais pensa qu'il rêvait. En vagues claires entendit les poissons grouiller au bord de la berge où, debout, ils s'offraient.
Cela faisait déjà plusieurs jours qu'une odeur lui montait à la tête. Il savait ce que c'était. Elle disait sa déchéance, pas entièrement achevée, le début de l'agonie. Elle lui levait le cœur. Mais voilà qu'insensiblement elle perdait du terrain. Que, s'éloignant de lui, sa puanteur et tous ses écoulements à nouveau réintégraient le monde, filaient à des bouches vivantes, s'y refondaient en matière vive. Il sentait le menu fretin se ruer et cogner contre ses os. On se nourrissait de lui, sauvagement, goulûment lui arrachait les chairs pour mieux le rendre à sa pureté première.
Lorsque enfin revenu à son être, il regarda autour de lui, il se vit debout dans une eau huileuse qui lui montait jusqu'aux genoux ; au-dessus de sa tête les étoiles étaient si proches qu'il les entendait grincer aussi fort que les mâchoires qui le

mordaient, que tous ces poissons qui, d'argent sous la lumière des étoiles, sans cesse se battaient, autour de ses tibias fouettaient l'onde noire jusqu'à la frénésie.

— Et ça s'est vraiment passé comme ça ? demanda-t-il à Vic lorsque, épuisés, ils s'allongèrent sur la berge.

— Oui, ça s'est passé comme ça, lui répondit ce dernier, et c'est ça qui va nous sauver. Je te l'avais pas dit ? Si, si, ça marche !

13

Avec l'esprit de méthode qui le caractérisait, Digger faisait le décompte des jours. Vous eût-il importé de le savoir qu'il vous eût dit quel jour on était, et quel mois ; et combien de temps il restait jusqu'à Noël (combien de semaines et combien de jours), depuis combien de temps ils avaient quitté Changi, combien de jours et combien de nuits ils avaient mis pour arriver au camp, combien ils en avaient passé à travailler à la voie. Faire en sorte que l'ordre des jours ne disparût pas de sa vie ne le laissait pas indifférent. En plus d'échapper au pouvoir des Japs puisque c'était entre le soleil et soi que cela se jouait, sc mettre à jour du temps en des lieux où tant de choses leur avaient été arrachées, peut-être à jamais, était, à ses yeux, ultime territoire de liberté, ultime rappel aussi de ce qui, au pays, avait été essentiel à leur façon de vivre.

Ce n'était pas rien que de savoir se remettre à sa juste place dans le temps, que de toujours détenir cette parcelle de connaissance qu'il avait fallu tant et tant de siècles pour maîtriser correctement. Oui, il valait la peine de s'accrocher à cette chose qui toujours donnait forme à ce qui, sans elle, eût pu filer entre les doigts.

Or donc, tel le moine, et Doug s'en moquait assez, Digger était quelqu'un sur qui l'on pouvait compter dès qu'il y avait un problème de dates et qu'on voulait y trouver réponse dans l'instant.

La reddition ? Elle était survenue le dimanche 15 février 1942. Peu après — on entrait dans la troisième semaine du mois d'avril —, ils avaient quitté Changi pour gagner le « Vaste Monde », où Mac avait péri le 7 juin. (Dans son calendrier personnel, cette date était fondamentale ; il n'en parlait pas, mais, à trois reprises déjà, en avait observé l'anniversaire.) En octobre — le 4, pour être exact —, ils étaient retournés à Changi et, le 22 avril de l'année suivante, soit : en 1943, avaient entamé le grand périple qui les avait conduits en Thaïlande : cinq jours et cinq nuits de train, entassés dans des wagons à bestiaux, plus toute une série de marches de nuit dans la jungle, vingt au total, qui les avait vus traverser des camps où sévissait le choléra. Entre ce moment-là et la date où, redescendant la ligne, ils étaient à nouveau entrés en Malaisie, cent quatre-vingt-neuf jours s'étaient écoulés. Plus dix-huit mois depuis lors. Pile.

Grands et petits, d'autres événements s'étaient produits dans le monde. Dont, pour l'essentiel, ils ne savaient rien, les dates qu'avait retenues Digger et, Changi, le Vaste Monde, la Thaïlande, Changi retour, les périodes qu'elles délimitaient ne disant que leur guerre à eux. Cela faisait déjà trois ans et demi qu'ils étaient prisonniers.

Digger ne savait que trop l'insignifiance de ses mesures. Les jours n'étaient pas égaux. Ni les heures. Ni même les minutes.

Etait-il, par exemple, vraiment convenable de faire tenir, et que ce fût juste, la minute et demie d'entrepôt pendant laquelle Mac avait trouvé la mort dans un système où il en fallait soixante pour obtenir une heure et vingt-quatre de ces dernières pour rendre compte d'une seule révolution de la Terre ? Dans la mémoire du corps, certains des jours qu'ils avaient passés à travailler à la voie — « à toute allule » — étaient devenus des siècles, s'étaient étirés en une agonie dont aucun système n'eût pu donner la mesure. Toutes choses qu'il savait parfaitement.

Leur histoire s'était déroulée dans un temps qui ne disait que lui-même. Elle n'en devait pas moins s'insérer dans celui que reconnaissait le reste du monde — sans quoi l'on n'eût plus eu la moindre idée de l'endroit où l'on se trouvait une fois sorti de sa nervosité. A ceci près que ces deux temps ne correspondaient pas. N'y parviendraient jamais, Digger le savait aussi bien que quiconque. Mais user de l'un et de l'autre, on le faisait, et on s'en débrouillait au mieux.

Bref, trois ans et demi pile s'étaient écoulés, calendrier en main. On était en août 1945.

14

Tout indiquait que l'affaire tirait à sa fin, était, qui sait ? peut-être déjà terminée, depuis plusieurs jours ? quelques semaines ? Etaient-ils même déjà libres ? Certains le disaient. A supposer que cela fût vrai, leurs montres n'auraient plus été à l'heure. Les nouvelles n'étaient pas claires, mais il s'était passé quelque chose. Ça se sentait.

Depuis six mois maintenant, ils travaillaient à une série de tunnels que les Japs avaient décidé de creuser à travers la péninsule de Johore Baahru afin de se protéger en cas d'invasion. Vic se trouvait dans l'équipe de Digger, Doug en ayant lui aussi fait partie jusqu'au jour où, pris dans un éboulement, il avait perdu un bras. Ils trouaient le flanc d'une colline avec des pioches et des pelles pour seuls outils, étayant les parois des galeries au fur et à mesure qu'ils avançaient ; mais, la terre étant saturée d'eau, il y avait beaucoup d'accidents et, sous les voûtes, l'air était tellement nauséabond et la chaleur si formidable qu'ils suffoquaient au bout de quelques minutes. Qu'une galerie vînt à s'effondrer et dans l'instant ils en ouvraient une autre un peu plus loin. Et voilà que la rumeur disait que tout était fini ?

Certains déclaraient que, non, ce n'était pas possible. Que ça ne prendrait jamais fin. Que si jamais ça arrivait, les Japs auraient ordre de les abattre : ils en savaient trop sur ce qui s'était passé. Ils les pousseraient dans les tunnels et les y emmureraient ou les passeraient à la mitrailleuse. Pure folie, leur rétorquait Digger : comment auraient-ils pu tenir si longtemps, avoir, par exemple, supporté tout ce qu'on leur avait infligé pendant cent quatre-vingt-neuf jours pour, à la fin du compte, accepter de se faire tirer comme des lapins ?

C'est qu'il en avait l'habitude, de toutes ces folles spéculations qui se répandaient parmi eux : cela faisait des années qu'on en vivait. Comme l'histoire de la grande bataille navale qui les avait tellement excités juste après leur arrivée en Thaïlande : elle aurait fait rage pendant des jours et des jours, les pertes auraient été terrifiantes, l'armistice n'aurait plus été loin. Sur la côte nord de l'Australie occidentale qu'elle se serait déroulée, près de Broome ; toute la marine japonaise y aurait sombré. Sauf que rien de tel n'avait dû se produire, ou alors seulement dans la tête de quelques-uns, car à partir d'un moment donné on n'avait plus jamais entendu parler de rien.

Sydney avait été rasée par les bombes incendiaires. Les Japs campant à Coff's Harbour, Menzies, alias Monsieur Ferraille, s'était envolé pour Manille afin d'y demander la paix. Ça aussi, on en avait beaucoup parlé. Et qu'en était-il advenu ?

Les Japs avaient installé un gouvernement fantoche à Townsville. Avec Artie Fadden à sa tête. Artie Fadden !

Les Russes étaient entrés en Mandchourie. Les Ricains avaient envahi le Japon en passant par la Chine. Ils étaient déjà dans les faubourgs de Tokyo. Tout n'était plus qu'une question de jours — une quinzaine au maximum.

Cette guerre fantôme, aux victoires et aux défaites de laquelle ils s'étaient si fort accrochés parce qu'il en allait de leur existence même, resterait, par certains côtés, toujours plus vivace dans leur mémoire que la vraie lorsque enfin ils la découvriraient ; ou bien alors ils continueraient de mélanger les deux et ne sauraient jamais trop de laquelle ils parleraient.

Comme il était étrange d'avoir ainsi survécu, ou succombé, dans une histoire qui, de fait, n'avait jamais eu cours ; survécu, comme certains, parce que la chute de Yokohama, à la Noël 1943, leur avait redonné un peu espoir, succombé à la dépression, comme d'autres, lorsque, quelques semaines plus tard, Churchill avait été assassiné et que la Nouvelle-Zélande s'était rendue — le même jour exactement.

A d'autres moments, le hasard, un fait appartenant à une série d'événements complètement différents les laissait brusquement sur le cul. Que pouvaient donc bien faire les Japonais en Nouvelle-Guinée si les Américains étaient déjà partout dans les Iles ?

On vivait de rumeurs et, plutôt deux fois qu'une, la rumeur sortait tout droit du crâne d'un dormeur. Or donc, que croire ?

La dernière histoire en vogue ? Celle qui disait que tout était déjà fini ? Mieux valait la prendre avec des pincettes — voilà ce que Digger en pensait. Se remonter le moral avec, oui, si besoin en était, mais surtout ne rien miser dessus.

Il n'empêche : ils en étaient tous affectés, à des degrés divers.

Certains qui, malnutrition ou béribéri, n'avaient pas lâché jusque-là, tout d'un coup renonçaient et mouraient, comme ça. C'était souvent qu'une bonne nouvelle vous achevait son homme.

D'autres semblaient frappés de stupeur. L'idée de rentrer au pays terrifiait. On ne voyait vraiment pas comment on allait jamais arriver à s'y faire. Comment on pourrait remarcher dans les rues et faire semblant d'être normal, regarder à nouveau les femmes dans les yeux après tout ce qu'on avait fait et dit, remonter dans des tramways, se rasseoir à une table couverte d'une nappe blanche et, en surveillant ses mains, commencer à manger lentement, tout simplement. Car c'étaient les petites choses qui terrorisaient. Les grandes, on pouvait toujours s'y cacher. Les petites sentaient la trahison.

Vic, lui, comptait au nombre des sceptiques. Plus la rumeur l'assaillait, plus il lui refusait la moindre vérité.

« Ils se racontent des craques, confiait-il à Digger, c'est tous des couillons », et ne manquait pas de véhémence en le disant.

L'optimisme de certains le rendait fou.

« C'est pas la première fois qu'on en parle. Ça ne finira jamais. Pas comme ça en tout cas. Ça peut pas se terminer. »

La vérité était autre : il ne veut pas que ça arrive, songeait Digger. C'était un compliqué, ce mec. Il n'y avait jamais moyen de savoir de quel côté il allait pencher. Il ne le savait d'ailleurs jamais trop lui-même.

Maintenant qu'ils avaient moins besoin l'un de l'autre, ils commençaient à s'écarter. Digger haussait les épaules. « Bah, si c'est ça qu'y veut. »

Vic évitait aussi Doug, et tous ses anciens camarades. Devint grognon, se retira en lui-même.

« C'est un salaud. J' l'ai senti tout de suite », raisonnait Digger, mais il n'en était pas moins blessé. Il lui devait beaucoup, à ce type. Sa vie peut-être même. Une jambe, certainement. C'étaient là des choses qu'il ne pouvait pas oublier facilement. Il y avait eu des moments où, là-haut, ils avaient découvert tout ce qu'ils avaient à savoir l'un de l'autre, des choses comme jamais on n'en apprenait ou n'était obligé d'en apprendre sur quiconque dans le cours d'une existence ordinaire. Et ça voulait dire quelque chose, ça. Sauf qu'ici, aux abords mêmes de la normalité, on ne pouvait même pas y faire allusion.

« Il a honte, se disait Digger. Il n'a pas envie de se connaître. »

Ce qui l'étonnait le plus ? Que Vic parût plus près de craquer maintenant qu'aux pires moments de la période thaïlandaise.

Ce qui, de fait, inquiétait Vic était le temps. En s'ouvrant enfin, l'avenir ne ferait jamais que le ramener à l'existence qu'il avait quittée quatre ans plus tôt.

A condition de pouvoir se raccrocher à une vision du monde où le temps n'était que moments, que jours qui s'annulent dans leur renouvellement même, tant que, pour finir, le temps n'était qu'entassement d'instants sans suite, il pouvait se regarder en face et tenir. Vivre, pour lui, était affaire de verticalités, où il convenait surtout d'être neuf et debout à chaque instant : pourvu qu'on fût assez fort et qu'on eût un peu de chance, on pouvait toujours passer au suivant. On ne faisait jamais que bondir de moment en moment. Sauf qu'il allait bientôt falloir en revenir à l'idée d'un moi continu qui, enraciné dans le passé, encore une fois aurait des ramifications dans l'avenir. C'était ça qui lui faisait peur — le besoin de se porter vers un ordinaire qui redevenait vision du monde et l'obligation d'y projeter une existence entière alors même qu'il avait fallu en supprimer jusqu'à l'image pour rester tout bêtement en vie.

Il avait vingt-deux ans, tout juste. Des années, il en aurait encore beaucoup à vivre si le songe qui lui était venu là-haut n'avait pas menti — et son corps lui disait que non.

Il s'en était mieux sorti que d'autres : Digger y avait laissé toutes ses dents et Doug, un bras. Pour avoir l'air entier, Vic n'en éprouvait pas moins le sentiment d'avoir tout perdu.

Cela faisait plus de deux ans qu'il était sans nouvelles des Warrender. Ils lui avaient beaucoup écrit au début, Pa au moins, et toujours les filles, ou Ma, se débrouillaient pour ajouter un mot à la lettre. Après, en Thaïlande, il n'y avait plus eu de courrier. De retour en Malaisie, il n'avait plus rien reçu de ses parents adoptifs.

Pour avoir passé plusieurs années chez les Warrender, jamais il ne leur avait parlé de la vie qu'il avait menée avant. Rien sur ses parents, pas un mot sur le monde qu'il avait connu sur la côte. Il avait tout enterré, tout gardé en lui-même.

Bien sûr, Pa en avait découvert des bouts. Mais, c'est vrai, et ce n'était pas le moins étonnant, Pa avait connu son père. Qu'avait-il vu en lui ? Vic n'en avait pas la moindre idée. Comprenant d'instinct ce que peut-être il en pensait et s'en tenant à son code d'honneur, Pa n'y avait jamais fait allusion devant lui. De telle sorte qu'il avait gardé tout cela, l'avait enfermé au plus secret de lui-même comme il l'eût pu faire de quelque chose dont il n'eût voulu s'ouvrir ou rien laisser voir à personne.

Et de ça non plus, il ne parlerait pas une fois que ça serait terminé puisque, on l'affirmait, il était à peu près certain que ce le serait bientôt. Il l'enfouirait au plus profond de lui-même, y ferait face en privé, nierait même, si jamais on l'interrogeait, avoir jamais rien vécu de pareil. « Non, mec, dirait-il, pas moi. »

Voilà comment il en irait pour lui, forcément. Etrange ? Serait-ce donc vraiment si étrange ? Alors que c'est comme ça que je suis ?

Peut-être même ne rentrerait-il pas au pays — il commençait à y songer. Il avait beaucoup trop changé. Il ne voulait pas qu'ils voient (surtout pas eux) ce qu'on lui avait fait : pour le découvrir constamment chez les autres, il ne savait que trop ce que c'était. Plutôt mourir que d'être obligé de se voir avec leurs yeux. Ceux de Lucille, surtout.

Il éprouvait (et n'y pouvait rien) beaucoup de mépris pour ce qu'il était devenu : blessée, sa fierté n'avait plus d'autre refuge. Voir ses camarades lui donnait envie de vomir. Ces cous tout en veines et cartilages, ces démarches vacillantes (on eût dit des vieillards qui, après la fermeture des bars, rentrent chez eux avec, sous le bras, une bouteille de mauvaise bibine enveloppée dans un sac en papier brun), ces sornettes pleines d'espoir dans lesquelles ils se lançaient, ces rumeurs, ces projets d'avenir (élever de la volaille, voilà ce qu'ils feraient dès qu'ils seraient de retour au pays, oui, tous !), mais surtout l'odeur (de sueur, de merde et de vomissures verdâtres) dont ils étaient imprégnés, ce que quatre ans d'esclavage leur avait fait, la puanteur de l'esprit qui pourrit... Comme si cela ne marquait pas à jamais ! Comme s'il y aurait jamais moyen de s'en débarrasser !

Mais l'heure approchant et la rumeur s'amplifiant, voire serrant, peut-être, la vérité de plus près, de vieux besoins commencèrent à refaire surface pour la seule et unique raison qu'on allait à nouveau être en mesure de les satisfaire ; il en tremblait. Car avec eux, et contre son gré, revenaient les visions et celles-ci étaient, à de certains moments, tellement réelles que son corps en était envahi de bouffées de chaleurs. Alors, ses désirs étaient si lascifs, ses besoins si crus, ses bonheurs si intenses et les vides, qui, tout de suite après, l'étranglaient, si forts et si soudains qu'il pensait en mourir. Etait-ce donc à cela que ça allait ressembler ?

Sans compter qu'elles lui venaient quand elles en avaient envie, ces visions, sans ordre particulier ; lui montraient un pied en socquette, une épingle à cheveux, une bretelle déboutonnée. Tels étaient les charmes auxquels il succombait (oui, son corps était sorcier, à sa manière) ou les symptômes de sa folie — au moins le pensait-il. Leur force n'en demeurait pas moins insurmontable. Alors son sang courait et brûlait, alors c'était à peine s'il osait fermer les yeux. Son esprit, à moins que ce ne fût son corps, était source intarissable de visions, d'actes et d'objets de pensée qu'il avait chassés dans les ténèbres, mais qui, maintenant, reparaissaient et exigeaient qu'il les reliât ensemble. Etait-ce folie ou processus de guérison affleurant des profondeurs ? Dans l'un comme dans l'autre cas, il en était à l'agonie.

Une image surtout ne cessait de lui revenir, encore et

encore, telle une manière de rêve éveillé. Il y voyait la maison de Strathfield, le couloir qui partait de la porte d'entrée, ses hauts plafonds et les carreaux bleus et blancs qui recouvraient l'allée.

Elle baignait dans les lumières du soleil couchant — sauf que ce n'était pas possible, sa raison le lui disait : la maison était orientée plein sud. Il n'empêche : elle était bien là et c'était là qu'il se trouvait.

L'embrasement diminuait et son cœur, qui semblait en être la source véritable, reprenant peu à peu son rythme (il avait flotté dans sa poitrine, mais retrouvait peu à peu sa place, là, tout contre ses côtes), il s'apercevait que Lucille était devant lui, qu'elle venait de gravir la deuxième marche du perron.

Quelque chose avait attiré l'attention de la jeune fille. Elle regardait dans sa direction, une petite ride d'étonnement se marquait sur son front : il y avait quelqu'un devant elle, elle le savait, mais était trop aveuglée par cette lumière inhabituelle pour voir qui c'était. Il savait qu'il ne pouvait pas l'appeler, mais son cœur battait si fort qu'il se disait qu'elle devait l'entendre.

Au bout d'un moment, toujours aussi interdite, elle se détournait et se remettait à monter les marches. Il restait seul. Mais était calme, aussi plein de bonheur que si on lui avait donné quelque assurance.

Il n'en était rien, évidemment, tout ce qui lui restait de raison et de lucidité le lui montrait assez. Mais alors, que faisait-il ?

N'importe : l'image, ou le rêve, ou autre, en lui gardait toute sa chaleur, ne cessait de lui revenir.

15

Lavé et peigné de frais comme il l'était, habillé d'une chemise et d'un short propres et chaussé de brodequins neufs, Vic avait le vertige : pouvoir aller où bon lui semblait, emprunter cette ruelle-ci plutôt que cette ruelle-là, errer à n'en plus finir dans la ville libérée. Tout le monde était sorti, s'était éparpillé comme nuée d'enfants qui, lâchés dans une foire, ne savent pas par quel manège commencer.

Parti seul, il se trouvait dans une partie de Singapour qu'il ne connaissait pas, le long d'un canal qui puait. C'est vrai aussi qu'il ne la connaissait pas, cette ville, enfin... pas vraiment. Il n'avait jamais eu l'occasion de l'explorer.

L'endroit était vil, tout en murs à la peinture écaillée, en fumées charbonneuses qui montaient d'anciens bidons de kérosène, en allées de terre envahies de fruits écrasés, de crottes de chiens, de cendres et de crachats sanguinolents, on l'eût bien dit. Il y était arrivé en cherchant Dieu sait trop quoi. Tout et rien. Ce n'était pas un endroit où il avait eu l'intention de se rendre.

Des bicyclettes passaient par troupeaux entiers, on sonnait à qui mieux mieux. Des enfants à demi nus étaient assis à même le sol. Sur des caissettes de beurre retournées ou des tables basses recouvertes d'une toile cirée, des marchands avaient étalé devant eux les quelques objets — ils étaient de toutes sortes — qu'ils avaient à vendre. Soudain il s'arrêta et regarda droit devant lui d'un air idiot.

Ce qui lui avait tiré l'œil ? Une pyramide de six bobines de coton empilées sur un plateau, à côté d'un paquet d'aiguilles. Poussiéreuses et pleines de crasse, les bobines étaient bleues, vert vomi et blanches. Il n'y avait rien d'autre sur le plateau.

La vieille femme qui se tenait accroupie derrière son étal leva les yeux sur lui. Elle avait les traits empâtés et semblait heureuse d'avoir attiré son attention. Elle s'apprêtait à le héler lorsque l'air qu'il avait pris, ou alors sa carrure menaçante... sur ses gardes, elle tendit la main vers la bobine qui trônait au sommet de la pyramide. Pour la sauver et, sans se relever, le dévisagea.

Il était en colère. Fou à lier ? Au bord des larmes.

Dans la poche gauche de son short neuf se trouvait encore son bout de fil, celui qu'il gardait depuis le début. Ses doigts y allèrent tout de suite. Il ne l'avait pas jeté — on ne sait jamais. A ses yeux, l'objet avait une valeur inestimable et voilà que, dans ce trou immonde, une vieille mégère chinoise en avait six bobines empilées sur un petit plateau de rien du tout ? Six bobines bien renflées et que, derrière, sur quelque étagère d'arrière-boutique, elle en avait sans doute encore de pleins cartons ? Son bout de fil était aussi commun que cailloux sur le chemin. Brusquement il comprit jusqu'à quel point tout ce qu'il avait vécu n'était rien.

La main de la vieille femme — elle était aussi jaune et ridée qu'une patte de canard — déjà s'était refermée sur la bobine, au cas où le grand soldat fou aurait eu l'idée de lui renverser son plateau d'un grand coup de botte : c'était comme ça qu'ils étaient, tous ces blonds. Mais non : au lieu de cela, il poussa un cri de rage. Jeta quelque chose qu'il avait dans la poche et s'enfuit en courant.

Elle le regarda partir, la main toujours serrée sur son bien. Puis elle se pencha par-dessus son plateau pour voir de quoi il s'agissait : un bout de fil tout sale. Rien, quoi.

Mais voilà que, quelques instants plus tard, il fit demi-tour. Que son regard fou de nouveau posé sur elle, il se baissa, ramassa son bout de coton d'un coup sec, comme si, peut-être, elle allait le lui voler. S'en alla.

IV

1

Dans la rue Darlinghurst, lorsque la nuit était chaude, Digger trouvait ce qu'il avait toujours cherché : un endroit bondé de monde et dont l'atmosphère lui rappelait celle d'une foire où, jour après jour, il n'eût pas été obligé de monter et démonter sa baraque. D'une foire qui, installée en permanence, fût tout simplement devenue un quartier comme un autre.

La Croix n'était pas un lieu des plus reposants. Violent, parfois même sordide, il l'enchantait pourtant tout aussi fort que Mac le lui avait dit.

Des filles, certaines complètement édentées et proches de la soixantaine, y travaillaient dans de méchantes petites chambres perchées en haut d'escaliers qui sentaient le gras de bacon ou le désinfectant qui prend à la gorge. Les pubs attiraient le sang.

Souvent des types s'en faisaient éjecter et, sitôt sur le trottoir, commençaient à se battre, les passants s'écartant pour éviter les coups ou compter les points tels des arbitres de touche.

Il n'était pas rare que les combattants fussent des marins ; les trois quarts du temps cependant, ce n'étaient que de jeunes voyous qui, à peine descendus de leurs motos vrombissantes, cherchaient la bagarre qui assiérait à jamais leur réputation et leur permettrait de voir jusqu'à quel point ils étaient vraiment des petits durs.

Vêtus de blousons d'aviateur achetés d'occasion, ils

avaient les cheveux ramenés en arrière, à la Cornel Wilde [1], et voulaient que ça saigne.

Le vendredi soir, ils déambulaient dans la foule les coudes écartés, pour qu'on les défie, et, débordants d'une sauvagerie qui sentait sa semaine de travail et de frustrations contenues, n'étaient jamais aussi contents que lorsque le type qu'ils étaient en train de rosser finissait par s'étaler dans le caniveau, que lorsque ses côtes se brisaient — « Ça y est ! s'écriaient-ils, ah ! le beau bruit ! » —, ou qu'eux-mêmes jetés à terre, ils se prenaient la tête dans les mains, y entendaient des bruits inconnus (et qui, peut-être, ne les quitteraient plus) et découvraient qu'ils avaient les poings couverts de sang.

De temps en temps, la victime était une femme : sac à main serré contre la poitrine, lèvres ensanglantées, un bras retourné en arrière, cassé, comme une aile. Debout devant elle, le bonhomme qui l'avait assommée lui gueulait à la figure, l'abreuvait d'obscénités, mais parfois aussi pleurait, ou essayait de se justifier. La paix était revenue.

Entre ces épisodes de pure brutalité, les garçons de course avaient le temps de faire leurs livraisons et les vieux ou, un sac à la main et un enfant récalcitrant accroché à leurs basques, les femmes, de vaquer à leurs occupations quotidiennes. Des dames sur leur trente et un promenaient leurs carlins. En suçant des sorbets, des gamins se traînaient jusqu'à l'école, en revenaient. Des types plus âgés cuvaient leur cuite allongés sur des bancs ou, les manches de chemise retroussées jusqu'au coude, faisaient les poubelles.

Il y avait des cafés avec de faux gâteaux à la crème en vitrine (on y servait des petits déjeuners à la continentale [2]), il y en avait d'autres, en sous-sol et nettement plus sombres, où, on le disait, se déroulaient des cultes sataniques. Passablement audacieuses, les fresques qui ornaient les murs de ces derniers donnaient une idée assez claire de ce qui pouvait s'y pratiquer : ici une femme étranglait entre ses jambes un mâle aux allures douteuses et aux oreilles doublées d'une paire de cornes, là, une autre s'accouplait avec un gigantesque matou.

Et encore il y avait les milk-bars, tout en chromes et glaces

1. Star du cinéma américain qui joua le rôle de Chopin dans *A Song to Remember*, 1941, et déclencha la mode des cheveux longs outre-Atlantique. (NdT.)

2. Soit avec des croissants ou des tartines, comme en Europe. (NdT.)

en forme d'éventails, les bouis-bouis à spaghettis devant les comptoirs desquels des hommes d'affaires faisaient la queue à midi, les salons de coiffure, certains équipés d'une douzaine de fauteuils, dont deux ou trois invariablement occupés par un monsieur aux joues couvertes de mousse ; rasoir à la main, un barbier le haranguait ; au fond de la salle, ses collègues jouaient des ciseaux, bavardaient ou tendaient une glace à leur client afin qu'il pût s'y regarder la nuque ; sur le pas de la porte, un jeune apprenti paressait appuyé sur son balai.

Les salons de coiffure, les salles de billard et les pubs aux coins sombres : tels étaient les endroits où, secondés par des coursiers et une « lente » (pour surveiller les flics), les bookmakers tenaient illégalement boutique hors du champ de courses. Ici, c'est vrai, tout le monde avait quelque chose à vendre : de l'essence, des trucs sans ticket tombés d'un camion qui passait, des bas en nylon, des voitures d'occasion (d'avant-guerre, bien sûr), des filles.

Vers cinq heures de l'après-midi, les vendeurs de journaux hurlant leurs manchettes et courant, pieds nus, jusqu'aux portières des voitures, des ouvriers encore en salopette rentraient lentement chez eux, un *Mirror* sous le bras : on y allait doucement, en grignotant une reinette ou une granny-smith ; on regagnait sa piaule à la pension, ou s'apprêtait à grimper trois étages pour retrouver la fille qui ferait cuire les saucisses dans la cuisine du deux-pièces, avec la crise du logement, on n'avait pas trouvé mieux.

C'était l'heure de pointe, juste avant la fermeture des magasins. Les marins commençaient à se répandre dans les rues — leurs bateaux avaient jeté l'ancre à Woolloomooloo —, dans leur sillage entraînaient des jeunes qui, récemment démobilisés, portaient des costumes qu'on repérait à un mile (Digger en avait un). On les leur avait donnés dans la Rue aux Civils pour qu'ils se remettent à la vie de tous les jours, mais, les cheveux encore en brosse, comme à l'armée, ils ne faisaient que regarder droit devant eux avec de grands yeux tout à la fois perdus et pleins d'espoir : maintenant qu'ils étaient libres de porter leur pas où bon leur semblait, ils attendaient que l'existence leur montrât où aller.

Digger les évitait. Leur compagnie le déprimait. Il savait leur histoire. Ce n'était jamais que la sienne : celle de tous les libérés qui, pour une raison ou pour une autre, n'étaient pas rentrés chez eux — ou, après l'avoir fait, s'étaient empressés de repartir, parfois dès le premier jour. Toujours en bandes, ils se lamentaient sur leur sort et passaient leur temps à contempler un spectacle dont ils ne faisaient pas partie, pas encore, à attendre, en se demandant s'ils arriveraient jamais à s'y joindre.

Digger éprouvait les mêmes sentiments qu'eux — parfois. Lui non plus, il n'était pas rentré au pays, mais ce n'était pas parce qu'il aurait eu peur de ce qui, peut-être, l'y attendait. Il repoussait à demain, un point c'est tout ; s'amusait et, en s'amusant, se remettait dans le droit fil des choses. Dehors, les rues donnaient l'impression d'avoir été balayées pour un jour nouveau. On s'y sentait sans cravate, les manches de chemise relevées. Perchées sur leurs hauts talons, les filles savaient marcher d'un pas élastique, balançaient des sacs à main bourrés de tout ce que le monde pouvait leur offrir, de ce dernier avaient envie de tirer tout ce qu'il était possible de tirer. « Moi aussi ! se disait-il. La guerre est finie et nous l'avons gagnée ! » Sauf que ce n'était pas tout à fait vrai.

« Nous ne l'avons pas gagnée, parce que ce n'est pas la guerre que nous avons menée. Nous avons fait tout autre chose. Il n'y en a plus que pour la victoire. Des triomphes, voilà ce que l'on veut. Personne n'a envie de s'intéresser à nous. »

Certains en était pleins d'amertume, et pas seulement pour eux-mêmes. Digger partageait leurs sentiments, mais refusait d'y céder.

Il écrivait à sa mère presque toutes les semaines, elle lui répondait sans fioritures, sèchement. Son père se trouvait au Japon, où il jouait les héros de l'armée d'occupation. Jenny avait filé on ne savait trop où. Oui, il rentrerait, la rassurait-il, elle le savait bien. Mais une semaine après l'autre il repoussait, ébloui qu'il était encore par tout ce qui se passait autour de lui, par tout ce qu'il voyait, par tout ce qu'on lui confiait. Qu'il rentre et le piège se refermerait aussitôt sur lui. Et, pour un petit moment encore, il avait envie qu'on lui fiche la paix.

Les gens avaient confiance en lui. Il ne savait pas pourquoi.

Quelqu'un qu'il connaissait à peine — s'était-on même

parlé plus de deux fois ? — soudain lui glissait une enveloppe dans la main et lui disait :

— Tiens, mec, tu me gardes ça, d'accord ? T'inquiète pas, je te retrouverai. La semaine prochaine ou dans quinze jours. Quelque part. Tu la mets sous ton oreiller, c'est tout, vu ?

Il planquait l'objet derrière la glace de la petite chambre qu'il louait au Pomeroy et oubliait l'affaire. Une semaine plus tard, l'inconnu le retrouvait dans un pub, plaisantait un instant, puis, l'air dégagé, lui demandait :

— Comment se porte mon coffre-fort ?... L'enveloppe... tu sais, celle que je t'ai donnée... tu l'as encore ?

Et, son trésor une fois rangé dans sa poche, lui glissait un billet de vingt livres.

— Merci, mec. J' te revaux la pareille dès que tu me le demandes.

Dans quoi avait-il trempé ? Il ne cherchait pas à le savoir. C'était pour ça qu'on lui faisait confiance.

Ayant entendu dire qu'on savait se tenir et se servir de ses poings, quelqu'un le mit en contact avec le propriétaire d'un club privé. Digger y fit le videur, à raison de trente livres par semaine. Le travail commençait à sept heures du soir et finissait à cinq heures du matin. L'établissement servait du whisky de contrebande et comprenait une arrière-salle où l'on jouait au poker et au black jack. Le club une fois fermé, Digger passait le balai, allait prendre un thé dans un bar qui restait ouvert toute la nuit et dans les fraîcheurs du petit matin rentrait chez lui à pied.

Comme il aimait son quartier à cette heure ! Les Grecs installaient leurs étals de fruits, de leurs oranges et de leurs pommes faisaient de luisantes pyramides. Des marchands en short déchargeaient des fleurs fraîchement coupées et, après les avoir arrangées dans des seaux posés sur le trottoir, les arrosaient avec une boîte de conserve pour les protéger de la chaleur qui montait. Il achetait un journal et parcourait les nouvelles du matin.

— T'as pas de meilleur endroit où aller ? Tu vas pas me dire que ça te plaît de traîner par ici !

Couvert de taches de rousseur, l'homme qui venait de lui prodiguer ce conseil était un flic à l'épaisse carrure. Cheveux noirs, raides et coupés court. La trentaine, un peu trop bien habillé, mais le manteau était beau — feutre gris —, et des yeux qui lui avaient plu tout de suite : bleus et qui le regardaient sans trembler. Lui donner pareils conseils, il le pouvait parce qu'il le faisait toujours sans lourdeur. Cela tenait presque de la plaisanterie. Il s'appelait Frank McGowan.

Digger l'ayant rencontré à plusieurs reprises, ils s'étaient mis à parler. Il ne lui déplaisait pas de prendre un verre avec lui, même s'il savait qu'à le faire il enfreignait le code de son milieu.

« Je t'ai vu t'envoyer un godet avec ce chien de McGowan, lui faisait remarquer untel. Tu sais ce qu'y fout, non ? »

S'ensuivait un instant de silence.

« C'est un salaud, reprenait-on. Et pourri jusqu'à la moelle, t'as qu'à demander ! Les paris clandestins, que j' te dis : y sont tous dans l' coup ! »

Digger écoutait, mais ne répondait pas. Toutes ces histoires qu'on se racontait ! Les camps étaient nettement délimités, mais les alliances plus que subtiles : la Croix était un village. Un meurtre s'y produisait-il ? Le corps avait à peine le temps de disparaître du trottoir que déjà on en parlait dans tous les bars et salons de coiffure du voisinage. McGowan faisait partie de la Mondaine. Il n'en fallait pas plus. Digger était parfois gêné par l'intérêt que le policier lui portait, mais ne lui prêtait pas de mauvaises intentions. A quoi aurait-il donc pu lui servir ?

« Alors, disait McGowan chaque fois qu'ils se retrouvaient, toujours dans les parages ? Et si tu te faisais rare, hein ? »

Un jour qu'ils étaient d'humeur plus sombre, ils s'étaient assis pour bavarder tranquillement et McGowan lui avait dit :

— Je ne te comprends pas, Digger, un type comme toi ! Qu'est-ce que tu fous à traîner avec tous ces déchets ?

Le doute dans les yeux, Digger avait levé la tête. Ce qu'il avait vécu dans les camps lui avait appris à déceler toutes les formes que sait prendre la haine de soi. Etait-ce, au moins en partie, à lui-même que s'adressait son interlocuteur en lui parlant d'un ton aussi venimeux ?

McGowan avait remarqué son coup d'œil.

— Oui, bon, avait-il repris, et il y était allé d'une ébauche de bras d'honneur.

Il y avait quelque chose de délibéré dans la grossièreté de

son geste. Il venait de se trahir, mais déjà se retirait en lui-même. Digger en avait fait autant.

C'était au mot dont il s'était servi, à ce « déchets », qu'il voulait en revenir. Souvent, et trop clairement, il revoyait encore la clairière dans la forêt, les grands bûchers qu'il y avait surveillés. Prendre conscience de tout ce que la vie pouvait vous arracher, puis le rejeter dès qu'elle n'en avait plus besoin, l'avait bouleversé. Car, dans tout cela, il n'était pas seulement question de cendres et d'os calcinés, mais aussi de l'énorme tas de déchets auquel la vie toujours sait tout réduire lorsqu'on la contemple en son entier : là il avait vu tout ce qu'elle peut user, élimer jusqu'à la corde, perdre, mettre en gage, oublier, préparer pour l'ultime poubelle du petit matin. Repenser à tout cela, oui — et y repenser encore après avoir tout multiplié par des millions.

En aurait-il eu le pouvoir qu'il aurait voulu tout reprendre pour que jusqu'à la dernière lame de rasoir, jusqu'au premier bouton de chausson d'enfant, tout enfin fût rendu à la vie. Rêve impossible, bien sûr.

Il voulait que rien plus jamais ne fût oublié et jeté aux flammes. Pas une âme. Pas une aiguille.

N'en dit rien à McGowan, mais, plus tard, regretta de n'avoir pas eu le courage de le faire.

« Bah, je suis comme tous ceux qui font les poubelles », aurait-il été obligé de dire, pour en rire.

Parce que, ce soir-là, il n'avait pas envie de rire.

« Pas une âme, aurait-il répété. Pas une aiguille. »

2

Un samedi après-midi, vers trois heures, il fit quelque chose qu'il projetait depuis plusieurs semaines : il s'habilla et prit le tram de Bondi Junction pour aller voir Iris, la belle-sœur de Mac. Afin de lui rendre les lettres que celui-ci lui avait confiées : c'était tout ce qu'il lui restait de son ami.

Mac la lui ayant assez souvent décrite, il n'eut aucun mal à reconnaître la maison, mais la femme qui lui ouvrit ne ressemblait en rien à l'image qu'il s'en était faite.

Ce n'était pourtant pas qu'il ne l'aurait jamais vue. Ne se tenait-il pas derrière la porte lorsque, descendue à la cuisine, elle avait ouvert le robinet pour remplir son verre et, avec une lenteur ô combien merveilleuse, rêveusement le boire en regardant les étoiles par la fenêtre ?

Sauf que la femme dont il avait rêvé portait une coiffure d'avant-guerre. Etait grande et très réservée, alors que, la lumière du vestibule l'éclairant par-derrière, celle qu'il découvrait était petite, plus lourde aussi. Encore secouée par un rire qui avait à voir avec quelque chose qui se passait dans les profondeurs de la maison, Iris fit un pas sur le perron. Quelqu'un avait allumé la radio. Digger entendit des bruits sourds et aperçut un bout de chemise bleue qui filait entre le couloir et l'escalier du fond — l'un des garçons, pensa-t-il.

— Excusez-moi, dit Iris entre deux gloussements. Entrez donc.

Digger s'avança dans le couloir étroit. Tout propre, il s'était peigné et lavé les pieds, rien de bien extraordinaire à cela — maintenant —, mais portait aussi une cravate qui lui serrait le cou. Ses lettres se trouvaient dans une enveloppe immaculée qu'il avait glissée dans la pochette droite de son veston.

— Là, reprit Iris, donnez-moi votre chapeau.

— Euh... bon, fit-il.

Et resta planté là et regarda autour de lui.

Il avait cru que tout lui semblerait familier et, de fait, ne s'était pas trompé entièrement : la turne de Mac devait se trouver au fond du couloir, à droite. Il n'empêche : la maison était plus légère, plus aérienne qu'il ne se l'était imaginée. Plus gaie aussi. Mac ne lui en avait décrit que les objets que la simplicité de ses goûts l'avait autorisé à y mettre ; il n'avait rien dit du reste, et nombre d'articles que Digger découvrait maintenant étaient nettement plus alambiqués : ici c'était un grand vase chinois rempli de parapluies, là un petit chalet suisse à deux portes, où disparaissait et paraissait, tantôt un homme, tantôt une femme, l'un et l'autre en costume paysan, selon qu'il faisait beau ou qu'il allait pleuvoir.

Iris le fit asseoir dans la pièce de devant, puis s'en fut baisser la TSF et mettre de l'eau à chauffer et, dans le même temps, cria quelque chose par une fenêtre qui donnait sur la cour. Digger en profita pour inspecter les lieux.

Accroché au mur, au-dessus du piano droit recouvert d'un rectangle de velours vert, se trouvait un diplôme certifiant qu'Elizabeth Iris Ruddick avait obtenu sa licence en musique (Trinity College) en 1921 — l'année même où Digger était né. Il vit un métronome, un buste de Beethoven et une coupe en bronze, avec couvercle en métal travaillé, où déposer des pétales de roses. Un plateau décoratif en nacre attira aussi son attention. En veste et pantalons de satin à l'ancienne, un jeune noble y était représenté assis entre deux bergères, au cœur d'un paysage de ruines éclairées par la lune. Dans un coin de la pièce, sur un petit reposoir en bois laqué, il aperçut un panier comme on n'en voyait plus que dans les halls d'entrée des théâtres, où il eût été rempli de gerbes de glaïeuls. Celui-ci ne contenait qu'une demi-douzaine de poupées, dont les jupes étoilées étaient accrochées à ses bords par des crochets en bois tordu.

Rien dans les lettres d'Iris ne l'avait préparé à cela. Avait-elle donc toujours pris soin de refréner ses enthousiasmes en écrivant à son beau-frère ? S'en était-elle, qui sait ? tenue à l'image que ce dernier se faisait d'elle ? Quoi qu'il en fût, Digger s'était trompé. Lorsqu'elle s'en revint avec son thé et un mille-feuille, il la regarda d'un œil différent. Elle s'excusa pour le gâteau : elle l'avait acheté dans une pâtisserie.

— Oh, dit-il, chez Sargents ?

Iris fut étonnée par sa remarque : il savait donc déjà que c'était là qu'elle travaillait ? Digger se retint de lui dire que pois de senteur, confiture de tomate qu'elle faisait et dont Mac lui avait parlé — souvent en claquant les lèvres de plaisir avec lui —, service de table de quarante-neuf pièces que Mac leur avait offert, à elle et à Don, et dont elle avait été bouleversée de casser la soupière la première fois qu'elle l'avait lavée, il en savait encore bien plus sur elle. Tout cela semblait maintenant bien trivial. Il s'était monté la tête.

Plusieurs fois tandis qu'ils buvaient leur thé, il la surprit en train de l'observer d'un air abasourdi et mit un certain temps à comprendre pourquoi : elle n'avait, de fait, aucune idée de qui il était. Mac, il le devina alors, ne lui avait jamais parlé de lui, ou, s'il l'avait fait, elle l'avait oublié.

Elle le questionna. Lui demanda d'où il venait (il lui décrivit brièvement l'Embarcadère), ce qu'il faisait à Sydney, où il habitait. Elle était, pour sa part, originaire du Queensland. Y était-il jamais allé ? Il lui raconta son expérience de boxeur. C'était bien la première fois qu'il se sentait aussi à l'aise en parlant de lui-même.

Les préliminaires une fois terminés, c'est à peine si le nom de Mac revint dans la conversation. Iris semblait poser que, puisqu'il était là, c'était pour elle, et pour elle seulement, qu'il était venu.

Cette idée l'inquiéta au premier abord. Il ne s'y habitua pas tout de suite, mais, dès que ce fut fait, dut reconnaître que c'était vrai — et bien, et depuis le début. Comme elle avait été prompte à le voir ! Une vraie femme. Agée d'une quarantaine d'années (à en juger par son diplôme de licence), elle n'avait pas perdu confiance en ses pouvoirs de séduction.

Elle appela les garçons pour qu'ils viennent manger un bout de gâteau. Habillés de leurs vêtements de tous les jours (short et chemise déchirée), ils entrèrent dans la pièce et, timides au début, finirent par retrouver leur langue après qu'elle les y eut sérieusement encouragés du regard. Il les connaissait déjà, bien sûr. Ewen était le plus âgé. Dans les seize ans. Le plus jeune, c'était Jack, le champion de saut en hauteur. Ils avaient commencé à faire quelque chose dans la cour et mouraient d'envie d'y retourner. Ils sautaient sans arrêt d'un pied sur l'autre; au bout d'un délai raisonnable, Iris céda et les laissa repartir.

Ainsi en vinrent-ils, enfin, aux lettres.

Il avait espéré qu'elles constitueraient le temps fort de sa visite et avait préparé un petit discours. Mais il s'était déjà passé tellement de choses qu'il n'y vit soudain plus que du réchauffé et récita son affaire d'un ton si confus et larmoyant que tout lui parut faux.

— Oh, mon Dieu ! s'écria-t-elle lorsqu'il lui eut révélé ce que contenait l'enveloppe.

Elle regarda celle-ci un instant, la retourna dans ses mains, puis la posa, sans l'ouvrir, sur le tabouret du piano, et l'y laissa, très blanche et très propre, tout le temps que Digger resta encore chez elle.

Il avait cru qu'en les ouvrant et en voyant combien elles étaient sales, elle devinerait le nombre de fois qu'il les avait dépliées pour les lire. Il fut déçu de sa réaction. Elle le ferait plus tard, se dit-il, après son départ, lorsqu'elle serait enfin seule. A moins que... Il eut l'impression qu'elle en avait oublié jusqu'à l'existence dès qu'ils se remirent à parler.

« Je me raconte trop d'histoires », pensa-t-il.

Pour avoir lu ce qu'elle lui avait écrit, il savait bien jusqu'à quel point elle aimait son beau-frère.

« Il doit y avoir moyen de prendre les choses avec plus de légèreté. »

La gêne qu'il éprouvait disparaîtrait dès que la bonne humeur tapageuse qui régnait dans la maison — c'était lui qui, en entrant, l'avait étouffée — reprendrait le dessus.

— Merci d'être venu, lui dit-elle lorsqu'il fut de nouveau sur le perron. Non, vraiment. Votre visite m'a fait plaisir.

Il avala difficilement sa salive. Il aurait voulu lui dire quelque chose. « Ecoutez, aurait-il voulu lui dire, vous ne le savez pas... comment le pourriez-vous ?... mais je vous ai vue boire un verre d'eau et... c'était merveilleux. Ce n'était pas vous, je le vois bien maintenant, c'était quelqu'un d'autre, quelqu'un que j'avais entièrement fabriqué, mais... mais ce n'en était pas moins merveilleux. Un verre d'eau tout ce qu'il y a de plus ordinaire... vous vous rendez compte ? »

Ce que de fait il lui dit et dont, plus tard, l'audace le renversa.

— Ça vous ennuierait que je repasse ?

Si la question la surprit, elle n'en montra rien.

— Mais je vous en prie, lui répondit-elle. Vous passez quand vous voulez. Sauf le week-end : le magasin, vous savez... Mais oui, le samedi, à cette heure-ci, c'est parfait.

— Oh, mais c'est que je t'avais vu arriver ! s'écria-t-elle en riant. Un bon mile à l'avance !

Ils étaient allongés sur son petit lit, dans la chambre qu'il occupait tout là-haut, au quatrième étage du Pomeroy.

— Ce qui veut dire ? s'enquit-il en tournant la tête de façon à ce qu'elle ne pût voir son sourire.

Il adorait qu'elle lui parle de lui-même. Il avait alors l'impression de découvrir quelqu'un d'autre. Il n'avait jamais eu l'occasion de se laisser aller ainsi.

— Couvert de messages que tu étais, reprit-elle. En neuf langues.

— Vraiment ?

Tout cela le ravissait.

Mais au bout d'un moment il se fit solennel et lui dit :

— Tu sais, c'était bien pour Mac que j'étais venu, la première fois.

Elle aurait pu le reprendre : elle n'en croyait pas un mot. Et la deuxième fois, hein ? Mais Digger était encore assez chatouilleux sur ce point. Il ne voulait pas avoir l'air de s'être servi de son ami, ou des lettres qu'elle lui avait écrites, pour venir la voir. Il avait trop de scrupules. Ce qui ne l'aurait pas gênée, elle, mais comme il en allait de son intégrité à lui... Dès qu'elle l'eut compris, elle le laissa faire — et s'en tint à ce qu'elle savait.

La deuxième fois, il était venu à pied. La grande affaire, celle de Mac, avait été réglée lors de la première visite — pour autant qu'elle pût jamais l'être. Digger se sentait le cœur léger, jeune. Il ne l'inquiétait guère d'ignorer les usages qu'il convenait de respecter dans ce genre de situation. Elle le comprendrait et fermerait les yeux. Elle avait (tel était le souvenir qu'il avait gardé d'elle) une compréhension infinie de toutes sortes de choses ; dont il n'avait, lui, même pas la moindre idée.

Il était très conscient du fait qu'à vingt-cinq ans, il n'avait aucune expérience en ces matières. Courtiser une dame, et le reste, bref, être aussi galant que certains semblaient l'être dès la naissance, non. Cela étant, il ne manquait pas de tendresse. Et se disait que lui laisser libre cours devrait suffire.

Il n'empêche : il s'était armé d'un bouquet, au cas où. Des violettes et des anémones, rouges, enveloppées dans un papier de teinte pâle. La vieille femme à laquelle il les avait achetées — assise toute la sainte journée sur un pliant, elle surveillait sept ou huit seaux posés sur le trottoir en lisant la bible — les lui avait recommandées pour leur fraîcheur et, voyant combien il était nerveux, s'était donné la peine de les lui emballer. Couleurs vives, cœurs noirs et aussi velus que si de gros bourdons s'y étaient agglutinés. Les fleurs dépassaient à peine du bord de la feuille de papier bleu ciel, l'ensemble du bouquet étant fermé par un ruban d'un bleu plus soutenu.

Porter des fleurs le mettait mal à l'aise. Il les tenait à bout de bras, la tête en bas : surtout qu'on ne le remarque pas ; ce n'était pas lui qui allait jouer les fanfarons en costume clair et chaussures cirées qui, dès qu'ils ont sonné, se mettent impatiemment à faire les cent pas devant la porte vitrée et, un coup la raie, l'autre la cravate, ne cessent de se regarder dans les petits carreaux en losange pour voir à quoi ils ressemblent. De toute façon, il se moquait bien d'avoir l'air idiot. Comme si on l'épiait !

Iris ! Comme elle était chaude, la vie qu'il devinait en elle ! Tant de soleil le glaçait parfois jusqu'aux os.

Elle était en train de faire de la couture lorsqu'il arriva. Elle vint à la porte en socquettes et vêtue d'une ébauche de robe taillée dans un tissu brillant (vert) et couverte d'épingles ; il la suivit jusqu'à la pièce de devant, où il découvrit une jeune femme qui, mariée depuis peu, était sa voisine. Ces dames buvaient de la bière. Comme de grosses feuilles pointues, des bouts de tissu jonchaient le sol. La voisine, qui était blonde, avait la bouche pleine d'épingles. Elle lui dit bonjour entre ses dents et pouffa de rire.

Iris s'excusa du désordre, posa les fleurs sur le tabouret du piano, de la même manière exactement qu'elle l'avait fait pour les lettres, lui promit une bière, juste le temps, s'il avait la patience d'attendre, qu'elle termine son ourlet, et monta sur une chaise. Il vit alors que ce dernier n'était en effet pas tout à fait prêt.

La blonde, qui se prénommait Amy, se remit à genoux et, les épingles toujours entre les lèvres, reprit son travail. De temps à autre, elle levait la tête pour bien le regarder. Digger en conclut qu'elle savait déjà qu'il existait. Ainsi donc, Iris lui avait parlé de lui ! Les petits coups d'œil de la voisine étaient admiratifs : on vérifiait les dires de son amie. Il en rit et ne s'en trouva pas intimidé. Tout au contraire même. Il s'amusait bien.

Amy à ses pieds et Digger assis dans un fauteuil en velours de Gênes, Iris décrivit lentement un cercle au-dessus d'eux en déplaçant, très joliment, un pied, en socquette, après l'autre. Les bras le long du corps, elle pencha un peu la tête en avant de façon à mieux voir où l'on en était.

On s'affaira dans le calme et cela prit un certain temps. Le silence s'installa : comment ne pas le garder alors qu'une des deux actrices du drame (il ne se voyait pas autrement qu'en spectateur) ne pouvait pas parler à cause des épingles qu'elle tenait entre ses lèvres ?

Aux yeux de Digger, l'instant était merveilleux : il n'avait jamais rien vécu de semblable, était on ne peut plus heureux de rester là sans rien faire. Mais l'ourlet une fois achevé et déclaré convenable, Iris descendit de sa chaise, remercia Digger de la patience qu'il avait montrée, reprit les fleurs pour les mettre dans de l'eau, alla lui chercher une bière et rapporta les fleurs dans un vase en verre. Tout le monde se rassit pour bavarder.

C'était une fille pleine d'entrain, cette Amy. Elle les fit rire en leur racontant des histoires sur ses trois belles-sœurs qui avaient nom, qui l'eût cru ? Foi, Espoir et Charité. Iris et Digger n'eurent guère l'occasion de se parler. Restèrent assis l'un en face de l'autre à siroter leur bière en se regardant. Iris s'étant tournée de côté à une ou deux reprises, il découvrit qu'à l'endroit de la nuque où elle les avait relevés avec des épingles, ses cheveux étaient plus foncés et comme collés par la sueur.

— Vous dansez, Digger ? s'enquit Amy avec la liberté qui la caractérisait. Ben et moi allons danser tous les vendredis soir. Vous aimez Perry Como ? Avez-vous vu *Le Signe de la Croix* ?

Tandis qu'il répondait aux questions dont Amy le mitraillait, Iris lui jeta un petit regard amusé pour bien l'assurer qu'elle n'était en rien responsable de cette séance d'inquisition, et il la crut : elle était tout à fait capable de lui poser ses questions elle-même. Cela étant, elle se garda d'interrompre sa voisine.

La seule chose qui inquiétait Digger ? D'être trop vieux jeu pour elles — elle surtout —, trop hors du coup. Bon nombre de conventions qu'elles avaient l'air de trouver normales et dont il ignorait tout le gênaient encore. Amy semblait en avoir la tête farcie et il n'avait pas envie d'être en reste. Il bluffa, prit bonne note de ce qui le troublait et se demanda auprès de qui il pourrait aller se renseigner.

Les gamins déboulèrent telle la tempête, après avoir beaucoup hurlé et jeté leurs livres dans l'entrée. L'équipe d'Ewen avait gagné par six à trois. Cela méritait une petite fête. Le jeune homme regarda vivement sa mère — ose donc me dire non — et but une gorgée de bière dans son verre. Il avait posé les yeux sur l'intrus, pour le jauger (Digger en était bien conscient), mais ne lui laissa rien voir du jugement auquel il était arrivé.

Jack, le cadet, qui avait déjà filé dans la cour de derrière, appela bientôt sa mère.

— Bon, il faut que j'y aille, dit Amy en rassemblant ses affaires. Là, ajouta-t-elle à l'adresse d'Ewen, laisse la bière de ta mère et bois la mienne.

Puis, se tournant vers Iris, elle précisa :

— Il n'en reste plus que quelques gouttes... Allez, j'y vais ! Sinon, Ben va m'assassiner : si jamais son thé n'était pas prêt à l'heure... !

Elle regarda une dernière fois la robe (accrochée maintenant au rail à tableaux) afin de se repaître de la qualité de son travail, observa Digger et, oui, lui fit bien un clin d'œil avant de prendre congé.

Une minute plus tard, Digger partit à son tour ; il devait être au club à six heures. Les choses en étaient donc là. Mais on était convenus de se revoir dès le lundi suivant, après le travail : il viendrait l'y prendre et l'on irait au spectacle.

Allongée tranquillement à côté de lui, elle le poussait à lui raconter sa vie. Il cédait, mais ce qu'il avait à lui dire — sa mère et son père, Jenny, l'Embarcadère de Keen — lui paraissait beaucoup plus étrange que l'expérience qu'il en avait faite. Déjà il commençait à voir les choses avec ses yeux à elle.

Une des anecdotes qu'il lui narra le choqua profondément. Cela faisait pratiquement vingt ans qu'il n'y avait pas repensé. Si sa mémoire n'avait pas été aussi bonne, il aurait même pu prétendre avoir tout oublié de l'incident. C'était la chose la plus cruelle qu'il avait jamais faite.

Un jour — elle avait alors aux environs de huit ans —, Jenny était montée jusqu'à la route qui passait au-dessus de la maison et, Dieu sait pourquoi, l'avait traversée. C'était interdit, et elle le savait. Pourquoi avait-elle désobéi ? Quoi qu'il ait pu en être, elle se trouvait maintenant de l'autre côté de la chaussée et, son courage l'abandonnant entièrement, n'osait plus retraverser.

Il commençait à faire nuit. Perdue dans le noir, Jenny se mit à gémir, puis appela. Digger l'entendit, s'approcha d'elle en se dissimulant derrière des buissons, mais soudain s'arrêta et, bien caché de l'autre côté de la route, attendit de voir ce qu'allait faire sa sœur. Elle allait se dresser sur ses petites jambes, gagner le bord de la route, rassembler son courage pour traverser, puis se rasseoir et pleurer ; puis se relever, s'approcher encore une fois de la route et la longer comme si, n'étant brusquement plus faite de terre et de graviers, celle-ci était devenue fleuve profond qui coulait devant elle. Digger la regarda longtemps : l'impuissance de sa sœur le fascinait au moins aussi fort qu'elle l'atterrait. Brusquement, Jenny s'affaissa dans l'obscurité grandissante, puis, désespérée, l'appela en sanglotant. « Digger... Digger... » Encore et encore. Il en avait la chair de poule. Pour finir, il fit semblant d'arriver à l'instant, gagna le milieu de la route, y resta debout un moment, puis vivement la rejoignit et la prit par la main.

Son récit achevé, Digger garda le silence.

— Où est-elle maintenant ? s'enquit Iris.

— Eh bien, justement, lui répondit-il en comprenant tout

à coup pourquoi ce souvenir lui était revenu, elle a disparu. Ma mère pense qu'elle est à Brisbane. Elle crève de trouille... enfin, je veux dire : ma mère. Elle a peur que ça recommence... que nous la quittions tous l'un après l'autre. C'est vrai qu'avec Papa... et maintenant Jenny.

— Et toi ?

— Oh, moi, non : je ne suis pas parti. Elle le sait bien. Je ne suis pas comme eux.

Il lui parla de sa mère et, voyant sa réaction, fut tout surpris de découvrir qu'il en faisait une femme effrayante alors même qu'il voulait seulement lui montrer jusqu'à quel point elle savait empoigner la vie — lui dire comment, « là-bas », il avait parfois senti que c'était ça que sa mère avait su lui transmettre, que c'était sa présence en lui, et ses exigences, qui l'avaient aidé à s'en sortir. Sa mère semblait peut-être dure, mais ne l'était pas en son fond. C'était la vie qui avait fait d'elle ce qu'elle était devenue.

— Nous voyons l'existence de la même façon, reprit-il en s'adressant en partie à lui-même. Mais elle ne s'en rend pas compte parce que les choses auxquelles je ne peux pas ne pas me raccrocher ne sont pas les mêmes que les siennes. Certaines, oui, mais pas l'essentiel et ça, elle ne le comprend pas.

Il lui décrivit alors ce à quoi tenait sa mère et lui dit la pièce dans laquelle, pour finir, elle se retrouverait un jour au milieu de tous ses biens ; sauf qu'à ce moment-là, ces « biens » seraient déjà d'« un autre ordre ». Encore réels, tangibles et utilisables certes, mais, comme elle, au-delà de toute possibilité de perte véritable.

— Il s'agit d'objets tout à fait ordinaires, précisa-t-il au cas où ses propos n'auraient pas été assez clairs, le problème n'est pas là. Le problème, c'est qu'elle ne pige pas que ces trucs, elle les veut effectivement pour ce qu'ils sont aujourd'hui, mais surtout et d'abord pour ce qu'ils seront juste avant qu'elle ne meure... pour ce qu'ils lui diront d'elle-même, de sa vie.

Iris le regarda sans grande tendresse : ce qu'il lui disait de sa mère ne l'intéressait qu'indirectement.

— Et toi, là-dedans ? s'enquit-elle, c'est quoi, les trucs auxquels tu as besoin de t'accrocher ?

Il lui en énuméra quelques-uns. Et finit par lui raconter

comment « là-bas », deux officiers étaient un jour venus lui demander de dresser la liste de tous les hommes du détachement — avec noms et, dans la mesure du possible, historique de ce qui leur était arrivé —, comment, bref, ils lui avaient demandé de tenir les archives du régiment. Pour commencer.

Parce que Billy, James, Leslie, May, Pearl... c'était tout autre chose.

Après quoi, il lui répéta, du mieux qu'il le put, ce que, de fait, il n'avait jamais osé dire à McGowan. « Pas une âme. Pas une aiguille », alla même jusqu'à en proférer les mots essentiels.

Il pensait aux flammes qui, là-bas, au col d'Hintock, léchaient les branches de teck empilées dans la clairière, à tous les bûchers où l'on jette tous les débris, toutes les ordures, toutes les cochonneries, tous les trucs usés ou cassés dont, une fois que leur nouveauté a passé, on se moque bien de savoir si, après avoir tout fait pour les avoir, ils partiront en flammes, termineront à l'égout ou seront, tout bêtement, piétinés jusqu'à ne plus être que poussière qui retourne à la poussière.

Les objets. On ne pouvait les sauver de la destruction, ni non plus leur rendre leur intégrité — dans les faits, parce qu'en esprit...

Elle l'écouta, lui caressa la joue. Posa le bout de ses doigts à l'endroit où, juste au-dessous de ses cheveux, une veine battait, y sentit les pulsations régulières de son sang.

A la fin, il lui raconta la mort de Mac. Elle l'écouta sans le regarder, le serra contre elle. Il lui parlait, son souffle l'effleurait.

— On l'a enterré? lui demanda-t-elle au bout d'un instant.

La question le surprit.

— Non, dit-il. On ne l'a plus jamais revu. Ni lui, ni son cadavre. Les Japs ont dû l'inhumer.

— Moi, on m'a dit qu'il avait disparu. Un point c'est tout.

— Mac n'a pas disparu, la reprit-il. J'ai vu ce qui s'est passé.

Elle garda le silence un moment, se redressa un peu, puis lui raconta une petite histoire à sa façon.

— Ecoute, commença-t-elle. Quand j'étais petite... je

devais avoir dix ou onze ans... nous habitions près de Gympie, dans le Queensland. Mon père y avait une ferme. Nous étions quatre enfants, rien que des filles, j'étais la deuxième et ma grand-mère, Grannie, vivait avec nous. C'était une femme très difficile. Ma mère et elle ne s'entendaient pas. Grannie avait de l'asthme et était trop faible pour se déplacer. Elle passait toutes ses journées assise sous la véranda, enroulée dans une couverture que je n'oublierai jamais. Je n'étais jamais allée à la mer, mais cette couverture en avait toutes les couleurs, des bleus, des verts, des violets qui roulaient comme des vagues. Comme Grannie se l'était faite au crochet, ce devait être ses teintes préférées.

« Toujours est-il qu'on n'arrêtait pas de me dire que je lui ressemblais, enfin, tu vois... moi aussi, j'étais censée être difficile. " Tout le portrait de ta grand-mère ", me disait ma mère, alors que, de fait, Grannie, je ne l'aimais guère. Même que quand c'était mes sœurs qui me le disaient, je leur tirais les cheveux. Tu me vois faire ça ?

« Et voilà qu'un jour le fleuve avait débordé. On était venu nous prévenir. Comme nous vivions en dehors de la ville, nous avions encore le temps de sauver quelques affaires. Je revois les voisins en train de sortir les meubles sur la pelouse de devant, les lits, les chaises, le buffet, le divan avec la cage à oiseau dessus. On attendait une charrette. Qu'est-ce que ça me paraissait bizarre ! Mais le fleuve avait gonflé plus vite que prévu et, pour finir, ce fut la panique. C'était en pleine nuit et y avait de l'eau partout. Le sofa, les chaises, tout s'en allait. C'était incroyable.

« Mais bon... l'important là-dedans, c'est que Grannie ne voulait pas partir... ou alors, elle s'était disputée avec quelqu'un et refusait de monter dans la barque. Je ne me souviens plus exactement... ma mère a une version différente. Peu importe... quand on est revenus à la maison, y avait plus trace de Grannie. Moi, va savoir pourquoi, je me disais qu'elle allait refaire surface. Je l'entendais souffler en pleine nuit, je me levais, j'allais à la véranda et je m'attendais toujours à la retrouver.

« Ma mère était folle de rage. J'étais à l'âge ingrat, tu vois, et nous non plus, on ne s'entendait pas bien et ça l'ennuyait. Peut-être que je faisais exprès d'être difficile... je ne sais pas. En tout cas, je n'arrivais pas à accepter que Grannie soit vraiment morte.

« Tous les membres de la famille étaient ensevelis dans le jardin, au fond de la propriété. On allait souvent y jouer à l'enterrement, on cueillait des fleurs, on les jetait sur les tombes, on lisait ce qu'il y avait d'écrit dessus. Ce qui fait qu'être mort, ça voulait dire être enterré dans le jardin et que Grannie, elle, elle y était pas enterrée. On n'avait même pas vu son cadavre. Les gens, ça ne s'enterre pas dans l'eau et l'eau, ça revient... Et des inondations, y en avait tout le temps : ça faisait de la lumière dans les arbres. Je sortais de la maison au clair de lune, je regardais la lumière dans les écuries, sous les arbres, c'était bizarre, et j' sais pas pourquoi, mais pour moi, ça avait quelque chose à voir avec ma grand-mère. »

L'histoire était terminée. Iris n'y ajouta rien et, au bout d'un moment, Digger comprit enfin que bien qu'elle ne l'eût jamais nommé, c'était de son mari qu'elle parlait.

Ce qu'ils faisaient de ce qu'ils se racontaient leur révélait, et de la seule manière qui fût possible, tout ce qui leur tenait à cœur, mais en y traçant les limites mêmes de leurs deux libertés.

Iris ne venait chez lui qu'une ou deux fois par semaine. Encore fallait-il qu'ils aient vu un film et que les enfants aient accepté de se débrouiller d'un plat froid : Digger, lui, pouvait toujours trouver quelqu'un pour le remplacer. Elle ne restait jamais très tard et jamais non plus ne l'invita à Bondi Junction. Même lorsque, leurs relations ayant pris un tour régulier, il commença à passer certaines nuits chez elle, l'un et l'autre, ils maintinrent qu'ils n'étaient rien de plus que de bons amis. Elle lui préparait son lit dans la turne de Mac et venait l'y rejoindre.

C'était surtout à ses garçons qu'elle pensait. « Je ne suis plus de la première jeunesse, lui rappelait-elle d'un ton léger. J'ai quand même quarante-trois ans », et hochait la tête comme si, petite fille encore, elle ne croyait pas beaucoup à la réalité de ce qu'elle disait. « Oh, je sais, je pourrais très bien m'en moquer, mais eux, non. Je suis censée avoir passé l'âge. Ça, on ne peut pas dire que les gens pensent très jeune. »

Comment les garçons auraient-ils pu se faire du souci ?

Même au début ? Plus tard ? Certainement pas — du moins le croyait-il : elle s'en tenait strictement à son code.

Allongé sur son lit, en maillot de corps, il la regardait se déshabiller, préférait par-dessus tout le moment où, enfin en jupon, elle penchait la tête d'abord d'un côté, puis de l'autre, pour ôter ses boucles d'oreilles. Puis ses bagues : sa bague de fiançailles en perle et diamants d'abord, son alliance ensuite, qu'elle posait avec soin sur la tablette du lavabo. Alors seulement elle était nue. Qu'elle eût encore son jupon, et lui son maillot de corps, n'y changeait rien.

Plus tard, lorsqu'elle se relevait, il restait allongé sur le lit et la regardait reprendre tout le cérémonial à l'envers.

Elle ne cessait d'être nue qu'au moment où, après avoir remis ses boucles d'oreilles, elle repassait son alliance et sa bague de fiançailles à son doigt.

3

L'après-midi, il n'aimait rien tant que de passer une bonne heure tranquillement assis au bar du Waratah. Vers cinq heures, le café était déjà bien rempli, les clients commandant par dizaines et posant leurs verres partout sur les appuis de fenêtres. Alors il gagnait la sortie, avalait un casse-croûte et rejoignait le club en se promenant à pas lents.

Un jour que, tassé à un bout du bar, il se ravissait de la douce lumière et de la fraîcheur des lieux, il leva la tête sans raison particulière et s'aperçut que Vic était là. Perché sur un tabouret à l'autre extrémité du comptoir, son ami l'observait, Dieu seul savait depuis combien de temps.

Digger fut saisi de panique. La facilité avec laquelle ce bonhomme arrivait à le décontenancer avait quelque chose de surnaturel. Ils s'étaient déjà rencontrés à une ou deux reprises et, chaque fois, l'espèce de malaise qu'ils avaient ressenti avait failli dégénérer en hostilité ouverte.

Vic se coula au bas de son tabouret et s'en vint vers lui d'un air surpris, mais apparemment indifférent, qui l'exaspéra. Pourquoi se croyait-il toujours obligé de s'avancer masqué ? Car cette rencontre n'avait rien de fortuit : toute la semaine durant Digger avait entendu dire qu'un type cherchait à le joindre.

— Alors, lui demanda-t-il après qu'ils se furent installés devant une bière, qu'est-ce que tu fabriques ?

Vic le dévisagea, la lumière jouant légèrement dans ses yeux. Il était à l'évidence en train de se concocter une histoire à la noix, un mensonge, qui sait ? auquel il n'oserait même pas espérer que crût Digger. Quelque chose qu'il lui jetterait à la figure d'un air méprisant, avant de le mettre au défi de relever son insolence. « Qu'il aille se faire foutre », songea Digger. Sauf que, lorsque Vic lui parla, ses mots sonnèrent juste.

— Je suis allé dans l'Ouest, dit-il. A Moree.

— Oh ? C'est pas ton coin, n'est-ce pas ?

Digger, qui se contenait et s'efforçait de garder son calme et ses distances, fut tout étonné de constater qu'il ne savait pas grand-chose de la manière dont Vic faisait bouillir sa marmite. Et que le peu qu'il en savait lui donnait envie d'en rester là. De toute façon, l'endroit n'était pas propice aux confidences. Il se sentit faiblir et trembler en dedans. Il lui suffisait de le regarder pour avoir l'impression d'être happé par une ombre. Déjà son corps était pris de frissons.

— Non, non, lui répondit Vic. J'avais juste envie d'aller voir ce pour quoi nous étions censés nous battre.

Digger lui jeta un coup d'œil interrogatif.

— Si tu veux mon opinion, reprit-il, on aurait aussi bien fait de tout leur laisser, à ces salauds !

Et il rit et, renversant la tête en arrière, ouvrit grand le gosier pour y expédier le reste de sa bière.

« Y s'est mis à boire, songea Digger. Ou alors, y va pas bien. Il est patraque. »

Il se sentit obligé de dire quelque chose, comme si, malgré la désinvolture de son compagnon, celui-ci avait invoqué les termes d'un vieux contrat, toujours en vigueur parce qu'il n'y avait pas moyen qu'il cessât jamais de l'être. Il en fut tout ébranlé : et dire qu'il avait cru pouvoir en finir avec tout ça et qu'ici, il n'y aurait plus que des commencements. Mais non, rien à faire : une fois mordu, on ne pouvait plus échapper au mal. Les toubibs le leur avaient bien dit.

— Et toi ? lui demandait Vic. Comment la vie te traite-t-elle ?

— Oh, bien ! répondit-il en avalant sa salive. Tout à fait bien.

C'était à peine s'il arrivait à parler : il venait de voir ce qui le touchait en Vic, et n'avait aucune envie d'y toucher.

Oui, ils avaient été prisonniers des Japs — lui, en tout cas ; comme Ern, Doug et le reste. Mais cela faisait partie des choses qui arrivaient, il n'y suffisait que d'avoir la malchance de se trouver au mauvais endroit. Sauf que ce n'était pas comme cela que Vic voyait les choses. Qu'à ses yeux, les Japs n'étaient jamais qu'un morceau de l'ensemble et que pour lui, rien n'était fini. Ça continuait. « Et en plus, songea-t-il, il a envie de m'entraîner dans son bourbier. » Vic avait même gardé l'allure d'un prisonnier. Délibérément, lui semblait-il.

C'était bien là le mal même auquel il refusait de se frotter. Celui qu'on pouvait attraper à seulement le voir chez autrui, chez quelqu'un dont on est un peu trop proche, rien, peut-être même, qu'à constater qu'il existe.

— J'avais juste envie de me refaire un petit coup de Sydney, avait repris Vic. Oui, encore une fois.

Digger leva les yeux. Il ne lui restait plus qu'une seule chose à dire :

— T'as une piaule ?

— Ouais, ouais, répondit Vic au bout d'un instant, et Digger sentit que la situation se détendait. De ce côté-là, ça va. Merci, mec.

Ils gardèrent le silence, Digger tout à ses émotions, Vic déjà plus calme. Ils parlèrent. Digger commençait à perdre le fil de ce qui se disait. A tomber dans des trous de la conversation qui, certes, n'étaient pas beaucoup plus gros que les mots qu'il en perdait ici et là, mais qui, chaque fois, le faisaient dériver sur des centaines de miles. Il se mit à suer. Toutes les brutalités qu'il avait subies « là-bas » l'avaient miné d'une faiblesse essentielle, avaient laissé son esprit ouvert aux envahissements de ténèbres absolues, la puanteur qui en montait étant parfois si forte qu'il étouffait, n'osait plus tourner la tête, même lorsqu'il faisait grand soleil, de peur de revoir leurs colonnes d'êtres en haillons, tout en gros os, crasse, yeux boueux et gigantesques extrémités.

Ils sortirent ensemble, s'arrêtèrent devant l'étal d'un marchand de tourtes et s'assirent côte à côte sur le bord du trottoir afin d'en manger une.

C'est à peine s'il goûta à la sienne. Vic lui proposa de la finir. Lorsqu'ils se séparèrent dans l'allée qui conduisait au club, Digger tremblait encore, mais savait enfin de quoi il s'agissait. La malaria. La crise était revenue.

Elle fut plus forte que ce à quoi il s'attendait. Il se retrouva non seulement trois mois en arrière, mais comme traîné sur trois ou quatre mille miles jusqu'en un lieu tout de chaleurs et d'humidités tropicales qui n'avait rien à voir avec la géographie — la géographie, il savait ce que c'était —, mais était bien plutôt le cœur d'un mal auquel son corps avait jadis succombé et qui ne le lâcherait plus jamais. Les symptômes physiques le frappant, défilèrent aussitôt avec eux tous les événements, visions et fantômes dont il avait cru pouvoir se débarrasser. Dont il avait cru qu'elle au moins, elle pourrait le libérer. Mais non : rien ni personne sur cette terre n'avait ce pouvoir.

Une fois de plus il fut un parmi tant d'autres, être qui parvenait à peine à se retrouver au sein du troupeau tant ceux qui le composaient étaient, comme lui, maigreurs couvertes de haillons. Ils l'enserraient de toutes parts, ils l'étouffaient, étaient multitude oppressante chaque fois qu'il essayait de rompre les rangs pour la retrouver, apercevoir enfin sa silhouette ensoleillée ; aussi décharnés fussent-ils, et certains n'étaient qu'os, comme s'ils venaient de se redresser dans la boue, ils lui cachaient jusqu'au plus léger rayon de soleil en levant les mains en l'air ; on eût dit des mendiants tendant leurs écuelles vides et murmurant incessamment leurs noms comme s'ils n'avaient plus d'autre moyen de le garder en mémoire, la leur ou celle d'un autre. Quel qu'il fût.

Par-dessus les sifflements de la foule, il tentait lui aussi de dire son nom, mais avait la gorge sèche et le souffle court. Il tentait de le dire dans sa tête, mais sa tête était pleine de leurs noms à eux, et il avait donné sa parole, et c'était officiel et, faible comme il l'était, craignait de les oublier, tremblait qu'un seul d'entre eux brusquement lui échappât. Comment eût-il alors pu jamais faire face à celui qu'il eût tellement lâché que plus rien n'en eût dit l'existence, voire la simple trace ?

Mais son nom à lui était en lieu sûr. Enterré quelque part. Il l'exhumerait plus tard.

Il fallait survivre. S'il échouait, comment ses compagnons pourraient-ils jamais y parvenir, qui pour beaucoup n'étaient plus que des noms et n'avaient pour toute existence que celle de quelques syllabes perdues dans une mémoire ? La sienne.

Il revit le fleuve ruisselant d'épinoches. Sentit à nouveau ses eaux le frôler, avant que soudain les poissons ne l'attaquent, furieusement, encore et encore ne lui ouvrent les chairs ; que pur égoïsme et sauvagerie, doucement ils ne le sauvent. Les choses, oui, pouvaient aussi se passer ainsi.

Et rouvrit les yeux d'un coup. Des rugissements l'assaillaient, mais c'était de la rue qu'ils montaient. Il devait y avoir une foule énorme et, tous, ils hurlaient leurs noms et tendaient le visage comme des écuelles vides.

Devant lui, une figure se penchait. Des mains se faisaient fraîcheurs à son front. Elle était là — elle. Non, ces mains étaient celles d'un homme. Les murmures s'amplifiaient, devenaient lame de fond qui tremblait, l'emportait, il se débattait, mais brûlante, elle le noyait à moitié.

Il cligna les yeux, les rouvrit encore et — cette fois c'était le silence — repartit un instant, roula plusieurs mois en arrière, retrouva la chaleur et l'humidité, de toute sa volonté cligna les yeux à nouveau, reconnut sa chambre.

— Alors, t'as décidé de revenir parmi les vivants ?

Frank McGowan. Il le regardait par-dessus son journal, ses lunettes descendues à mi-nez.

— Comment te sens-tu ?

— Ça va, répondit-il d'une voix faible. Qu'est-ce que tu fais ici ?

— Je joue les infirmières. Des réclamations à formuler ?

— C'était donc toi ?

— C'était donc moi. Tu veux essayer de manger un morceau ?

McGowan se leva de son fauteuil canné et, s'emparant d'une petite casserole et d'une boîte de soupe, s'affaira un instant devant le réchaud. Il était en bretelles et bras de chemise.

Il lui apporta une assiette et une cuillère, s'assit au bord du lit et s'apprêtait à le nourrir lorsque Digger leva les mains en l'air. McGowan reposa la cuillère dans l'assiette.

— T'es là depuis longtemps ?

— Non. Ça fait trois jours que t'es malade.

Digger ouvrit la bouche et le laissa lui donner sa soupe de pois cassés à la cuillère. La soupe était chaude.

— J'ai dit des trucs ? s'enquit-il au bout d'un moment.

— Pas beaucoup. Allez, essaie d'en avaler encore un peu.

— Comment as-tu deviné ? lui demanda Digger. Enfin, je veux dire... que j'étais patraque ? Et comment as-tu retrouvé ma chambre ?

— Il ne faudrait quand même pas oublier que je suis flic.

Leurs regards se croisèrent, Digger vit un éclair d'humour dans celui de son ami.

— Je devrais être au boulot... il doit pas être loin de six heures, dit-il.

McGowan lui reprit l'assiette.

— Oui, il est six heures, lui renvoya-t-il, du matin ! De toute façon, ajouta-t-il, t'as plus de boulot.

Il tripotait les boutons du réchaud, il se retourna et le regarda droit dans les yeux.

— Y a eu une descente au club, reprit-il. Mercredi soir. Un vrai coup d' pot, que j' te dis... enfin, pour toi. Si t'avais pas été malade...

Il avait l'air content de lui.

Digger fronça les sourcils. Il n'avait pas besoin d'être pris en charge, par personne.

— Non, non, enchaîna McGowan comme s'il avait lu dans ses pensées, t'as eu de la chance. Mais... tu aurais préféré qu'on te flanque en prison ?

— J'y aurais été à l'abri, lui rétorqua Digger d'un ton sec. Des amis, j'en ai, chez les flics...

McGowan le regarda et rit. Mais voilà que Digger faiblissait à nouveau. Quelques secondes plus tard, il s'était remis à délirer. McGowan ! Comme s'il ne savait pas ce qu'il fabriquait ! McGowan travaillait pour sa mère ! Comment diable s'était-elle débrouillée pour le prendre à son service ?

4

Lorsque — c'était à l'école primaire, en neuvième — le maître les avait pour la première fois autorisés à emporter des livres à la maison, Digger avait été, plusieurs mois durant, obsédé par les atlas et les cartes en tous genres. Agenouillé sur une chaise, pour être plus près de la lampe posée sur la table de la cuisine, il fronçait les sourcils de façon à pouvoir lire jusqu'aux plus petits caractères d'imprimerie et, se faisant minuscule puisque, à cette échelle, c'étaient des villes entières qui se réduisaient à des pattes de mouches, essayait de comprendre la signification de ce qu'il découvrait, de saisir l'immensité du monde au sein duquel il était né, oui, mais aussi le lien qui unissait les noms qu'il rencontrait — tous parfaitement magiques à ses yeux — aux lieux, villes, pays, îles, lacs et montagnes qu'ils désignaient.

Aux pays, par exemple — à la forme qu'ils avaient.

Car chacun d'eux en avait une qui, entièrement singulière, était découpée dans le tout de la terre et des eaux, mais ne ressemblait, dans la nature, à rien d'autre qu'à elle-même. Cette forme était imprévisible, que seuls déterminaient le tracé d'un rivage côtier, le cours d'un fleuve, ou encore la langue qu'on y parlait ou les batailles qu'on y avait livrées il y avait des siècles et des siècles de cela ; toutefois, dès qu'on avait fini par reconnaître l'Espagne, l'Italie ou l'Australie, il n'était plus possible de les imaginer autrement ; de même, on ne pouvait voir sous une forme différente les êtres que la nature avait façonnés ou les objets que les hommes avaient conçus pour servir à tel ou tel usage. Qu'il s'agît, par exemple, d'une mite ou d'une manche. Car leurs noms leur allaient bien. « Mite » ne disait-il pas aussi parfaitement l'épais duvet et les ailes comme couvertes de poudre de cet insecte que « manche » l'objet dans lequel on glissait son bras ? Mais « Italie » ? « Australie » ? Il n'empêche : il suffisait d'avoir l'un de ces deux noms en tête pour qu'aussitôt, et tout aussi parfaitement, il contînt et évoquât la forme du pays qu'il désignait : on n'eût pu souhaiter vêtement mieux ajusté.

« Patagonie », « Plateau du Pamir », « Lac de l'Ours ». Qu'un seul de ces noms vous tombât dans la tête et dans l'instant, comme par magie, des lieux réels y surgissaient, assez petits pour trouver leur place au milieu des autres noms et des autres lieux — ne faisaient-ils pas tous partie de la même page d'atlas ? —, mais ayant en plus, sur le globe, une position que l'on pouvait rallier par le voyage et une existence où l'immensité des eaux le disputait à celles de la roche et des cieux.

Le monde était si vaste que c'était à peine si l'on pouvait s'étirer assez l'esprit pour en concevoir l'énormité. Combien de jours et de nuits, de mois même, fallait-il au corps pour parcourir, dans la réalité de l'espace, les distances qu'on arrivait à couvrir en posant un doigt en travers d'une page ? Voilà ce que Magellan, Vasco de Gama et Abel Tasman avaient eu à démontrer. Sans doute. Il n'en restait pas moins qu'à elles seules, deux ou trois syllabes pouvaient en inclure des pans entiers. Les proférer, sans même que ce fût obligatoirement à haute voix, et, « Lac Balaton », « Valparaiso », « Zanzibar », « Baie des Baleines », des lieux apparaissaient aussitôt. Et là, parmi toutes ces formules magiques, il en était une qui, aussi familière qu'elle lui fût, n'en avait pas moins de réalité, qui, « Embarcadère de Keen », lui disait quelque chose qu'il connaissait jusqu'en ses moindres détails.

Elle ne se trouvait dans aucun atlas. L'espérer eût été difficile. Comment eût-on pu même seulement se faire assez petit pour le penser alors qu'avec ses millions d'habitants, une ville comme Sydney se réduisait à un point ? Il n'empêche : l'endroit était là, même si on ne l'y avait pas mis. Il y était assis. A une table, l'atlas ouvert devant lui, sous une lampe.

Il dégringolait dans son rêve. Laissant son esprit s'agrandir jusqu'à être aussi diffus et flottant que galaxie aux confins de l'espace, il errait, cherchait jusqu'au moment où enfin il repérait le monde, grain de lumière lointain qui roulait. Alors il fonçait droit dessus jusqu'au moment où enfin il en apercevait le point exact à sa surface, dans la Nouvelle-Galles du Sud, là où il se trouvait : à l'Embarcadère de Keen. Découvrait Broken Bay, d'abord, l'embouchure du fleuve. Puis, en reprenant de la hauteur dans le noir, suivait les tours et détours du fleuve jusqu'au moment où enfin il apercevait la jetée, le magasin, la fenêtre éclairée, sa tête à lui — elle-même aussi ronde qu'un globe et penchée sur l'atlas —, et arrivait à s'y glisser à nouveau.

Il avait l'esprit aveuglé de lumière, était mite fascinée qui volette aux abords des ténèbres, puis, soudain en leur centre, bat furieusement des ailes dans son étonnement. Autour de lui, dans une noirceur de poix, jusqu'à des soixante pieds de haut les pins d'Ecosse se dressaient vers les étoiles. Là-bas le poivrier, l'étendoir effleuré par l'éclat de la lune, les premières ombres d'une immensité de buissons.

Qu'y avait-il de tout cela dans le nom qu'il avait reconnu, il n'eût pu le dire, l'endroit n'ayant pas de frontières visibles. Pas assez, c'était clair, pour mériter de figurer sur l'atlas, mais beaucoup si l'on songeait à toute la poussière dans laquelle il fallait se traîner pour passer du ferry à la route qui courait le long de la corniche — ou aux millions de fourmis qui cavalaient sur les feuilles sèches et les brindilles du lieu.

Un jour enfin, il avait vu une carte sur laquelle l'Embarcadère de Keen était signalé. Cela se passait à bord du ferry, un type qui était arpenteur de l'Etat le lui avait montré sur un grand relevé topographique qu'il avait déplié en travers du capot de sa voiture. Une ligne en pointillés représentait le trajet du bateau, un point, rouge, marquant l'emplacement du magasin.

Ainsi donc, ça y était : Keen, son nom, avait fait son entrée dans le vaste monde. Sur une carte! Avec toutes les autres formules magiques! Avec « Maracaïbo », avec « Surabaya », avec « Arkhangelsk »!

Dans ce nom, qui était celui de son lieu, mais aussi celui qu'il portait, il y avait plus qu'un lien; il y avait une union. Et ce n'était pas seulement parce qu'il s'y trouvait : le quitter — il le ferait bien un jour, forcément — ne changerait rien à l'affaire. Où qu'il se rendît, quoi qu'il pût lui arriver, ce nom le contenait tout entier, des talons jusqu'à sa tignasse grossièrement débroussaillée aux ciseaux, tout autant qu'à lui seul il contenait, et recouvrait, cette infime partie du globe qu'étaient l'Embarcadère, le magasin, tous les grains de poussière, toutes les brindilles et toutes les feuilles mortes qui formaient leur terrain, avec, oui, toutes les variétés de fourmis, de bestioles et d'araignées qui y évoluaient, tous les oiseaux qui, à tire-d'aile, entraient dans son espace et en sortaient. Mystère il y avait, qu'il pourrait passer toute sa vie à élucider, et c'était ici même qu'il commençait : sur la table de la cuisine. Sauf que ce n'était jamais qu'un mystère parmi d'autres, parmi tous ceux et, il le savait, ils étaient tout aussi importants, qu'il lui faudrait un jour élucider. Il n'empêche : pour le moment, il suffisait à l'occuper — allait-il devoir (il s'en doutait déjà, et le regrettait) laisser tomber tous les Mont-Saint-Michel et autres Trincomalee de la terre, aussi beaux fussent-ils, pour ne jamais le lâcher ? Mais aussi : n'y était-il pas attaché parce que c'était là qu'il était né, parce que, lieu et identité, c'était son nom qu'il portait ?

Qu'avait été, se demanda-t-il, cet Embarcadère de Keen avant que son grand-père n'y arrive, ne se l'approprie et décide d'y construire le magasin ? L'endroit avait-il alors seulement un nom ? Et comment, s'il n'en avait pas, avait-on jamais réussi à savoir ce que c'était, voire qu'il existait vraiment ?

Oui, ce lieu avait bel et bien existé et sous un aspect quasi identique à celui qu'il avait maintenant — à condition d'y remettre les arbres que l'on avait abattus pour faire place à la route et édifier le magasin et le quai de débarquement, et encore d'en ôter l'étendoir, les trois sapins d'Ecosse, les rosiers et les grands gerberas que sa mère y avait plantés, c'était toujours le même escarpement de grès couvert d'une forêt d'angophores.

Mais sans nom ; jamais, peut-être même, effleuré par les talons d'un seul Noir. Mais là, assurément. Et même pas dans les ténèbres — on ne pouvait pas dire ça, rien que parce que personne n'en avait connaissance.

Et le même soleil impitoyable avait dû le frapper, les mêmes orages, les mêmes pluies d'hiver au lent tomber. Les mêmes strépères et les mêmes pies avaient dû le peupler, les mêmes astrilds bleus, les mêmes vers de terre, les mêmes serpents arboricoles, les mêmes grenouilles. Sauf que ce n'était pas l'Embarcadère de Keen. Que l'endroit ne savait même pas qu'il était des Keen qui, un jour, y feraient traverser le fleuve à leurs chevaux, y abattraient leur premier arbre, y établiraient un camp. Qu'il ne les attendait pas.

A un moment donné cependant, les deux réalités s'étaient rencontrées : la hache de son grand-père d'un côté, le tronc d'un de ses arbres de l'autre — la première lettre de la syllabe que la première avait taillée dans la seconde : « Keen » signifiait « effilé », comme l'était la hache de son grand-père. Ainsi l'endroit avait-il enfin eu un nom, avait, avec lui, découvert un lien unique au monde. Celui qu'ils partageaient en était la preuve.

Bien des années plus tard, alors qu'ils subissaient le pire en Thaïlande, ce lien l'avait aidé à garder sa raison, à ne jamais perdre le contact avec la terre. Grâce à ce petit bout de sol qui ne formait qu'un avec son nom, à travers lui, toujours il avait retrouvé son image. Le désirait-il qu'aussitôt il s'y redécouvrait. Il lui suffisait de plonger en lui-même et d'ouvrir les yeux.

Encore et encore, sous sa propre forme ou sous celle qu'il empruntait à tel ou tel quadrupède filant librement entre les gardes, il se mettait alors à courir et, l'air faisant sillage derrière lui, bondissait par-dessus les buissons, les rivières, les océans enfin et, glissant entre les arbres éclairés par la lune, touchait l'endroit où, en retrait du fleuve, se dressait le magasin : derrière s'élevait la grande barre de grès, sur l'autre rive du fleuve, un accore tout couvert de forêts, jusqu'aux étoiles.

Il y était arrivé, suait un peu après sa course ; une fois de plus il était redescendu des hauteurs où la fièvre l'avait tiré. Debout dans les arbres, au bord de la clairière, il regardait sa mère accrocher le linge.

Elle ne l'attendait pas. Mais n'avait jamais cessé de penser à lui. Et donc l'attendait aussi. En sortant d'entre les arbres, il veillerait à ne pas l'alarmer.

Il allait s'élancer, tout de suite. Mais le souffle court et la sueur lui tombant du corps à grosses gouttes, il restait immobile un instant, la regardait soulever, puis accrocher, un coin après l'autre, un drap.

V

1

Encore engourdi par un petit sommeil d'après-midi, Vic était debout. En caleçon, un pied nu posé sur l'autre, le coude appuyé contre le mur poussiéreux, il tenait, vaguement, l'écouteur dans sa main. Debout, il l'était, mais avait baissé la tête et désespérément la hochait, à droite puis à gauche. Autour du cornet acoustique à l'ancienne fixé au mur se trouvaient des gribouillis qu'on avait tracés au crayon indélébile : des numéros, des noms (certains de chevaux), un cœur irrégulier esquissé pendant quelque attente, violet et sanguinolent à la pointe. Au fond du couloir une voix pressait les jockeys de gagner la ligne de départ.

La pension — pour hommes — était située dans Surry Hills. On venait de l'appeler au téléphone, juste avant le thé.

Vautré sur le dos dans la chaleur sans air, les jambes écartées, l'esprit vide, le corps plat comme du papier — comme tout le monde, il provenait de la même feuille unique et pliée —, il avait songé à répondre « Absent », mais s'était levé en vacillant et, en rêvant encore à moitié, s'était gratté la tête avant de s'appliquer l'écouteur à l'oreille. C'était Ma. Elle appelait tous les vendredis soir. La conversation durait trois minutes et ne variait guère.

Ma voulait qu'il rentre, bien sûr ; mais, après la première tentative, n'avait plus jamais essayé de l'en convaincre ou de l'intimider. Elle se contentait seulement de l'appeler tous les vendredis, à la même heure, et bien qu'il fût souvent tenté de n'en rien faire, il acceptait toujours de prendre la communication. Elle était maligne, Ma, et d'une patience infinie. Un jour, il finirait par céder. Elle le savait et lui aussi. En attendant, et aussi légèrement que faire se pouvait, elle s'accrochait.

Venir dîner un dimanche soir — telle était l'invitation, pour faire la surprise à Pa ; on n'exerçait pas de pression, mais l'invitation était toujours valable. Un de ces dimanches, oui, il le promettait, mais continuait à noyer le poisson.

De retour dans sa chambre il s'allongea sur son lit et, sans penser à rien, contempla les ronds — et dans les ronds, les fleurs de lis — inscrits dans les carrés emboutis dans la feuille d'étain du plafond.

Cela faisait déjà plusieurs années — depuis, la population de la ville avait quasiment doublé — que la grande salle de devant (elle avait de longues fenêtres à guillotine et des plafonds de quinze pieds de haut) avait été cloisonnée avec du contreplaqué, chacun des box ainsi formés — combien y en avait-il ? il n'en avait pas la moindre idée — comprenant une ampoule nue qui pendait, une armoire, une cuvette pour se laver et un lit de camp. Le grand vide qui séparait le plafond du haut de la cloison signifiait que l'intimité était nulle. Toute la nuit il entendait tousser et cracher. Ici on tournait les pages du Zane Grey[1] qu'on lisait, là on se retournait sur un sommier rouillé, plus loin on grognait en dormant. Qu'on le voulût ou pas, il fallait prendre part aux rêves d'autrui.

Vic, qui gagnait bien sa vie, n'aurait eu aucun mal à se louer une chambre indépendante. Mais n'y aurait jamais trouvé le sommeil. L'avouer, même à Digger, était hors de question, mais cela ne changeait rien à l'affaire : il ne faisait jamais sa nuit. La seule fois où il avait essayé de dormir dans une chambre d'hôtel, il s'était réveillé en sueur et, glacé jusqu'aux os, n'avait pu venir à bout de ses terreurs. Obligé de sortir, il était allé passer le reste de sa nuit avec des clochards, dans un bar à tourtes ouvert vingt-quatre heures sur vingt-quatre.

L'entassement, l'indifférence, le petit désespoir de ses voisins, tous, ou presque, plus âgés que lui, voilà ce qu'il recherchait : cela lui convenait. Comme son travail.

Il avait couru l'Ouest pendant six mois, de chantier en chantier, tondeur de green ici, dresseur de barrières ailleurs,

1. Auteur de romans de cow-boys. (NdT.)

le premier job était le bon. De Bathurst à Orange, puis à Moree, Walgett, avant de passer dans le Queensland. Pour se perdre un peu, mais à la fin, et toujours en travaillant, il était rentré. La mairie lui avait offert un boulot de manœuvre : étaler du gravier devant un rouleau compresseur, du matin au soir, dans la chaleur et la puanteur du goudron. Sous le soleil de décembre le travail était dur. Il avait les mains noires et calleuses. Il était couvert de petites brûlures : la machine crachait beaucoup. La nuit, il avait parfois l'impression d'avoir les bras désarticulés. Mais c'était ce qu'il voulait.

Il était rentré, et le reconnaissait : c'était un fait. Mais, obstination et indignation auxquelles il refusait de renoncer tout à fait, il se sentait encore prisonnier, non pas tant d'un lieu que d'un état. Et ne voulait absolument pas en être libéré : c'eût été accepter que ce qu'on lui avait fait pût connaître une fin, voire être pris pour du passé et ça, il n'en serait jamais question.

Il était rentré et aurait pu, maintenant, avoir tout ce qu'il voulait : une chambre, une fille, une vie « normale », comme disait Ma. Mais il s'y refusait, par choix. Avoir le droit de choisir, contre ses intérêts même, lui importait beaucoup. En vivant ainsi privations, humiliations et mauvais traitements auxquels il avait été soumis, il réduisait d'autant le viol qu'il avait subi « là-bas ». « De toute façon, disait-il, tout ce qui m'est arrivé, j'aurais pu le choisir. Comme maintenant. Alors, tu vois... »

Cela dit, par fierté, il choisissait aussi d'interdire aux Warrender de le voir dans cet état ; quels que fussent l'amour que ceux-ci lui portaient et les excuses qu'ils étaient prêts à lui trouver. Il refusait qu'on l'excuse. Il ne les reverrait que lorsque enfin il serait redevenu lui-même, comme avant. Telles étaient ses conditions.

Pendant les derniers jours qu'il avait passés au camp, il avait reçu, entre autres lettres de Pa, Ma et Ellie, un mot de Lucille. Elle l'avait écrit dans un style qui sonnait faux et l'avais mis en colère : prétendre ainsi prendre à la légère ce qu'elle avait à lui dire, non. Elle s'était mariée — car c'était ça qu'elle avait à lui dire. A un Ricain. Dont elle avait un enfant.

Tous faits qu'il avait acceptés : les « faits », Vic les tenait en haute estime. Mais refusait leur finalité. Tout comme ce qui lui était arrivé, ils étaient le résultat de circonstances extraordinaires qui, dues à la guerre, leur conféraient un caractère accidentel. Et Vic avait choisi de ne pas succomber à l'accident, dans ce cas-là comme dans tout autre. Le temps aidant, il en renverserait le cours, mais seulement lorsqu'il serait de nouveau en mesure d'empoigner les choses avec une force comparable à celle d'autrefois. Jusque-là, il lui faudrait attendre.

Les autres pensionnaires ? Des poivrots, pour la plupart. Il les rencontrait dans l'obscurité du couloir ou dehors, sur le perron : une bouteille de porto enveloppée dans un sac en papier brun, on rentrait au foyer en vacillant, ou s'arrêtait au milieu de l'escalier en titubant. « Salut, fiston », et tout était dit. Un ou deux d'entre eux, des vieux, avaient l'air encore assez respectable, mais nulle part où aller. On n'avait plus de femme depuis longtemps, seulement, cela arrivait, un fils ou une fille quelque part, mais sans possibilité d'hébergement ; ou pas de famille du tout, depuis toujours. On lisait les journaux, s'intéressait aux courses, s'échangeait des policiers de quatre sous. Rien que de très normal pour ces gens-là. Personne ne le regardait en se demandant ce qu'il faisait là. Le bonhomme était comme eux, on se le disait, mais avait dû commencer à sombrer plus tôt.

Vic évitait les gens qu'il connaissait, ou essayait ; parfois cependant, la panique l'obligeait à chercher le réconfort d'une voix familière. Alors il sortait du foyer en tremblant et passait un coup de fil. A Douggy surtout — Douggy s'était casé. Plus rarement, mais il l'avait déjà fait une ou deux fois, aux Warrender, en espérant tomber sur Lucille. La plupart du temps, composer le numéro et écouter sonner lui suffisait. Il pouvait remonter se coucher. Ou alors il attendait qu'on lui réponde et, trop honteux pour parler, écoutait un instant.

Mais il y avait aussi des fois où il n'était qu'une seule personne qui fît l'affaire — Digger.

Vic essayait de tenir le plus longtemps possible : il haïssait sa dépendance et ne la comprenait pas. Mais, tôt ou tard, il finissait par renoncer et se lançait à la recherche de son ami. Un jour, il avait dû monter jusqu'à la Croix. Un autre, faire du stop le long de l'Hawkesbury, jusqu'à l'Embarcadère.

Revoir Digger, c'était se retrouver là-bas dans l'instant. Il en tremblait parfois tellement fort qu'il se demandait si la maladie ne l'avait pas repris. Sauf que, non, ce n'était pas la malaria et qu'au bout d'un petit moment, il se sentait plus tranquille. Alors un grand calme le gagnait et se répandait en lui ; l'esprit engourdi, parfois pendant plusieurs jours, il avait l'impression qu'on lui avait imposé les mains.

Il ne savait pas pourquoi il en allait ainsi. Emu et plein de reconnaissance, il aurait aimé trouver le moyen de le montrer à Digger, mais celui-ci n'avait pas besoin de lui ; souvent même — il le pensait —, c'était à peine si son ami semblait se douter de ce qui se passait : on avait de la patience, oui, mais on gardait ses distances. Et Vic en souffrait : parfois, la générosité et l'amour du monde qui lui venaient brisaient tout ce qui, il le savait, devait se rompre en lui. Balourd aux mains vides, il donnait alors l'impression d'avoir bu, voire d'avoir sombré dans la folie tant il se prenait, jusqu'au vertige, pour quelqu'un qui ne pouvait que se donner — qui le ferait, et ouvertement, dès qu'il aurait enfin trouvé celui qui accepterait son offrande.

2

— Bon, il vient, dit Ma en laissant tomber ses comptes. Cette fois-ci, il a promis. Mais j'en dis rien à Pa jusqu'à ce qu'il soit là. Ça le décevrait trop. Ah, ajouta-t-elle, et je crois qu'il vaudrait mieux que personne ne parle de... de là où il est allé... vous savez bien.

Ellie s'étant contentée de lever brièvement les yeux de dessus son livre, ce fut Lucille qui répondit à sa mère, vivement :

— Et pourquoi donc, pour l'amour du ciel ?

Elle était en train de donner des poires à la crème au petit Alexandre. Fâché de cette interruption — tout ce qui faisait écran aux grandes tendresses qu'on ne cessait de lui prodiguer l'irritait —, l'enfant regarda sa grand-mère et ouvrit la bouche. Sa mère s'était détournée de lui. La petite cuillère s'était arrêtée en l'air, à quelques pouces de ses lèvres.

Mme Warrender ne réagit pas immédiatement. Elle comprenait sa fille : être mère de famille et avoir un mari qui se trouvait à des milliers de miles de là n'était pas facile. Et avec ça, pas de maison à soi. Ma savait aussi que, dès qu'il était question de Vic, Lucille se montrait toujours un rien propriétaire. Que rien ne l'y autorisât ne faisait que la rendre encore plus chatouilleuse sur ce point.

— De toute façon, reprit enfin Ma, tel que je le connais, il ne voudra pas en parler. S'il le faisait de lui-même, ce serait différent, bien sûr. Mais il ne fera pas, je le sais.

Lucille rougit de colère. Ces derniers mois l'avaient vue perdre de plus en plus patience avec sa mère et, maintenant qu'elle était sur le point de se libérer de sa tutelle, se montrer de plus en plus agacée, parfois jusqu'au mépris, par la façon dont elles vivaient, par tous les faux-semblants et autres demi-vérités auxquels il fallait sans cesse recourir afin de ne pas froisser les petites susceptibilités de chacun. Elle avait envie de vivre une existence plus saine, plus ouverte et plus honnête, quitte à ce que cela fasse mal, mais rester chez sa mère rendait son désir parfaitement irréalisable. Femme mariée, Lucille en avait assez de n'être encore qu'une enfant qui vivait chez ses parents.

Pendant tous ses mois de grossesse, elle s'était sentie merveilleusement à l'écart et pleine d'elle-même. Elle avait mangé tout ce qu'elle avait voulu, fait la grasse matinée jusqu'à midi, passé ses après-midi allongée au soleil ; finie la nervosité, finies les contrariétés qu'entraînait son tempérament « difficile ». L'égoïsme ne l'habitait plus, elle avait cessé de ne penser qu'à elle-même.

A l'écart, elle l'était, mais aussi en phase avec quelque chose de nouveau, avec des forces réelles, des forces donc, sur lesquelles sa volonté n'avait pas de prise.

Celle du temps, par exemple.

En parfait synchronisme avec le soleil, la pendule qui en elle s'était mise en route marchait en temps réel, et pas seulement en temps mécanique, et la réglait elle aussi. Il eût été tout aussi impossible de l'arrêter ou de la retarder que d'en accélérer la course. A s'y soumettre, Lucille ne se sentait nullement violée, qui, de fait, en éprouvait même une impression de libération.

La pesanteur aussi.

Un après-midi qu'elle avait glissé à l'engourdissement rêveur qui la gagnait dès qu'elle s'allongeait au grand soleil, elle s'était vue en nuage, mais si léger et transparent qu'elle n'aurait eu aucun mal à se dissoudre ou à s'envoler et flotter dans les airs. A l'intérieur de ce nuage, très loin, au point de lumière qui en constituait le centre, une silhouette se donnait en spectacle, non point du tout pour un public, mais pour elle-même. Parfaitement absorbé en lui-même, une manière de petit être faisait des pirouettes, qu'elle voyait très clairement bien qu'elle en fût très éloignée. Il n'était pas sans poids, mais semblait suffisamment connaître les secrets de la pesanteur pour en jouer de la manière la plus surprenante qui fût. Lucille ne le lâchait pas des yeux, voulait en découvrir le secret — celui de la légèreté, celui aussi du vrai poids qu'elle pesait en ce monde.

Des mois durant, les pieds posés sur les accoudoirs d'un fauteuil en toile bas et un pichet de limonade préparé par Meggsie à ses côtés, elle l'avait regardé gigoter en clignant les yeux contre le soleil. Tout petit, il lui semblait très éloigné au début, mais d'un éloignement qui avait plus à voir avec le temps qu'avec l'espace. Il grandissait peu à peu, se rapprochait, se trouvait bientôt si proche d'elle qu'elle n'était plus obligée de cligner des yeux pour le voir.

A aucun moment elle n'avait tremblé pour lui, ni pour elle. Quand bien même elle dérivait, jamais elle ne le quittait et jamais il ne tombait. L'un et l'autre, ils se tenaient.

Pas davantage elle n'avait eu à éprouver la moindre impatience. Il évoluait dans un temps qui lui était propre et que rien ne pouvait accélérer. La pendule, c'était lui. Quelque part, tout là-bas, en un point que ni l'un ni l'autre n'avaient encore atteint, il était déjà assis sur sa chaise haute et tapait avec sa cuillère. Lucille savait qu'il n'était plus que d'attendre le jour où ils se rejoindraient.

— Peut-être, dit-elle, mais Vic, moi aussi, je le connais, et fit ouvrir la bouche à Alexandre afin qu'il avale sa dernière cuillerée de poire. Ce serait tout lui servir sur un plateau. Vous ne comprenez donc pas la comédie qu'il nous joue? Tout ça pour nous montrer qu'il a le cœur sensible et nous rappeler qu'avec lui, il ne faudrait surtout pas y aller autrement qu'avec des pincettes! Ça! On est le centre de l'univers ou on ne l'est pas.

Ellie leva encore une fois la tête. Ce n'était pas tant les propos de sa sœur qui la choquaient que la véhémence avec laquelle celle-ci les proférait.

— Mais il ne s'agit pas de ça! s'écria Ma qui, elle aussi, s'était mise en colère. Non vraiment, Lucille, il y a des moments où j'ai l'impression de ne pas te connaître.

Lucille rougit. Se faire ainsi critiquer et rabrouer par sa mère avait quelque chose de très humiliant. Elle ramassa ses affaires, installa Alexandre à cheval sur sa hanche et quitta la pièce d'un pas énergique.

— Qu'est-ce que t'as à lui en vouloir comme ça? lui demanda Ellie.

Elles étaient seules dans la chambre de Lucille, l'enfant allongé entre elles sur le lit. Assise en tailleur, Lucille enfilait une aiguille.

— Moi, lui en vouloir ?

— Oui, toi. Tu lui en veux. Et tu ne l'as même pas revu. Tu as fait beaucoup de chagrin à Ma. Tu sais comme elle l'aime. Qu'est-ce que t'as ?

Lucille continua de travailler à son ouvrage, puis finit par le poser.

— Il s'imagine toujours qu'y a qu'à lui qu'il arrive des trucs ! s'écria-t-elle avec passion. C'est que je le connais, moi ! Comme s'y avait besoin de le voir pour savoir qu'il va recommencer !

Ellie eut un mouvement de recul. Elle connaissait bien toutes ces humeurs qui, à mi-chemin entre les pleurs et le défi, s'emparaient souvent de sa sœur. Déjà très unies, Ellie et Lucille étaient devenues plus proches depuis que Lucille était seule.

Trois ans les séparaient et cela changeait beaucoup les choses.

Trop jeune pour sortir avec des Américains — Pa ne l'y eût pas autorisée —, Ellie ne s'en était pas moins accrochée à leurs basques chaque fois que, comme au cinéma, ils avaient débarqué à la maison avec une orchidée emballée dans un étui en papier cellophane, des chocolats ou des bas nylon, les avait jaugés à sa manière terre à terre et, plus tard, en roulant sur son lit avec une Lucille qui, toujours en robe de bal, n'arrêtait pas de chuchoter, de rire, de comparer et de critiquer, s'était amusée à imiter l'accent traînard avec lequel celui-ci lâchait un : « Pour sûr que oui, Mam », singer la dégaine satisfaite de celui-là, les airs martiaux d'un troisième, les mines de petit dur d'un quatrième, les timidités d'un autre encore qui, prisonnier de ses muscles et, le col de chemise souvent agité de soubresauts, avait nom Virgil Farson Junior et, originaire de Greenwood, Etat du Mississippi, n'avait certes pas été le grand favori de sa sœur au début, tant s'en fallait, puis l'avait été. Dans cette histoire, Ellie avait toujours su où Lucille en était. Tellement même que Ma lui avait reproché de ne rien lui en dire et avait refusé de lui parler pendant une semaine.

Ellic avait quinze ans lorsque Vic était parti. Amis, ils

l'étaient et elle lui était restée férocement attachée. Elle avait toujours cru que, pour finir, Lucille le choisirait — avec tout ce qui les unissait ! —, et que les écarts et autres petits flirts qu'on avait avec untel ou unetelle n'étaient qu'aventures sans importance et toutes destinées à lui faire oublier le caractère inévitable de leur union.

— Non, lui avait un jour dit Lucille d'un ton grave, tout cela n'était qu'enfantillages. Tu ne vois donc pas la différence ?

Et avait alors paru si sûre d'elle qu'Ellie s'était demandé si quelque chose ne lui avait pas échappé.

Il n'empêche : lorsque Lucille s'était retrouvée enceinte, tout le monde, Ma surtout, avait eu l'impression qu'une erreur avait été commise.

Lucille, elle, ne le pensait pas. Elle avait annoncé la nouvelle à sa sœur en lui faisant jurer de la tenir secrète, mais avec un tel air de triomphe et de sombre excitation que, ne l'ayant encore jamais vue dans un pareil état d'énervement, de calme souverain et d'épuisement mélangés, Ellie avait elle-même éprouvé comme un petit choc au bas-ventre en comprenant l'énormité et le sérieux, ô combien adulte, de l'affaire.

Lucille, s'était-elle dit, avait raison. Elle n'était encore qu'une écolière et ne saisissait pas la portée des choses. Alors même que, la guerre faisant rage, tant d'horreurs s'étaient déjà produites, elle vivait toujours comme « avant », croyait encore que l'existence était une aventure qui ne pouvait connaître qu'un seul dénouement — celui auquel inévitablement on arrive lorsqu'on s'en tient aux règles en vigueur dans les films qu'elle allait voir et les feuilletons qu'elle lisait. Lucille, elle, avait fait table rase de tout cela et, aussi proches fussent-elles l'une de l'autre, Ellie n'en avait rien vu.

Pendant les quinze jours qu'il lui avait fallu garder son secret, Ellie avait découvert en sa sœur un être entièrement transformé, au propos, oui, soudain plein d'urgence.

L'atome de lumière qui, une seconde après l'autre, grossissait et s'arrondissait en elle avait placé Lucille dans le droit fil de la vie. Chose étonnante, celui qui, précis et efficace, l'avait déposé en elle n'était autre qu'un gros garçon de moins de vingt ans qui, Virgil Farson de son nom, n'avait sans doute jamais fait autre chose que de l'y mettre en passant et sans trop savoir pourquoi. Il se trouvait pour l'heure à quelque trois mille miles de là, dans les Iles, au fin fond d'une base aérienne où, ignorant tout des conséquences de son acte, il passait son temps à lire des *Félix le Chat*.

Ellie en était restée abasourdie. Comme hébétée, elle avait erré dans la maison, soudain avait deviné jusqu'à quel point les choses pouvaient être importantes et fragiles, s'était sentie incommensurablement unie à sa sœur : Lucille avait franchi le pas. Se sentant, elle aussi, au bord de le faire, resplendissante et pleine d'empathie, elle avait grossi avec sa sœur.

Exagérations que tout cela, bien sûr. Ses propres capacités l'avaient émue et rien de plus. Ah, les petits tiraillements avec lesquels elle avait reconnu le changement qui s'opérait en sa sœur. Ellie avait eu tôt fait de retomber sur terre.

A ceci près que la petite vie dont Lucille avait alors pris si fortement conscience, cette infime présence qui flottait en elle, qui, sans nom encore, s'était tournée vers elle et se préparait à courir vers un point situé à quelque soixante ou soixante-dix ans en aval, avait un jour cessé d'être anonyme. Etait un jour devenue l'Alexandre qui, maintenant, remplissait la maison de ses cris, et de ses faims, de ses odeurs aussi, celui-là même qui, présentement allongé sur le lit, entre elles, se chantonnait quelque chose à lui-même en battant l'air de ses pieds, qui, lorsqu'elle posa son visage sur son ventre, se mit à pousser dcs hurlements d'extase.

— Tu crois pas qu'il aura beaucoup changé ? demanda-t-elle à Lucille.

Assez inquiète de découvrir ce qui, peut-être, lui avait échappé, elle n'avait posé sa question que pour sa propre édification.

Lucille était plus troublée qu'elle ne voulait l'admettre. Elle fit la moue et se détourna. La question était trop difficile. Elle ne trouvait pas les mots qui convenaient pour y répondre.

Il ne pouvait pas ne pas avoir beaucoup changé, bien sûr. Forcément. Comme tout le monde. Avec tout ce qui s'était passé ces dernières années ! Cela dit, il avait aussi, et elle le savait, une façon bien à lui de se fermer à ce qui, à ses yeux, n'était qu' « événements ». Ce qui était une force — mais aussi une faiblesse lorsqu'on s'efforçait de voir les choses autrement : plus l'événement le touchait et plus il s'obstinait à le nier.

Changé, il le serait, aucun doute n'était permis là-dessus. Peut-être même le serait-il d'une manière particulièrement nouille et que cela fût seulement possible lui faisait mal. Il prétendrait le contraire, évidemment, mais n'en exigerait pas moins qu'on vît clair dans son jeu et le prît en pitié.

Tant et si bien que lorsque, le grand dimanche étant enfin arrivé, il se présenta comme promis à la porte — elle avait entendu la sonnette, puis les clameurs que tout un chacun, y compris Meggsie et Tante James, avait poussées dans l'entrée —, elle ne descendit pas tout de suite. Prit son temps, pas pour elle — elle ne prenait jamais de temps pour elle —, mais pour son fils. Ma, Pa, Meggsie, Tante James (Ellie était encore au tennis), toute la famille s'était déjà serrée autour de lui lorsqu'elle s'encadra enfin dans la porte du salon de devant. L'enfant perdu était de retour, on en faisait tout un plat. Elle se sentit exclue. Lui en voulait-elle secrètement et depuis toujours de la place qu'il occupait dans la maison ? Et Ellie ? Soudain il se tourna. Elle vit son air tendu, presque à vif, et eut honte. Elle se porta aussitôt vers lui et, son enfant dans les bras (sa chaleur et son poids allaient sûrement l'aider à ne plus trembler), l'embrassa sur la joue. Elle était atterrée. Vic n'était certes pas plus maigre qu'avant, mais avait un air écorché qui lui alla droit au cœur.

Les autres, Pa, Ma et Tante James, l'observaient. Il allait falloir surveiller ses émotions. L'instant était critique.

Bestialement courts et rasés au-dessus de ses oreilles, ses cheveux lui donnaient l'allure d'un bagnard. L'avait-il fait exprès ? Elle en fut émue, mais se rappela qu'on ne pouvait pas lui faire confiance. Ils se touchaient presque, l'enfant, entre eux, gazouillant et agitant les doigts en l'air.

— Il a quel âge ? demanda-t-il.

Il examinait Alexandre d'un œil perplexe, comme s'il ne s'était pas attendu à ce que l'enfant fût aussi réel ou avait sous-estimé l'énergie et l'égoïsme innocent qui seraient les siens. Alexandre riait et, portant son regard tantôt sur l'un tantôt sur l'autre, ne semblait pas douter que la personne la plus importante dans tout ça, ce fût lui.

— Salut, l' copain ! lui dit Vic lorsque, lançant les mains en avant, le bambin essaya d'attraper sa chemise.

— Je te présente Alexandre, dit Lucille.

« Comme quoi, c'est fini, nous avons cessé d'être les petits derniers », aurait-elle voulu ajouter. Pour l'aider à se réconcilier avec les faits, se dit-elle, voire à ne plus regarder les choses par le petit bout de la lorgnette.

Vic tendit les bras en avant et lui prit Alexandre. Elle sentit le poids de son enfant la quitter, vit combien les mains de Vic étaient dures et couvertes de cicatrices, fut surprise par sa douceur, mais resta la garde haute : l'enfant l'avait désarçonné, rien de plus ; dans un instant il chercherait à se refaire. Il avait posé l'enfant sur son bras et le soulevait et abaissait comme s'il essayait de deviner son poids.

Ça la fit rire. Il n'allait quand même pas tenter de rivaliser avec un nourrisson de onze mois ! C'eût été indigne. Sans compter que la balance penchait un peu trop en faveur de l'enfant. Non, on cherchait une issue, tout simplement. « Nous sommes de bien étranges créatures, pensa-t-elle. Ce que nous pouvons être transparents ! »

— Mais c'est qu'il est lourd ! s'écria Vic tandis que les autres continuaient de l'observer en silence.

« Ça ! Pour être lourd, il est lourd ! songea-t-elle. J'aurais pu te le dire moi-même ! »

Et rit, enfin. Penser au poids que son petit ajoutait au monde, car toujours elle le sentait, même lorsqu'elle ne portait pas son enfant elle-même, la submergea d'une joie telle que, dans son élan, elle éprouva aussi de l'affection pour Vic, pour ses mains gonflées et couvertes de croûtes, pour la sûreté avec laquelle elles tenaient son fils.

« Ecoute, eut-elle envie de lui dire, nous ne pourrions pas nous faciliter un peu la tâche ? Il y a eu la guerre, des choses extraordinaires se sont passées. Un jour, un gamin est venu du fin fond de son Mississippi natal pour coucher avec moi ; incorporé de force par le ministère de la Guerre à Washington. Il avait dix-neuf ans. C'était la première fois qu'il sortait de chez lui. Et maintenant il est reparti et il se passera sans doute des mois et des mois avant que je puisse le rejoindre. Et il y a Alexandre et tout est changé. Mais ce n'est pas grave. Nous sommes en bonne santé... nous sommes encore vivants, non ? Regarde cet enfant et tu verras comme tout est facile. »

Il ne perdit pas de temps. Elle vit dans ses yeux que le bref instant de faiblesse qu'elle avait eu pour lui ne lui avait pas échappé. Il lui repassa l'enfant, mit les mains dans ses poches et, rien à faire, ne put s'empêcher d'arborer un petit sourire au coin des lèvres. Il avait retrouvé son équilibre, il allait se montrer difficile. Sa légèreté était de nouveau pleine d'une excitation qui, elle le sentit, déjà affleurait sa peau. Lucille s'écarta.

Elle avait été incapable de lui dire tous les mots qui, quelques secondes plus tôt seulement, lui étaient venus aux lèvres.

Retourner chez les Warrender lui avait donné l'impression de jouer au fantôme.

Une fois descendu du train, il avait arpenté le quai pendant un bon moment, puis s'était mis à consulter les horaires, avait regardé les réclames, déchiffré les graffitis qui ornaient la verrière de la salle d'attente, bref, avait fort bien imité le monsieur qui attend une correspondance.

Alors qu'il ne faisait jamais que s'accrocher désespérément à ses derniers instants d'inexistence.

Sur un quai de gare il est facile d'attendre sans risquer de se voir remis en cause. On fait les cent pas les mains dans les poches, on s'arrête pour allumer une cigarette ou sortir une plaque de chewing-gum de son emballage et tout est dit ; il n'est nul besoin de se justifier, de saluer les gens, voire de leur reconnaître une quelconque réalité. On se dresse sur la pointe des pieds, on repose les talons sur le sol, on sifflote. On gagne le bout du quai, on y contemple les graviers qui, sur un quart de mile, marquent la fin de telle ou telle autre voie, on fait demi-tour, on revient. Ce n'est qu'après être passé devant l'employé en casquette et petit gilet qui paresse à la barrière, qu'après lui avoir donné son billet, qu'après avoir descendu l'escalier qui conduit aux taxis qu'enfin on est vraiment arrivé. « Je pourrais passer la journée ici, s'était-il dit après avoir lu deux fois les horaires, et encore le message biblique destiné aux voyageurs et les réclames pour la lessive APC de Vincent et le thé Bushell, ou rentrer par le prochain train. » Mais voilà que tout soudain il était allé jusqu'au bout du quai et, après avoir descendu l'escalier, s'était retrouvé dans la rue sans même avoir eu le temps de comprendre ce qu'il faisait.

La maison était loin, mais il connaissait le trajet par cœur. Il y avait à peine quatre ans de cela, il était encore élève au lycée.

Il s'arrêta devant une palissade et, par un interstice de cette dernière, regarda une conserverie où, avec d'autres gamins de son âge, il était un jour allé ramasser de la ferraille.

Derrière se trouvait la maison aux fantômes, petit édifice en ruine qui, entouré d'une véranda, se dressait par-delà des parterres de cannas et de palmiers nains tout roussis. C'était, à l'époque, une vieille fille un rien dérangée qui l'habitait. Elle se baladait en ville en poussant un loulou de Poméranie assis dans une voiture d'enfant. La maison était vide, on en avait aveuglé les fenêtres avec des planches.

Au coin de Crane Street, huit ou neuf ans plus tôt, il avait alors treize ans, il s'était servi des clés de la maison pour graver ses initiales, VCC, dans le ciment frais du trottoir. Elles étaient toujours là, sous les traces de pattes d'un chien qui était passé par là un peu plus tard.

Certes, mais il éprouvait aussi une manière d'excitation intérieure, avait l'impression de retrouver l'identité qui lui était revenue lorsque, pour la première fois, il avait dit à Ma que oui, il reviendrait.

L'intime connaissance qu'il avait du parcours commençait à le travailler, son corps, qui avait sa mémoire particulière, retrouvant sans mal tous les pas qu'il fallait faire pour aller de la gare à la maison. Arrivé devant la porte, l'habitude, il s'était surpris en train de chercher la clé dans sa poche.

Deux surprises l'attendaient lorsque enfin on lui ouvrit : Meggsie le serra sur son cœur et fondit en larmes et, pour la première fois de sa vie, Tante James ne le prit pas pour un autre.

— C'est Vic ! s'écria-t-elle, debout dans le couloir, juste derrière Meggsie.

« Nom de Dieu ! se dit-il en ayant comme une petite bulle de rire aux lèvres, si elle, elle me reconnaît, c'est que je dois être vraiment un fantôme ! »

D'autres changements s'étaient produits. Adoptant un ton humoristique qui ne laissait rien entendre de ce qu'il en pensait, Pa les énuméra, un peu trop vite, avant que Vic n'ait eu le temps de les découvrir par lui-même.

— Je suis en retraite, lança-t-il. On m'a mis au vert. Cela dit, officiellement au moins, j'ai encore le droit de travailler à mon livre.

Tandis que Ma y allait de petits grognements de déplaisir, afin de ne pas gâcher la comédie à laquelle il se livrait, il ajouta :

— Tiens, que je te présente la nouvelle directrice !

— Mais c'est que c'est vrai, tu sais ? lui dit Ma d'un air plutôt timide. J'ai repris l'affaire il y a trois ans. Pour une surprise, c'est une surprise, non ?

— Même qu'elle m'a viré à la première occasion ! reprit Pa. Pour incompétence. Et rêveries incessantes pendant les heures de travail.

— Il dit des bêtises, fit-elle. La vérité, c'est qu'il n'a pas supporté d'obéir à une femme. Monsieur trouvait ça indigne !

— Ah bon ? dit Pa. Et moi qui croyais que la patronne, c'était toi depuis toujours... et que je m'y étais fait !

— Toujours est-il qu'on a repris du poil de la bête et que c'est ça, l'essentiel, dit-elle.

— Avoir eu cette arme secrète pendant toutes ces années et n'en avoir jamais rien su ! Ça, quand on leur a lâché Ma dans les jambes, ils se sont tous sauvés !

Sous ces railleries, il le sentait bien, il était des tensions que seul l'humour, le bon vieil humour tout à la fois doux et cruel, était capable d'apaiser.

S'être placée ainsi au centre même de leurs vies avait changé Ma du tout au tout. Elle avait remis de l'ordre dans ses relâchements d'antan, les flous, les langueurs et l'angoisse perpétuelle qui semblaient la caractériser ayant apparemment disparu avec la condition pour ainsi dire contre nature qu'elle s'était jusqu'alors imposée — pour s'effacer derrière son frère Stevie d'abord, derrière Pa ensuite. La guerre ayant modifié les règles du jeu, Ma était tout simplement entrée dans la danse pour faire ce à quoi elle paraissait destinée depuis toujours ; temporairement au début (Pa avait attrapé la dengue), pour de bon après, et ce sans presque susciter de protestations de la part de son mari.

L'économie de guerre avait beaucoup bonifié les productions locales. Voyant la chance qui s'offrait à elle, Ma n'avait pas perdu de temps pour agir et faire un véritable malheur.

Elle trouvait plus facile, elle aussi, de prétendre que ce qui s'était passé était le résultat, passablement monstrueux, des circonstances actuelles : Ma n'avait rien perdu de son sens pratique ! C'était là une des qualités dont elle n'avait jamais pu faire preuve jusqu'alors, mais à laquelle elle s'était empressée de lâcher la bride dès qu'elle en avait eu la liberté. L'humour plutôt piquant dont elle usait le disait clairement. L'agent de sa libération avait été l'Armée impériale japonaise, même si, de fait, celle-ci n'avait eu, au même titre que beaucoup d'autres événements qui s'étaient produits depuis lors, qu'un rôle passager dans l'affaire. Ma n'avait jamais été partie prenante dans le Plan de prospérité de l'Asie du Sud[1].

Pareille idée eût été par trop humoristique, bizarre, voire tirée par les cheveux, pour être admise sans conteste. Ma n'en avait rien dit à personne. Même friands d'humour, les gens étaient — elle ne le savait que trop — rarement ouverts aux idées qui dérangent ou à ceux et celles qui les professent.

Ce ton nouveau qu'elle avait pris, Vic l'avait repéré dès leur première conversation téléphonique. C'était même cela qui, en partie au moins, il le comprenait maintenant, l'avait incité à revenir. Un pacte les liait depuis toujours, il n'avait même pas été besoin d'en reparler. Les termes en avaient été établis bien des années auparavant, au cours des longs et difficiles entretiens qu'ils avaient eus sur la fin, lorsque, ayant compris la fidélité qu'il lui vouait, elle avait — elle et pas lui — deviné qu'un jour ou l'autre ils finiraient par faire équipe ensemble.

Elle l'emmena voir ce qu'elle faisait « en dehors de la maison », soit : à la savonnerie, et, comme si les liens qui les unissaient « avant » étaient encore indubitables, lui mit le marché en main : on s'associe, d'accord ?

Aucune coquetterie là-dedans. Elle ne lui avait pas fait le coup de la faible femme qui s'en remet aux décisions du

1. Euphémisme derrière lequel se cachaient les plans d'invasion de toute l'Asie par les armées nippones. (NdT.)

mâle. L'offre ne valait qu'entre égaux. Et, des deux côtés, l'occasion était trop belle pour qu'on ne la saisît pas.

Minuscules, comme on l'était toujours sous les hautes poutrelles du plafond à croisillons, ils se tenaient en un endroit qui ressemblait étrangement à un entrepôt. Vic y songea, puis chassa sans tarder le soupçon de désespoir qu'il en avait éprouvé.

Quitter la forte lumière de la cour pour entrer dans la fraîcheur de l'usine ! Mais cette fraîcheur était particulière, qui en le baignant à nouveau lui rendait un être qu'il avait oublié. Il songea à l'instant où enfin l'on retrouve la véritable chaleur de son corps après plusieurs jours de fièvre, à la ligne que l'on franchit pour passer d'une zone dans une autre. La chair de poule le gagnant, il se remémora, avec une immédiateté à laquelle il n'était pas du tout préparé, la dernière fois où, la veille même de son départ, il était entré dans ces lieux.

Petit jeune homme de dix-huit ans fort imbu de lui-même, il s'était tenu au même endroit et là, dans sa gêne, avait pris momentanément congé de son passé, sans rien savoir de ce qui l'attendait. Cinq ans s'étaient écoulés. Malgré son amertume, il en avait tout digéré, soudain était capable de voir ce qu'il avait été sans à nouveau sombrer dans l'aigreur qui le consumait depuis plusieurs mois qu'il était rentré. Il pouvait enfin affronter avec détachement, voire avec une tolérance circonspecte, le lycéen sans humour qui, tout bouffi de lui-même, avait jadis fait tant de promesses au monde. Il n'y avait aucune honte — aucune au moins qui fût assez forte pour le condamner à mort — à avoir eu dix-huit ans un jour et à avoir alors presque tout ignoré de ce que le monde pouvait vous infliger.

C'était le lieu lui-même qui lui faisait comprendre tout cela. Il se souvint d'une pensée qui lui était venue lorsqu'il était descendu à l'Embarcadère et que, bien sûr, il avait rejetée en croyant que Digger se moquait de lui.

« Pour toi, oui ! » s'était-il dit en regardant la clairière et en voyant jusqu'à quel point son ami semblait en faire partie. Digger s'y intégrait même tellement bien qu'à un moment donné il avait eu du mal à l'imaginer ailleurs... Digger s'était-il donc jamais trouvé « là-bas » ?

Sauf que maintenant, c'était lui qui éprouvait ce sentiment à son tour. Son passage à l'usine avait, Dieu sait comment, laissé un vide qui ne demandait qu'à être comblé. Y reprendre sa place, comme si rien jamais ne l'en avait chassé, ne lui poserait aucune difficulté.

3

Enfin Ellie arriva, une bande de joyeux lurons en décapotable rouge l'ayant déposée devant la porte. Elle s'arrêta un instant dans le couloir et s'excusa de son retard.

— Non, ne me regarde pas ! s'écria-t-elle lorsque Vic tenta de s'approcher d'elle. Je suis moche comme tout !

Et fila se changer dans sa chambre. Elle était sans bas et avait revêtu une robe en coton retenue par des petits nœuds aux épaules lorsqu'elle redescendit.

— Ah ! lança Pa, notre fillette à tous !

Ellie n'était encore qu'une écolière lorsque Vic l'avait quittée : ils étaient copains et se disaient tout. Elle se jeta à son cou comme si rien n'avait changé entre eux.

Vic jeta un coup d'œil à Lucille pour voir si elle l'observait, mais, complètement absorbée par son enfant, celle-ci refusait toujours de le regarder — un peu trop délibérément, lui sembla-t-il.

Ellie avait un emploi. Elle avait commencé par être affectée à une usine d'armement, mais travaillait maintenant dans un atelier mécanique où elle conduisait un six-tonnes dont elle assurait elle-même l'entretien. Elle lui montra ses mains. Elle adorait courir la ville au volant de son poids lourd, quand ce n'était pas à Lithgow ou tout en bas de la côte, à Wollongong, qu'il lui fallait se rendre. Il suffisait de l'écouter pour savoir qu'elle disait vrai. Les autres, qui devaient pourtant avoir les oreilles rebattues de ses exploits, avaient l'air ravi de l'entendre les lui répéter.

Elle se leva et, sans cesser de parler, alla chercher un bol rempli de cacahuètes que Meggsie avait posé sur une table.

Elle en choisit une grosse, en brisa l'enveloppe en deux et, comme elle l'eût fait autrefois, avala le contenu de la première et lui passa la seconde sans pour autant interrompre l'histoire qu'elle était en train de lui raconter.

C'en était à croire qu'ils s'étaient quittés la veille. Ellie n'ayant jamais eu, à ses yeux, la beauté intimidante de Lucille, ils n'avaient aucun mal à retomber, sans presque y penser, semblait-il, dans toutes les petites habitudes innocentes qui, telle celle du partage des cacahuètes, avaient tissé leur passé.

L'histoire ayant pris fin, il éclata de rire. Aussitôt elle le regarda et lui dit :

— Mange ta cacahuète !

Il l'avait gardée dans sa main !

C'est que pour lui, la nourriture, quelle qu'elle fût, jusqu'à la moindre croûte de pain, avait maintenant une importance quasi mystique. Il faisait provision de tout, reliefs et détritus inutiles y compris, mais, sachant combien son attitude était bizarre, s'en cachait.

Il regarda la cacahuète qu'il n'avait toujours pas lâchée, la mit lentement dans sa bouche et commença à mâcher.

Il ne jeta pas un seul coup d'œil à Lucille pendant tout le temps que dura le grand déjeuner que Meggsie leur avait préparé. Ce ne fut que plus tard, bien après qu'on fut passé au salon, que, se plantant le dos à la fenêtre, il mit les mains dans ses poches et la regarda jouer avec son fils.

Il n'y avait plus qu'eux dans la pièce. Ellie était partie téléphoner dans le couloir, il l'y entendait rire. Pa et Ma étaient montés se reposer. Lucille n'avait aucune envie de se retrouver seule avec lui — il le savait, mais ne voulait pas en faire une histoire.

Chaleur étouffante, ciel lourd, orage qui menaçait, l'atmosphère était typique de l'été à Sydney. Comme il avait, là-bas, brûlé de retrouver la somnolence incomparable de ces interminables après-midi dominicaux, le luxueux cadeau de ces attentes infinies avant l'heure du thé, la balade qu'ensuite on faisait à travers le terrain de golf, puis, dans les hauts paspales, jusqu'à la baie de la Poule et du Poussin, avant de rentrer dîner, l'obscurité dans laquelle, après le repas, on se lançait dans les grandes parties du dimanche soir ! Enfin il avait tout recouvré.

Assise devant un tas de cubes, Lucille construisait des pyramides qu'en riant l'enfant crevait et éparpillait à coups de poing, encore et encore.

Ils ne s'étaient pas dit un mot, mais son regard, tandis qu'elle s'affairait avec son fils, ne cessait de le frôler. Il le sentait. Il se sourit à lui-même et, très légèrement, se mit à siffloter.

Lucille était troublée. S'il s'était relativement bien débrouillé du déjeuner, elle n'en voyait pas moins qu'il n'avait toujours rien admis. Sans y toucher, mais elle le sentait, il la poussait à faire une scène qu'elle ne pouvait pas se permettre.

Il n'était pas vrai que ce qu'il avait enduré la laissât indifférente. Cela dit, il était trop plein de ce qu'il avait vécu pour accorder la moindre valeur à son expérience à elle et cela la mettait en colère. Il croyait vraiment être le seul à avoir souffert. Ainsi pouvait-il se dire qu'à moins de le vouloir, lui, rien n'avait besoin de changer entre eux. Tel était l'obstacle qu'il fallait surmonter, mais sans faire de vagues.

Il continua de siffloter, tout bas, et cela ne faisait même pas une mélodie. Il la surveillait de près. Elle faisait semblant d'être entièrement absorbée par son enfant, mais c'était du bluff ; la vraie partie, elle le savait, se jouait avec lui. « Bref, se dit-il, j'ai gagné la première manche. »

Mais l'avantage était mince : retranchée derrière une manière de cercle enchanté qu'elle avait tracé autour d'elle et de son fils, elle ne cessait de le regarder pour voir s'il en était conscient et comprenait ce que cela voulait dire.

Elle était mère — et donc femme, à cent pour cent. Alors que ce qu'il avait enduré, lui, ne lui assurait pas nécessairement le statut d'homme : ainsi se mettait-elle hors de sa portée. En le traitant toujours comme un enfant — celui qui un jour était parti.

Pareille injustice le blessait. Il lui semblait avoir gagné le droit d'être traité en homme, mais sentait bien qu'il ne pouvait pas l'exiger. Coincé, il l'était, et de tous les côtés.

Dans cette partie qu'ils avaient entamée, rouler les mécaniques ne l'empêchait pas d'être sans expérience. Il ne l'ignorait pas. Comme s'il avait pu en aller autrement ! Il avait perdu cinq ans. L'injustice de la chose lui serrait la gorge, mais il n'en continuait pas moins de siffloter.

Elle sentait son agressivité. Qui plus était, elle savait de quoi il retournait : il se disait que la vie l'avait beaucoup malmené et poussait à la scène. Elle soupira. Mais, tout à coup, elle vit les choses du dehors, à long terme, et ce qu'elle avait à lui dire lui parut des plus clairs. Tout cela est idiot. Se fâcher ainsi n'a pas de sens. Ne vois-tu pas que ton malheur ne dépend pas de moi ? Pas plus que ton bonheur. Ne le vois-tu pas ?

Elle se remit debout et, les bras le long du corps, le regarda.

Il arrêta de siffloter, mais ne sortit pas les mains de ses poches. Il n'arrivait pas à deviner ce qu'elle allait faire, mais sentait que quelque chose avait changé en elle. Et l'enfant le sentait aussi : assis par terre, il avait levé les yeux sur sa mère et se demandait ce qui avait bien pu la pousser à cesser de lui prêter attention et à se remettre debout d'une manière aussi soudaine.

Elle s'approchait. Vic avait encore la bouche légèrement entrouverte. Très vite elle se pencha en avant et lui embrassa le coin des lèvres. Il avait tout fait pour qu'elle en arrive là, mais s'aperçut, lorsque leurs lèvres se touchèrent, que sa volonté n'y était pour rien. Il ne pouvait pas dire qu'il avait triomphé, ne le pensait même pas. Elle l'avait privé de sa victoire en agissant brusquement et de son propre chef. Tendre, elle l'avait été, mais d'une manière qui excluait toute possibilité de passion.

Elle lui frôla très doucement la joue de la main, puis, calmement, se tourna vers son enfant qui lui tendait les bras.

— Et voilà Alex, dit-elle d'un ton léger, mon enfant. Et, l'ayant soulevé, l'emmena faire dodo.

Vic regarda autour de lui. Il se sentait abandonné. Un événement essentiel venait de se produire, mais il n'en avait pas saisi la portée. Il enfonça les mains plus profondément dans ses poches et se remit à siffloter, mais, le courage lui manquant, s'arrêta au bout d'un moment. Il quitta la fenêtre et passa dans le couloir.

N'y trouva personne. Membre de la famille, il l'était de nouveau — on était tout simplement parti vaquer à ses occupations.

Il arpenta les carreaux du couloir, sentit son assurance le quitter, lentement se vider de son être.

Il s'assit sur une des chaises à dossier bas disposées le long du mur. Elles étaient purement décoratives. Personne ne s'y asseyait jamais.

Il se releva vivement et, traversant la maison, gagna la cuisine pour voir si Meggsie s'y trouvait. La grande pièce carrelée était, comme toujours, immaculée, mais vide. On avait fait la vaisselle, et on l'avait rangée.

Il revint dans le couloir, regarda un peu autour de lui, puis monta l'escalier et poussa la porte de sa chambre.

Elle ne différait en rien du souvenir qu'il en avait gardé. On n'y avait procédé à aucun changement. Il en eut comme un petit sursaut, se dit que propre, fraîche et prête, jamais elle n'avait cessé de l'attendre alors même que là-bas, il se débattait dans la crasse et jamais n'avait rien où poser la tête. La colère et l'apitoiement s'emparèrent de lui. Il appuya son front contre la porte qu'il avait refermée derrière lui et serra les poings.

Ce transport une fois passé, il se retourna et, traversant la pièce, alla ouvrir un tiroir de sa commode. Il y trouva des chaussettes, et des caleçons, tous parfaitement pliés.

Toujours debout, il se regarda dans la glace, puis s'étendit de tout son long sur le lit.

Il ne s'endormit pas, mais se revit debout devant la porte ouverte, à l'endroit même où il s'était tenu un instant auparavant. La pièce qu'il regardait était de nouveau vide.

Après le dîner (viande froide, salade et, plat préféré de Vic, de la jonchée aux poires), Ma tint absolument à ce qu'on fasse une partie de cache-cache. Elle s'en excusa : c'était pour distraire Tante James qui n'aimait toujours rien tant que de rester assise dans le noir à les écouter courir dans toute la maison, mais, de fait, et il le devina, c'était surtout pour lui faire plaisir, à lui. L'affaire fut fiévreuse. On jouait à jouer et, pour masquer son manque d'enthousiasme, on fit beaucoup plus de bruit que d'habitude.

A l'étage, sous un filet en mousseline, le petit Alexandre dormait, Lucille, qui craignait que le raffut ne le dérange, tendant l'oreille pour entendre ses premiers pleurs. Elle était pieds nus et avait les cheveux trempés de sueur. Pas plus qu'elle, Vic n'était vraiment entré dans le jeu.

Pa fut le premier à « coller » et trouva Ma ; Ma trouva Vic. Pendant qu'on partait se cacher en bande, il resta le nez au mur et, comme le gros âne que la maîtresse à mis au piquet, compta jusqu'à cent pour avoir enfin le droit de commencer à chercher en chaussettes. Une ou deux fois déjà, pendant qu'on se précipitait vers telle ou telle cachette, il s'était tapé dans Lucille, mais timide, l'évitait. Il commença à inspecter les petits coins où, l'un ou l'autre, on ne pouvait pas ne pas être allé se tasser en retenant son souffle. Il les connaissait tous.

Il avait un jour accepté qu'avec leur bric-à-brac d'objets familiers, toutes les pièces de la maison s'effacent de sa vie, mais, à les retraverser comme il le faisait maintenant, c'était sans jamais se tromper qu'il retrouvait au bout de ses pieds le parquet qui ici était disjoint, la distance qui là séparait le rebord de la table du coin du buffet. Pas une fois il ne se cogna dans quoi que ce fût. Qu'il cherchât ceci ou cela à tâtons et toujours sa main finissait par se refermer dessus.

Il parcourut le couloir en son entier, explora toutes les pièces qui y donnaient d'un côté, y compris la salle à manger où, assise dans son fauteuil, Tante James riait, puis partit reconnaître l'autre versant de la maison. Une petite brise avait commencé à souffler du sud. Ouvrait-il une porte qu'aussitôt les rideaux de la fenêtre se gonflaient. Il entendit bruire des arbres de l'autre côté des vitres. La lune s'était levée, mais n'éclairait pas encore cette partie de la maison.

Cachée derrière un rideau — elle s'était cachée dans « la salle de musique » —, Ellie vit la porte s'entrouvrir. « Et zut ! » se dit-elle en y apercevant une silhouette.

Autrefois, que c'était loin ! elle eût retenu son souffle dans le fol espoir de faire croire à l'inconnu que non, non, non, il n'y avait personne dans la pièce. Mais on était maintenant et il ne lui vint qu'une chose à l'esprit : si jamais « on » la trouvait, ce serait à elle de « coller » et il faudrait tout recommencer.

Le rai de lumière s'élargit. C'était Vic. Elle reconnut sa forme comme posée en équilibre à l'entrée de la pièce, son corps tellement en alerte que, telle quelque chaleur d'une espèce nouvelle, on en pouvait presque sentir l'énergie. Elle se tassa contre le mur. Plus que la chercher des yeux, il avait l'air de vouloir jouer la bête qui renifle une piste. Les contours de son corps étaient nets et durs, disaient un être seul et déterminé.

Il n'y avait rien là qu'elle n'eût déjà reconnu, ou cru reconnaître dès que, Pa le lui ayant présenté, solide et solennel, il avait reculé d'un pas pour lui serrer la main. Avec ses oreilles décollées et ses cheveux coupés court, comme ils l'étaient de nouveau maintenant, il lui avait fait l'effet d'un petit dur qui, certes, joue au grand monsieur, mais garde les yeux ouverts, comme si, malgré toute sa rectitude et toute sa solidité, il craignait qu'on ne le blesse. Tendu, il l'était déjà à cette époque, qui toujours savait exactement où il en était : le monde qui s'ouvrait devant lui n'étant pas forcément bien disposé à son endroit, il convenait de rester sur ses gardes.

Tassé sur lui-même, ferme, raidi par l'effort qu'il faisait pour savoir s'il y avait quelqu'un dans la pièce, il se tenait dans l'embrasure de la porte, ses yeux s'emplissant lentement du peu de lumière qui, luisante comme une huile, se répandait dans les ténèbres.

« Un vrai chat », songea-t-elle.

Prise comme elle l'était, le cœur battant, elle avait, elle aussi, l'impression d'être un animal, un lapin peut-être, mais n'entendait pas succomber à la fascination.

C'est alors que tout changea : brusquement, Vic cessa de jouer. Décida qu'il n'y avait personne dans la pièce, se redressa, puis se détendit, tout simplement : il était seul, personne ne l'observait.

Il était resté dans le rai de lumière. Celle-ci n'était pas forte, mais Ellie s'était déjà habituée à l'obscurité. Il avait les yeux fixés sur l'endroit où elle se trouvait, mais ne la voyait pas. Comme un voile, le rideau se soulevait et s'abaissait devant elle, lui caressait le visage. Dans la manière dont se mouvait la brise, dans celle, aussi, dont bruissaient les arbres, quelque chose lui donnait l'impression d'avoir quitté la maison. C'était ça : ils se trouvaient dehors, dans le noir. Ils avaient marché sur une route sans lumière et, comme ça, par hasard, telle une somnambule, elle était tombée sur lui et, par-delà le visage qu'elle lui connaissait, elle en découvrait un autre. Celui qu'il avait lorsque, trop absorbé en lui-même, il oubliait ce que peut-être il avait à cacher. Celui qu'il ne montrait à personne, celui qu'il n'avait jamais vu lui-même.

Ellie l'entendit soupirer. Il était tout près d'elle. Mais voilà qu'enfonçant soudain les mains tout au fond de ses poches, il pivotait sur un talon et se présentait de profil. Le faisait-il exprès ? Un coup de face, un autre de profil ? Elle était tendue, mais déjà le léger sentiment de panique qu'elle avait éprouvé au début la quittait. Elle n'était plus que regards et s'y laissait aller, entièrement.

Elle avait dû faire du bruit, souffler, à peine. Il tourna vivement la tête, son visage se fermant aussitôt. Il se pencha vers elle.

— Qui est-ce ? dit-il tout bas. Ellie, c'est toi ?

Il avait plissé le front, mais ne semblait pas ému de l'avoir trouvée. Il tendit la main en avant. Elle se figea.

C'était fini : on s'était remis à jouer et le jeu avait ses règles, qu'il convenait d'observer à nouveau. Ses doigts s'approchaient de son visage. Il ne la toucha pas, mais elle crut bien qu'il l'avait fait : tous ces fourmillements qu'elle avait !

Un sourire ourlait ses lèvres. Le peu de lumière qu'il y avait — rien de plus, en vérité, qu'une légère transparence des ténèbres — lui éclairait en plein le visage. Mais, derrière son sourire et la claire rondeur de ses pupilles, déjà elle retrouvait, telles les dernières lueurs d'une vive lumière dont on vient de se détourner, le regard que toujours il avait eu.

— Ellie ?

Il avait pris un ton amusé.

Dans quelques instants, la règle l'exigeait, il allait l'attraper par le poignet, crier : « Vue !... Je t'ai vue, Ellie ! » et rameuter les autres dans la pièce. Elle ne le voulait pas — pas tout de suite.

Il lui effleura la joue du bout des doigts ; à travers la gaze légère du rideau, elle tressaillit.

— Non, dit-il, n'aie pas peur.

Ils restèrent immobiles un instant encore, on jouait sans jouer, la brise se mouvait, devant elle le rideau se soulevait et s'abaissait avec son souffle. Elle l'avait vu, bien sûr, mais, Dieu sait pourquoi, cela ne l'ennuyait pas. Plus qu'autre chose, il se sentait soulagé, comme si on lui avait ôté un grand poids. Personne ne l'avait jamais vu ainsi, enfin... si, il y avait bien eu quelqu'un, mais ce n'était pas la même chose : c'était un homme. Des risques, il y en avait eu, évidemment, mais, c'est vrai, Digger ne l'avait pas trahi.

Il la prit par le poignet, très doucement au début, un instant encore ils restèrent sans bouger. Puis il serra plus fort, et appela.

VI

1

Les premiers jours qu'il passa à l'Embarcadère, Digger les employa à nettoyer des ronces de mûrier qui, non contentes d'envahir le terre-plein s'étendant entre le magasin et la berge, avaient aussi recouvert les planches du quai et tout ce qui restait du ferry et de la vieille remise à carrioles où se trouvaient les machines. Il avait, armé d'une machette et nu jusqu'à la taille dans la chaleur de novembre, pataugé dans leurs déferlements. D'une main gantée en avait écarté les rejets, de l'autre avait taillé dans des racines parfois aussi grosses que son poignet, avait encore et encore tiré sur des fibres qui s'effilaient.

Masse dense et d'un seul tenant, elles s'étendaient aussi loin, et s'étaient nouées aussi fort, au-dessus du sol que dans ses profondeurs. Au cœur de tout cela il était sûrement une racine première, mais jamais il ne la découvrit. Sans cesse, il le croyait, la dégageait à la machette, mais de l'excavation sortait un autre filament charnu. A la fin de la journée ses bras, sa poitrine et son dos étaient zébrés d'écorchures, malgré les gants qu'il portait ses mains en sang, mais le travail lui plaisait. Ainsi trouvait-il, entre autres moyens, celui de renouer avec l'essentiel. Le premier soir, il continua de travailler dans son sommeil, presque sans effort, à peine s'il sentait la morsure des ronces lorsqu'elles le fouettaient ou s'accrochaient à lui. De temps à autre, il tombait sur les os d'un petit animal qui n'avait pu se dépêtrer du piège, péramèle, rat-kangourou ou chat sauvage ; retrouvait des objets qu'il avait cru ne plus jamais revoir — sous les enjambements de la végétation ils luisaient d'un éclat surnaturel, comme si, Dieu seul savait comment, ils avaient réussi à capter et à garder en eux la lumière du dernier rayon de soleil qui les avait frappés avant qu'en se fondant lui-même au labyrinthe, un nouveau rejet ne les y enferme à jamais.

Il retrouva un bonnet que sa mère avait jadis porté pour se protéger du soleil. Il avait dû être bleu, mais, détrempé et taché par endroits, était maintenant d'une couleur innommable. Il le jeta au sommet du tas, où il rejoignit une lampe tempête déglinguée, un bout de pelle désagrégé, plusieurs balles de tennis râpées et, après l'avoir extraite du fouillis, là où la lumière était si faible que les ronces faisaient un creux, la casserole à pudding toute bosselée dans laquelle Ralphie buvait son eau. Il l'avait aperçue dans la pénombre — elle y brillait aussi fort que la lune —, s'était penché en avant, l'avait sortie de son trou et dans un grand bruit de ferraille l'avait expédiée en haut de la pile.

Sa mère lui apportait des tasses de thé brûlant ou des pichets d'eau glacée, et restait plantée devant lui pendant qu'il buvait.

Qu'il avançât en besogne ne l'intéressait pas. Elle aurait préféré qu'il commence par le toit, qui fuyait par endroits, où qu'il lui installe de nouveaux piquets pour son étendoir, mais ça aussi, il y viendrait, en temps voulu : pour l'instant, la priorité était aux ronciers. Ainsi donc, ce n'était pas la tâche à laquelle il se livrait qui la retenait lorsque, plantée devant lui, elle attendait qu'il ait fini de boire, mais lui : le fait de l'avoir enfin avec elle. Une gorgée après l'autre, Digger avalait son eau glacée et, par-dessus le bord du verre, la regardait se repaître de lui.

A la tombée de la nuit, il ôtait enfin ses gants et mettait le feu à ce qu'il avait coupé, arraché et tiré jusqu'à la berge. Les ronces s'enflammaient en craquant et brûlaient vite. L'endroit commençait à ressembler à celui qu'il avait quitté, même s'il était impossible de le remettre entièrement en état : l'Embarcadère s'était transformé en cul-de-sac. La route passait un mile plus bas, les deux rives du fleuve étant maintenant reliées par un pont qui, à trois arcs, le surplombait de très haut.

Il était surpris qu'au vu de cela, de la guerre et de tout le reste, sa mère ait eu la force de tenir si longtemps, sauf que s'il y avait quelqu'un pour y arriver, c'était bien elle, évidemment. Il était à nouveau frappé par sa ténacité, par cette force qu'elle avait en elle et à laquelle, « là-bas », il avait puisé pour s'en sortir, prenait à nouveau conscience de tout ce qui les rendait semblables, différents aussi.

A table, où il s'asseyait torse nu dans la chaleur, mais lavé de sa crasse et des cendres qui l'avaient couvert, ses coupures nettoyées à l'eau oxygénée, comme engourdi, il l'écoutait parler, sans arrêt, des griefs qu'elle avait accumulés et dont elle lui dressait la liste : mêmes anecdotes pleines d'amertume, mêmes exemples de toutes les peines qu'elle avait endurées et de tous les défauts de son père. La guerre qu'elle lui faisait s'était intensifiée. Il lui était bien plus présent maintenant qu'il l'avait quittée que lorsque, autrefois, en pestant et jurant, il allait s'asseoir sur une souche dans le noir, ou, en y marchant avec ses brodequins, ramenait de la boue sur le parquet.

Elle n'arrivait toujours pas à lui pardonner son refus de se plier à la dure vérité des choses : ce qui, pour elle, signifiait le mariage, le foyer, la famille, tout ce qu'elle s'était épuisée à amasser et à garder au fil des ans, tout ce qu'elle avait espéré qu'un jour, ils partageraient ensemble.

« C'est que c'est un héros conquérant, à l'heure qu'il est ! disait-elle à Digger. Le Seigneur des Japonais ! Non mais, j' te dcmande un peu ! »

Digger souffrait pour elle. Le sentiment d'injustice qu'elle éprouvait était sans limites et, aucune de ses histoires ne pouvant l'épuiser, jamais elle n'en finissait une seule. Tôt ou tard, celle qu'elle avait commencée débouchait sur une autre qui, certes, disait une blessure nouvelle et plus profonde, mais invariablement ouvrait la voie à une troisième affaire. Le pire étant que le bonhomme n'était même pas là pour lui rendre des comptes. Oui, même ça, il s'était débrouillé pour y couper. Digger apprit à écouter sa mère sans l'entendre.

Elle ne manquait pas non plus de lui dire tout ce qu'elle savait de Jenny. Ce qui n'allait pas loin : Jenny se trouvait quelque part à Brisbane.

A la fin de la semaine, une fois la cour dégagée et le toit réparé, il fit sa propre enquête, prit le train pour Brisbane et ramena sa sœur.

Ainsi donc ils étaient, tous les trois, de nouveau réunis. Avaient, se disait-il, malgré sept ans de séparation et tout ce qui s'était passé, retrouvé une existence qui, pour l'essentiel, différait à peine de celle qu'il avait quittée un jour.

Sa mère y pesait et emballait toujours, le vendredi soir, les commandes dans la réserve, un gamin du nom de Cliff Poster se présentant le lendemain matin à huit heures et passant, comme lui jadis, toute sa journée à vélo pour aller les livrer.

Elle avait retrouvé son jardin, mais avait maintenant décidé d'y faire la guerre aux chats sauvages. Et, au moindre empêchement, demandait à Jenny de monter la garde à sa place. Et, pour le leur balancer à la tête, avait toujours un seau rempli d'eau sous l'étendoir.

Elle faisait encore la lessive dans la cour, dans un baquet en zinc, avec une planche à laver. Et repassait dans la cuisine, tard le soir.

Elle partageait sa chambre avec Jenny, Digger ayant retrouvé son lit de l'autre côté de la cloison. On pouvait se parler à travers quand on le voulait.

Etendu sur son matelas, il contemplait, par-delà l'appui de fenêtre, le même clair de lune qu'autrefois et s'étonnait d'avoir eu jadis la tête si enfiévrée, d'avoir jamais pu être aussi impatient; avoir ainsi attendu, compté les secondes jusqu'à ce qu'ils soient tous endormis, s'être alors imperceptiblement glissé hors du lit afin que les ressorts ne grincent pas, avoir enfilé son pantalon et, sur la pointe des pieds, ses brodequins dans une main et sa chemise dans l'autre, être allé ainsi finir de s'habiller dans le noir!

La différence, se disait-il, résidait dans tout ce dont il s'était lesté; et dont rien, peut-être, n'était réellement mesurable. Passer pour un poids plume, il l'aurait encore pu, rien de ce qui lui pesait ne comptant à la balance de sa mère, là-bas, au magasin. Il n'empêche : différence il y avait.

Il faisait des petits boulots à droite et à gauche et, tout marchant au bouche à oreille, s'était vite taillé une belle réputation : Digger, c'était l'homme qu'il fallait. « Prenez-le. Il vous arrangera tout ça. »

Générateurs, vieux frigos et moteurs de toutes sortes, il savait s'y prendre et, depuis que son père lui avait, pour la première fois, mis un marteau et un clou entre les mains et donné une planchette pour s'entraîner, n'avait pas son pareil pour menuiser.

Les restrictions à la construction étant restées en vigueur aux premiers jours de la paix, il avait, au début, effectué beaucoup de réparations, cette situation n'ayant pas évolué depuis, même lorsque, les interdictions étant tombées, on était passé à la prospérité. Les gens qui voulaient se faire bâtir une maison s'adressaient à un entrepreneur de Gosford, ou faisaient venir leur architecte ou leur constructeur préféré de Sydney. Rafistoler et retaper, c'étaient leurs bourdes qui lui fournissaient du travail ; ou les dégâts occasionnés par le temps. Il pleuvait trop, le soleil était trop fort : il remettait des lattes de parquet, condamnait des vérandas, accrochait des portes. Il avait pris possession des outils de son père. Négligent en d'autres domaines, celui-ci l'avait sans doute été, mais n'en était pas moins toujours resté un excellent ouvrier : l'état de ses outils le disait clairement.

Digger, lui, n'était jamais aussi heureux que lorsque, à cheval sur les faîtières d'un toit, il pouvait admirer le fleuve et le paysage à l'entour — vaste et scintillant en été, avec au loin, par les petits matins d'hiver, des nuages empilés qui filaient entre les falaises couvertes de forêts alors même qu'à l'endroit où il se trouvait, là, accroupi tout là-haut sur un pan de toiture en fibro, à donner du marteau, le soleil qui lui tombait sur les épaules le faisait transpirer.

Le jeudi il montait en ville et passait la nuit à Bondi Junction. Régulièrement. Pas une fois il n'y manqua en vingt-six ans.

Il retrouvait Iris à la pâtisserie, ensemble ils rentraient en flânant, prenaient le thé avec les garçons et, cela arrivait, allaient au spectacle. Plutôt deux fois qu'une cependant, ils se contentaient d'écouter la radio assis devant le poste, comme un vieux couple. Iris ravaudait des chaussettes ou faisait un puzzle, Digger s'affairant à démonter un grille-pain avant de le remonter entièrement. Vers huit heures, Ben et Amy Fielding venaient leur rendre visite. On faisait une partie de « Cinq Cents » ou chantonnait les airs qu'Iris jouait au piano.

Un jour, il s'attaqua aux livres de la bibliothèque. Mac devait en avoir près de sept cents qu'il avait prévu de lire pendant sa retraite. Sans même en acheter un de plus, il y en avait assez sur les rayonnages et, en vrac, sous le lit, sur le dessus de l'armoire et le long des murs de la petite véranda fermée pour l'occuper jusqu'à la fin de ses jours.

Se presser n'eût servi à rien. Un volume après l'autre, lentement, il avala des biographies, des récits de voyage, des livres d'histoire ; les œuvres complètes de Wilhelm Stekel, et celles d'Adler et de Freud ; tout Havelock Ellis ; les romans de Wells, d'Arnold Bennett, de Conrad et de Theodore Dreiser, y compris celui que lui avait donné l'Homme-Tronc ; et d'autres encore, de Balzac, de Stendhal et de Dostoïevski, en se demandant, au fur et à mesure qu'il avançait, s'il marchait sur les brisées de son ami, en s'interrogeant sur le sens que celui-ci aurait pu donner à tel ou tel passage qui le choquait ou lui échappait.

Parfois, en tournant une page, il tombait sur un bout de papier donc Mac s'était servi pour marquer l'endroit où il s'était arrêté ou bien alors... avait-ce été pour qu'il pût, lui, tomber dessus cinq, dix ou quinze ans après sa mort ?

Un jour, il avait trouvé une liste d'oiseaux.

Que pouvait-elle bien faire dans la scène où, vers la fin de *Guerre et Paix,* le jeune Petia Rostov, qui tant aime les douceurs et toujours se promène avec dix livres de raisin sans pépins, se résout à demander, malgré la gêne qu'il ressent devant les vieillards, des nouvelles du petit tambour français et, tout boueux qu'il soit, le fait amener dans la tente ?

La présence de Mac, tandis qu'après avoir tourné sa page, Digger interrompait sa lecture, s'était surimposée à la scène. Tellement même qu'à jamais il devait par la suite, chaque fois qu'il s'en souvenait, y revoir son ami en compagnie de Dolghov et de Denisov, les oiseaux qu'il avait découverts, et, mange-miel à plastron blanc, queues-de-feu et autres princes-régents, ils y faisaient pourtant de bien invraisemblables oiseaux des antipodes, voletant ici et là dans la cour où, le jeune Petia pendant à sa selle, Denisov s'agrippe à la barrière pour hurler sa douleur.

D'autres fois, c'étaient des tickets de tram. Il en examinait les numéros pour voir si, par hasard, ils n'avaient pas une signification particulière.

Un jour, il tomba sur une lettre émanant de la direction des tramways : Mac avait dû lui adresser une plainte, on y répondait. Pliée en deux, la feuille de papier était pleine de traces de pouce : c'est vrai que Mac vendait des tickets et que l'encre qui les couvrait bavait souvent.

Ces reliques l'émouvaient et — comme s'il était jamais tenté de l'oublier ! — lui rappelaient la continuité qui, une fois établie entre leurs deux vies, n'avait même pas été brisée par ce qui s'était passé dans l'entrepôt. En découvrant ces petits bouts de papier maculés — celui-ci sorti d'une poche revolver, celui-là du porte-monnaie où son ami avait dû le fourrer avec l'argent du billet qu'on lui avait donné pour aller à Clovelly —, il était envahi par la présence de Mac, sentait en lui, physiquement, une chaleur qui ne se réduisait pas seulement à la sienne propre. Jusqu'au moment où cette impression commençait à disparaître, les pages qu'il lisait en prenaient un sens plus aigu. L'expérience était intime. Rien de secret là-dedans, mais Digger ne voyait pas non plus pourquoi il lui aurait fallu s'en ouvrir à quiconque.

Mac. Iris et lui en parlaient si rarement qu'il ne les unissait plus que d'une infime manière. La vie qu'ils menaient aujourd'hui était faite de choses qu'ils avaient su découvrir l'un chez l'autre, tout seuls, chacun à sa façon. Digger n'avait plus jamais revu les lettres qu'il lui avait rapportées de là-bas et se gardait de lui poser des questions là-dessus. Ce qu'elles avaient jadis représenté à ses yeux avait été remplacé, et plus que comblé, par la personne même de cette femme qui, dans la vision qu'il en avait maintenant, était fort différente de celle qui les avait rédigées. En ce sens-là au moins, Digger n'avait pas le culte du passé.

S'il veillait à ce que les divers aspects de son existence fussent bien distincts, il n'était jamais en proie à la division intérieure ; ou au moindre conflit.

Il n'avait rien dit de Bondi Junction à sa mère, mais, bien sûr, elle le savait. Il était toujours stupéfait de découvrir jusqu'à quel point elle était capable de se glisser dans sa tête et de sentir — parfois, cela le troublait beaucoup — tout ce qu'il pouvait y penser.

Tous les jeudis matin elle lui préparait des habits propres : une chemise, des chaussettes et un caleçon. Pour bien lui montrer que cachottier, oui, il l'était devenu — alors qu'il avait jadis été si franc —, mais jamais n'arriverait à lui celer quoi que ce soit.

Elle aurait préféré le voir fréquenter une fille du coin, et faisait tout son possible pour lui en trouver une. Elle voulait qu'il se marie, elle voulait des petits-enfants. Mais elle savait trop son goût de la fidélité et son besoin de coller aux choses pour le défier là-dessus. Lui préparer des habits propres le jeudi matin se mua vite en rituel que Jenny reprit à sa mort. Sans savoir tout à fait de quoi il retournait, sinon que c'était un rituel.

2

— Alors, comme ça, lança Ern Webber, Douggy et toi, on vous avait invités à la noce ?

Le ton était passablement méprisant.

— C'est exact, lui répondit Digger.

— Et moi qui croyais que tu s'rais son témoin ! reprit Ern en y allant de ce qui, pour lui, faisait figure de trait d'esprit. Eu égard...

Digger n'ayant pas relevé, Ern revint à ses griefs.

— Bah, faut dire qu'il a jamais trop été fana de ma pomme, non ? Même que j' sais pourquoi ! C'est parce que moi, j'y ai vu à travers, j' te l' dis ! Ça, y m'a jamais feinté ! Pas après l'histoirc avec Mac. Et d'ailleurs, c'est pas qu'y viendrait jamais à nos p'tites réunions, pas ?

— Non, mais moi non plus, lui renvoya Digger. Et ça prouve quoi ?

Ce genre de conversations lui était très pénible. Elles faisaient resurgir trop de fantômes, mettaient le doigt sur des blessures qui ne s'étaient toujours pas refermées. Mais à quoi aurait-il pu servir de s'en ouvrir à un type dans son genre ? A défaut de tact, Ern avait des vues par trop grandioses sur tout et sur rien. En plus, l'affront qu'il avait subi l'avait rendu amer.

— Vic, c'est pas le mauvais mec, ajouta Digger pour couper court à toute discussion.

Si le mariage ne l'avait pas rempli de joie — la belle affaire que ç'avait été pourtant —, il n'avait aucune envie de le lui révéler.

Vic ne lui ayant jamais parlé des Warrender, pas même

une fois, Digger avait, de fait, été plus que surpris de découvrir la maison de Strathfield avec ses tourelles, son grand vestibule au sol recouvert de carreaux en terre cuite bleue, blanche et brune et sa porte à imposte encadrée par des vitraux. On avait beaucoup rénové pour l'occasion : la façade en pierre avait été repeinte du haut jusqu'en bas, les parties en fer forgé de la véranda ayant, elles aussi, eu droit à un petit coup de pinceau. Digger s'était retrouvé devant une opulence dont il ignorait tout, hormis dans les livres.

Dans l'instant il s'était tu et s'était senti bien gêné de porter un costume aussi vieux. Comment aurait-il pu deviner que la famille de Vic n'avait rien à voir avec celle de Mac ou de Doug ? Parce que c'était bien là l'impression que Vic lui avait toujours faite. Et maintenant, ça ! « Et dire que pendant tout ce temps-là, il se foutait de nous ! » avait-il songé, et s'était surpris à rougir d'indignation, et de honte, oui, aussi.

Il avait essayé de n'en rien montrer. Il avait beaucoup parlé de Vic à Iris et, lui ayant longuement décrit le lien qui les unissait, n'avait aucune envie qu'elle vît jusqu'à quel point tout cela l'ébranlait. Lorsque, après avoir haussé le sourcil, Douggy avait, d'un air qui semblait signifier : « Et qu'est-ce que tu dis de ça ? », regardé la pièce où on venait de leur demander de laisser leurs affaires, il avait fait mine de ne pas comprendre, seule l'extrême gentillesse de Douggy l'empêchant de se vexer.

Une grande tente avait été dressée sur la pelouse de derrière. Légère et aérienne, elle était taillée dans un tissu bleu transparent et, comme pour un bal comme il faut, comportait des alcôves sur chacun de ses côtés, toutes tendues de guirlandes de roses et de bleuets et ornées d'un médaillon frappé aux initiales du futur couple — un V. et un E. très élégamment enlacés. Iris, qui avait pourtant assisté à plus d'un mariage, n'avait jamais rien vu de pareil.

Il y avait des serveurs en veston Eton avec ceinture giletière d'un beau bordeaux, des montagnes de bouteilles de champagne couchées sur des lits de glace pilée, du whisky, de la bière et des boissons sans alcool pour les enfants. Plaqué à même le sol, un parquet ciré tenait lieu de piste de danse, un trio de musiciens se préparant à jouer des fox-trot, lents et rapides, des valses et des airs de claquettes. Digger et Iris partageaient une alcôve avec Doug, sa toute nouvelle épouse, Janet, et de jeunes amis de la mariée.

Pendant ce temps, parfois au bras d'Ellie, parfois seul, Vic déambulait au milieu de tout cela comme s'il n'avait jamais connu autre chose de sa vie. En lui, rien ne disait le bonhomme à moitié fou qui, les cheveux rasés, était monté voir Digger à l'Embarcadère. « Voyons, pensait celui-ci, ça remonte à quand, déjà ? A deux mois ? » Non, de fait, rien ne lui évoquait le type qu'il avait côtoyé jadis, ne lui rappelait les épreuves qu'ils avaient traversées ensemble. L'aisance avec laquelle le marié portait son costume — comme il lui tombait bien aux épaules ! et ce gros œillet qu'on avait à la boutonnière ! —, la fraîcheur et la jeunesse qui émanaient de lui tandis qu'en l'appelant Gus, Jack ou Horrie, il donnait de grandes claques dans le dos à tel ou tel autre vieillard et souriait à ces dames, tout paraissait démentir ce qu'il avait vécu « là-bas », ce qu'ensemble ils avaient enduré il y avait à peine un an de cela.

Digger en était blessé, pour lui-même bien sûr, mais, plus curieusement encore, pour le Vic dont il avait, il n'y avait pas si longtemps, partagé l'intimité. Pour Mac et pour Douggy. Il ne savait pas où poser les yeux.

Les Warrender, cela se voyait, raffolaient de leur gendre — aucun doute n'était permis là-dessus —, et celui-ci s'en rengorgeait. Il jubilait, ça aussi, ça se voyait. Et c'était l'assurance même qu'il en retirait qui lui permettait de faire tomber ses invités, voire le monde entier, sous son charme.

« Qu'est-ce que cela signifie ? se demandait tristement Digger. Serait-il donc si creux ? Ou serait-ce qu'il sait aussi bien se cacher de ceux-là que de nous ? » Quelle que pût être la réponse à sa question, il n'avait aucune envie d'être mêlé à cette affaire. Il se sentait vide et, blessé, regrettait : n'eût été Iris qui attendait beaucoup de ce mariage, il s'en fût volontiers retourné à la gare.

Elle devina sa gêne.

— Qu'est-ce qu'il y a, mon chéri ? lui chuchota-t-elle. Tu n'as pas l'air de t'amuser.

Au contraire d'elle. Les Warrender, il n'y avait pas à s'y tromper, étaient des gens généreux et dans la chaleur de cette fête qu'ils donnaient et certains aspects de la cérémonie elle-même, elle voyait une gentillesse qui, en partie au moins, s'étendait à Digger, mais aussi à elle : ainsi le serment des époux (cela l'émouvait toujours beaucoup), les confettis, le gâteau de mariage que l'on découperait bientôt en tranches — il était à trois étages avec, tout en haut, un petit temple à colonnes sous lequel s'abritaient des mariés en sucre — et mangerait, une bouchée par personne, tout au plus, le reste devant être expédié, dans des boîtes en fer gravées de cloches nuptiales, dans divers endroits du pays, voire outre-mer. Lorsque, au lieu de faire un discours, M. Warrender se leva pour réciter un poème de son cru, Iris prit la main de Digger dans la sienne : d'une manière qui la surprenait, les mots qu'elle entendait disaient bien l'émoi qu'elle ressentait, seule la poésie, à laquelle elle ne comprenait rien, étant capable, sans doute, d'en contenir l'intensité.

Certains, elle le voyait bien, trouvaient plutôt étrange que ce gros homme — il ressemblait à un conseiller municipal ou à un membre du Rotary Club — se fût lancé dans un poème.

L'affaire avait jusqu'alors évolué entre le formel guindé et le tapage réprimé, mais grandissant. Coincés dans leur col de chemise et, seulement du regard, par leurs femmes, certains invités faisaient déjà les malins ; un peu grosse, la plaisanterie hésitait aux frontières du graveleux. Comme il le devait, le marié prenait les choses du bon côté, les jeunes filles faisant, elles, lorsqu'elles ne pouvaient pas ne pas entendre (ce qui, dans bon nombre de cas, était exactement l'effet recherché), semblant de ne pas avoir saisi ; ou alors, elles baissaient le menton d'un air réprobateur ou vaguement amusé et, indulgentes, se détournaient. Dans plusieurs discours, on avait même pris avantage de ce qui pouvait être toléré pour glisser à la paillardise. Tant et si bien que lorsque M. Warrender attaqua son poème, certains, parmi les plus bruyants, crurent au pastiche. Ce ne fut qu'après avoir été durement rabroués des yeux que, honteux, ils finirent par se taire. L'étonnement était sincère, on consentait au silence. D'autres invités pourtant, Iris le vit, étaient aussi émus qu'elle.

M. Warrender, lui, ne laissait en rien entendre que ce qu'il faisait eût quoi que ce fût d'anormal. Il parlait comme si, chez lui, la poésie était une forme d'expression courante, ce qu'au bout d'un instant on accepta.

Loin de se montrer solennel, il donnait souvent un petit

tour humoristique à ce qu'il avait à dire, ce qui surprit beaucoup Iris : elle ne comprenait pas. Il lui fallut, plus tard, aller chercher Digger, qui était doué de ce côté-là, et lui faire répéter certains vers de son poème (et, bien sûr, il y arriva, mot pour mot) avant de pouvoir repérer ce qui l'avait émue :

> « *A jamais* ». *Sur nos lèvres l'extravagante promesse*
> *Que jette l'esprit. En nous la bête*
> *Sait la vérité, mais baisse son front bas, permet*
> *Que pour cette seule fois on la couronne et,*
> *Par-delà la mort oblitérée, jusqu'à l'éternité*
> *On la conduise. L'inaccessible elle aime,*
> *Le tout, l'à jamais immortel, le monde qui ne meurt*
> *Par-delà le monde qui souffle dans la parole mortelle.*

Il y avait eu ce passage.

Lorsque Digger le lui avait récité, elle n'y avait pas retrouvé le ton parfaitement ordinaire avec lequel M. Warrender l'avait dit. La tente, les décorations, les invités qui s'étaient calmés, qui, un moment, avaient ôté la main du couteau et de la fourchette qui cliquettent, du verre même, qui, gravement ou poliment, écoutaient, les circonstances étaient certes peu ordinaires, mais il n'empêche : son propos était resté très naturel, et droit, comme si, lorsqu'il s'était levé et avait regardé autour de lui, les mots qu'exigeait l'instant lui étaient tout simplement venus de leur propre volonté. Que tout cela lui semblait apte et facile ! Comme ces mots qu'il avait eus auraient pu être les siens, même si certains d'entre eux l'avaient laissée interdite !

Mais, lorsque Digger les lui avait répétés, ils lui avaient paru formels, voire guindés. C'en était à croire qu'il les lui lisait dans un livre. Maintenant que tout cela était fini, et depuis longtemps, ce n'était pas à cette seule fête qu'ils se référaient, mais bien à toutes les autres qui lui étaient semblables et ça aussi, se disait-elle, elle l'avait compris, même si ce n'avait été que vaguement, au moment même où il les avait dits. Comme s'il y avait eu plus d'invités, beaucoup plus, que ceux dont on avait dressé la liste, il avait ajouté :

Midi en ce jardin et céans, l'étoile du jour
De ses feux bat le rappel de la terre, de l'eau, des airs,
De l'herbe et des fleurs, des corps et des êtres,
D'invisibles présences, le souffle court, nous entourent.
Tous nous sommes invités à l'unique fête, à ceci,
L'une fois seulement, le don précaire
Qui revit en nos mains, du ciel la grâce ambiguë
A l'autre offerte, reçue...

« La grâce ambiguë ». La formule, et il n'y avait pas eu que celle-là, l'avait troublée. Elle lui avait paru déplacée, suggérer un doute qui s'accordait mal à la conviction qui vient tout naturellement en ce genre de circonstances. Le temps aidant, Iris avait portant fini par comprendre que ces mots n'avaient pas qu'un sens — et que tout était là, justement. Alors elle avait aussi compris ce qui l'avait frappée chez M. Warrender : il ne prenait jamais rien pour argent comptant, ne s'en tenait pas qu'aux apparences. « Oui... mais », disait-il et acceptait tout aussi bien ce qu'il en était vraiment que ce que l'on pouvait vouloir faire de sa vie.

Une seule ride lui barrant profondément le front, Vic était, de tout ce temps, resté très attentif, soit qu'il se crût à deux doigts de devoir défendre M. Warrender contre le commun tapageur, soit encore que ce que disait son beau-père lui fût important et qu'il fît tous ses efforts pour lui aussi le comprendre.

Ellie, elle, suivait le poème avec ses lèvres, comme si elle le savait déjà, au mot près.

Plus tard, en repassant les événements de la journée en revue, la chaleur, la lumière printanière qui avait tout avivé de son éclat, les picotements qu'on en avait ressentis, puis, lorsque les ombres avaient commencé à s'allonger, la brusque fraîcheur, la musique, le poème de M. Warrender, jusqu'aux pies qui, patiemment tassées sur elles-mêmes, avaient attendu que la foule s'égayât pour fondre sur les miettes, à repenser à tout cela, Iris et Digger avaient senti que, pour eux aussi, l'occasion avait été particulière, que c'était M. Warrender qui, le mieux, avait su en exprimer les divers moments et qu'il suffisait de reprendre ce qu'il avait dit pour les retrouver.

Il ne s'en était pas moins produit un incident embarrassant. Un peu plus tard dans la journée, Digger s'était approché de M. Warrender pour lui dire quelques mots et voir s'il y avait, dans le bonhomme lui-même, quelque chose qui pût expliquer tout cela — le poème, oui, mais aussi la témérité dont le beau-père de Vic s'était montré capable en se levant pour réciter son œuvre.

La rencontre n'avait rien donné. M. Warrender avait commencé par faire beaucoup de bruit, avait été tout esbroufe et affabilité naturelle, Digger en éprouvant une grande gêne. Embarrassé à son tour, M. Warrender avait ignoré son interlocuteur et, en se soulevant et s'abaissant sur la pointe des pieds, avait passé son temps à regarder par terre en chantonnant. Digger avait eu le plus grand mal à s'éloigner.

Hormis au sortir de l'église, lorsque avec Iris, Doug et Janet, il était allé lui serrer la main, Digger n'avait pas pu parler à Vic, celui-ci faisant ensuite, à son avis, tout ce qu'il pouvait pour l'éviter. Le connaissant comme il le connaissait, Digger n'en avait pas été surpris, mais ne s'en était pas trouvé plus à l'aise pour autant. Pourquoi s'était-il donné la peine de les inviter ? Pour se rengorger ? Etait-ce là le seul but de l'opération ?

Vers la fin de la journée, Iris s'étant rendue aux toilettes, en profitant vraisemblablement pour visiter le reste de la maison, Digger, qui ruminait encore sa peine, décida d'aller faire une petite promenade sous les sapins. Au fond du jardin il tomba sur un haut mur en brique, restes, sans doute, d'un poulailler qu'on avait démoli pour la noce. Ici et là, des plumes étaient encore accrochées aux branches et prises dans les aiguilles qui jonchaient le sol. Dans un coin, il trouva même les planches qui avaient servi de perchoirs ; toutes fendillées en long et incrustées de chiures, elles commençaient à disparaître sous la mousse. L'endroit était très retiré. Il s'était mis à y faire les cent pas et, trop absorbé en lui-même, n'avait pas vu que quelqu'un s'était approché et — depuis combien de temps déjà ? il n'aurait su le dire — s'était immobilisé à ses côtés.

— Salut, Digger, lui lança Vic d'un ton léger. Qu'est-ce que tu fabriques ?

Il avait parlé comme s'il n'y avait aucune gêne entre eux — chez lui en tout cas. Il n'avait, Digger le comprit alors, rien senti de son embarras. On était parfaitement calme, voire joyeux — pourquoi pas ? après tout... Digger avait perdu contenance, comme s'il était dans son tort.

— On s'occupe de toi ? reprit Vic. T'as eu du gâteau ?

Il en tenait lui-même un bout, à moitié mangé, dans sa main.

— Assez à boire ?

Il lui plaisait beaucoup, cela se voyait, de pouvoir jouer au maître de maison. Il le faisait avec gravité, mais timidité aussi : surtout qu'on n'aille pas y voir de la condescendance ! Le sentant, Digger eut encore une fois l'impression de s'être trompé : l'avait-il injustement chargé ? Il marmonna, mais fut incapable de trouver une réponse dont la légèreté aurait rendu les choses plus faciles.

Debout à ses côtés — il oscillait un peu —, Vic regarda la foule par-dessus son épaule. Dans une main il tenait un verre vide, dans l'autre les restes de son morceau de gâteau. Les deux hommes demeurèrent ainsi un instant. Puis, répétant un geste que Digger lui avait vu accomplir des milliers de fois, quoique en de toutes autres circonstances, Vic pencha la tête en arrière, ferma à moitié la main et, en prenant soin de ne rien en perdre, fit tomber les miettes et bouts de fruits de son gâteau dans sa bouche.

On n'aurait pu souhaiter plus typique : le souci qu'il avait eu de ne pas perdre une miette de son gâteau et la façon dont, devant quelqu'un qui savait ce que cela voulait dire, il s'était découvert la gorge en renversant la tête en arrière l'avaient tellement trahi qu'en suffoquant presque, Digger avait aussitôt oublié tout le ressentiment qu'il avait éprouvé à son endroit.

En attendant, Vic s'était mis à examiner sa cravate et son plastron afin de voir s'il n'y avait pas laissé tomber des miettes. En ayant trouvé une, il se la posa sur le bout de la langue, puis, soudain tout timide, comme si Digger l'avait surpris en flagrant délit, leva les yeux sur lui. L'intimité qu'ils retrouvèrent alors fut si puissante, si fort tira sur ce que, l'un comme l'autre, ils avaient de plus profond en eux qu'ils ne purent faire autrement que d'avoir un mouvement de recul.

« Quel drôle de type quand même, songea Digger. J'arriverai jamais à le comprendre. On fuit, on joue les impénétrables et, brusquement, on s'ouvre tellement qu'on se trahit... Mais seulement, c'est vrai, ajouta-t-il, lorsqu'on a peur de perdre l'autre. » Comment se débrouillait-il ? Et tous ces moments où il se mettait entièrement entre vos mains ? Etaient-ils calculés ou aussi innocents qu'il les faisait paraître ? Ayant soudain envie de se protéger de ses propres faiblesses, Digger se dit qu'il serait idiot de conclure quoi que ce fût de l'incident. « Il finira par me laisser tomber. C'est couru d'avance. » A voir ce qu'il avait vu, il était clair qu'il n'y avait pas de place pour lui dans la vie que menait son ami. En temps normal, leurs chemins ne se seraient même pas croisés. Il n'empêche : entre eux quelque chose avait repris forme et, pour l'instant au moins, Digger s'en sentait soulagé.

Vic ayant, quelques instants plus tard, été soudain happé par une femme qui tenait absolument à lui présenter son mari, Digger s'excusa et disparut. Il avait besoin de réfléchir. Passant sous une arche, il se retrouva dans une cour d'usine plongée en grande partie dans l'obscurité. Sur les dalles dont elle était faite, seule se dessinait, toute tordue et tronquée, l'ombre de l'arche où s'engouffrait le soleil. Il sortit une caissette d'emballage d'un tas d'ordures, la porta à la lumière et se roula une cigarette.

Ce fut là qu'en arrivant près de l'arche où elle pensait découvrir son époux, Ellie le trouva assis, tête baissée, cravate dénouée et chaussures neuves bien écartées sur le dallage. Elle savait qui c'était. Assis sur sa caisse, le bonhomme semblait bien ordinaire, mais avait pourtant quelque chose d'attirant.

Il leva la tête et, surpris, sursauta. Il avait le visage étrangement maigre, le regard plutôt éteint et des yeux profondément enfoncés dans leurs orbites.

— Je vous demande pardon, fit-elle. Je ne voulais pas vous faire peur.

Déjà il se mettait debout, gauchement.

— Vous êtes bien Digger, n'est-ce pas ? reprit-elle.

Puis, en riant, elle leva les bras en l'air et, ses manches en tissu blanc scintillant dans la lumière, ajouta :

— Quant à moi, il n'est pas difficile de deviner qui je suis !

Toute la gêne qui aurait pu surgir entre eux disparut aussitôt. Digger jeta sa cigarette et l'écrasa par terre. Façon comme une autre, et pour un instant seulement, de ne pas avoir à la regarder en face.

— Je m'en serais douté de toute façon, fit-il.

Et immédiatement rougit d'avoir dit ça et se demanda ce qui avait pu l'y pousser et ce que cela signifiait.

Elle sourit.

— Oui, bon, dit-elle, je suis heureuse de faire enfin votre connaissance. J'étais curieuse de savoir à quoi vous ressembliez.

— Qui ça ? Moi ?

— Vic m'a beaucoup parlé de vous... c'est-à-dire que non, pas tellement, mais... enfin, vous voyez...

Ils se tenaient sous l'arche, la cour se trouvant derrière Digger. Parce qu'il avait le soleil dans l'œil chaque fois qu'il la regardait, il devait fermer les paupières, mais sentait la frange extrême de l'ombre de l'arche gagner sur son épaule.

Sur la pelouse, les invités commençaient à se séparer. Beaucoup étaient déjà partis. Ceux qui restaient formaient des groupes épars, les hommes étant encore tout émoustillés par les dernières discussions, sport, politique et affaires, dans lesquelles ils s'étaient lancés ; plusieurs femmes s'étaient débarrassées de leurs chaussures à hauts talons et, en bas maintenant, se reposaient les pieds dans l'herbe. L'orchestre jouait encore, mais la piste de danse n'était plus occupée que par des enfants, les garçons en pantalon long, cravate (certains avaient même un nœud papillon) et chemise à manches longues, les filles portant des robes de soirée et des rubans dans les cheveux. Et tous, ils se poussaient deçà, delà sur le parquet ciré tels des adultes en réduction, sous le regard de deux ou trois adultes, ceux-là à part entière. L'un d'entre eux, Digger s'en rendit compte, n'était autre que le père d'Ellie, M. Warrender. Il avait l'air un rien éméché et, par-dessus l'épaule d'Ellie, Digger le vit s'engager sur la piste d'un pas lourd et décidé, comme s'il avait peur de ne pas y arriver, puis se mettre à glisser entre les couples : gênés de le voir danser tout seul, on lui coulait des regards de côté, parfois même on filait vers le bord de la piste pour s'écarter de lui.

Voyant l'intensité de son regard, Ellie tourna la tête en se demandant ce qui pouvait bien retenir son attention ; ce qu'elle découvrit ne fut pourtant pas son père en train de lentement décrire, les bras en l'air, des cercles au milieu des enfants qui dansaient, mais Vic. Il se tenait aux abords d'un groupe d'hommes âgés qui, tête contre tête, parlaient ensemble. Il s'était détourné d'eux et ne paraissait pas s'intéresser à la conversation. Les mains dans les poches, il contemplait son épouse et son ami.

Baissant les yeux lorsque le regard d'Ellie croisa le sien, il fit semblant de rire à une remarque que l'on venait de faire. Mais, un instant plus tard, lorsque à nouveau elle regarda dans sa direction, elle s'aperçut qu'il l'observait encore. Et cette fois-là, Digger le remarqua lui aussi. Deux ou trois vieillards tournant alors la tête pour le regarder, Vic se détacha du groupe, et, traversant la pelouse, s'approcha d'Ellie et de Digger.

Ellie regarda Digger, fit la grimace et sourit.

« Bon, semblait dire son regard, ce sera tout pour aujourd'hui. Nous ne pourrons pas aller plus loin. Mais cela n'a pas d'importance, n'est-ce pas ? »

Digger se surprit à sourire à son tour.

« Il a peur que... enfin, vous voyez... que nous ne nous entendions trop bien ? Enfin, je veux dire... que nous comprenions certaines choses... sur lui, pas sur nous... c'est pour ça qu'il ne peut pas se permettre de nous laisser trop longtemps ensemble. Il est comme ça, Vic. »

« Je sais », disait-il.

« C'est plus fort que lui. »

« A qui le dites-vous ! »

Telles étaient les pensées qu'ils échangeaient en silence.

Digger se demanda ce que Vic avait bien pu raconter à Ellie — pas sur lui, non sur ce qui s'était passé là-bas. Pas grand-chose, sans doute. Il y aurait donc des choses qu'elle ignorerait jusqu'au bout. La nuit, parfois, en se réveillant, elle le trouverait assis au bord du lit (Digger le savait d'expérience). Ruisselant de sueur, il n'arriverait pas à se détacher du lieu dont il venait de rêver, sauf que ce rêve n'en étant pas vraiment un, il n'y aurait, pour lui, jamais vraiment moyen d'en revenir.

— Tu l'as enfin trouvé ! s'écria Vic d'un ton joyeux.

Et, la prenant par le bras, il ajouta :

— C'est bien.

Immobile, il les regarda et sentit la chaleur de ce qui les

unissait. Ils ne semblaient nullement gênés et ne donnaient pas l'impression qu'il leur aurait fallu interrompre leur conversation en le voyant arriver. Mais leurs sourires lui paraissant conspirateurs, Digger rougit et baissa les yeux. Vic le connaissait trop bien pour ne pas s'en apercevoir. Ellie n'en fut, elle, aucunement intimidée.

— Je lui demandais justement de passer me voir de temps en temps, dit-elle en violant l'accord que Digger avait cru qu'ils venaient de passer ensemble. Car vous viendrez, Digger, n'est-ce pas ?

Digger regarda Vic. Lui aussi, il souriait, fort aimablement même, on eût pu le croire, mais il garda le silence : il n'en était pas question, c'était clair comme le jour. Pourquoi avait-elle parlé de ça ?

— Je ferais mieux de retrouver Iris, dit Digger sans perdre de temps. Elle doit se demander ce qui m'est arrivé.

3

Fin août, grandes rafales de vent. Haut dans le ciel, des nuages dérivaient, assise plate, rapides dans leur course autour du monde, mais l'air était clair et, là-bas, au sommet de la colline qui dominait l'Embarcadère, enfin elle voyait dans toutes les directions, vers le nord, vers le sud, vers l'est où le fleuve se perdait dans l'océan. C'était le paysage en son entier qu'elle avait sous les yeux.

En amont, dans une douzaine de petites baies et anses, des bateaux étaient comme collés sur place tels des morceaux de papier, blancs sur bleu, immobiles lorsqu'on les contemplait à cette distance. Plus près, le pont, circulation assourdie par le bruit du vent, les craquements des branches, les brusques frissons qui secouaient les feuilles, les cris des mouettes.

Sous une de ses arches, légèrement à l'écart, se trouvait le magasin, comme posé sur une langue de terre basse, sèche, isolée de tout. Ligne de faîte du toit en tôle, poteaux de l'étendoir, vieux tonneaux et fûts de kérosène dans lesquels elle avait planté ses buissons, établi de Digger sous le poivrier. Jenny y jouant, en robe de coton, les épouvantails à oiseaux.

« Elle ne sait pas encore, se dit-elle. Elle n'a pas découvert que j'ai quitté la maison. » La panique que ce sera lorsque, en arrivant dans la chambre, elle verra que le lit est vide ! Gémissements et bras qui battent l'air. Elle le regretta.

En face, sur le toit d'une des villas dont le flanc de la colline était piqueté, certaines d'entre elles scintillant entre les arbres, Digger devait être en train de travailler, marteau à la ceinture, bout de crayon derrière l'oreille.

Elle connaissait tout ça par cœur, savait où tout se trouvait. Seul l'endroit où elle se tenait lui était inconnu.

Pourquoi avait-elle mis trente-trois ans avant d'y revenir ?

Parce qu'elle n'avait jamais eu envie de voir les choses aussi clairement, voilà tout.

Et pourtant venait-elle de le faire ?

Parce que.

Elle avait repoussé jusqu'au dernier moment, pour ne pas être déçue. Aujourd'hui enfin, elle se sentait capable de voir. Le temps des déceptions était loin.

Là-bas, tout là-bas, à quarante miles à vol d'oiseau, au moins, noyée dans une brume au sein de laquelle ses maisons, par rues entières, ses arbres et ses eaux portuaires étaient comme fondues dans un même bleu pastel, comme si, plus qu'une ville, il s'agissait d'un lac à la surface duquel seules ses plus hautes tours étaient visibles, Sydney.

Mais ce n'était pas cela qu'elle était venue voir. Elle ignorait même que la ville fût visible de cet endroit. Elle croyait que l'agglomération se trouvait plus loin. A mi-chemin de l'Angleterre ou presque. Trente-trois ans déjà. Elle avait courbé l'échine et s'était accrochée — il fallait bien que quelqu'un le fît —, avait tout tenu à bout de bras. Tournant le dos au monde, elle avait pris le nom du lieu, Keen, et y serait enterrée.

Mais, tout à coup, cet après-midi-là, elle n'avait plus supporté de se trouver dans la maison, enfermée dans la petite pièce de derrière, à étouffer alors que dehors le vent s'était levé. Meubles, jusqu'au dernier, rideaux qu'elle avait commandés, cousus et accrochés dans toutes les pièces, petites cuillères, photo de mariage des parents de son mari posée sur le buffet, sucre, riz, sel, balance sur les plateaux de laquelle, au fond de la réserve, trente-trois ans durant elle avait tout pesé et empaqueté dans des petits sacs d'une livre et d'une demi-livre, tout, jusques et y compris les chaises de la cuisine et les saucières, et encore le seau et la serpillière derrière la porte, jusques et y compris Jenny se traînant à croupetons sur le comptoir et, avec elle, les fantômes de tous les autres, là, entassés dans un coin près de la cuisinière, là en train de suçoter une biscotte ou de se mettre des cendres dans la bouche, Leslie, James, May, Billy, tout et plus encore, s'était mis à lui peser sur le cœur, à l'écraser. Y mettre le feu, voir le vent s'en emparer et, rugissant, tout réduire en escarbilles ne lui aurait pas fait peur.

Quel genre de femme était-elle donc, pour finir ?

Celui-là même qu'elle avait juré de ne jamais devenir.

Arracher les draps du lit, courir, pieds nus, jusqu'à la cuisine, prendre une boîte d'allumettes, en craquer une, la jeter par terre, en craquer une autre, regarder follement autour d'elle, s'écrier : « Oui, c'est bien le genre de femme que je suis. »

Mais la boîte lui était tombée des mains, mais les allumettes s'étaient répandues par terre. Sans lui jeter un dernier regard, elle s'était ruée hors de la maison, la tête vide, s'était précipitée dans les buissons. Là-haut, seuls les nuages s'enfuyaient, chassés par le vent. Elle avait commencé à grimper.

Et, dès qu'elle l'avait vraiment fait, avait été toute hâte et ravissement, comme si, ayant toujours voulu s'adonner à cette activité, elle allait enfin découvrir ce dont elle avait été tenue à l'écart pendant des années. Elle avait franchi des corniches rocailleuses, où il lui avait fallu se hisser à deux mains, avait laissé derrière elle les grandes angophores dont les bourrelets faisaient penser à des chairs d'angelots, était montée assez haut pour enfin s'imprégner de la taille des choses. Elle n'était pas peureuse. Personne n'eût pu lui reprocher la moindre couardise. Elle était capable d'affronter n'importe quoi.

Une fois arrivée au sommet de la colline, elle avait regardé autour d'elle, s'était enivrée du paysage, puis, les mains croisées sur la poitrine, s'était accroupie sur un monticule envahi d'herbe haute et coupante pour ruminer son amertume.

Maintenant que la chose même dont elle avait rêvé était au bord de se produire, que, la paix descendant sur elle, elle allait s'entourer de tous les objets qui avaient fait sa vie, soudain elle ne le voulait plus. Ne voulait plus que sa vie, que ces cinquante-quatre années de jours et de jours, de déceptions et de petits triomphes muets enfin fussent rendues visibles dans un amoncellement tel qu'elle n'eût pu qu'en dire : « Ainsi donc, c'est à cela que tout se résume. »

Voilà ce qu'elle avait voulu éviter, ce dont, en esprit,

elle avait déjà brûlé tous les indices matériels. Jamais au grand jamais n'avoir à en être entourée de toutes parts.

Gibbons. Le nom qu'elle avait trouvé en naissant.

« Mon Dieu, où est-elle ? Où est Marge Gibbons ? Et Bert ? Où sont passés Marge et Bert ? » s'était-elle demandé en cherchant des yeux leurs tignasses hirsutes. Il l'inquiétait de ne plus les voir : où étaient les deux petits condamnés qu'elle avait laissés filer et se perdre à jamais ? Comme ils avaient été réels en ce monde ! Comme ils l'étaient encore en elle ! Si seulement elle pouvait les rejoindre par-delà tous ces objets qu'elle avait accumulés pour les écarter de sa vie.

Elle se prit à tirer sur la laine de sa veste de pyjama. Un à un, des petits bouts de peluche rose s'envolèrent dans les airs, se mêlèrent à la poussière de pollen et de graines infimes qui, légère, y dérivait en tourbillonnant. Le vent même n'eût pu les distinguer.

« Keen ». Le nom qu'elle avait pris. Le nom sous lequel elle serait donc enterrée.

Et Billy ? Il était parti chercher une autre guerre. Mieux, il en avait même trouvé une, en Corée, cette fois-ci. Et toujours et encore il en chercherait d'autres jusqu'au moment où il trouverait la dernière. Cela faisait des années et des années qu'elle savait que jamais il ne rentrerait.

Elle tira sur sa veste, en gratta l'étoffe du bout de ses ongles racornis. Rose, la peluche ne cessait de s'envoler. Mais soudain, dans les buissons qui l'entouraient, quelqu'un débarquait brutalement. Un cri s'élevait, on l'avait trouvée, comme jadis, exactement comme la première fois. La fille était grande et, grosse et grasse, s'agrippait à elle et jamais plus ne la laisserait en paix.

— Elle veut pas rentrer. Elle dit qu'elle ne veut plus. Plus jamais.

Dans la cour, Jenny tournait et virait sous l'étendoir en se tordant les mains. Emmitouflée dans une couverture piquée, la mère était assise dans un vieux fauteuil canné qu'on avait sorti du rebut. Elle avait tourné le dos à la maison, elle tremblait sans arrêt.

Digger posa sa boîte à outils.

— T'en fais pas, dit-il, mais son calme n'était qu'apparent. Et si tu rentrais nous faire une tasse de thé ? Je vais lui parler.

Et il l'avait fait, sa mère restant de bois, comme si déjà elle ne pouvait plus l'entendre.

Jenny apporta le thé. La mère prit une tasse, mais se contenta de la garder dans sa main pendant que son fils buvait. Terrifiée, Jenny resta obstinément plantée à l'entrée de la cuisine, aussi loin qu'elle le pouvait.

Rien à faire : la mère refusait toujours de rentrer dans la maison. Il lui parla, la tenta avec des choses qui, autrefois, lui auraient plu, elle ne l'entendit pas, ou refusa de l'écouter. Lorsque la nuit tomba, il lui apporta quelques couvertures de plus, l'en enveloppa, enfila un pull-over supplémentaire et, les ténèbres se faisant de plus en plus opaques autour d'eux, déjà les étoiles commençaient à piqueter le ciel, ils restèrent assis ensemble, Jenny les observant derrière une fenêtre.

Jenny qui, enfin, apporta quelque chose à manger à son frère. Pas grand-chose : elle était trop émue pour lui préparer quoi que ce fût. Assis sur un bidon retourné, Digger mangea ses pommes de terre avec une fourchette et sauça avec du pain, la mère restant assise, le dos toujours tourné à la maison. Pour elle, celle-ci n'était plus que cendres. Maison, magasin et tout ce qui s'y trouvait, c'était la même chose. Elle y avait mis le feu, qu'il ait pris ou pas importait peu. Digger ne put rien tirer de sa mère.

Ce n'était pas la première fois qu'il faisait face à ce genre de situation, mais il ne s'était pas attendu à devoir jamais recommencer : surtout pas ici. Sa mère avait décidé de s'exclure du monde et rien ne l'arrêterait.

Comme il était étrange de voir la maison tout illuminée alors même que sa mère se tenait assise dans un fauteuil devant lui, là, dans la poussière, au cœur des buissons et des bruits nocturnes qui montaient autour d'eux !

L'aurore poignait à peine lorsqu'il s'assoupit. Enfin elle commença à lui parler et les choses qu'elle lui dit furent horribles. Jamais il n'aurait cru qu'elle vivait un tel désespoir. Elle l'appela Bert, il eut envie de lui dire « Non, pas Bert, Digger... tu te souviens ? », mais eut peur de l'interrompre.

Il avait tort. Ou alors elle ne s'en souvenait pas, volontairement peut-être. « Bert », lui cria-t-elle, et le réveilla, la conversation qu'ils avaient eue s'enfonçant en lui, disparaissant.

— Digger, lui dit-elle, ça t'embêterait que j' te pose une question ?

Elle était sortie de la maison et l'avait rejoint dans la cour où, en short et torse nu, il travaillait à son établi. Ça sentait la sciure fraîche.

— Vas-y, Jenny, lui répondit-il sans lever la tête.

Il s'était mis au travail pour ne plus penser, pendant quelques instants au moins. Il lui fallait toujours un certain temps pour se reprendre et, ce jour-là, il avait décidé de s'adonner au plaisir de scier du bois tendre, d'en sentir l'odeur épicée tandis que le soleil lui chauffait le dos.

— Et les affaires de Maman ? lui demanda-t-elle enfin, le front barré de rides douloureuses.

— Quoi ? Ses habits ? s'enquit-il en attrapant le crayon qu'il s'était mis derrière l'oreille et en continuant de travailler.

— Non, ses affaires. Parce qu'elles sont à elles, non ?

Alors il la regarda.

— Les meubles, quoi, et le reste ! dit-elle d'un ton désespéré. Les casseroles... enfin, tu sais...

— Eh bien rien, dit-il doucement. Qu'est-ce que tu crois ? Elles sont à nous, c'est tout. A nous.

— Vrai ? Elle nous les a laissées ?

Il se demanda ce qu'elle avait en tête. Il n'avait, même après tout ce temps, aucune idée de la façon dont elle sentait les choses. Et si, faisant sienne la vision de sa mère, celle-là même à laquelle cette dernière avait fini par renoncer, elle croyait que tout ce qu'il y avait dans la maison, jusqu'à la dernière passoire et au dernier rond de serviette, devait, Dieu sait comment, être repris en main ? Littéralement, peut-être même. Etait-ce donc cela ? Tous ces objets auraient-ils cessé d'être aussi solides et utilisables qu'ils l'avaient été jusqu'alors ?

Pensait-elle que parce que sa mère se les serait appropriés en esprit, il aurait été dangereux de les toucher ?

Le fauteuil dans lequel elle était restée assise toute la nuit durant se trouvait toujours bizarrement posé sous l'étendoir, ni l'un ni l'autre n'ayant pensé à le mettre ailleurs. Il était cassé et, osier crevé et blanchi par le soleil, ressemblait tellement plus à une plante qu'à un siège abandonné que c'est à peine s'ils auraient trouvé étrange que, le temps aidant, il s'affaisse soudain sur un pied.

— Oui, reprit-il très calmement, elle t'a laissé ses affaires. Elles sont à toi. T'en fais ce que tu veux.

— Oh, dit-elle. Bon, bon.

L'air sérieux, elle demeura immobile un instant, puis s'en fut. Bientôt il l'entendit déplacer des choses dans la cuisine, vider et nettoyer les étagères, procéder à des petits changements dont elle avait peut-être envie depuis des années, mais que — qui sait à quelles règles obéissait son esprit ? — elle n'aurait sans doute jamais osé imposer tant que leur mère était en vie.

4

Digger devait plus tard découvrir que, le jour de la noce, il s'était trompé sur deux points. Contre toute attente, il revit Ellie — au bout de six ans certes, et seulement par hasard —, et, pour reprendre les termes dont celui-ci avait usé, Vic ne le « laissa pas tomber ». Deux ou trois fois par an, parfois plus, Digger le vit en effet débarquer, sans prévenir, à l'Embarcadère pour y passer une heure avec lui. Alors, Vic allait souvent s'asseoir sous le poivrier où il avait installé son établi et, l'y regardant travailler, n'hésitait pas à se relever pour lui tenir une planche de dix sur cinq qu'il était en train de scier. Ou bien c'était Digger qui, après lui avoir trouvé une gaule de secours, l'emmenait à la pêche.

Cela ne se passait pas toujours facilement. Il arrivait que Vic fût en proie au genre d'humeur où tout irrite. « Oui, il est venu me rendre visite, se disait Digger, mais, blessure ou vieux ressentiment, uniquement pour pouvoir ressasser, voire me pousser à l'insulter. » Vic parvenant souvent à ses fins, Digger se retrouvait aussitôt de la même humeur que son camarade, surtout lorsque, se détournant avec un étrange petit sourire, celui-ci lui montrait toute la satisfaction qu'il éprouvait de l'avoir ainsi obligé à frapper. Si Vic ne reculait jamais devant rien, il était pourtant d'autres moments où Digger savait lui tenir tête. Alors, et toujours sans crier gare, Vic était soudain tout apaisements et, quelques minutes plus tard, d'une telle bonne humeur que Digger n'était jamais certain d'avoir été à l'origine de ce revirement. Tout se passait comme si, Digger s'interdisant de le contrarier, Vic trouvait alors, dans le refus même que lui opposait son ami, le moyen d'être à nouveau en bons termes avec lui-même.

Il n'était néanmoins pas rare que Vic montât le voir parce que, nouveauté ou autre, il avait trouvé quelque chose qui, à son avis, ne pouvait qu'intéresser son ancien compagnon d'armes, parce qu'il avait envie d'aller bien tranquillement à la pêche, ou, plus simplement encore, parce que cela faisait déjà deux ou trois mois qu'ils ne s'étaient pas revus. Jamais on n'évoquait les affaires dans lesquelles Vic s'était lancé. Ce ne fut que lorsque Doug lui en parla que Digger commença à se faire une idée du genre de bonhomme qu'il avait réussi à devenir.

— Sacré Vic ! Se démerde plutôt bien, tu sais ? lui avait-il dit un jour.

— Ah bon ?... Mais encore ?

Douggy s'était mis à rire.

— Tu lis pas les journaux ? La Needham... c'est lui ! Vic, c'est quasi un millionnaire. Y se fait du pognon que ça arrête pas !

Il n'y avait pas la moindre ironie dans sa voix. Que les « patrons » le laissent toujours aussi sceptique qu'avant ne l'empêchait pas de trouver qu'outre qu'elle disait quelque chose de leur ami, l'ascension de Vic rejaillissait sur lui, voire sur tous leurs camarades de jadis. De fait, Douggy ne lui en voulait pas le moins du monde. Cela étant, qui l'eût cru, pas vrai ? Qui aurait jamais pu deviner qu'un jour, un de leurs potes serait à quoi ? vingt-huit vingt-neuf ans ? en passe de se transformer en millionnaire ? Ce n'était d'ailleurs pas que Doug et Vic auraient été tellement proches. Il n'empêche : comment ne pas s'émerveiller ?

— Y t'en parle jamais ? s'était-il enquis.

— Non, lui avait répondu Digger. Pourquoi voudrais-tu qu'il m'en parle ? Les affaires, j'y connais rien.

— Bah... Emboucher la trompette pour se sonner les grandes louanges, il a jamais beaucoup hésité... enfin, autrefois. Bon, mais... qu'est-ce qu'y devient ?

— Rien. Je sais pas.

— Mais alors... c'est de quoi que vous parlez ? lui avait demandé Doug au bout d'un petit moment et, cette fois-ci, avec une lueur d'ironie dans le regard.

— De tout et de rien, lui avait-il répondu.

C'était même tellement vrai qu'il lui avait fallu réfléchir un instant.

— De bagnoles et autres, avait-il ajouté enfin.

— Ah ! Et c'est quoi, la bagnole qu'il a ?

— Une Humber Hawk. Avant, il avait une Pontiac.

Douggy en avait eu l'air tout impressionné.

— Et y t'est pas venu à l'idée qu'y pourrait se démerder comme un chef ?

Digger n'avait pas su quoi lui répondre. S'il avait, à la noce, bien vu le genre d'individus avec lesquels Vic semblait frayer et le type d'existence qu'ils devaient mener, il s'était par trop profondément absorbé dans la contemplation de leurs voitures, avait trop soulevé de capots pour voir comment ça fonctionnait pour se demander ce que tous ces gens pouvaient représenter en termes de « réussite » sociale.

Vic avait certes eu plaisir à lui montrer leurs automobiles, mais sans jamais sombrer dans l'ostentation ou se croire obligé de le prendre de haut. Gamins qui soudain découvrent une Pontiac, une Riley, une Austin Healey ou une Ford Customline garée le long du trottoir, ils auraient vraiment pu l'être tant, plutôt que de chercher à savoir qui était le propriétaire de celle-ci ou de celle-là, ils avaient voulu éprouver toute la puissance de ces monstres de métal qu'ils avaient sous les yeux et, s'imprégnant de leur élégance, s'étaient laissés aller au bonheur de contempler des objets aussi merveilleusement achevés. Cela étant, Digger s'était parfois étonné (au point d'en frissonner, voire de s'en pâmer sous son manteau) de pouvoir, avec son ami Vic, poser la main sur des polis aussi chauds sous le soleil et éprouver, en appuyant à fond sur l'accélérateur, toute la puissance de ces modèles des années 49, 52 et 54.

— J'ai l'impression que tu te débrouilles plutôt bien, lui avait-il enfin dit un jour que l'humeur générale s'y prêtait. D'après Doug, en tout cas, tu...

— Je m'en sors, lui avait-il concédé.

Digger s'était mis à raboter des planches, trois ou quatre de ces dernières étant dressées contre le tronc du poivrier. Tout entortillés et presque transparents tant ils étaient pâles, des copeaux au grain couleur de miel naissaient au bout de sa lame chaque fois que, d'un geste large, il la poussait jusqu'au bout de sa planche, tombaient par terre, s'y recroquevillaient et commençaient à rouler sous la brise. Vic s'était installé sur un bidon de kérosène renversé.

— Je ne savais pas.

— Bah, lui répondit Vic comme si de rien n'était, j'ai eu un peu de chance, c'est tout.

C'était vrai : de bonnes affaires lui tombaient du ciel et, entre ses mains, se mettaient à prospérer. Mais il n'y avait pas que cela. Il y avait aussi qu'il était malin, qu'il travaillait dur — de fait, il n'arrêtait pas — et qu'on le savait ; qu'il sentait les choses et que, bien avant que d'autres, qui avaient pourtant plus d'expérience, aient compris que c'était l'occasion où jamais, il devenait à quel moment tout tomberait en place ; qu'impitoyable enfin, il ne permettait pas que rien ni personne ne se mît en travers de sa route. Sans parler de la chance qu'il avait et qui l'inquiétait.

Pour lui en effet, la chance était une chose sur laquelle on ne devait jamais compter. Parce qu'elle l'avait déjà trahi une fois, et très durement, il pensait qu'elle ne pouvait que l'abandonner à nouveau. A miser sur elle, on se condamnait à n'être qu'un traîne-savates qui jamais ne ferait ses preuves. Non, c'était à la force de caractère que, selon lui, il fallait croire. Pour simples et évidentes qu'elles fussent, toutes ses réussites devaient être jugées à l'aune de quelque chose qui, parce qu'étant en lui, demeurait invisible, mais qui, existant forcément puisque réussite il y avait, pouvait de ce fait susciter la confiance.

Assis là sur son bidon de kérosène, dans le vent sec qui secouait les branches du poivrier, ce n'était nullement des millions qu'il valait, mais bien plutôt, et ce sans qu'il fût en rien nécessaire de le prouver ou de s'en expliquer, tout ce que Digger pouvait lui renvoyer de ce qu'il voyait en lui.

Levant la tête, il porta sans hésiter ses regards vers l'endroit où, son rabot à la main, Digger se tenait immobile et l'observait — et tout fut dit.

Digger ne devait jamais oublier cet instant où, clairement et pour la première fois, il avait enfin compris ce que Vic attendait de lui — qu'il fût l'un des témoins de sa vie. Pas de ses réussites, non, cela, tout le monde pouvant les voir, il ne s'était même pas donné la peine de les lui signaler, mais bel et bien de toutes les qualités qui, enfouies au plus profond de lui-même, ne pouvaient pas ne pas faire pencher la balance de l'autre côté — celui où rien ne se voyait.

Si Digger avait mis si longtemps à le comprendre, c'était parce que rien ne lui était plus étranger que l'idée qu'on pût avoir besoin de témoins à sa vie. Il n'empêche : à peine l'eut-il deviné qu'aussi déplaisant que cela lui fût, il s'en tint à ce rôle. Ce n'était jamais qu'une responsabilité de plus qu'on lui imposait. Pas plus que nombre d'autres, il ne l'aurait choisie lui-même, mais le fait était là. Le hasard ou le destin, ou autre, choisissait à votre place et, en vous liant à l'existence d'autrui, des fils de votre vie tissaient une trame qui, pour finir, devenait la vôtre.

Jenny était la seule à résister et cela avait des côtés parfois bien comiques. Qu'une année après l'autre il continuât de monter à l'Embarcadère et de lui apporter des petits cadeaux importait peu. Jamais elle ne se réconcilia avec lui.

Un soir qu'ils regardaient la télé, elle se tourna brusquement vers son frère et, tout étonnée, lui demanda :

— C'est bien lui, n'est-ce pas ?

— Oui, lui répondit-il, c'est lui.

— Qu'est-ce qu'il a fait pour ça ?

Dans sa petite logique, quiconque passait à la télévision et n'était ni speaker ni vedette ne pouvait être qu'un escroc.

— Mais rien, dit-il. Il a gagné un peu d'argent en rachetant une affaire, enfin quoi... en l'avalant, c'est tout. Il a des problèmes avec les syndicats.

Elle releva la tête et, plissant le front, se mit à réfléchir. Racheter ceci ou cela n'expliquait rien. Ce n'était pas de ça qu'il s'agissait.

L'interview était conduite par une femme. Après s'être montré, sincèrement ou pas, très prévenant avec elle, l'avoir même appelée par son prénom, Jane, mais lui avoir bien fait comprendre qu'il ne prenait aucune de ses questions vraiment au sérieux, Vic fut brusquement des plus froids, puis se mit en colère. Jenny ricana. C'était de ça, et de rien d'autre, qu'il était question.

— Elle a pas l'air de l'admirer beaucoup, déclara-t-elle.

— T'as raison, ma fille ! cria-t-elle ensuite.

— Tu vois, Digger, reprit-elle, elle le prend pour un escroc. Tu crois que c'en est un ?

— Non, dit-il d'un ton amusé. En plus, elle ne le prend pas pour un escroc.

— Alors, pourquoi qu'elle le cherche ?

— C'est son boulot, elle le fait, un point c'est tout. Faut bien qu'elle soit agressive.

— Petit malin, va ! s'écria-t-elle. Petit malin !

5

Encore en manches de chemise, il repoussa les assiettes du petit déjeuner, déplaça la salière, le poivrier et le grille-pain, se reversa du thé, alluma une cigarette et se renversa sur sa chaise. Il ne pouvait s'empêcher de faire de la place devant lui chaque fois qu'il se préparait à lui proposer une idée nouvelle. Il était tout à fait possible, et elle le savait, d'estimer l'étendue des risques encourus rien qu'à voir l'espace qu'il lui fallait dégager devant lui.

Leurs entretiens se déroulaient souvent devant les restes du petit déjeuner. Ellie étant partie conduire le gamin à la maternelle et Pa ayant déjà gagné son bureau, il leur restait une bonne demi-heure de tranquillité. Si l'intimité du cadre et la présence de reliefs sur la table — « Le pain grillé, quand il l'est trop, a quelque chose de rassurant », pensa-t-elle — interdisaient qu'on eût le propos catégorique, la poigne que suggéraient les cuillères et les anses des tasses à thé asseyait ce qui, sans cela, eût pu paraître un rien fantastique en des circonstances aussi ordinaires.

Que Ma ait pu changer à ce point l'étonnait encore lorsqu'il se rappelait les angoisses dont elle était toujours victime autrefois. Elle ne l'avait jamais déçu — pas une fois. Qu'il battît en retraite, que parfois même il eût des doutes qu'il faisait de son mieux pour lui cacher et aussitôt elle le voyait et le pressait de ne pas reculer.

Parce qu'elle était d'une intelligence plus déliée que la sienne, il lui présentait toutes les idées qui lui venaient à l'esprit et la laissait repérer la faille. Lorsqu'elle n'y trouvait rien à redire, il savait que son projet tenait le coup.

Oui, il se reposait sur elle. Ils formaient une équipe. Analyser une affaire avec elle, c'était discuter avec cette autre partie de lui-même qui, parce qu'elle était de pur scepticisme, eût pu être difficile à retrouver, instantanément au moins. Formulées par un homme, les critiques qu'il acceptait d'elle l'auraient immédiatement poussé au refus. Ils se connaissaient trop bien et, l'un comme l'autre, chérissaient trop leur entreprise pour tolérer une quelconque mièvrerie dans leurs rapports.

Ce matin-là, il traînait la patte, se tenait délibérément sur la réserve. Il y avait en lui non pas une faiblesse, cela n'allait jamais jusque-là, mais un certain flou qu'elle devrait reconnaître et affronter dans quelques instants. Si elle avait appris à bien le connaître, il y avait aussi tout l'espace qu'il avait dégagé devant lui.

— Alors, Vic, ce coup-ci, ça y est, non? lui demanda-t-elle.

— Oui, dit-il. A dix heures et demie.

Il avait vu comment elle le regardait, il repoussa encore son assiette d'un bon pouce.

— Je trouve ça un peu difficile, reprit-il. C'est pas possible qu'il soit aussi innocent que ça! Non, un bonhomme comme lui! Je le croyais plus dur.

— Mais il l'est! lui renvoya-t-elle. Ne te laisse pas abuser par sa douceur. Dur, il l'est, mais à la manière ancienne, comme mon père. La génération nouvelle est très différente.

Elle vit l'ombre légère qui passait sur son front. Elle n'avait pas voulu le critiquer.

— Il n'a pas l'air de comprendre qu'il va perdre le contrôle de l'affaire. Mais pour qui nous prend-il? Une institution charitable?

Il parlait de Jack Creely, ancien camarade d'école de Pa qui dirigeait maintenant une entreprise travaillant pour le compte du gouvernement. La Needham était sur le point de l'absorber.

— Qu'est-ce qu'il peut s'y croire! Nous raconter des histoires et s'imaginer que c'est le fin du fin!

Il était blessé dans sa fierté.

Mais ce qui le troublait, et elle le savait, c'était la quantité de racontars que cela allait déclencher. Vic s'était fait beaucoup d'ennemis depuis quelques années. On trouvait qu'il commençait à le prendre d'un peu haut : il était trop sûr de lui, trop veinard en affaires. On ne serait que trop content de se servir de Jack Creely pour l'accabler encore davantage.

— Ecoute, dit-elle, c'est bien de quarante-six mille livres qu'on va en être, n'est-ce pas ? Comme si on pouvait parler de charité ! Jack sait très bien à quoi s'en tenir.

Elle sursauta en s'entendant parler d'un ton aussi net. Elle avait, elle aussi, fait beaucoup de chemin ces dernières années.

Quarante-six mille livres ! Elle eut le souffle coupé rien que d'avoir énoncé cette somme. Comme si ce n'était rien !

Elle pensa à son père et le vit sourciller : on admirait certes, mais était parfaitement scandalisé par la façon plus que sommaire dont elle venait de régler son compte à Jack Creely. Mais, plus encore que cela, ç'aurait été, tout comme elle, le montant même de la somme, quarante-six mille livres ! qui l'aurait inquiété. Aussi bien son père s'en était-il toujours tenu à une règle stricte : c'était en n'outrepassant jamais certaines limites qu'on évitait les dettes. « Ce type est complètement fou, lui aurait-il dit, d'un ton là encore peut-être admiratif, mais où la mise en garde aurait été claire. Tu ne le vois donc pas ? » Et la question lui avait résonné si fort dans la tête qu'elle fut toute surprise de constater que Vic ne se détournait pas d'elle pour lui répondre avec son agressivité habituelle.

Pirate, son père l'avait été, mais jamais en eau profonde et c'était maintenant en pleine mer qu'on se trouvait.

Cela faisait plus de trois ans que l'usine était abandonnée et murée. Des briques en tombaient régulièrement, la mauvaise herbe poussant partout, non seulement entre les dalles de la cour, mais aussi sur les appuis de fenêtre en pierre, voire, par endroits, jusque sur la toiture. Greg, son petit-fils, avait peur d'y entrer. Elle l'avait souvent vu la contempler et, immobile sous l'arche de la cour, se défier d'y aller.

Lorsque son père les avait fait construire, l'usine et la maison formaient un tout, dont, en grandissant, elle avait toujours connu les deux moitiés. Les filles qui travaillaient à l'emballage faisaient partie de la famille. Il n'était pas rare que, traversant la cour, elles viennent chercher du sucre à la cuisine si, par hasard, il leur en manquait pour la pause thé du matin. Que l'une d'entre elles eût un malaise et c'était aussitôt dans une des pièces attenantes à la véranda qu'on l'amenait se reposer. Petite fille encore, Ma avait souvent laissé tomber ses poupées ou son puzzle, voire renoncé à faire du patin à roulettes sous l'auvent qui courait le long d'un côté de la maison pour aller bavarder avec Alice Green ou Mme Danby, ses emballeuses préférées, ou assister au déchargement d'un camion dans la cour. Perchée sur un tabouret dans le bureau de son père, elle avait passé bien des heures à découper des fleurs dans les étiquettes et les placards publicitaires de la Needham avant de les coller dans un registre de la société.

L'univers des affaires et de la fabrication avaient été tellement présents dans leur vie quotidienne que jamais, pour elle, au moins, il n'y avait eu de fossé entre ces deux types d'existence, l'un et l'autre s'étant même fondus complètement dans son esprit. C'était d'ailleurs cette vision-là qu'elle tentait de réintroduire dans ses rapports avec Vic lorsqu'elle insistait pour que leurs entretiens se déroulent à la cuisine devant les restes du petit déjeuner. Cela lui tenait même d'autant plus à cœur que l'entreprise dans laquelle ils s'étaient lancés n'était plus de celles dont ils auraient pu mesurer les progrès en traversant le jardin pour aller y voir de plus près.

La margarine. C'était par là qu'ils avaient commencé. Etonnante, la facilité avec laquelle, pourvu qu'on ait un peu de capital, on pouvait passer d'un produit à un autre ! Savon ou margarine, c'était apparemment du pareil au même. Son père n'aurait sans doute pas été de son avis. C'est vrai qu'il avait, lui, apporté tout son savoir-faire de la métropole et que, parfums dont il se servait et autres, tous ses secrets de fabrication provenaient du district des Lacs où il avait grandi. Rien n'aurait pu lui être plus personnel que ces savons auxquels « Lilas », « Violette » et « Rose musquée », il avait donné des noms de fleurs anglaises et, pour le plus cher de la gamme, celui de sa propre mère, « Marie-Louise ». A Noël, il en faisait même faire des paquets spéciaux qu'il envoyait à ses amis et à ses meilleurs clients.

Sauf qu'il n'y avait plus aujourd'hui la moindre demande pour des articles fabriqués à la main. Hicks avait tout de suite vu l'intérêt qu'il y avait à aller de l'avant et s'était réjoui d'être lâché sur un nouveau produit et de pouvoir y travailler dans un autre endroit, avec une vraie équipe d'une douzaine de techniciens qualifiés sous ses ordres.

La somme qu'ils avaient dû emprunter était terrifiante. Ma ne venait-elle pas de les sortir du rouge ? Vic, lui, avait une tout autre conception des choses.

— Ecoute, lui avait-il dit, la situation a changé. Il n'y a rien à gagner à jouer la sécurité et à éviter les dettes. Etre millionnaire, ce n'est pas avoir un million en poche, mais les devoir à quelqu'un. Même qu'en devoir dix, ce serait encore mieux. C'est comme ça que nous devons nous forcer à penser. Tu me laisses agir si ça te fait peur.

« Mon Dieu ! » s'était-elle dit en son for intérieur. Mais avait découvert qu'une fois l'idée acceptée, elle pouvait très bien s'en accommoder. Tout ça, c'était lui et il débordait de confiance et d'énergie. En plus, le système fonctionnait.

Autre idée qui le tenait, celle de l' « étalement ». Rien à voir avec la margarine — bien au contraire. Au lieu de se limiter à un produit et de s'en tenir à un seul type d'entreprise, il fallait savoir se montrer opportuniste et se lancer dans tout ce qui se présentait, la solution étant de se servir d'une société pour élargir son crédit. C'était ça ou rester assis sans rien faire en attendant que le capital veuille bien augmenter de lui-même.

Ils avaient commencé par l'immobilier en rachetant, dans tous les faubourgs de la ville, des kyrielles de vieilles boutiques qui, donnant sur des carrefours, pourraient être un jour revendues à des compagnies pétrolières voulant implanter des stations-service. Passant à la construction, ils avaient ensuite financé des immeubles d'un style nouveau et s'étaient très vite retrouvés propriétaires d'une entreprise de démolition. Pour la seule et unique raison que les actions en étaient à la baisse, Vic avait aussi fait l'acquisition d'un atelier de pièces détachées de bicyclettes, mais, voyant le profit qu'on pouvait en tirer, avait opté pour la fabrication de pièces de rechange pour l'industrie automobile. S'emparer du marché pour une seule de ces pièces, se faire une réputation de fabricant sur lequel on peut compter — pas de grèves, pas de hold-up —, trouver un bon réseau de distribution et approvisionner une chaîne de montage en exclusivité, il n'en faudrait pas plus pour asseoir sa fortune. Il s'était récemment intéressé à l'exploitation minière, au point de se payer une carrière de sable sur la côte du Queensland et une mine de bauxite dans la péninsule du cap York, et avait maintenant des visées sur plusieurs sociétés de forage pétrolier, dont une en Nouvelle-Guinée et une autre dans le nord-ouest de l'Australie occidentale. Tôt ou tard, ils finiraient par tomber sur une nappe souterraine, mais, pour cela, il fallait d'abord occuper le rez-de-chaussée. L'« étalement » n'était rien d'autre.

Elle trouvait que prendre appui sur une usine qui se dressait de l'autre côté de la cour pour s'emparer de tel ou tel autre lieu situé à trois mille miles de là, c'était jouer à faire des bonds de géant, mais c'était justement ça, l'idée même qu'il y avait des espaces lointains qui ne demandaient qu'à s'ouvrir aux affaires, qui, lui, l'excitait : ah ! contempler une carte sur un mur et y voir un continent entier où se mouvoir ! Et pas seulement en surface, mais aussi sous la terre ! Au-delà même de la géographie, savoir y découvrir toutes ces décennies où, de provisoire et risquée qu'elle était maintenant, leur aventure se transformerait en espèces sonnantes et trébuchantes !

Il ne cessait pas de l'étonner. Elle attendait le moment où, la sagesse de son père l'emportant enfin, elle ne pourrait plus l'accompagner, mais rien à faire : Vic bondissait de plus en plus loin et, chaque fois, elle respirait un bon coup et sautait avec lui.

Elle découvrit l'espace qu'il avait dégagé sur la table du petit déjeuner et cessa d'avoir peur. Aussi bien le besoin qu'il avait de toujours l'emmener avec lui la réconfortait-il au moins autant qu'il l'obligeait. Alors en effet lui revenaient en mémoire tous les instants qu'elle avait passés à arpenter sa chambre en l'assaillant de ses angoisses, tous ceux où, solidement assis sur son lit (quel âge avait-il ? treize, quatorze ans ?), il lui avait montré qu'elle pouvait compter sur lui — et, oui, ce qu'elle avait alors senti en lui, c'était maintenant au centuple qu'elle le retrouvait.

Qu'elle ne lui en eût jamais parlé n'empêchait pas Ma d'avoir rencontré son père bien des années auparavant. Comme ce dernier, elle venait juste de se marier et ne se doutait certes pas que des liens étroits les uniraient un jour.

Mineur de charbon, il était beau garçon et semblait assez

irlandais pour pouvoir jouer les gros durs — ce qu'il était sans doute, même s'il savait faire patte de velours lorsque cela l'arrangeait. Elle s'était dit que tout cela devait beaucoup plaire aux filles. Il avait d'ailleurs essayé avec elle, après avoir compris qu'il valait peut-être mieux tenter de lui en mettre plein la vue s'il voulait arriver à ses fins avec Pa. Qu'il devait bien connaître — assez, en tout cas, pour le circonvenir, elle l'avait deviné aussitôt.

Ce genre d'homme ne lui déplaisait pas, elle pouvait bien se l'avouer maintenant. Le père de Vic l'avait vu et, humoriste à sa manière, lui avait fait un clin d'œil qui voulait dire : « Ne vous en faites pas, je ne suis pas dangereux. Vous ne me reverrez plus jamais. J'ai trouvé ce que je voulais. »

Elle avait été surtout frappée par la rapidité avec laquelle il les avait jaugés. Les reluquer ainsi pour voir s'ils feraient l'affaire ! Il ne manquait pas de culot. Elle faillit en rire en s'en souvenant. « Disons que ça ira », voilà ce que signifiait le regard qu'il leur avait jeté. Ah, le petit effronté !

Il n'empêche : bien mieux qu'elle, il (quelque chose en lui, au moins) avait deviné ce qu'il leur manquait. A tous.

Vic consulta sa montre et, sans perdre de temps, lui traça les grandes lignes de son plan. Il lui fallait d'abord dissiper les relents de l'affaire Jack Creely. Il n'était pas question de démarrer sans s'être au préalable assuré que tout était clair entre eux. Le moment était enfin venu d'y aller.

Cela faisait un certain temps qu'il achetait des parts dans une société de margarine appartenant à un de leurs concurrents et il voulait tenter le grand coup. Evidemment, il leur faudrait vendre deux ou trois petites choses. Il les lui détailla. Cela n'allait pas loin : un coquetier décoré d'un lapin avec une coquille d'œuf vide retournée à l'envers pour faire croire qu'on n'y avait pas touché, deux tranches de pain grillé, un pot de miel en forme de ruche surmontée d'une abeille ébréchée.

Des emprunts ? Oui, quelques milliers de livres. Mais les taux d'intérêt avaient baissé et baisseraient encore, au dire de son banquier. Trois cent mille, maximum. Très peu de risques donc. Enfin, non, un peu quand même, il fallait s'y attendre, mais pas de quoi passer des nuits blanches. Lui, en tout cas, il n'en passerait pas.

C'était comme ça qu'il parlait.

Ils reprirent tout de A à Z. Les questions qu'elle lui posa étaient bonnes et il sut y répondre. Quelques instants plus tard, il se levait. D'une main, il s'essuya les lèvres avec une serviette, de l'autre il attrapa sa veste.

Après son départ, elle resta assise encore un moment, puis, coquetier, pot de miel et tartines grillées, remit tout ce qu'il avait bougé à sa place et retourna la coquille d'œuf à l'endroit afin qu'on en voit la face dévastée. Après quoi elle remit tous les objets qu'il avait déplacés à l'endroit même où il les avait laissés en partant.

Aussi étrange qu'elle fût, c'était sa manière à elle de s'habituer à son projet, d'en accepter les termes. Elle ne procédait pas autrement lorsque, bien des années plus tôt, elle ramassait ses chaussettes sur le parquet et les reniflait avant de les rouler en boule, toujours deux par deux. Cette façon de penser, car c'en était une, lui était certes bien particulière, mais, une séance de réflexion après l'autre, et elles étaient quotidiennes, il avait fini par la faire sienne. Peut-être même l'était-elle depuis toujours, ce qui eût expliqué pourquoi ils se comprenaient aussi bien.

Un coquetier n'était et ne serait jamais qu'un coquetier, bien sûr, mais à s'en emparer et à le pousser ici et là sur une table, on arrivait à se pénétrer de l'abstraction qu'il représentait alors que, sans cela, il n'eût pas été facile de la saisir. La rendre visible, puis mettre la main dessus sous sa forme passagère d'un coquetier, il n'en fallait pas plus pour qu'un changement s'opère dans l'esprit. Ce résultat une fois acquis, les deux choses pouvaient s'appréhender en même temps.

Tous très malins et ambitieux, les hommes qui travaillaient avec lui étaient impressionnés par son énergie et, d'une loyauté sans faille à son endroit (ce qui ne voulait pas dire qu'il leur confiât tout ce qu'il pensait), s'imaginaient que ses entretiens avec Ma n'étaient que comédies destinées à la rassurer : oui, la vieille avait encore son mot à dire dans ses affaires. Toutes ces histoires de coquetiers et de tartines de pain grillé les auraient fait sourire d'un air indulgent. Sauf qu'ils se trompaient. La présence de ces objets familiers — et celle de Ma, bien sûr — était essentielle non pas tant à l'apparition des intuitions qui lui venaient qu'à l'existence même de la faculté de croyance qui lui permettait de les concrétiser.

Aussi bien avait-il deux façons de travailler. La première, celle qu'il montrait à tous ceux qui avaient envie de la voir, n'était que duretés et assurances qui frisaient l'arrogance. Sa réputation en dépendant, il se réjouissant même qu'on pût croire qu'il ne s'agissait que de grands airs qu'il se donnait. Sa vraie nature n'en était pas dévoilée. Sans en avoir honte, il l'aurait en effet ennuyé de devoir révéler trop clairement certaines choses qu'il ne comprenait pas complètement lui-même.

Car ce côté-là de sa personnalité n'était que flous rêveurs, que langueurs paresseuses où il perdait tout contact avec la réalité, qu'univers où le genre d'activités dans lequel, censément, il était passé maître lui semblait inconcevable. Ce n'en était pas moins dans cet état même (l'eût-il reconnu chez un autre qu'il l'eût aussitôt méprisé) que lui venaient les idées qui, ébauches des plus nébuleuses à ce stade, lui fourniraient plus tard, après un lent travail de réflexion, la matière des projets qu'il soumettrait à son autre lui-même et, après acceptation, transformerait en réalités concrètes.

C'était parce qu'elle avait souvent donné de bons résultats qu'il faisait confiance à ce que lui suggérait cette faculté de rêver qu'il avait en lui. Cela ne l'empêchait pas d'y voir une manière de puérilité qui, comme tout ce qui pouvait toucher à l'enfant qu'il était resté, ne laissait pas de l'inquiéter.

Ces humeurs ressortissaient à un univers du petit matin qui savait résister à son réveil. Prolongement de son sommeil, se disait-il souvent, elles sortaient tout droit des rêves qu'il faisait, même lorsque ces derniers lui échappaient.

Alors, en prenant grand soin de ne pas réveiller Ellie, il traversait la chambre pieds nus et, toujours en pyjama, descendait au rez-de-chaussée, le cœur vulnérable et plein d'une étrange douceur. Bientôt ce serait la chaleur du jour. Dans la pénombre de la maison où il errait, tout, même les objets les plus familiers, prenait une forme nouvelle, lui semblait hors pesanteur, ou bien était-ce là encore un des effets de cette humeur qui le tenait ? Souvent il allait s'asseoir sur une balancelle dans la véranda et, tandis que les arbres de la pelouse lentement se dégageaient des ténèbres, laissait ses pensées s'ordonner en lui, lui devenir si claires et transparentes que les oiseaux pouvaient les traverser de leur chant, les trilles familiers de celui-ci ou de celui-là lui paraissant des plus sensés et réconfortants. Telle était la manière dont il menait à bien ses réflexions.

Parfois aussi, au bout d'une minute ou deux, il traversait toute la maison et allait retrouver Meggsie à la cuisine.

Levée et habillée depuis longtemps, elle était souvent assise, ses bras dodus posés sur la table, devant une grosse tasse qu'elle serrait dans ses mains. Muette à cette heure, elle pivotait sur sa chaise et, attrapant la bouilloire sur un coin de la cuisinière, lui versait une tasse de thé bien brûlant, la bouilloire étant parfois tellement lourde que, même à deux mains, elle avait du mal à la soulever. Alors il s'asseyait à son tour et, les épaules un peu rentrées et les cheveux en bataille, se mettait à boire.

Ils étaient proches. Comme pour rattraper toutes les années pendant lesquelles, par loyauté envers ses filles, elle s'était obligée à une certaine retenue à son endroit, Meggsie le gâtait maintenant avec autant d'ardeur qu'autrefois elle avait pourri Ellie et Lucille.

Et le taquinait toujours. Il aimait bien la forme corrosive que prenait l'amour qu'elle lui vouait et se serait senti volé si elle s'était mise à le traiter avec douceur. Ses taquineries n'étaient pourtant plus aujourd'hui que la forme surannée d'un petit jeu qui lui permettait d'aller, sans embarras, jusqu'au bout de l'affection qu'ils se portaient.

C'est qu'il en allait bien autrement dans son domaine.

Les tasses, par exemple, y étaient si épaisses que c'était à peine si l'on arrivait à en saisir le bord à pleines lèvres. Et les anses donc !

Quand c'était l'hiver, la cuisine était chaude comme une étuve et les fenêtres encore toutes noires. Ils s'asseyaient pour les regarder bleuir. Après quoi, Meggsie se levait, lui apportait une assiette de porridge et l'observait pendant qu'il mangeait.

L'été, elle avait déjà calé la porte-moustiquaire avec un fer à repasser. Ici et là, des pies sautillaient sur la pelouse couverte de rosée. Des petits points de lumière scintillaient au bout des brins d'herbe, par endroits attrapaient un rayon de soleil avant que celui-ci ne les boive et assèche entièrement.

Ils parlaient à peine. Lorsqu'ils le faisaient, c'était par monosyllabes et bribes de phrases inachevées qui à tout autre qu'à eux-mêmes n'eussent eu absolument aucun sens.

Ils auraient pu former un couple très différent : elle la mère qui vient juste de réveiller son fils (il a les paupières lourdes, il ne veut pas se lever) pour l'envoyer relever l'équipe du matin à l'usine ou à la mine, lui le grand gaillard aux pieds nus et aux bras ballants qui paresse, aime bien boire et plaît aux filles, mais, rebelle en apparence seulement, n'est pas encore sorti des cordons de son tablier de ménagère.

Souvent c'était Greg qui, pour finir, venait le chercher. Il s'immobilisait sur le pas de la porte et là, timide et les cheveux ébouriffés, debout dans l'attitude même de son père, qu'il imitait d'ailleurs en tout, refusait d'entrer. « Ma, disait-il, elle voulait savoir où t'étais. »

6

Le temps passant, il était de plus en plus surpris de se retrouver en train de sauter par-dessus les plus sombres années de sa vie pour redécouvrir celle où, sa mère venant juste de mourir, il lui avait fallu apprendre à vivre seul avec son père. Alors, sous le beau costume qu'il avait enfilé, sous la chemise dont Meggsie avait amidonné le col, il était pris de démangeaisons et brusquement se revoyait dans les dunes, debout sous un ciel qui hésitait entre le jour et la nuit, à attendre que, consentant enfin à le lâcher dans l'avenir, son corps veuille bien le libérer et le projeter dans une vie nouvelle. En proie à une manière de désespoir, il constatait que cet avenir qu'il désirait tant refusait de paraître alors même que, sûr et puissant comme jamais il n'eût pu seulement rêver de l'être, il en occupait le cœur.

Incapable de bouger, il voyait le mur de sable commencer à se déplacer, la bouche ouverte, mais sans pouvoir crier, le sentait devenir vague qui se dressait, l'ensevelissait.

Vic ne buvait pas, ou très peu. Aussi bien voyait-il trop clairement le lien qu'il pouvait y avoir entre une violence qu'il redoutait d'avoir en lui et une boisson qui eût pu la déchaîner s'il s'y était adonné. C'était son fils qui le lui avait montré. Un jour que Vic était très en colère contre lui, Greg avait soudain fermé les yeux et reculé d'un pas comme si, avant même que son père ait levé la main sur lui, il venait de voir l'ombre de cette dernière lui passer devant la figure.

— Qu'est-ce qui te prend ? lui avait-il demandé d'un ton étonné, mais où l'enfant n'avait entendu que colère. Je ne vais pas te frapper, tu le sais bien. Pourquoi tu pleures? Personne ne va te faire de mal!

Cette scène qui l'avait profondément marqué s'était déroulée à une époque où, déjà assez vieux pour commencer à compter dans la maison, Greg y était devenu un nouveau centre d'énergie et de volonté qui, en poussant à hue et à dia pour se faire une place, modifiait subtilement l'existence de chacun. Très gâté, il cédait aux larmes dès qu'il fallait faire face. Sa mère et sa grand-mère, Meggsie même, lui trouvant toujours des excuses, il devenait geignard et, de l'avis de son père, de plus en plus rusé dans l'art et la manière de parvenir à ses fins.

Postures, carrure et expressions du visage, il n'échappait à personne qu'au fur et à mesure qu'il grandissait, il ressemblait de plus en plus à une version miniature de son père. Mais les qualités de ce dernier avaient, chez lui, à ce point pris leur autonomie que ce qui, chez Vic, eût pu passer pour une assurance sans faille s'était, chez Greg, mué en une irritabilité purement défensive.

Parce qu'il savait trop ce qu'endurait son enfant, Vic en était sincèrement navré. Il avait peur pour lui. Cela dit, la ressemblance n'en demeurait pas moins exaspérante. Sans fard, quand ce n'était pas d'une manière éhontée parce que, sans doute, l'enfant était encore trop jeune pour avoir appris à masquer ses sentiments, elle révélait en effet tout ce que Vic s'était donné tant de peine à cacher.

C'est ainsi que, jeune encore — il n'avait pas sept ans —, Greg avait pris l'habitude de mentir. Ses mensonges étaient idiots et, en tant que tels, ne pouvaient pas ne pas être découverts, ce qui était peut-être le but recherché. On ne mentait que pour attirer l'attention. Mais quel intérêt pouvait-il y avoir à le faire, se demandait Vic, alors que le seul résultat de l'opération était de montrer qu'on était un menteur? Le soir, dans la chambre, Vic en discutait souvent à voix basse avec Ellie.

« Que tu es bête! lui disait-elle. Tu y attaches trop d'importance. Les enfants, ça change. »

Avec son fils, Vic tenta de parler d'homme à homme. Il détestait qu'on ne dise pas la vérité. L'ayant trouvé en train de jouer avec son Meccano, il l'obligea à se lever et à l'écouter sans bouger, mais l'attention du gamin ne cessant de se porter ailleurs, il sentit la colère le gagner et ne sut plus comment poursuivre. La fureur l'emporta lorsqu'il vit que, non content d'avoir un petit sourire au coin des lèvres, son gamin ne semblait même pas avoir peur de lui et, malgré ses airs timides, obtenait toujours tout ce qu'il voulait.

Greg avait douze ans lorsque enfin il acquit une certaine force — mais masquée et indirecte. La seule fois où son père leva effectivement la main sur lui, il lui décocha un tel regard de mépris triomphant et, bien sûr, sans se départir de son petit sourire au coin des lèvres, que Vic fut atterré de se reconnaître aussi nettement dans ses yeux.

Il tenta bien de glisser en admettant que les torts étaient partagés, mais, sachant qu'il avait gagné, l'enfant le défia. Vic avait perdu son pouvoir.

S'étant mis à exister d'une manière entièrement indépendante chez son fils, tout ce qu'il avait déployé d'efforts à réprimer et dominer en lui-même se retournait maintenant contre lui. Voilà ce dont il s'apercevait et cette découverte était d'autant plus claire que Greg avait alors le même âge que lui lorsqu'il avait quitté son père.

Il regardait son fils et, en même temps qu'il voyait son sourire méprisant et la ressemblance qu'ils avaient, il retrouvait son père — et la ressemblance qui, elle aussi, les unissait. Voilà ce qu'Ellie et les autres ne pouvaient pas savoir. Il se sentait impuissant et c'était au moment même où le pouvoir était ce qui, au vu de tous, lui venait le plus facilement qu'il le sentait.

7

Un jeudi que, comme à son habitude — c'était une de ces froides journées d'hiver où, malgré la clarté de l'air, tout George Street est baigné, jusque sur les quais du port, d'une douce lumière —, il s'apprêtait à traverser au feu rouge de Market Street, une femme l'interpella. Il la reconnut aussitôt.

— Bonjour, dit-elle. Vous êtes bien Digger, n'est-ce pas ?

Ils restèrent un instant immobiles et se sourirent.

— Oh, mais c'est... vous ! dit-il.

Il ne s'était pas senti le droit de l'appeler par son prénom ; mais peut-être surpris de tomber sur elle à un feu rouge, il s'était, malgré lui, cru obligé de s'arrêter, ou peut-être que la journée était douce, ou, plus simplement encore, qu'il prenait toujours grand plaisir à passer un bref instant en ville en se mêlant à la foule, Digger fut soudain pris d'un léger vertige — comme la dernière fois qu'ils s'étaient parlé, il s'en souvint alors : chaque fois qu'ils se trouvaient ensemble, dans l'instant ils étaient transportés dans un endroit bien particulier où, sa gaucherie consentant à le lâcher, il se sentait enfin parfaitement à son aise.

Tout se passait comme si, renouant avec une amitié qui remontait à des lustres, ils avaient, par habitude et longue intimité, effacé toutes les gênes que l'on éprouve en pareil cas. Toute timidité avait disparu entre eux.

— Je croyais que tu habitais... où ça déjà ?

— A l'Embarcadère.

— Voilà !... Tu n'y habites plus ?

— Si, si. Mais je monte souvent en ville. De fait même, je viens ici tous les jeudis.

Leurs regards se croisant, il songea qu'elle allait peut-être vouloir savoir pourquoi, si tel était bien le cas, il n'avait jamais cherché à la revoir en répondant à son invitation. Sauf que, bien sûr, elle le savait.

— Je faisais quelques achats, lui dit-il comme pour s'excuser des paquets qu'il portait.

Ils se trouvaient devant une quincaillerie dans les rayons de laquelle il aimait beaucoup chercher quelque outil motorisé ou tube de colle magique — toutes ces choses qu'on fabriquait aujourd'hui — qu'il aurait eu du mal à acheter près de chez lui.

— Samedi, c'est l'anniversaire de Vic, lui annonça-t-elle au moment où, le feu passant au vert, ils descendaient du trottoir.

Il l'ignorait.

— Je suis en train de lui acheter un cadeau, reprit-elle. Tu ne veux pas m'accompagner... à condition que tu aies fini tes courses, bien sûr ?

Ils avaient déjà traversé la chaussée lorsqu'elle ajouta :

— On pourrait prendre le thé. Je n'en aurai pas pour longtemps.

— D'accord.

Dans les sous-sols de chez Farmer, elle choisit des cravates, allant même jusqu'à lui en poser une ou deux sur le devant de la chemise tandis qu'elle continuait de lui parler. Elles étaient larges et trop vives à son goût — à celui de Vic sans doute aussi, se dit-il, même si, de fait, elle devait en savoir plus long que lui là-dessus. En ayant enfin trouvé une qui lui plaisait, elle acheta encore deux chemises en coton des Iles, des socquettes en soie et des mouchoirs.

Digger se tenait en retrait. N'étant pas de ces choses qui peuvent se conclure à la va-vite, l'affaire eût pu même l'ennuyer si, en plus de leur faciliter la conversation, elle ne lui avait été d'une telle nouveauté qu'oubliant son impatience, il n'avait découvert qu'il y prenait plaisir. Lorsqu'elle s'acheva, ils avaient déjà rattrapé bien du retard et couvert beaucoup de faits qu'il leur aurait fallu nettement plus de temps à se dire s'ils n'avaient pas été continuellement en train de se déplacer et si les grands vides qui séparaient les questions qu'ils se posaient n'avaient pas été, pour lui au moins, plus que comblés par les distractions que lui offrait le magasin : toutes ces femmes qui s'y promenaient en traînant, qui des enfants, qui un mari, derrière elles, et toutes à dépenser joyeusement, toutes à déjà retourner d'autres articles sur les comptoirs pendant qu'on leur emballait ce qu'elles venaient d'acquérir ! De tout cela il se repaissait les yeux — y compris des mannequins qui, avec leurs vrais cheveux et leurs yeux de poupée, avaient l'air si parfait —, tandis qu'Ellie discutait avec une vendeuse ou fouillait dans un tiroir rempli de mouchoirs. Enfin ils montèrent dans les étages, gagnèrent une grande salle qui dominait la rue et, ayant trouvé une table loin des mères et des enfants, commandèrent du thé. Comme s'ils n'avaient pas le droit de se détendre ! Le silence s'éternisant, ils furent bien obligés de se regarder, mais avaient déjà les moyens de surmonter cette épreuve tant ils avaient appris à se connaître pendant cette demi-heure qu'ils avaient passée à bouger et parler.

Le regard aussi clair et franc que si, se dit-il, elle cherchait à découvrir ce qui, peut-être, se cachait derrière sa timidité, elle le dévisagea. Voulait-elle retrouver quelque chose qu'elle avait deviné, voire, pensa-t-il encore, voulu trouver en lui lorsqu'elle lui avait passé une de ses cravates autour du cou ?

Elle étudia ses mains, il vit qu'elle y remarquait quelque chose... que c'était avec elles qu'il travaillait ? Puis ses yeux, à nouveau — il découvrit que cet examen ne le mettait pas mal à l'aise —, mais qu'y trouvait-elle donc ? Rien d'essentiel sans doute. Tant et si bien que lorsqu'il la regarda à son tour, et vit la façon dont, un rien, ses cheveux bouffaient au ras de ses épaules, et encore découvrit la pureté de ses sourcils et la couleur de ses lèvres, il tint pour évident que ce qui comptait pour elle était lui aussi invisible, et le resterait à moins qu'elle ne trouve les mots propres à le détromper.

Elle le surprit beaucoup en lui parlant presque aussitôt de son père.

— Je me souviens encore du poème qu'il a lu à ton mariage, lui dit-il. « Le don précaire qui revit en nos mains, du ciel la grâce ambiguë. »

Il ne lui avoua pas, mais elle le devina sans doute au ton qu'il avait pris, que ces vers lui étaient très chers.

— C'est incroyable, dit-elle. S'en souvenir à ce point !

— Oh, mais c'est que je le sais en entier ! lui renvoya-t-il.

Il n'avait aucune intention de se vanter, et rougit au cas où elle aurait pu l'en soupçonner.

— En entier ?

— C'est un truc à moi, dit-il en regrettant déjà de s'en être ouvert à elle. C'est vraiment rien du tout.

Elle lui parla de son travail. En cinq ans, M. Warrender avait publié deux ouvrages : un recueil de poèmes (en cherchant un peu, il pourrait y trouver l' « Ode au mariage ») et un choix d'essais. Dans le petit monde des écrivains, critiques, conférenciers universitaires et autres personnes qui s'intéressent à ce genre de choses, il commençait à être très connu — mais, bien sûr, ce petit monde était vraiment très petit : les trois quarts des gens ne savaient même pas qu'il existait. Ellie lui servait de secrétaire, tâche qui, ajoutée à l'entretien de la maison et à l'éducation de son fils, suffisait amplement à remplir ses journées. Digger s'intéressant à la lecture, elle lui apporterait les deux livres de son père dès leur prochain rendez-vous.

S'il ne fit aucun commentaire, Digger n'en remarqua pas moins la manière dont elle venait de poser que cette rencontre ne serait pas la dernière. Il n'aurait pas été jusqu'à le lui proposer, mais fut heureux qu'elle l'ait fait. Ils parlèrent encore, sans essayer de tout se dire d'un coup. Ils auraient le temps de reprendre la suite la prochaine fois.

Il lui parla de sa mère, qui avait passé il y avait presque un an déjà, mais dont la fin, toute de bravoure et de défi virant au désespoir, le hantait encore. Et aussi de Jenny. D'Iris enfin. Elle lui parla du petit, Greg. Un jour, elle le lui promit, lorsque Vic descendrait à l'Embarcadère, elle le lui enverrait.

— Et maintenant, dit-elle, je ferais mieux d'y aller. La prochaine fois, promis juré, je t'apporte les livres.

Elle était fière du travail de son père. Cela lui plut. Il se demanda ce que Vic pouvait bien en penser.

Il était étrange qu'avec tout ce qu'ils s'étaient dit, pas une fois ils n'aient parlé ouvertement de lui. Rien de délibéré à cela — de sa part, non, certainement pas, et il ne pensait pas qu'elle eût agi autrement —, mais on avait quand même voulu s'ouvrir un territoire entièrement privé. C'est vrai que s'ils avaient essayé de l'y inclure, il en aurait occupé tout l'espace, surtout au moment où, tout au début, ils auraient pu se dire que, de fait, ils n'avaient que lui en commun.

Qu'il était bizarre, trouva-t-il, le petit air qu'elle prenait chaque fois que le cours normal de la conversation la poussait à dire « Vic et moi » ou « nous », ou que, sans aller jusqu'à prononcer ouvertement le nom de son mari, il était clair que c'était à lui qu'elle pensait. Alors en effet, elle changeait légèrement d'expression, comme si des profondeurs mêmes de son être quelque chose de très secret lui remontait à l'esprit : il ne fallait pas en parler, mais elle l'avait au bout de la langue. C'était bien, il le sentait, cette chose même qui tant l'avait intrigué qui, pour elle, était la plus importante. Il suffisait qu'elle se manifeste pour qu'il en éprouve aussitôt toute la brûlante chaleur, mais elle... l'avait-elle aussi éprouvé lorsqu'il lui avait récité un passage du poème de son père, lorsque, surtout, juste après, il lui avait avoué un talent de mémorisation qui invariablement le renvoyait tout ce qu'il avait de plus intime ?

Cette rencontre, oui, à y repenser, avait été pleine de joies. Ils la renouvelèrent souvent au fil des années, jusqu'à des une fois par semaine. Il arriva aussi, cela dépendait de ce qui passait dans leurs vies, que des mois entiers s'écoulent sans qu'ils puissent se retrouver.

Ils prenaient le tram jusqu'à Watson's Bay, un virage après l'autre, suivaient le sentier qui des plantations d'érythrines de Camp Cove conduit à l'endroit où les vagues de l'Océan viennent s'écraser contre South Head. Ils prenaient le ferry jusqu'à Cremorne et Mosman, ils faisaient des courses, ils allaient au musée ou à la bibliothèque, ils s'asseyaient dans des jardins publics pour regarder passer les gens. Chaque fois que son père publiait un nouveau livre, elle lui en apportait un exemplaire.

Même si ces rencontres n'avaient rien de secret, il n'en parlait jamais à Vic. Il pensait que c'était à Ellie qu'en revenait la prérogative. Qu'elle en usât ou non, Vic ne le lui laissait jamais entendre.

Iris le taquinait souvent, mais gentiment, sur « cette dame de ses amies ». Elle aimait faire semblant d'être jalouse. L'était-elle ? se demandait-il. Rien qu'un peu ? Elle n'avait aucune raison de l'être.

8

Qu'elle y réfléchît et immanquablement il lui venait que jamais il n'aurait pu en aller autrement. La chose était d'ailleurs d'autant plus étrange qu'à repenser aux dix années écoulées et, plus encore que cela, à songer à ce que tous ils y avaient été, elle ne voyait pas, mais alors, vraiment pas, comme elle aurait pu s'en douter.

Lucille y était pour beaucoup.

Cela faisait maintenant sept ans qu'elle était partie. Son mariage avec Virge avait capoté dès après, ou presque, qu'elle avait rejoint son époux. Depuis, elle s'était remariée avec un homme plus âgé qui avait déjà des enfants et exerçait la profession de conseiller juridique auprès d'une société de Denver, Etat du Colorado, où elle travaillait elle-même dans l'immobilier.

Tous ces changements l'atterraient. L'affaire Virge les avait vues très unies, qui, au moment où elle s'était passée, avait même paru marquer un point extrême dans leurs rapports, mais, le temps aidant, et ce malgré toute l'importance qu'elles y avaient l'une et l'autre attachée, s'était muée en simple accident de parcours conduisant à autre chose. Ellie écrivait deux fois par mois à sa sœur, mais si les réponses qu'elle recevait de Lucille étaient toujours rapides et pleines de nouvelles, elle n'arrivait plus à faire le lien entre ce qu'elle lisait et la fillette avec laquelle elle avait grandi.

Enfants, les deux sœurs s'étaient battues comme de vraies tigresses. Ellie se souvenait encore de certains jours où, à force de se bagarrer, elles en venaient à se griffer, où, rouges de colère et suant à qui mieux mieux dans leurs maillots de corps, elles finissaient par s'arracher les cheveux et se cracher à la figure.

La réaction de Meggsie était immuable : elle fermait la porte et les laissait se débrouiller. Puis, lorsque aussi folles de rage qu'avant, mais toutes honteuses, elles consentaient enfin à renoncer à la lutte, elle leur disait : « Eh bien, mais c'est parfait, mes diablesses ! Et maintenant, vous m'enlevez ces oripeaux (elles s'étaient souvent roulées par terre) et vous allez vous passer un gant sur la figure. Vous m'obéissez et je dis rien à vot' mère. Allez, filez ! Je vous ai préparé de la bonne citronnade, bien froide comme y faut. »

Ellie n'avait pas la tâche facile. D'un rien peut-être, Lucille n'en restait pas moins toujours plus âgée qu'elle. Elle avait déjà fait valoir ses droits dans l'existence et s'était même tellement approprié certains domaines de la vie familiale qu'Ellie ne pouvait s'y risquer à son tour sans qu'aussitôt on la prenne pour la petite copieuse qu'elle était d'ailleurs souvent.

En plus de quoi, elle arrivait immanquablement bonne dernière dans le cœur des gens : il fallait lui faire de la place. Lucille ne cherchait certes pas à en imposer, mais n'y pouvait rien non plus : c'était elle qu'on remarquait d'abord. Après seulement, on s'apercevait qu'il y avait une autre demoiselle qui, à sa traîne, se demandait alors ce qu'elle pouvait bien avoir de moins que sa brillante aînée pour n'en être toujours et jamais que le pauvre reflet.

Plus étonnant encore était le fait que rien de tout cela ne semblait rendre Lucille particulièrement heureuse. Inquiète, difficile et insatisfaite, Lucille l'était par nature. De fait, c'était bien elle, Ellie, qui était la plus facile à vivre.

Puis, presque au moment où Vic avait débarqué, elles avaient découvert à quel point elles étaient proches et senti qu'il n'était pas jusqu'à leur animosité, voire la façon dont elles ne cessaient de se pousser en avant, qui ne les unît. Nouvel élément dans la partie qui se jouait, l'arrivée du garçon le leur avait fait comprendre.

Car garçon, il l'était et, jusqu'à la colère parfois, elles avaient alors, et l'une comme l'autre, été stupéfaites de constater combien ce simple fait pouvait impressionner son monde : Pa, Ma, Meggsie même, quoiqu'elle ne lui cédât jamais entièrement, personne n'en restait indemne.

Au début, Ellie avait certes jubilé de voir Lucille se faire ainsi détrôner, mais avait vite compris qu'elle aussi, elle souffrirait si jamais son aînée y laissait des plumes.

Elles avaient commencé à le taquiner. Rien de plus facile : sous ses grands airs, Vic était un gros maladroit. Cela dit, il n'en représentait pas moins quelque chose de nouveau et là, il n'y avait pas moyen de résister. De nouvelles affinités s'étaient formées sans tarder. Secrètes, les premières avaient réuni Lucille et Vic, Ellie se retrouvant une fois de plus sur la touche à observer le petit drame qui commençait à se nouer.

Vic s'était senti tout perdu parce qu'à avoir le même âge que Lucille, il n'en restait pas moins un petit garçon. On s'était ligués contre la grande. Ce qu'elle pouvait se croire intéressante et dessalée ! Comme Vic, qui en faisait encore à moitié partie, Ellie ne s'était toujours pas dégagée du monde des plaisirs animaux.

Dans tout cela, quelque chose d'autre, une manière de fil directeur d'une plus grande importance, lui avait pourtant échappé ; perversité ou fêlure profonde, Lucille avait soudain brisé tout ce qu'on lui offrait sans compter — parce que la voie tracée était tout à la fois trop facile et trop raide, sans doute. Tombée enceinte, elle avait épousé Virge. Que, dans cet acte, Lucille n'ait nullement cherché à l'atteindre n'empêcha pas Ellie de constater que son existence en était bouleversée.

C'était dans la pénombre de la « salle de musique », au cours de ce qui devait être leur dernière séance de jeux, que tout avait basculé. Alors en effet tout lui était devenu des plus clairs, Vic semblant le comprendre lui aussi. En un éclair, ils avaient, avec l'amont, découvert tout ce qui ferait l'aval de l'affaire. A son avis néanmoins, Lucille l'avait senti bien avant eux.

Pour finir, Ellie s'était retrouvée à la tête de la maison : entièrement prise par son travail, Ma n'avait été que trop heureuse de lui en confier la direction. Aller fonder un foyer ailleurs ? Ellie savait bien qu'il n'en était pas question. Tout se passait comme si la maison contenait depuis toujours les formes mêmes de l'existence qu'ils allaient y mener. Chacun de son côté, Vic et elle y vivaient leur vie, mais l'ensemble perdurait.

C'était même pour cela, parce qu'il y avait si peu de changements visibles dans son existence, qu'Ellie avait mis un temps fou à comprendre ce que Meggsie et Ma étaient en train de manigancer.

On vivait comme avant. Toutes les semaines, Meggsie et Ellie faisaient les comptes et ces comptes n'étaient guère différents de ce qu'ils avaient été par le passé. On achetait la même quantité de pain et de lait et, qu'on eût dix millions ou six sous en poche, ces articles coûtaient toujours à peu près la même chose. On usait autant de serviettes de toilette, on dormait dans les mêmes draps.

Au début, Vic avait beaucoup parlé des sommes qu'il s'était mis à manier. Les montants en doublaient, puis triplaient, mais restaient toujours à portée d'intelligence. S'en vanter valait la peine, semblable réussite dénotant un savoir-faire personnel qui, prévoyance, audace ou imagination, était encore identifiable. Mais, les gains qu'il réalisait augmentant comme sous l'effet d'une loi purement mathématique, le côté personnel de l'affaire avait vite disparu. L'échelle à laquelle il travaillait maintenant était telle que l'on ne saisissait plus de quoi il retournait. Ajoutez zéro sur zéro au bout d'un nombre et, réel certes, et même de plus en plus énorme, celui-ci ne pourra bientôt plus que se remplir d'une manière de vide, comme si, véritables riens, tous ces zéros finissaient par l'emporter dans un esprit qui en perd le sens de la réalité.

Ellie ne cessait de s'en étonner. Et Pa aussi. Ensemble ils ne pouvaient que s'émerveiller d'une puissance qui, comme l'entreprise qu'il dirigeait, leur paraissait doubler, puis tripler, puis s'envoler dans des progressions qui, sans plus rien d'humain, leur semblaient proprement magiques ; c'est vrai aussi qu'ils n'étaient pas plus capables de concevoir ces ordres de grandeur que de maîtriser la personnalité de leur homme d'affaires.

D'où venait, se demandait-elle, cette énergie trépidante dont elle ressentait les effets d'une manière si physique ? Vic en était tellement plein qu'on s'étonnait que tant de force pût ainsi, lorsqu'il le fallait, se limiter à l'accomplissement d'une tâche aussi commune que celle qui consiste à tenir un couteau ou à piquer des petits pois avec sa fourchette. Comment pouvait-elle ne pas déborder lorsque, dans sa chambre, Ellie le regardait passer une chemise propre, se promener sur le tapis — en chaussettes et les bretelles sur le pantalon —, ou, comme il le faisait souvent, aller s'asseoir sur le bord de son lit et, là, rester immobile, une serviette à la main et les cheveux encore mouillés au sortir de la douche ?

Il la blessait beaucoup d'entendre le vulgaire parler de lui avec cruauté, voire le condamner sans appel alors que personne ne le connaissait comme elle, de l'intérieur. Il avait assez de réussite, elle le voyait bien, pour être devenu quelqu'un qui suscitait l'hostilité, l'envie, la peur aussi, chez des hommes, mais aussi des femmes, pour lesquels il n'était qu'un nom puisqu'ils n'avaient jamais posé les yeux sur lui.

Que ce fût seulement dans le regard d'un inconnu au restaurant ou au théâtre, chaque fois qu'il lui fallait affronter cette image impersonnelle qu'on se faisait de lui, elle se raidissait. Ce qu'on était sûr de soi et prêt à condamner ! Ellie se hérissait encore plus quand c'était dans la presse qu'on le jugeait.

Mais, s'il se croyait incompris, et elle savait que c'était le cas, Vic supportait sa douleur avec stoïcisme et la cachait sous une belle arrogance. Vic était quelqu'un qui s'était toujours masqué les choses. Plus elle le connaissait et plus elle le voyait — et comprenait à quel point la vision qu'elle avait eue de lui dans la salle de musique avait été extraordinaire, qui, en un instant, lui avait dévoilé l'essence même de ce qu'il lui faudrait affronter pendant le reste de sa vie.

Lisait-il le journal qu'il le faisait avec un air qu'elle-même n'arrivait pas à percer. De la souffrance, oui, il y en avait, elle le sentait, même si les autres en étaient incapables. Mais aussi une manière de satisfaction, ses lèvres s'ornant toujours d'un infime sourire. Etait-il flatté qu'on fasse toute une histoire de ce qu'il était ?

Pour elle, ces attaques étaient purement et simplement source de souffrance. Comment aurait-elle pu ne pas se sentir visée alors qu'après lui avoir tant donné d'elle-même, elle continuait à se faire le réceptacle de tout ce qu'il pouvait avoir de vulnérable en lui ?

Qu'elle n'en parlât jamais à personne n'empêchait pas que, même dans le non-dit, tout cela fût constamment entre elle et son père qui, pour voir les choses de son propre point de vue et d'un lieu de pouvoir fort différent, n'en restait pas moins aussi étonné qu'elle de se trouver si proche d'un tel foyer d'énergie. Certaines des facultés que Pa s'était découvertes depuis quelques années n'avaient-elles d'ailleurs pas pour origine — en partie au moins, elle le pensait — le désir de comprendre la force de son gendre pour tenter de la contrebalancer ?

Car Pa avait, lui aussi, beaucoup surpris son monde. Qui aurait pu deviner que la nervosité toute particulière qui, sans but autre que celui de se dévorer elle-même, les avait si longtemps tenus à cran trouverait un jour à se muer en ces mots de l'individu, en ces vers si profondément personnels que chaque jour maintenant elle lisait et tapait et qui, toujours fermement tracés sur la page, disaient avec autorité et tant pesaient dans le monde ?

La seule chose qui l'inquiétait — de plus en plus fort au fur et à mesure que passaient les années — était l'attitude que Vic semblait avoir adoptée vis-à-vis de son fils. Rien d'autre ne lui causait autant de chagrin, rien d'autre ne les poussait à se quereller aussi souvent.

D'un naturel optimiste, Ellie croyait que tout le monde était raisonnable. A ses yeux, le temps aidant, tous les problèmes ne pouvaient pas ne pas se résoudre : il n'y suffisait que de se montrer patient. Dans ce domaine pourtant, loin de s'améliorer, la situation ne cessait d'empirer. Greg n'avait pas douze ans qu'entre lui et son père il régnait déjà une grande froideur qui, proche du mépris mutuel, la laissait complètement désemparée.

Greg avait bon caractère et, plein d'affection, ne demandait pas mieux que de se rendre agréable — un peu trop peut-être même. Mais, déçu de ne jamais plaire à son père, il avait fini par renoncer à essayer : il n'en avait plus envie, à tout le moins le prétendait.

Vic, lui, était troublé ou irrité par tout ce que faisait son fils. Sa gêne grandit encore lorsque, cessant d'être un enfant, Greg entra dans l'adolescence.

Plus Ellie lui faisait de remontrances à ce sujet, plus Vic se cabrait. Pour finir, elle abandonna. Et commença à craindre les choses qu'ils se disaient. Pour elle en effet, tant qu'on les taisait, elles restaient sans force, mais il suffisait qu'on les énonce pour que, devenant du même coup objet de ruminations possibles, elles se muent en réalités irréversibles.

— Vic, lui disait-elle d'un ton las, ils sont tous comme ça, ces jeunes. Il est comme eux, c'est tout.

Après quoi, elle lui énumérait les amis de son fils, dont certains n'étaient d'ailleurs jamais que les enfants, filles et garçons, de gens qu'ils connaissaient, et lui demandait :

— Qu'est-ce que ça peut te faire qu'il ait les cheveux comme ci ou comme ça ?

Vic raidissait la mâchoire et refusait de répondre. Qu'elle puisse prendre le parti de son fils le mettait en colère et elle le savait.

— J'aurais pourtant pu espérer, lui disait-il enfin comme s'il récitait des notes, que mon fils à moi réfléchirait un peu tout seul au lieu de faire comme tout le monde.

— Ton fils à toi ? Je vois, le reprenait-elle, mais avec douceur.

— Il a pas de caractère. Pas de caractère, pas d'ambition et rien ne l'intéresse. Comment veux-tu que j'aie une autre opinion de lui ?

Cela renvoyait à la dureté qu'il voyait en toutes choses. Avec ce qu'il avait vécu, il ne pensait qu'aux qualités qu'il fallait avoir pour ne pas se faire bouffer. Ellie n'avait aucune idée de la peur que lui inspirait le moindre signe de faiblesse et jamais n'aurait pu se douter de l'espèce de terreur panique, du véritable abîme de vulnérabilité qui s'ouvrait en lui chaque fois qu'il observait son enfant.

Ellie n'en savait rien et cela l'inquiétait. Mais elle voyait aussi autre chose : que la vie était moins dure qu'avant, que, de fait, elle était même facile et que son mari comptait au nombre de ceux qui avaient contribué à cette mutation. Que les jeunes aient aujourd'hui le temps de s'amuser était-il donc un crime ?

Ils se disputaient sur des points sans importance : la longueur des cheveux de Greg, les habits qu'il portait. Ellie ne trouvait pas que ce fût capital. Vic, lui, ne décolérait pas de voir son fils — et, avec lui, tous les vauriens qu'il fréquentait — s'habiller de fripes. De vieux gilets et de chemises sans col qu'aurait pu mettre son père. De costumes aussi crasseux et démodés que ceux qu'on leur avait distribués à la démobilisation — on se moquait des taches, on allait même jusqu'à y tenir et, sur les revers de sa veste, arborait les insignes d'une guerre qu'on croyait faire, tout cela noyé sous des mots d'ordre criards et autres semblables affirmations de sa révolte. D'akubras [1] en feutre couverts de taches (en dehors de tous ces pitres, il n'y avait guère que Digger pour tenir encore à ce genre de chapeau), de cravates graisseuses et de châles, tous articles qu'on trouvait au marché aux puces ou à Tempe Tip, quand on ne les découvrait pas sur les rayons des chiffonniers de Saint-Vincent-de-Paul. Ainsi se parait-on des jolis oripeaux d'une souffrance dont, non content de tout ignorer, on se foutait complètement, oui, malgré les nobles slogans qu'on éructait et les principes d'une révolution de quatre sous que jamais on n'aurait réussi à faire passer dans les faits.

Amer, Vic repensait souvent à ce jour gris et humide où, avec une ribambelle d'enfants — il devait avoir huit ou neuf ans —, on l'avait conduit à l'Institut des Arts. Il n'y avait pas plus pauvre qu'eux dans tout le quartier. Qu'importe ! Le Principal avait jugé bon de le leur certifier, alors même qu'il n'était pas sorcier de le deviner : rien qu'à regarder les habits qu'ils portaient... c'étaient ceux du frère, ou de la sœur aînée, les manches du pull-over en étaient trop longues, on les remontait sans arrêt et attachait son pantalon avec un bout de ficelle, les petites filles nageant dans des robes qui leur tombaient au-dessous des genoux.

Poussés comme troupeau dans le hall miteux du noble établissement, ils étaient tombés sur une rangée de sourires compatissants, ces dames se tenant debout devant un gros tas d'habits posé par terre.

Alors — ils étaient rouges de honte —, on les avait lâchés au milieu de la salle, comme des chiffonniers. Vic avait ramassé le premier vêtement qu'il avait trouvé, vite vite, choisir quelque chose et disparaître, puis, sans même regarder s'il était en bon état, l'avait fourré derrière le siège d'un abri bus le long de la plage. L'aurait-il encore porté que la laine râpeuse dont l'habit était fait ne lui aurait pas donné plus de démangeaisons.

Les haillons, les habits du grand frère, l'odeur puante de la sueur d'autrui, il n'y avait rien de plus horrible à ses yeux. Cela le hérissait. Comme si, pour lui comme pour beaucoup d'autres, il y avait eu moyen de faire autrement ! Alors que

1. Genre de borsalino australien. (NdT.)

là, il ne s'agissait que de jouer, que d'enfiler un uniforme dont on pouvait se débarrasser dès qu'on commençait à en avoir marre. Pour ces jeunes gens, la pauvreté n'était qu'un oripeau qu'à condition d'être assez riche pour cela, on pouvait revêtir pour se rendre intéressant, ou pour voir s'il vous seyait.

Depuis quelque temps, Greg s'était mis en tête de se balader pieds nus : vieux costume, chapeau en feutre et pas de chaussures, tel était le déguisement. Vic étouffait de rage. Il repensait aux files de prisonniers debout sous la bruine, à tous ces hommes pour lesquels ne pas avoir de chaussures avait signifié la mort. Car ce n'était pas à lui-même qu'il pensait : il n'entendait pas faire appel à ses propres souffrances — dont il revivait pourtant l'injustice avec une colère et un apitoiement de faiblard qui lui donnaient la nausée —, mais lui dire les épreuves que d'autres avaient endurées.

Vic aurait eu honte de lui rappeler de telles réalités. Cela étant, qu'un homme, même jeune, en ignorât tout, il ne pouvait pas le comprendre.

Il n'y avait entre le père et le fils aucun terrain d'entente possible dès qu'ils se disputaient. Ellie était désemparée. Tout ce que Greg pouvait hurler pour se défendre était inutile — elle le savait et en était navrée pour lui. Vic, lui, serrait les mâchoires et refusait de parler.

9

Un jour qu'elle s'était assise à la table de la cuisine, Meggsie, qui avait plus de soixante-dix ans, sentit qu'elle ne pourrait plus se relever. Ses jambes venaient de la lâcher.

Le choc fut terrible, elle eut peur, mais n'appela pas. Elle y songea un instant, puis l'idée lui parut tellement sotte qu'elle ferma promptement la bouche dès après l'avoir ouverte et, le front plissé, resta immobile sur sa chaise tandis que de vastes ténèbres semblaient la submerger. Elle n'avait jamais rien éprouvé de semblable. Elle avait ses humeurs, oui, mais celle-là lui venait du dehors, tel un changement de temps qui, laissant les fenêtres pleines de grand soleil, se fût obstiné à lui obscurcir l'esprit. Elle se sentait faible, elle était de plus en plus impuissante et terrifiée de l'être, mais pour autant n'arrivait pas à briser les habitudes de toute une vie au point de se mettre à hurler. Ce ne fut que parce qu'ils avaient senti une odeur de brûlé qu'enfin ils la découvrirent.

Car, de tout le temps qu'elle était restée sans bouger, une crème caramel n'avait cessé de déborder sur la cuisinière, sans même qu'elle le remarque. Innommable. Elle n'arrêta pas de s'en excuser tandis qu'ils la soulevaient, et encore y ajouta tout le dérangement qu'elle leur causait — ce fut surtout cela qui alarma Pa : Meggsie n'était pas du genre à s'excuser.

Ses filles s'étaient éparpillées dans tout le pays. La première habitait à côté de Rockhampton, dans le Queensland, la deuxième quelque part dans l'Ouest. La troisième, elle, « Véra-ma-petite-dernière » comme elle l'appelait — on ne l'avait jamais connue sous un autre nom —, avait épousé un avocat qui s'était installé sur la rive nord. On lui téléphona aussitôt, elle arriva deux heures plus tard, au volant d'une Mazda.

Ma l'avait connue enfant et, à cette époque-là déjà, la trouvait astucieuse, mais fort mal embouchée. La « petite dernière » s'était transformée en une belle femme qui, maintenant âgée de cinquante ans, s'habillait avec goût. Gênée d'être « en souillon », Ma l'imaginait encore sous les traits de « Véra-ma-petite-dernière » lorsque celle-ci se présenta à elle sous le nom de Mme Moreton.

Au début, Véra fut parfaitement glaciale : cela faisait déjà plusieurs années qu'elle demandait à sa mère de quitter les Warrender et de venir habiter avec elle. Très partagée, Meggsie avait fini par décider de rester : elle était trop bien traitée pour s'en aller. Croyant toujours que ses patrons l'avaient influencée, Mme Moreton chercha quelque chose qui lui permettrait de se sentir supérieure à eux.

Et enfin y arriva.

Les voitures dans l'allée : oui, il y en avait trois, on ne pouvait tout de même pas s'attendre à moins, mais... et la maison, hein ? Et surtout le mobilier ! Elle savait très bien — qui eût pu l'ignorer ? — combien ces gens avaient d'argent, mais non : il n'y avait pas là un seul meuble décent, rien que l'on aurait pu prendre plaisir à regarder. Pas une seule antiquité. Lamentable, vieillot et laid, tout était verni dans le style des années trente. Aucune amélioration nulle part. Elle se souvint de l'époque où, passant chez les Warrender une fois par semaine pour y chercher son argent de poche — elle devait avoir seize ou dix-sept ans —, elle se voyait régulièrement offrir une boîte de mouchoirs, ou une paire de gants quand c'était son anniversaire. Et trouvait l'endroit d'une inaccessible majesté. Mme Moreton s'en voulut d'avoir été aussi naïve. Sa maison à elle en jetait dix fois plus.

Ils la laissèrent seule avec Meggsie et n'entendirent pas ce qu'elles se disaient.

Mme Moreton voulait que sa mère aille à l'hôpital. Meggsie refusa : on lui avait trouvé une infirmière de nuit, elle était bien où elle était. Mme Moreton en fut toute désarçonnée. Les Warrender avaient certes beaucoup fait pour sa mère, et elle leur en était reconnaissante, mais se sentit snobée.

— Ne sois pas idiote, lui lança Meggsie.

Véra appela tous les jours, mais ne remit plus jamais les pieds chez les Warrender avant la fin.

Meggsie mit neuf semaines à mourir. On avait l'infirmière de nuit, le reste du temps, c'était Ma et Ellie qui s'occupaient d'elle. Et supportaient ses récriminations : elles faisaient tout de travers, la maison partait à vau-l'eau, la jeune fille qu'ils avaient réussi à avoir s'y connaissait peut-être en petits plats de l' « étranger », mais n'avait aucune idée de ce que pouvait être la cuisine simple.

L'après-midi, lorsque Ellie se reposait, Pa montait souvent voir Meggsie une heure ou deux — pour la taquiner, goûter ses médicaments et lui raconter des blagues. « Arrêtez, lui disait-elle, vous allez me tuer ! » Vic aimait bien, lui aussi, passer un moment avec elle.

Il le faisait tôt le matin. Encore en robe de chambre, il demandait à la garde-malade de préparer du thé, puis, quand elle revenait, lui faisait signe de les laisser tranquilles. Ellie la trouvait souvent endormie dans un fauteuil du salon, sous un lampadaire.

Pendant ces heures qu'il consacrait à Meggsie, Vic s'acquittait de toutes les tâches de l'infirmière. « Mais, c'est pas la peine ! lui disait Ellie. C'est pour ça qu'on l'a engagée, cette femme ! » Elle voulait ainsi lui épargner des soins corporels intimes auxquels, selon elle, répugnaient tous les hommes. « T'inquiète pas, lui disait-il, ça me gêne pas. Ça nous permet de parler un peu, enfin... tu vois. »

— Tu le savais, toi, que Meggsie avait une sœur jumelle ? lui demanda-t-il un jour. Non, mais... tu te rends compte ? Deux Meggsie ! L'autre est morte de la grippe espagnole... Meggsie a grandi à Chillagoe, dis... tu le savais ? A cette époque-là, la ville avait sept mille habitants. Aujourd'hui, y a plus personne.

Alors il dormait à moitié et, très tendre, se parlait en partie à lui-même. Se disait — elle le savait bien — que la vie d'autrui est toujours un mystère et que nous ignorons pratiquement tout de nos proches. Couché près d'elle, aux frontières mêmes du sommeil — elle le croyait : sa tendresse n'était-elle pas infinie ? —, il allait lui dire, avec ses mots à lui, tous les faits et détails de sa vie, tout ce qu'il gardait depuis toujours au fond de lui-même.

Une nuit qu'adossé au mur il s'était ainsi presque endormi, Meggsie l'appela.

— Vic, mon chéri, dit-elle, tu es là ? Je veux te donner quelque chose... oui, un cadeau.

Contrairement à ce qui se passait souvent à ces heures-là, elle semblait avoir toute sa tête.

— Ouvre le dernier tiroir de la commode.

Il se leva et gagna le meuble en cèdre sur lequel reposaient les deux cadres en celluloïd contenant ses photos de famille. Le premier renfermait un portrait de ses filles lorsqu'elles étaient encore enfants, l'autre une demi-douzaine d'instantanés pâlissants où l'on voyait son mari, Ken, en compagnie d'un tas d'autres bonshommes, tous en chapeaux et alignés bien en rangs.

Le tiroir s'étant coincé, Vic fut obligé de se mettre à genoux pour le dégager de ses rainures. Il tira un coup sec et, l'ayant enfin ouvert dans la pénombre, fut tout surpris de découvrir qu'il était plein de feuilles. Etait-il en train de rêver ?

Il abaissa prudemment la main dans le tiroir en craignant, Dieu sait pourquoi, d'y trouver des escargots, et la promena dans les feuilles qui bruissaient. Mais non, ce n'étaient pas des feuilles. C'étaient des billets de loterie. Par centaines, par milliers — tous les dixièmes que Meggsie avait achetés à M. McCann, le marchand de journaux du coin, depuis plus de quarante ans. Il tâta encore.

Non, c'était des feuilles. Il les avait confondues avec des billets de loterie, oui, mais seulement comme on peut le faire en rêve. Mais lequel ? Le sien ? Celui de Meggsie ? Il n'aurait su le dire. A cette époque-là, les jeunes du contingent partaient au Vietnam sur simple tirage au sort. Greg avait dix-huit ans, Vic tremblait de peur à l'idée de tirer le numéro de son fils. Ou le sien propre ? Une deuxième fois ? On aurait eu le droit de vous demander de repartir ?

— Qu'est-ce que tu fabriques ? s'enquit Meggsie. T'en as trouvé un ?

Il prit un billet et, s'étant approché du lit, le lui montra.

— Non, dit-elle sans même le regarder. C'est pas celui-là.

Il lui en apporta un autre.

— Mais non ! s'exclama-t-elle comme s'il avait vraiment décidé de faire l'andouille.

Il se sentit aussi bête qu'un enfant qui n'arrive pas à trouver la solution d'un problème d'arithmétique pourtant élémentaire.

— Mais Meggsie...

— Continue, lui renvoya-t-elle. Tu perds du temps.

Il replongea la main dans le tiroir.

— Enfin, ça y est ! soupira-t-elle. T'es un bon garçon, tu sais ? Et d'ailleurs, tu l'as toujours été.

Elle sourit et ajouta :

— Bon, et maintenant, tu le montres à personne, t'entends ? Et t'en parles pas, surtout pas... sinon, finie la chance. Non, tu me le montres même pas à moi. Tiens... mets-le dans ton portefeuille.

Comme elle le lui demandait, Vic glissa le billet dans son portefeuille : ce n'était quand même pas qu'il aurait gagné au premier coup !

— Mais non, t'inquiète pas ! reprit-elle en sentant le désespoir le gagner. Celui-là, c'est le bon. Comme si j'allais te donner un truc qui serait pas gagnant ! Tu devrais quand même le savoir... après toutes ces années... pas vrai, mon amour ? Allez, fais-moi confiance.

Ce ne fut que le lendemain matin, alors qu'il était en conférence, qu'il se souvint de l'incident. S'interrompant un instant, il porta la main à son portefeuille, pour vérifier, et oui, y trouva le billet.

Il en parla certes à Ellie, mais, plus tard, se demanda s'il s'était bien fait comprendre : ce n'était jamais que ce qu'il avait ressenti en fouillant dans le tiroir qu'il avait tenté de lui décrire — l'étrange impression qu'il avait eue de passer la main dans un tas de feuilles mortes et d'aussitôt se mettre à remonter son passé, année par année, chacune avec son numéro. D'avoir, à un moment donné, très nettement senti le billet de loterie de son fils sous ses doigts.

Avec la mort de Meggsie, ce fut tout un pan de leur vie qui s'effondra. Tous, ils le ressentirent et furent surpris de découvrir jusqu'à quel point les diverses formes de sa tyrannie — qu'ils avaient toujours été enclins à prendre avec le sourire — avaient modelé leur existence. Moderniser la cuisine ? C'eût été impossible : la cuisine faisait partie de son domaine, le pouvoir de Meggsie résidant d'ailleurs, pour une bonne part, dans le fait qu'elle était la seule à pouvoir se débrouiller de ses inconvénients. Quant à émettre l'idée qu'il y avait beau temps que plus personne ne mangeait de pudding, même s'il était différent tous les soirs...

Mais voilà que Meggsie n'était plus. Maintenant libres de procéder à tous les changements qu'ils voulaient, ils ne surent par où commencer. Pour la première fois de sa vie, Vic parla sérieusement de déménager, après avoir vendu la maison et l'usine attenante. Ma pensa qu'il le faisait non pas tant parce que la chose eût été nécessaire, ou que tous l'eussent désirée, que parce que enfin il avait décidé d'obéir à des raisons qu'il était le seul à connaître et dont, malgré tout ce qui pouvait les unir, jamais elle ne se sentirait le droit de lui demander de rendre compte.

Cela faisait déjà longtemps qu'il attribuait l'impression de vide qui ne cessait de l'envahir au fait que, quelques jours avant la mort de sa mère, il s'était si hermétiquement fermé à tout, avait si fortement nié sa douleur qu'il ne lui était plus rien resté à quoi se raccrocher. En pleurant Meggsie, il pleura enfin sa mère — de la manière étrangement zigzaguante et comme en surjet (il pensait souvent à la façon dont sa mère cousait les ourlets de ses robes) qu'il avait toujours eue de s'ouvrir un chemin dans la vie.

Mais il n'y avait pas que cela. Pendant un temps, la mort avait été, entre toutes les réalités qu'il avait vécues entre dix-huit et vingt et un ans, celle qu'il avait connue le plus intimement : quotidienne, elle lui avait été bien plus banale que le son d'une voix féminine, que le bruit d'un bain qui coule, qu'une chemise propre. Alors il avait cru que jamais plus il ne se ferait à d'autres conditions de vie, que des choses aussi ordinaires qu'une chemise propre, qu'un bain chaud ou la main d'une femme se posant sur la sienne toujours tiendraient tellement du miracle qu'elles en deviendraient inconcevables, que jusqu'à la fin la seule réalité vraiment tangible serait la proximité de la mort.

Il avait alors mis toute son énergie à la repousser ; à s'accrocher à son corps et, un jour après l'autre, à y garder vivant le peu de flamme qui lui restait. Tâche immense, mais simple. Et pure — l'effort était si pur ! Alors, oui, on savait l'autre parce que, de temps en temps, quand il le fallait, on tenait un homme dans ses bras, si fort en serrait la mort contre sa poitrine qu'entre son cœur et soi il n'était qu'une feuille, qu'à l'entendre battre, c'était son propre cœur qu'on sentait s'emballer, puis lâcher.

Cela faisait maintenant bien des années que la mort ne l'avait pas frôlé de si près. Après tout ce temps, celle de Meggsie le touchait enfin et, avec elle, celle de sa mère (penser à celle de son père, il n'y était pas encore prêt). Mais, plus que toute autre encore, c'était avec la sienne qu'il recommençait à vivre et si, maintenant, elle lui paraissait bien mystérieuse, c'était parce que trop de choses l'entouraient qui la lui rendaient obscure, improbable même, parce qu'il y avait de fortes chances pour que le jour où, pour finir, elle lui viendrait, elle fût d'une espèce que jamais encore il n'avait affrontée — la naturelle.

10

Cela faisait déjà plus de vingt ans que Digger se rendait en ville selon un rituel immuable. L'affaire avait lieu le jeudi — parce que, au début au moins, Iris n'avait eu que ce jour-là de libre. Plus tard, lorsque, la pâtisserie ayant fermé, Iris avait pris sa retraite, il avait gardé le jeudi par habitude. Il prenait le train tôt le matin, passait la nuit chez elle, et rentrait dès le lendemain, par le train du laitier.

Les jeudis où il devait retrouver Ellie, il ne gagnait Bondi Junction qu'après le repas de midi. Les autres, il y partait tout de suite, après avoir fait quelques achats. Iris et lui allaient souvent pique-niquer dans Cooper Park. L'après-midi, il lisait un peu ou s'acquittait des menus travaux qu'il pouvait y avoir à faire. Depuis que les garçons avaient quitté la maison, il y avait toujours des petits trucs à réparer. Le soir, ils regardaient la télé, ou allaient prendre le thé chez Ewen ou chez Jack qui, mariés l'un et l'autre, avaient déjà des enfants.

Digger s'entendait bien avec les épouses des deux grands. Sa présence à Bondi Junction n'avait jamais posé le moindre problème à leurs enfants : Iris était devenue « Grannie » et lui « l'ami de Grannie ». On l'appelait aussi « Digger » parce que Papa le faisait depuis toujours — mais jamais « Tonton », qui ne lui plaisait pas.

Cela dit, les petits en prenaient plus à leur aise avec lui qu'ils n'auraient jamais pu le faire avec un « Tonton », quel qu'il fût. Maman devait souvent intervenir, et fermement, pour les empêcher de lui sauter dessus dès qu'il arrivait : l' « ami de Grannie » n'était ni un arbre ni un rocher sur lequel on pouvait grimper parce qu'il se laissait faire. C'est vrai qu'il les aimait bien. Il leur montrait des tours si anciens que même Papa ne les connaissait pas : celui de la boule de papier argenté qu'on fabrique avec de l'emballage de paquet de cigarettes et qu'on peut faire danser en la lestant, celui de la ceinture de pyjama qu'on tresse avec des bobines de coton. Non content de leur apporter des jouets en bois qu'il fabriquait lui-même, il leur racontait des histoires tellement sérieuses qu'ils en restaient bouche bée, mais, Dieu sait pourquoi, lui en réclamaient toujours d'autres. Le jeudi était un jour où Digger jouait à l'ancêtre. Le reste de la semaine, il passait souvent beaucoup de temps à penser à quelque tour qui pourrait amuser « les enfants ».

La teneur de ce qu'il vivait le jeudi était tellement différente de celle des autres jours et, vu le peu de changements qui l'avait affectée, l'était depuis si longtemps, qu'il se sentit tout désorienté lorsqu'il se retrouva à la gare de Central Station, à la même heure que d'habitude certes, mais un autre jour de la semaine.

Ce n'était pas seulement que sa petite routine avait volé en éclats. C'était aussi que le lieu même lui paraissait autre : les foules du lundi matin n'y étaient pas faites des mêmes visages, dans les rues, on marchait d'un autre pas. Il avait moins l'impression d'avoir affaire à un autre jour de la semaine que d'arriver dans une autre ville.

Le poète Hugh Warrender était mort, Digger venait à son enterrement. Par affection pour Ellie, bien sûr, mais aussi par respect pour un homme avec lequel il ne s'était certes entretenu qu'une fois, et fort mal, mais qu'il avait tellement appris à connaître au fil des ans qu'il s'en sentait maintenant très proche. Iris avait décidé de l'accompagner.

L'assemblée qu'il découvrit était des plus étranges. S'il y avait bien là des personnes âgées qui devaient être des amis de la famille ou des hommes d'affaires proches de Vic, il y avait aussi des gens dont la présence était tellement inattendue qu'il se demanda s'ils ne s'étaient pas trompés de cérémonie. Nombre de ces derniers portaient des blue-jeans et des chemises indiennes à col rond, certains d'entre eux étant même allés jusqu'à revêtir des battle-dress délavés et se coiffer de casquettes à la Mao. Les trois quarts des filles étaient, elles aussi, en blue-jeans, les autres s'étant enveloppées dans des robes en coton qui leur tombaient jusqu'aux pieds, tenue plus qu'exotique qu'elles avaient aussi fait endosser à leurs enfants. Sans même parler d'une bande de collégiennes en chapeaux de paille et jupes de guingan.

La présence de tant de hippies était, à son avis, bien malheureuse. Ce ne fut que plus tard, lorsqu'il vit à quel point ceux-ci savaient se montrer attentifs et réservés, qu'il se dit soudain qu'ayant peut-être, tout comme lui, des relations lointaines, mais intimes avec Hugh Warrender, ils étaient venus saluer le poète avec respect. L'image qu'il se fit d'eux changea soudain du tout au tout.

On était en février, il faisait très chaud. Dans la roseraie encaissée où l'on attendait en faisant les cent pas, les oiseaux chantaient, régulièrement répétaient leurs appels, mais à de drôles d'intervalles, mêlant, quand bon leur semblait, leurs trilles aux accents de l'orgue. Ce qu'on pouvait être audacieux et disputailleur ! Ainsi continuer à vivre bruyamment sa vie pendant qu'en dessous on faisait tout pour garder le silence !

La cérémonie se déroula selon un ordre impressionnant. Ellie commença par y lire un poème de son père — très court et que Digger ne connaissait pas, bien qu'il ait lu tout ce que M. Warrender avait publié. Si le poète y parlait de la mort, et Digger n'en aurait pas juré, il le faisait avec une légèreté nettement plus proche du ramdam des oiseaux dans les arbres que des accords solennels qui montaient de l'orgue. Deux images le retinrent : la première d'un jasmin au parfum de nuit et dont la fleur invisible n'était plus que présence dans la pièce, la deuxième d'une maison qui, pour ne pas se voir, elle non plus, n'en était pas moins toute de babils affairés. L'expression « comme en retour » revenait souvent et Digger en fut ému.

La lecture une fois achevée, il sentit que, comme chez ceux qui l'entouraient, certaines tonalités du poème, certaines de ses musiques même restaient lovées en lui. Iris lui frôla très légèrement la main. Ce que M. Warrender avait à dire les avait à nouveau réunis.

Et dans tout cela, pas l'ombre d'une tristesse, tant s'en fallait. C'était de présence et de complétude qu'on parlait, « comme en retour ». Bien plus tard, Digger devait se souvenir de ce poème et être heureux de l'avoir entendu en compagnie d'Iris. La perte qu'il avait éprouvée en avait été un peu moins lourde. Pour le moment néanmoins, c'était à sa mère qu'il pensait. La revoir assise sur son fauteuil cassé au beau milieu de la cour le frappa de panique : maison et biens, avoir ainsi, en pensée, réduit en cendres tout ce à quoi elle s'était accrochée contre vents et marées !

Que d'heures il avait déjà passées à y repenser parce que la loi à laquelle elle avait alors obéi ressemblait à la sienne propre ! Encore maintenant il en arrivait à se demander si, le moment venu, il parviendrait à se détacher des choses sans aussitôt se dire, comme elle l'avait fait, que non seulement il les perdait, mais, de fait, ne les avait jamais vraiment possédées.

Les deux petits-fils de M. Warrender — Greg et un garçon plus âgé qui, Alex de son prénom, était venu d'Amérique avec sa mère — devaient lire les Ecritures. Fait étrange, ce fut très exactement ce que Digger tournait et retournait dans son esprit que Greg choisit comme sujet de sa lecture.

Bien des années s'étaient écoulées depuis la dernière fois qu'il l'avait vu. Greg était alors un petit garçon tout beau tout propre qui portait un duffle-coat et des bottes neuves. Plutôt dégingandé (Ellie lui en avait un peu parlé, et Vic aussi, une ou deux fois), il ressemblait maintenant tellement à ce que son père avait été lorsque Digger l'avait rencontré pour la première fois, que celui-ci se demanda si les différences qu'il lui découvrait n'étaient pas dues au fait que sa vue avait beaucoup baissé. Il sortit ses lunettes de la poche droite de son veston pendant que Greg continuait à lire, mais, les ayant chaussées, s'aperçut que c'était bien chez le jeune homme que se trouvait l'espèce de flou qu'il lui avait remarqué.

Greg était moins trapu que l'avait été son père, mais l'essentiel n'était pas là. Ce que Greg n'avait pas, et qui changeait tout, c'était ses airs de petit crâneur. Tout d'un coup, et d'une manière assez vive vu le nombre d'années qui s'étaient écoulées depuis lors, Digger retrouva ce qu'il avait éprouvé en faisant la connaissance de son père, savoir son immense antipathie, sauf que... qu'en était-il advenu ?

— « Le jour où trembleront les gardiens de la maison, où encore plieront les hommes forts, où, trop peu nombreux, l'on ne moudra plus le blé, où ceux qui regardent par la fenêtre seront obscurcis...

« ... et lorsque encore ils craindront ce qui est élevé, lorsque la peur sera sur le chemin où l'amandier fleurit, où la sauterelle est pesante et la câpre n'a plus d'effet parce que l'homme s'en va au repos éternel tandis que les pleureurs parcourent les rues[1]... »

Assis dans la première travée, Digger leva la tête : le jeune homme lisait sans assurance. Il bafouillait par endroits et n'avait pas l'air très sûr de la façon dont s'enchaînaient les mots qu'il déchiffrait. Le profil de Vic, car c'était ainsi que Digger le voyait, était empreint d'inquiétude : tout comme Ellie, cela se voyait, le père tremblait pour son fils qui ainsi se donnait en spectacle, ou bien était-ce parce qu'il y avait, dans les mots mêmes qu'il entendait, quelque chose qui le troublait ?

Un peu plus tôt, en arrivant avec lui, Iris avait fait remarquer à Digger jusqu'à quel point Vic était resté identique à lui-même. Cela faisait plus de vingt ans qu'elle ne l'avait pas revu. Digger en avait été tout surpris. Lorsque Vic venait le voir à l'Embarcadère, c'était son humeur qu'il cherchait aussitôt à deviner. A certains petits signes qu'il avait appris à reconnaître, il savait en effet que les quelques instants qu'ils passeraient ensemble seraient agréables, à d'autres, même lorsque Vic faisait tout pour les lui cacher, il comprenait que rien ne serait facile. Dans tout cela néanmoins, jamais, jusqu'à ce qu'Iris ne lui en parle, il ne lui serait venu à l'idée de regarder son ami pour voir s'il avait changé.

« C'est qu'ils fondent vite, ces gens-là, lorsqu'ils commencent à partir », se disait Iris. Digger, lui, était de l'autre espèce. Sec et presque chauve sous son chapeau, il avait la peau dure. Iris n'était plus du tout gênée de sortir avec lui. Il aurait très bien pu avoir soixante ans, comme elle. De fait, il en avait soixante-sept.

L'autre jeune homme, celui qui parlait avec un accent américain, était trop sûr de lui. Digger trouva qu'il lisait les Ecritures comme s'il donnait une représentation. Cela choquait l'oreille.

Il y eut un troisième orateur. Universitaire qui avait écrit sur Hugh Warrender, il était venu rendre hommage au poète

1. Ecclésiaste, 12. (NdT.)

parce que, comme beaucoup d'autres qui le pleuraient maintenant, il avait partagé sa vie publique, ce mot de « public » étant d'ailleurs, ainsi qu'il le fit remarquer, bien impropre pour désigner ce qui, chez le poète comme chez chacun d'eux, était tellement caché qu'à être fidèle à l'esprit de la chose, il eût fallu recourir à des termes voilés et indirects pour le dire.

Il parla de poésie, dit le rôle caché qu'elle jouait dans la vie de chacun, surtout ici, en Australie, bien qu'elle y fût assez commune « mais justement »..., montra toute la gêne que l'on ressentait lorsque, comme maintenant, il fallait mettre ce rôle en lumière. Il souligna encore la manière dont elle disait tout haut (pas nécessairement dans les termes les plus évidents, puisque aussi bien la chose n'était pas toujours possible, mais précis) ce que l'on ressent au plus profond de soi-même et qui, sans elle, pourrait très bien ne jamais être consigné dans le grand livre de l'Histoire : les événements qui pour se répéter n'en sont pas moins uniques, les petits sacres de la vie quotidienne, les changements du cœur, ce qui, grandeur, mais aussi terreur tout à la fois proche et indicible, soudain dévoile l'être des choses, tout ce qui, bref, constitue l' « autre » Histoire, celle qui toujours se poursuit, celle qui muette sous le bruit et les bavardages de l'événement est l'essence même de ce qui, chaque jour, façonne la vie de la planète et n'a jamais cessé de le faire depuis le début des temps. Trouver les mots pour le dire ! Pour donner lumière de sens à ce qui généralement ne se voit pas, ni non plus ne s'entend — à ce qui, dans l'acte même de se produire, nous lie ensemble, et tous puisque c'est immédiatement et de notre fond même qu'il nous parle —, pour prêter forme à ce que nous aussi, nous avons vécu, mais ne savions dire parce que jusqu'alors les mots nous manquaient, ceux-là mêmes qu'aussitôt qu'ils sont dits, nous reconnaissons comme nôtres.

Ce discours impressionna Digger. Cette « autre » histoire dont on venait de lui parler lui tenait à cœur. Lorsque enfin ils ressortirent dans la lumière, qui était forte et comme tissée d'abeilles, il vit quelques personnes se porter à la rencontre du jeune homme et lui serrer la main pour le féliciter de leur avoir dit tant de choses. L'orateur avait l'air tout à la fois honteux et content de lui.

Digger ne refit pas l'erreur d'aller le voir. Il choisit de s'en tenir à ses paroles. Elles avaient réveillé quelque chose en lui, touché, il le sentait bien, à la chose même à laquelle il pensait un peu avant et qui n'est autre que le mystère de ce à quoi l'on ne saurait s'accrocher, mais qui, pour autant, jamais n'est perdu.

11

On avait enterré Pa dans la journée. C'était le soir, il faisait encore chaud. Là-bas, vers les basses terres de la baie de la Poule et du Poussin, de gros nuages d'orage montaient dans le ciel, des éclairs tressautaient en piquant nerveusement les bords. Vic sortit de table, mécontent de lui et des autres.

La mort de Pa, qui avait frappé sans prévenir, l'avait beaucoup atteint, l'arrivée de Lucille et de son fils, Alex, ne faisant qu'ajouter aux changements et aux réajustements auxquels il avait fallu procéder dans la maison. Il y avait longtemps qu'il n'avait pas connu des jours aussi difficiles.

Malgré ce qui s'était produit, les deux jeunes gens tenaient à se disputer à chaque repas, mais d'une manière qui ne faisait rien avancer et mettait tout le monde à cran.

Les arguments de Greg — Ellie même ne pouvait que le reconnaître — étaient décousus et partisans. Idéaliste, le jeune homme avait l'assurance de celui qui invariablement se croit dans son bon droit, ses propos se résumant à des déclarations de principe qu'il avait entendues ailleurs. Aussi prévisibles fussent-ils, ses discours n'en demeuraient pas moins mensongers et incohérents au point d'en être pratiquement incompréhensibles.

Agé de vingt-quatre ans et licencié de l'Université de Harvard, Alex était, lui, un petit monsieur plein de raideurs, mais qui, aussi catégorique et partisan que Greg, savait parler avec une désinvolture si bien feinte que, l'indignation aidant, ce dernier n'en devenait que plus véhément encore.

Aussi bien Greg avait-il fondé de grands espoirs sur la personne de son cousin : un Américain ! Naïf et complètement ouvert, il brûlait d'être impressionné par lui et d'apprendre de sa bouche même, tout ce qui se passait dans ce pays qui était au centre des choses.

Sa déception avait été bien amère. Il l'avait cachée, au début : Alex était son invité. Puis, voyant à quel point l'autre le prenait de haut, avait opté pour l'hostilité ouverte, mais d'une manière si puérile, douloureuse et incohérente que son père avait mal supporté d'en être le témoin. Ce soir-là, après avoir jeté un coup d'œil désespéré à sa femme, Vic avait fini par se lever de table. Il avait besoin de prendre du champ.

Il commença par aller tenir compagnie à Ma qui était montée s'allonger tout de suite après l'enterrement. Elle aussi était exaspérée par ces repas.

Il s'assit à côté de son lit dans la pénombre de la chambre, ils parlèrent un peu. De cette fois où, bien des années auparavant, Pa avait joué un tour particulièrement idiot à un monsieur qu'il avait invité à dîner. Passablement pompeux, celui-ci était en voie de passer juge à la cour. Ma se mit à rire. Vic l'imita. Puis, l'un et l'autre s'arrêtèrent, non pas parce qu'ils se seraient sentis coupables, mais parce qu'il leur eût été bien difficile de s'expliquer si quelqu'un les avait entendus. L'ayant quittée, Vic redescendit au rez-de-chaussée et fit quelque chose qui ne lui serait même pas venu à l'idée une semaine plus tôt : il entra dans le bureau de Pa. Et, s'étant assis à sa table de style Renaissance, y resta longtemps dans le noir, à regarder les éclairs, avant d'enfin allumer une lampe.

L'agacement qu'il avait ressenti pendant le repas ne l'avait pas quitté, il l'associait, sans trop savoir pourquoi, aux éclairs étrangement tremblants qu'il apercevait. Il en était toujours aussi tendu et ne voyait pas qu'il pourrait se détendre bientôt.

C'était à l'antagonisme qui opposait les deux jeunes gens qu'il s'attachait, à la sottise avec laquelle ils se déchiraient pour des riens, mais s'il tenait tant à garder tout cela au premier plan, c'était parce qu'il y avait là, et il le savait, quelque chose d'autre qui le troublait bien plus et qu'il lui fallait absolument élucider.

Agée de quarante-six ans, Lucille n'était plus du tout la jeune fille qui les avait quittés il y avait maintenant plus de vingt ans. Il avait du mal à la reconnaître. Très cassante et femme d'affaires, elle semblait préoccupée — ce qui n'avait rien de surprenant — par la famille qu'elle avait laissée derrière elle, aux Etats-Unis. Si elle prenait plaisir à renouer avec le passé, elle n'en découvrait pas moins, il le devinait, beaucoup de choses qui, eux, la maison, autre chose? restaient en deçà de l'image qu'elle avait gardée. Il le voyait bien dès qu'il cessait de les regarder avec ses propres yeux.

A repenser à tout ce qu'il avait fait — et réussi —, il ne pouvait que se dire que le changement était considérable. Et pourtant... il lui suffisait de s'asseoir à table pour sentir que bien peu de choses avaient bougé — pour ne pas dire rien. Pa n'était plus, ils avaient vieilli, deux jeunes gens ne cessaient de se chamailler. La seule différence était que ce à quoi il s'était si longtemps accroché, que la douce illusion de son amour pour elle avait cessé d'être douce, justement. Que, pire encore, elle n'était même pas amère, mais, émoussée, avait presque entièrement disparu de son cœur.

Comme il l'avait chérie pourtant! Ce qu'il avait pu y accrocher l'impression d'être jeune encore. La voir s'étioler, c'était déjà déceler les premières atteintes de l'âge.

Et Pa?

Combien de temps s'était-il écoulé depuis qu'ils s'étaient dit des choses qui comptaient vraiment? Alors qu'ils avaient toujours été si proches, alors que jamais leurs rapports n'avaient manqué de chaleur. Penser qu'ils avaient eu si peu de choses nouvelles à se dire toutes ces dernières années! Vic en était d'autant plus ébranlé que maintenant que Pa était mort, il avait brusquement l'impression que tout ce qu'il savait de lui se réduisait à un mystère. Enjouement, désespoirs, vie qu'il vivait dans sa tête, poèmes qu'il avait écrits, tout ce qui l'avait fait lui paraissait opaque, oui, depuis l'instant où ils s'étaient rencontrés pour la première fois — et même avant, lorsque, ordonnance de Pa, son père lui avait arraché sa promesse. Mais ce trouble n'était rien à côté de ce qu'il avait découvert à l'enterrement : il y avait des gens qui, sans même l'avoir jamais vu, le connaissaient sans doute mieux que lui. Avoir l'impression d'être ainsi passé entièrement à côté de Pa le remplissait d'une panique d'autant plus forte qu'à sa source il y avait l'image particulièrement insignifiante que cela lui renvoyait de lui-même.

« Y aurait-il donc une différence entre " être " et " être connu " ? » se demanda-t-il.

Il avait, comme tout le monde, été ravi par les succès de Pa, mais ne s'était jamais donné le temps de lire ses livres. Il voyait bien maintenant qu'il aurait dû le faire. Il n'avait prêté aucune attention à ce que Pa avait à dire alors que d'autres... Qui sait même si ce que Pa avait écrit ne lui était pas destiné en partie ? Il tendit la main en avant et descendit les quatre volumes posés sur l'étagère. Il en ouvrit un — comme par hasard, c'était le dernier — et se mit en devoir de le lire de bout en bout. Il y passa presque une heure.

Et eut l'impression de se retrouver devant un travail scolaire particulièrement ardu. Il avait oublié ce que ce peut être de revenir sans arrêt en arrière parce que, résistance de celui qui lit, ou de ce qui s'offre à sa lecture, quelque chose refuse obstinément de vous entrer dans le crâne.

Ce n'était pas la première fois que cela lui arrivait, mais il avait toujours résolu le problème en l'ignorant. En découvrant ce que Pa avait couché sur le papier, il tombait sur des choses qui lui échappaient entièrement, qui, au moment même où il faisait effort pour les appréhender, prenaient un malin plaisir à lui filer sous le nez, le plus désagréable étant que ces choses, et il le savait, ne lui étaient nullement étrangères. Car elles ne faisaient certes pas partie d'un univers auquel il n'eût rien connu, mais, pour appartenir à celui dans lequel il évoluait, ne s'en refusaient pas moins à son esprit.

Ce qu'il éprouvait d'une manière quasiment physique ? Le fait que la terre tournait sous ses pieds alors même qu'il avait toutes les raisons de se dire que la pièce dans laquelle il se trouvait était immobile. « Si le monde est bel et bien tel qu'il le décrit et que je ne l'ai jamais vraiment tenu entre mes mains, qu'y ai-je donc tenu ? » se disait-il.

Le livre était toujours ouvert devant lui, mais il avait cessé de lire. Ce que ces poèmes, qu'il n'avait que vaguement compris, avaient déclenché en lui se déployait maintenant comme de son propre chef.

Il dessaoule beaucoup, même lorsque père, on a encore quelque pouvoir en ce monde, de découvrir dans cette part de soi-même qui, malgré le passage des ans, toujours et encore continue d'exister, qu'il n'est aucune âme secourable vers laquelle se tourner.

Dès que ses parents étaient morts, Pa était apparu. Depuis lors, malgré toutes ses faiblesses, c'était lui qui lui avait masqué sa solitude en ce monde. Pendant un temps — il avait alors une vingtaine d'années —, Vic avait été contraint de le reconnaître, mais, prématurée, cette prise de conscience n'avait pas eu d'effets durables : il lui avait suffi de rentrer pour l'oublier et se remettre sous la protection de M. Warrender. Une fois Pa de nouveau cantonné dans son rôle de père, il s'était caché derrière son bouclier. Pour la première fois de sa vie, Vic se sentit orphelin.

Apercevant un rai de lumière sous la porte, Ellie eut l'étrange impression que Pa se trouvait encore dans le bureau. Elle s'approcha tout doucement de la porte, en tourna le bouton, puis, craignant de se faire peur, s'arrêta.

Vic ne la vit pas tout de suite. Le visage dans la pénombre, il était assis devant une flaque de lumière. De temps à autre, comme en tremblant, les éclairs de l'orage illuminaient faiblement les rayons de la bibliothèque. Il ne leva pas la tête, il ne l'avait pas entendue. Il était sur le point de se tourner vers elle, elle comprit que tout ce qu'elle savait de lui était vrai.

12

Ce fut de la bouche d'Ellie que Digger apprit la rupture entre Greg et son père. Vic ne la lui aurait jamais annoncée de lui-même. Au début pourtant, il était toujours pressé de lui parler de son fils. L'enfant promettait, il était certes timide et un peu collant (il y avait beaucoup de femmes dans la maison), mais se posait des questions sur tout et n'était jamais à court d'opinions curieuses et joliment définitives sur le monde qui l'entourait. A cette époque-là, Vic était lui-même encore assez jeune et se laissait souvent emporter par la fierté qu'il éprouvait pour son gamin. Puis, soudain embarrassé, il se reprenait et riait pour faire oublier ce qu'il avait dit. Mais les choses avaient changé et, au bout d'un certain temps, il n'avait plus parlé de lui qu'avec amertume. Ces dernières années, il était même allé jusqu'à ne plus le mentionner que très rarement. Digger ne sut plus que dire lorsque, apprenant l'incident, il comprit que tout était fini entre eux. Ellie ne se plaignait pas, mais il voyait bien la douleur qu'elle ressentait.

— Il n'arrête pas de se faire du tort, dit-elle. Pourquoi ? Mais pourquoi ? Qu'il n'aime pas quelque chose et toujours il finit par se l'infliger à lui-même. Tout se passe comme s'il voulait épargner aux autres la peine de lui faire du mal. Tu crois que c'est ça ? Tu le connais, Digger... dis, c'est ça ? C'est pour ça qu'il agit de la sorte ? « Non, ça, personne ne me l'a encore fait, dit-il sans arrêt, c'est de ma faute... à moi. » Et après, il se met à grincer des dents. C'est horrible. « C'est comme ça, la vie, dit-il encore. Il faut faire avec. Le caractère, c'est pour ça que ça existe. » Alors que tout ce qui lui arrive, c'est lui qui en est responsable.

Assis dans une manière de petite alcôve en bois, ils prenaient le thé à la terrasse d'un café, sous des arcades, et, alors que, d'habitude, l'essentiel de ce qu'ils se disaient tournait autour de lui, ou était comme marqué de sa présence invisible, ils parlaient de Vic sans se cacher. C'était pénible.

— Tu le connais, Digger, répéta-t-elle. Dis-moi si c'est ça !

Elle semblait désespérée.

— Qui ça, moi ? lui répondit-il. Mais je ne le connais pas !

Cela lui avait échappé, il le regretta aussitôt. Aussi vrai que ce fût — et il le pensait à l'instant où il l'avait dit —, cela ressemblait quand même beaucoup à une trahison. La surprise se lut dans les yeux d'Ellie ; il en fut tout étonné lui-même.

Vic lui raconter l'affaire ? Pourquoi l'aurait-il fait alors qu'il n'y avait rien à en dire ? La querelle qui l'avait opposé à son fils n'avait rien eu d'extraordinaire.

C'était jusqu'à la manière même de leurs algarades que Vic reprochait à Greg. Celui-ci ne savait que répéter les slogans qu'il entendait dans la bouche de ses copains, rien de ce qu'il disait n'était personnel, Vic, lui — Digger le sentait bien —, ne faisant alors jamais que lui renvoyer des arguments qui, tout aussi impersonnels et à côté de la question que ceux de son fils, en étaient comme prédéterminés.

Ils n'avaient jamais réussi à trouver une façon de se parler qui pût exprimer la vérité, à tout le moins dire ce que, l'un et l'autre, ils éprouvaient réellement. Et donc, toujours ils en revenaient à ce qu'ils s'étaient déjà dit le coup d'avant. Greg hurlait le mépris que lui inspirait la vie de ses parents et les valeurs que défendait sa famille : son rejet était tel qu'il ne voulait même pas en entendre parler. Usant des mêmes hurlements, Vic les lui renvoyait aussitôt à la figure et, plutôt deux fois qu'une, sans beaucoup croire à ce qu'il s'entendait crier. S'il savait trop bien tout ce que les termes de « discipline » et de « respect de soi-même » peuvent avoir de fuyant pour y recourir d'une manière aussi grossière, il ne pouvait s'empêcher de les lui ressortir sans le moindre discernement. Ce jour-là, il lui avait, une fois de plus, renvoyé son manque de caractère, son empressement à vivre des choses mêmes qu'il prétendait décrier, jusqu'au mépris que ses propres amis lui vouaient : qu'était donc, pour finir, ce petit monsieur sans volonté qui ne cessait de leur courir après, de répéter tout ce qu'ils disaient, de les imiter sans jamais faire preuve de la moindre originalité ? Si la colère qu'il ressentait était réelle, les arguments qu'il avait opposés à Greg n'avaient en rien différé de ceux qu'il lui avait déjà servis en des circonstances similaires. En apparence au moins, rien n'aurait dû s'opposer à ce qu'on reprît l'empoignade un autre jour.

Sauf que, cette fois-là, Greg avait eu enfin envie de lui dire quelque chose de tout à fait différent, mais, perversité ou fierté — celle-là même que son père refusait de lui reconnaître ? —, n'avait pas pu se résoudre à y aller carrément. Pareils propos, s'était-il dit, n'auraient pu qu'accroître le mépris de son père : en être ainsi réduit à quémander de l'amour !

Et Vic, lui aussi, aurait voulu dire autre chose à son fils. Enfin pouvoir lui parler de tout ce qui, dans sa vie, le faisait trembler de peur chaque fois qu'il prenait le temps de réfléchir !

Mettre tout cela en mots aurait certes pu le soulager, mais l'aurait aussi découvert, et paraître faible aux yeux de son fils, il n'en était pas question.

Sans même s'étendre sur le fait qu'à dire ainsi ses peurs, il eût pu, comme par magie, leur donner une existence sur la place et les voir grandir sous ses yeux, prendre de plus en plus de force pour enfin se retourner contre lui. Le désir de tout garder en lui, là où, seul à les connaître, il pouvait dominer ses faiblesses, avait été si fort qu'au risque, il le voyait bien maintenant, de ne plus contrôler la chose même qui lui rongeait le cœur et n'était autre que la vulnérabilité que Greg ouvrait en lui, il avait préféré se taire.

Rien de nouveau ne s'était dit. On était reparti dans les mêmes accusations et contre-accusations que d'habitude et, pour finir, on n'avait pas avancé d'un pouce. Sauf que, cette fois, Greg avait pris son père au mot ou, par fierté, décidé de s'en tenir à ses propres déclarations d'intention. Il avait quitté la maison.

Un jeudi qu'Iris repassait du linge dans la pièce de devant — elle avait mis la télé « pour avoir de la compagnie » —, on sonna à la porte. Neuf heures du soir passé, il était trop tard pour une visite entre voisins.

Digger, qui, les lunettes sur le nez, lisait dans la turne de Mac, leva les yeux de dessus son livre et vit Iris gagner le vestibule. Quelques instants plus tard, Vic se présentait à l'entrée de la véranda, Iris haussant les sourcils d'un air que Digger lui connaissait bien.

Aussi surpris qu'elle, Digger se dit qu'il devait y avoir des ennuis, mais Vic ne lui fournit aucune explication. Il semblait en pleine forme — voire un rien éméché —, et avait apporté trois bouteilles de bière Cooper avec lui. Iris étant allée chercher des verres après avoir jeté un autre petit coup d'œil à Digger, Vic entra dans la véranda comme s'il n'était vraiment rien de plus naturel que de venir ainsi rendre visite à ses amis. Digger mit un certain temps à s'y habituer.

Il avait oublié que le jour où Vic s'était, pour la première fois, pointé à l'Embarcadère et que, l'y découvrant en train de traîner sous les filaos, Jenny le lui avait montré du doigt, son impression d'envahissement n'avait pas été différente.

Le temps aidant, cette sensation s'était atténuée. Dans l'existence qu'il menait à l'Embarcadère, Vic avait pris autant de place que le reste. Ce n'était que maintenant que ce souvenir lui revenait comme en écho : pourquoi Vic avait-il donc, après tout ce temps, pris sous son bonnet de leur tomber dessus à pareille heure ?

S'il sentit que l'accueil de Digger était plutôt frais, Vic n'en laissa rien paraître. Lorsque, prétextant de ne pas avoir fini son repassage, Iris les laissa ensemble en se disant qu'il devait y avoir une raison toute particulière à cette visite, il jeta un coup d'œil à la véranda et dit à son ami :

— C'est bien, ici. Ils sont à toi, tous ces livres ?

— Non, lui répondit Digger en pliant ses lunettes, pas tous.

Puis, l'agacement ne l'ayant pas entièrement quitté, il ajouta :

— Les trois quarts appartenaient à Mac.

Etait-ce la première fois que ce nom surgissait entre eux ? Digger n'en aurait pas juré : d'autres leur venaient de temps en temps. Aussi bizarre qu'il eût été d'éviter celui-là, c'était pourtant ce qu'ils avaient fait — bien sûr.

Le silence se fit. Dehors, Digger entendit des remuements dans le bibacier. Un opossum sans doute : certains n'hésitaient pas à entrer dans la maison et à aller mordre à même les fruits étalés dans le grand plat posé sur la table de la cuisine. Le lendemain, on retrouvait des traces de pattes absolument partout.

Digger regrettait d'avoir parlé : le dépit avait été le plus fort. Il regarda Vic prendre un livre sur l'étagère, l'ouvrir et en étudier la page de garde comme s'il lui fallait y trouver le nom de Mac — en guise de preuve. Ou bien était-ce qu'il avait envie de sentir le couteau lui tourner à nouveau dans la plaie ? De toute façon, il en serait pour ses frais : les livres dans lesquels Mac avait porté son nom étaient rares. D'autres noms, oui, il y en avait et, à être ce qu'il était, Digger aurait pu les lui énumérer. *Le Nègre du Narcisse,* livre qu'il était présentement en train de relire, avait, par exemple, appartenu à Janet Dawkins, classe de terminale, lycée de filles de Randwick, 1936. Mac l'avait trouvé chez Tyrrell. Digger aurait pu lui en dire des douzaines, voire des centaines d'autres.

Ce que Vic avait attrapé ? Une édition de Tennyson reliée cuir et dorée sur tranche. La page de garde, Digger le savait, contenait l'inscription

A M. John Darnell
de la part
de B. J. Checkley
10 mai 1889

en taille-douce couleur sépia. Au-dessous d'elle, on trouvait encore :

Un cœur chaud vaut mieux qu'une couronne de duc
Et la foi simple mieux que tout le sang normand.

Digger regarda son ami lire ces deux vers d'un air calme, refermer le volume et le reposer sur les rayons.

Vic jeta un coup d'œil autour de lui et plissa un peu le

front. Se sentait-il étouffer au milieu de tous ces livres serrés sur les rayons ou bien se demandait-il combien il lui faudrait en ouvrir avant d'en trouver enfin un (un vieux manuel d'algèbre, qui sait ?) qui fût marqué au nom de I. R. McAlister ?

Revenu dans le salon de devant, Vic s'installa sur l'accoudoir d'un fauteuil et, une jambe négligemment passée par-dessus l'autre, retrouva peu à peu ses esprits. Iris éteignit la télévision et lui proposa de remettre sa séance de repassage à plus tard. Il lui répondit que la regarder travailler ne le gênait pas, qu'en fait même, cela lui plaisait assez. Un rien embarrassée de s'affairer ainsi devant cet homme qu'elle connaissait à peine, Iris continua d'humecter des taies d'oreiller, des mouchoirs, des tabliers et des chemises de Digger, une odeur de vapeur chaude montant bientôt dans toute la pièce.

Elle se méfiait : le bonhomme avait décidé de lui faire du charme et ne cessait de couler des petits coups d'œil de côté à Digger afin de voir si celui-ci remarquait son manège. Enfin elle se détendit et commença même à beaucoup s'amuser. Vic était plein de pensées légères et de vieux dictons qui la surprirent. Rien de ce Digger lui avait dit de lui n'aurait pu le lui laisser entendre. Digger lui-même en semblait étonné. Ce qui s'était passé dans la véranda ? Tout ce qui aurait pu trahir l'existence d'un autre Vic ? Fini tout ça. Digger, qui n'avait pas grand-chose à dire, se tut pour de bon.

De fait, se dit-il, Vic devait être en train d'essayer de ramener un peu d'ordre en lui-même après le revers qu'il venait de subir dans la véranda ; l'image qu'il avait de lui-même s'étant soudain trouvée fort ternie, gagner l'approbation de la dame n'était pas idiot.

Digger ne l'avait encore jamais vu faire le joli cœur devant une femme. Comme elle était nouvelle, cette façon qu'il avait de jouer les charmeurs, de concentrer son énergie et de s'intéresser à lui-même, bref, de tout faire pour qu'Iris en soit émoustillée ! On était tout attentions et cela se sentait. Digger, qui le connaissait par cœur, fut irrité de voir Iris tomber aussi facilement dans le panneau.

Elle termina son repassage, il se leva d'un bond et l'aida à replier la planche. Il avait envie qu'elle joue du piano.

Depuis quelque temps déjà, Iris avait du mal à le faire. Elle avait de l'arthrite, toutes les articulations de ses doigts étaient gonflées. Elle s'exécuta pourtant, Digger découvrant alors que cela faisait bien des années qu'il ne l'avait pas entendue jouer avec autant de cœur et de facilité.

Elle joua du Schubert — un des musiciens préférés de Digger — et, tout en jouant, lui coula des regards de côté, lui sourit. Il n'en comprit pas moins que c'était pour Vic qu'elle se démenait et, une fois de plus, sentit la jalousie le reprendre. C'était idiot, il le savait bien, mais comment s'en empêcher.

— Non mais... Digger ! s'écria-t-elle après lui avoir fait avouer ce qui l'avait rendu si silencieux.

Même si cela la faisait sourire, elle n'était pas mécontente qu'il pût être jaloux.

— Quel baratin ! reprit-elle. Il arrête pas ! Mais, bien sûr, ça ne veut rien dire. Tu ne le sais donc pas ? C'est un homme à femmes, ce monsieur. Tu lui mets une femme sous le nez et il ne peut pas s'empêcher de flirter avec. Même quand c'est une vieille comme moi. Y a pas de mal à ça.

Digger se taisait.

— Qu'il se soit invité comme ça m'exaspère, dit-il enfin. Parce que tout ça, c'est de son cru. Je n'y suis pour rien.

Il attendit. Il attendit qu'elle lui explique — puisque aussi bien il s'en sentait incapable — ce qu'elle avait vu ou deviné qui pût expliquer la conduite de Vic. Il attendait, mais, la tête tournée de côté, elle continuait de ne rien dire.

Si beaux la première fois qu'il l'avait rencontrée, ses cheveux commençaient à s'éclaircir, mais n'étaient pas encore tout à fait gris. Il éprouvait une tendresse particulière pour les taches de rousseur qui lui étaient venues au front et l'endroit où, juste à l'avant de ses cheveux, ses veines étaient visibles et la peau de son visage presque transparente. Il y posa le bout des doigts, elle se tourna vers lui et lui sourit. Ne plus être belle (car à son avis, elle ne l'était plus) l'inquiétait, il le savait.

— Non, non, il n'est pas venu parce qu'il aurait eu quelque chose de particulier à nous dire, reprit-il. Qu'est-ce que t'en penses ?

Elle leva les yeux sur lui.
— Il se sentait seul, dit-elle au bout d'un moment. Il n'avait aucun autre endroit où aller
Digger la regarda fixement.
— Et s'il s'était disputé avec son amante? ajouta-t-elle comme si de rien n'était.
Elle avait parlé avec légèreté, elle vit tout de suite qu'elle n'aurait jamais dû le faire.
— Avec son amante? Quelle amante?
— Oh... on dit qu'il se serait mis avec Susie Stone.
— « On »? Qui ça « on »?
— Oh, tu sais bien... les journaux.
Il resta immobile, le temps de digérer la nouvelle.
— Qui c'est, cette Susie Stone? s'enquit-il enfin.
Plus que ce qu'il apprenait, c'était Iris qui l'étonnait : comment faisait-elle pour savoir tout ça? Voir à quel point certains événements étaient connus de tous alors qu'il n'en avait jamais entendu parler le laissait souvent perplexe. Il était surpris aussi de découvrir tout ce qu'elle acceptait qu'autrefois elle aurait trouvé intolérable. Avant de se résoudre au mariage, Ewen et sa femme, Jane, avaient vécu trois ans ensemble, avaient même eu un gamin qui avait joué les petits garçons d'honneur le jour de leurs noces.
— Susie Stone dessine des vêtements de sport, lui répondit-elle. Elle est assez connue... des jeunes.
— Et Ellie, fit-il, tu crois qu'elle le sait?
— Moi, je dirais que oui. Susie Stone n'est sûrement pas la première. C'est comme je te le disais tout à l'heure : ça se voit tout de suite. N'importe quelle femme ferait l'affaire.

Vic s'étant, à partir de ce moment-là, mis à passer de plus en plus souvent à Bondi Junction, Digger finit par l'y voir plus fréquemment qu'à l'Embarcadère. Comme il l'avait fait avec Jenny, Vic commença même à apporter des petits cadeaux à Iris, laquelle n'ayant pas les préventions de Jenny les accepta pour ce qu'ils étaient. Non contente de s'y intéresser, elle en vint peu à peu à s'intéresser aussi à celui qui les lui donnait. Vic était ravi. Il ne lui achetait pas n'importe quoi et cela se voyait.
Sans jamais vraiment s'habituer à sa présence, Digger admit enfin que, pour ce qui était d'Iris au moins, les petits

flirts de son ami étaient sans conséquence et que la raison profonde qui le poussait à venir chez elle était bel et bien celle qu'elle avait décelée lors de sa première visite : il y avait des moments où Vic n'avait aucun autre endroit où aller.

13

Le monde lui donnait de plus en plus le vertige. Jamais il n'arrivait à le voir d'assez loin, ou assez immobile, pour le prendre tel qu'il était. Quant à agir dessus... Aussi grand que fût cet inconvénient, Digger en était depuis longtemps venu à la conclusion que cette perplexité qu'il éprouvait devant la vie — et qui ne l'empêchait pas de la vivre — lui était essentielle.

Quoi de plus évident qu'une tête de clou ? C'est rond, c'est plat, ça a des bords qui donnent prise à la tête du marteau. Et la laissent travailler de tout son poids, ça aussi. Enfoncer un clou, en sentir la pointe entrer dans le grain du bois jusqu'au moment où enfin, avec les derniers coups de marteau qu'elle reçoit, elle y mord, tel était bien le seul acte qui lui parût simple. Tout le reste — il suffisait d'y regarder d'un peu près — n'était que complications assurées.

Dans l'événement le plus infime même, il était des lignes de force qui, tout enchevêtrées, remontaient vers le passé, voire, par-delà ce passé, vers un hier dont on ne savait plus rien — d'autres, et tout aussi enchevêtrées, tendant, elles, vers l'avenir. Il n'était pas un instant qui ne fût lourd de causes, de possibilités et de conséquences — toujours en trop grand nombre, même dans le cas le plus simple, pour qu'on pût jamais les appréhender. Pas un lieu non plus qui ne grouillât de vies, toutes à se croiser, recroiser et peser les unes sur les autres — et pas seulement humaines, la plus étroite bande de terre de l'Embarcadère étant elle-même, il le savait depuis l'âge de deux ans, foyer de vivantes énergies qui, visibles ou invisibles, formaient une toile si complexe qu'à y aller voir, l'esprit s'y engluait aussitôt, ne savait plus qu'entendre lorsqu'il avait des oreilles pour le faire, devenait la proie d'un cannibalisme sans fin puisque, au-delà même de tout cela, se trouvaient encore des réalités qu'il eût été difficile de qualifier de vies ou d'existences ; tels étaient, simples processus certes, mais qui incessamment et sans qu'on le vît, modifiaient l'état du monde, les gaz qui, par exemple, lentement brûlent dans la nervure de la feuille, et encore la chaleur, la lumière du soleil et les charges électriques auxquelles tout ce qui vit un tant soit peu toujours réagit et se tend, que ce soit le poil ou la fibre pratiquement indécelable, mais qui vibre subtilement, ou les terminaisons nerveuses qui inlassablement se touchent et caressent.

Ainsi pensait-il les choses, à moins que, se fermant à tout, il ne choisisse délibérément la prudence.

Rien ne l'ébranlait plus que de découvrir l'assurance avec laquelle tout un chacun, Vic le premier, voyait le monde comme une manière de clou qu'il fallait toujours enfoncer d'un grand coup de marteau sur la tête. Alors que Vic lui-même, il l'en soupçonnait de temps à autre, ne semblait pas entièrement croire à la réalité des choses ! La faculté qu'avait son ami de s'en débrouiller aurait-elle eu à voir avec sa conviction que monde il n'y a que dans la seule et unique mesure où l'on peut agir dessus ?

Trois ou quatre fois par an maintenant, Vic s'envolait pour Londres, Hong Kong ou le Japon. Boom de l'industrie des minéraux et cotation des valeurs australiennes sur le marché international obligent, il s'intéressait de plus en plus à ce qui se passait hors du pays. Il avait fait venir son neveu, Alex, pour s'occuper du côté australien de son affaire. Un vrai glaçon, ce jeune homme — au dire d'Ellie au moins. Il vivait seul dans un grand appartement ancien d'Elizabeth Bay et, malgré tous ses efforts, jamais Ellie n'avait réussi à l'approcher vraiment.

Vic venait moins souvent à l'Embarcadère. Lorsqu'il le faisait néanmoins, leurs conversations prenaient un tour bien différent. Depuis quelques années déjà, les moments qu'ils passaient ensemble étaient empreints d'une grande sociabilité. On s'acceptait sans question, on donnait dans la facilité.

A tel point même que, cette sociabilité marquant jusqu'aux rapports qu'ils avaient à Bondi Junction, ils ne vivaient plus leur solitude comme avant et en avaient tous les deux conscience. Il n'empêche : cette transformation était l'œuvre de Vic et, quelle qu'en fût, une fois de plus, sa surprise, Digger ne pouvait que lui reconnaître le talent — inné, semblait-il — de toujours obtenir ce qu'il voulait.

Aussi bien avait-il, aux yeux de Digger au moins, commencé à se détacher des choses. Pas tellement des choses d'ailleurs, que de lui-même, cette transformation le poussant à plus d'introspection. Se parlait-on que c'était toujours avec le plus grand calme. Plutôt que d'explorer les charmes de la différence — ce qui, autrefois, leur avait permis de transformer ce qu'ils savaient l'un de l'autre en une manière d'éternel jeu de surprise —, on s'appliquait à dire ce que l'on partageait.

Ces conversations d'un nouveau style tournaient beaucoup autour des années qu'ils avaient passées « là-bas » : trois et demi, à peine — et trente ans plus tard.

Vic ne cessait de s'interroger ; timidement parfois, comme s'il était gêné de le faire. Après tout, c'était de sa vie qu'il s'agissait.

Digger, qui avait une mémoire extraordinaire, et le savait, n'en était pas moins surpris de voir jusqu'à quel point Vic avait perdu le souvenir de cette époque — ou l'avait réprimé ou laissé filer.

Alors même que ses émotions étaient encore fortes, il y avait chez lui une amertume qu'au contraire de Digger il ne cessait de remâcher. Un moment de sa vie parmi beaucoup d'autres, voilà ce que Digger voyait dans ces années, une époque qui l'avait contraint à prendre des responsabilités certes fort lourdes, mais qu'il avait depuis lors trop profondément intégrées à sa nature pour jamais le regretter. Il les avait acceptées et ne s'en plaignait pas.

Vic, lui, pensait toujours que l'injustice qu'il avait subie là-bas était absolue et, partant, impardonnable. On lui avait massacré certaines occasions de réussir et s'il en avait trouvé d'autres, et en avait tiré le meilleur parti — ainsi était-il fait, c'était dans sa nature —, celles qu'on lui avait alors étouffées et réduites à rien sous les coups n'en paraissaient que plus précieuses à ses yeux. Aussi bien appartenaient-elles à un être qui, dans sa jeunesse même, était alors autrement plus sensible et innocent que ce qu'il était devenu lorsque enfin il était rentré au pays.

Voilà ce qu'il ne pouvait pardonner à personne. La douleur qu'il en avait éprouvée l'habitait encore. Cela étant, parce qu'il avait délibérément effacé tous les détails de l'affaire dans sa mémoire, il voulait maintenant les retrouver et il n'y avait que Digger pour pouvoir le ramener au souvenir de ces instants. Hommes (avec leurs noms, ce à quoi ils ressemblaient et ce qui leur était arrivé), circonstances et événements, il avait envie de redécouvrir ce qui les avait constitués.

Digger, lui, sentait que certaines de ces conversations étaient dangereuses. Non pas pour lui — cela faisait quarante ans que, jour après jour, il s'en accommodait, son existence même en étant tissée jusque dans le lacis de forces qui tout à la fois le liaient au présent et le poussaient à demain —, mais pour Vic. Pour ce dernier en effet, ces détails renvoyaient à de tout autres réalités, qui étaient les choses mêmes avec lesquelles il avait rompu. Qui sait même — Digger ne refusait pas cette différence entre eux — si cette rupture n'avait pas été la condition première de sa capacité à survivre ? Jouer le guide qui allait le ramener à l'immédiateté de ce passé n'était pas un rôle que Digger acceptait avec facilité.

Car il y avait aussi le retour auquel cela le contraignait. Reprendre tout cela ensemble n'était pas seulement ressasser dans sa tête.

Il lui suffisait de voir l'espèce de douleur aveugle qui noyait le regard de Vic pour retrouver, dans les traits mêmes de cet homme de cinquante ans, puis de cinquante et un, de cinquante-deux... comme il le connaissait bien ! dans les rides jetées sur son visage tel un filet qui le brisait, dans les veines qui se dessinaient sous sa peau de plus en plus dure, l'image même de ce qui, bien des années auparavant, avait été sa première intuition du bonhomme — celle qui, malgré qu'il en eût, avait, pour lui, fondé tout ce qui, en les unissant, avait donné naissance à une responsabilité dont, même alors, il avait senti que, transcendant l'instant, elle durerait jusqu'à celui qu'ils vivaient maintenant. Devant ses yeux, c'était toujours et encore le jeune homme de vingt ans qui, en le regardant d'un air mi-coupable mi-innocent, avait continué de lui manger son bol de riz, celui qui lui avait alors fait découvrir une sagesse qu'il n'eût sans doute jamais connue autrement. « Fais-moi confiance », oui, c'était bien cela que Vic lui avait dit au moment même où il lui retirait la nourriture de la bouche.

La violence de cet acte le troublait encore. En lui toujours elle suscitait une manière de tremblement qui, peut-être, après tant et tant d'années, était le dernier vestige de sa fièvre — peut-on jamais s'en débarrasser dès lors qu'elle vous a frappé ? —, sauf qu'au fond, non, cette fièvre n'était pas, il le savait, de nature physique, mais bel et bien émotion en son essence. Et que là, faiblesse qui n'était pas la seule à l'atteindre, jamais il n'avait brillé dans l'art de faire le départ entre l'une et l'autre.

14

Digger ne montait plus en ville. Il n'en avait plus le courage. La ville, c'était les jeudis avec Iris. Descendre du train à la gare de Central Station et savoir qu'il se trouvait alors dans une cité de trois millions d'âmes dont Iris ne faisait plus partie lui avait à jamais aliéné Sydney. Il ne pouvait plus en respirer l'air, ou le croyait.

Au début au moins. Plus tard, lorsque la douleur s'étant atténuée — le temps, toujours le temps —, il avait commencé à voir les choses d'une manière plus raisonnable, oui, sans doute il l'aurait pu... mais à quoi cela eût-il servi ? Aller passer la nuit chez l'un des garçons ? On l'y eût accueilli avec plaisir. Mais il n'en avait jamais rien fait. Aussi bien n'avait-il pas mesuré, jusqu'à la disparition d'Iris, à quel point les petits ravissements qui lui venaient chaque jeudi matin étaient liés au fait qu'après, il prenait le tram (puis le bus) pour Bondi Junction. Tout, la ville même, avec ses millions d'âmes, était sous-tendu par la présence d'Iris — jusqu'à la sienne propre, dans ces lieux au moins. Ce n'avait été que bien plus tard, lorsque les enfants avaient commencé à lui écrire des lettres pour lui reprocher de ne plus jamais venir leur rendre visite, qu'il avait recommencé à y aller, de temps en temps — « pour voir comment tout ça grandissait » et se promener à Cooper Park avec eux.

Lors du service funèbre dans la petite chapelle, le pasteur, qui ne connaissait pas Iris personnellement, avait parlé de la simplicité de sa mort (elle était décédée brusquement dans son sommeil), de son long veuvage et de ce mari qui, après lui avoir donné ses enfants, avait disparu dans les Iles il y avait tant et tant d'années de cela.

Digger avait mal digéré que, sans même parler de leur amour, toutes les années et tous les événements qu'ils avaient vécus ensemble aient ainsi passé à l'as, mais qu'y faire ? Comme le cérémonial qui l'entoure, la mort, il le savait, n'était qu'une chose officielle et, c'est vrai, rien dans les registres ne disait toutes les années qu'ils avaient partagées.

Iris avait tenu à être enterrée sous le nom de l'homme auquel une partie d'elle-même était restée fidèle et, malgré la douleur qu'il en avait éprouvée, Digger avait respecté sa décision : ne faisait-elle pas, elle aussi, partie de leur code de conduite ? Il en connaissait les règles, une bonne part de l'affection et du respect qu'il portait encore à Iris reposant même sur la manière dont elle avait toujours honoré cet engagement.

Neuf ans avec son époux, officiellement, et trente-quatre sans lui. Tout ensemble donc, quarante-quatre ans de vie commune, à condition d'avoir le droit de compter ainsi. Mais vingt-six années passées avec lui, Digger. Et même, à y ajouter les trois qu'il avait vécues avec elle avant de la rencontrer — avec elle, non, pas exactement, mais avec l'ombre qui avait fini par l'habiter —, vingt-neuf.

Mais que signifiaient tous ces calculs ? Comme il s'était senti bizarre lorsque, l'un des plus affligés pourtant, il était ainsi resté dans l'anonymat et, inexistant sur son banc, s'était mis à additionner des nombres qui n'étaient que des nombres alors que n'importe quelle journée, n'importe quelle minute même qu'il avait vécue avec elle eût pu, dans son jaillissement, tous les réduire à rien !

Les enfants l'avaient traité avec une grande douceur — dans les moments les moins officiels, tant avant qu'après. Ellie et Vic étaient venus, eux aussi.

Mais il ne montait plus en ville. Cela faisait maintenant des années qu'il ne voyait plus Ellie. Ils avaient commencé à s'écrire.

Au début, il ne s'était agi que de petits billets — une carte postale ou deux qu'elle lui envoyait lorsqu'elle était en voyage d'affaires avec Vic. Jusqu'au jour où, enfin, on s'était écrit de vraies lettres.

Digger n'en avait jamais composé d'aussi longues. Il y mettait tout ce qu'il éprouvait, Ellie lui parlait de choses que, croyait-il, elle ne lui aurait jamais dites de vive voix. Il était surpris de voir jusqu'où pouvaient aller les mots dès lors qu'on s'y donnait vraiment. Il lui semblait parfois qu'à embrasser jusqu'à l'expression de ce que l'on ressentait, ils savaient, avant qu'on ne le mesure soi-même, tout ce qui finirait par être dit et que, dès qu'on l'avait commencée, c'était dans la facture même de la phrase qu'était contenue la forme même de ce qui avait besoin de s'exprimer. Alors on pouvait dire sans la moindre gêne, sans même craindre de sonner faux ou de ne pas être compris à force de trop dire.

Tant et si bien qu'au bout d'un certain temps, leur correspondance leur avait paru satisfaisante du seul fait qu'elle existait. Se retrouver eût pu les faire tomber de l'intimité à une vague politesse qu'ils auraient regrettée. N'importe : il aurait aimé la revoir ; s'asseoir, comme jadis, à une table et là, en face d'elle, regarder la manière dont elle bougeait les mains.

Une fois par semaine il s'asseyait pour lui écrire, tout comme autrefois il s'était, une fois par semaine, rendu à Bondi Junction pour aller voir Iris. Que ce ne fût pas tout à fait la même chose n'empêchait nullement qu'il y eût, dans la régularité même avec laquelle il le faisait, continuité dans sa démarche.

Il lui parlait d'Iris. Ecrire était un moyen de garder vivante cette partie-là de sa vie — il n'en avait, d'une certaine façon, jamais vécu de plus heureuse —, ou plutôt non : d'y découvrir, au fur et à mesure que les mots la lui rendaient, des dimensions dont il n'avait été que vaguement conscient au moment où il la vivait. Digger écrivait sans lourdeur, Ellie et lui usant de petits mots codes et de références à peine élaborées qui renvoyaient à la seule et unique source commune à laquelle ils pouvaient puiser : les poèmes de M. Warrender. Du coup, eux aussi reprenaient vie dans ce qu'ainsi ils s'écrivaient. Du coup, ici un vers, là une tournure étrange, tout ce que le poète avait pensé se fondait-il dans ce qu'ils avaient eux-mêmes à se dire, gardait son sens premier, mais, couleurs et lumières de ce qu'ils éprouvaient maintenant, en acquérait ainsi de nouveaux.

Entre autres choses, Ellie lui parlait souvent de Greg. Il s'était servi de l'argent que Pa lui avait laissé pour aller en Europe, en passant par l'Inde et l'Afghanistan. Il avait vécu à Amsterdam, avait gagné la Grèce, était rentré enfin, mais à Melbourne. Elle savait où il se trouvait et restait en contact avec lui.

Six, puis sept ans avaient passé, Digger était maintenant à la tête d'un joli paquet de lettres. Il les gardait dans un tiroir et parfois, comme il l'avait jadis fait avec celles qu'Iris avait envoyées à Mac, les en sortait pour les lire d'une traite. C'était là une agréable occupation. Ce qu'il pensait lorsque, les ayant enfin reposées à côté de lui, pleines qu'elles étaient des souvenirs d'Iris et de bien d'autres choses, petits riens qu'il avait envie de dire à Ellie, citations de poèmes : que sa vie avait été bien remplie. Et ça aussi, il le disait à Ellie puisque avec toutes ces histoires de lettres qu'il lui écrivait, elle en faisait partie.

Tant et tant de lettres. En sept ans.

Il ne se doutait guère, alors même qu'il pensait à tout cela, qu'il y en aurait bien d'autres encore. Qu'un jour, on arriverait à onze années. Puis à douze, à treize.

15

Vic avait trouvé son chauffeur, Brad, d'une manière invraisemblable.

Il s'arrêtait parfois, lorsqu'il quittait son bureau pour aller se dégourdir les jambes, dans un petit café qui, sis dans une galerie marchande, lui offrait assez de calme pour qu'il puisse y réfléchir en paix.

L'endroit n'était pas des plus animés. Resté en l'état depuis les années cinquante où l'expresso y avait fait pour la première fois son apparition, percolateur Gaggia avec colonne à vapeur, vue de la baie de Naples, comptoir en forme de rognon (en formica) et grands tabourets de bar, il avait tout ce qu'il fallait pour laisser croire qu'il y avait de la « dolce vita » quelque part dans le monde. Vic s'y plaisait parce que la seule clientèle qui le fréquentait encore se composait de ménagères aux airs fatigués et de quelques vieillards au regard embrumé qui recherchaient la tranquillité d'un lieu dont le style ne les intimidait pas.

Des vagabonds ou presque, voilà à quoi ils ressemblaient pour la plupart. Ils mettaient deux ou trois cuillerées de sucre dans leur café et buvaient ce dernier en aspirant bruyamment, sans en être moins dignes pour autant. Vic allait s'installer dans un coin et s'y sentait invisible même si, de fait, ses habits le rendaient on ne peut plus voyant. Invisible, il l'était uniquement dans sa tête, mais cela marchait assez pour qu'on ne l'aborde que rarement.

Un jour, le vieux bonhomme qui, de temps en temps, quittait son comptoir pour aller donner un coup de torchon humide sur les tables, traversa la salle pour venir lui parler.

En tablier et manches de chemise, il était âgé d'environ soixante-cinq ans et n'avait pas l'air d'un tendre malgré sa tignasse blanche comme neige.

— Vous me remettez pas, hein ? lui demanda-t-il, un petit sourire pincé marquant son visage encore jeune.

Vic eut la sensation de le reconnaître, mais fut incapable de lui donner un nom ou de le situer.

— Felix, reprit l'homme. Je travaillais à la Needham. Y a longtemps de ça. J'étais au chargement, avec Alf Lees. Vous vous souvenez ?

Oui, il s'en souvenait et en fut ému. Depuis qu'ils avaient emménagé à Turramurra, tout ce qui lui rappelait la vieille maison de Strathfield, et aussi l'usine, lui semblait doux. Sans attendre que Vic l'y ait invité, le vieil homme s'assit en face de lui — il était chez lui, non ? — et, calme, ajouta :

— Vous venez souvent, j' l'ai remarqué.

S'emparant des deux bouteilles de sauce piquante, de la salière et du poivrier, il les aligna en rang sur la table.

— J'ai un service à vous d'mander, fit-il. J'ai un grand fils que c'est pas le mauvais bougre, enfin... c'est un garçon honnête, si vous voyez ce que j' veux dire... mais il arrive pas à se fixer. Y donne pas mal de souci à sa mère et je m' demandais si... enfin, vous savez... avec les contacts que vous avez... vous pourriez pas faire quelque chose pour lui. J' sais que c'est beaucoup vous demander, mais...

Cela faisait, à l'évidence, bien plus de mots qu'il n'avait l'habitude d'en manier.

Felix était allé droit au but et Vic en fut impressionné. Il n'y avait rien eu d'obséquieux dans ses propos. Il lui avait parlé d'homme à homme, comme quelqu'un qui, malgré quelques millions de différence, posait qu'ils étaient égaux, termes que Vic s'empressa d'accepter. En plus de quoi, Felix avait eu des mots de père et ça aussi, ça l'émouvait. Il avait engagé son fils.

Mais ne l'aimait guère. Le jeune homme se faisait une haute opinion de lui-même. Il passait son temps à se regarder dans le rétroviseur et à trouver que ce qu'il y voyait lui plaisait. Outre cela, il n'était pas très malin, mais ne le savait pas. Il parlait trop et, plutôt deux fois qu'une, assez bêtement. Mais Vic aimait beaucoup son père qui, chaque fois qu'il allait boire un café chez lui, quittait maintenant son comptoir et, sa propre tasse de café à la main, venait s'asseoir à sa table. On passait un moment à bavarder.

Felix était un type triste. Après avoir quitté l'usine, il avait été chauffeur dans une grande société de camionnage, mais s'y était démis le dos — ce qui l'avait empêché de faire la guerre. Après quoi il avait livré des journaux, du côté de Lidcombe ; et, une fois à la retraite, avait investi tout son argent dans son café. Il s'était marié sur le tard et n'avait eu que ce garçon.

« J' m'en suis pas mal sorti... vu la situation », disait-il et ne semblait même pas voir que l'être auquel il s'adressait avait fait nettement mieux que lui. Les deux hommes s'entendaient bien. Que ce sujet ne fût jamais abordé n'empêchait pas Vic de penser qu'en lui parlant, il se soulageait un peu de ce qu'il ne pouvait pas lui dire de son fils, Greg. Le lien qui les unissait était toujours et encore la difficile affaire des relations entre père et fils, même si, de fait, rien ne laissait entendre que Vic aurait eu un enfant.

Ce qu'il reprochait au fils de Felix ? De ne pas avoir la noblesse de sentiments de son père. Tête de linotte et égoïste comme il l'était, Brad croyait en effet être pour quelque chose dans les relations que son patron entretenait avec son père et en parlait parfois d'une manière que Vic trouvait vulgaire et déplacée. Parce qu'il l'aimait bien, Vic ne le rapportait jamais à Felix.

De fait, hormis dans certains cas, Vic préférait prendre une voiture plus petite et n'avait guère besoin d'un chauffeur. C'était très souvent Alex que Brad conduisait à droite et à gauche. Alex aimait travailler en voiture et Brad, qui adorait qu'on prenne des grands airs, trouvait que cela lui donnait, à lui aussi, une manière d'importance : avoir quelqu'un qui se servait d'un dictaphone et répondait au téléphone au fond de la voiture qu'il conduisait ! Comme dans les films !

Un après-midi qu'il avait réquisitionné son chauffeur et sa grosse voiture, Vic se retrouva à la Croix. Il avait des visiteurs à régaler — un Suédois et deux Japonais avec lesquels il venait de signer un gros contrat. Après avoir déjeuné dans un bon restaurant italien de Darlinghurst — et y avoir bien bu —, tout le monde avait voulu se rendre dans ce quartier dont l'un des deux Japonais avait beaucoup entendu parler. Vic les avait avertis qu'à trois heures de l'après-midi, il n'y aurait sans doute pas grand-chose à y voir. Il avait néanmoins autorisé Brad à aller faire un tour — disons... une demi-heure —, avait garé la voiture dans Kellet Street et conduit ses hôtes jusqu'à un café en plein air.

Vic n'aimait pas la Croix et n'y venait que dans ce genre d'occasions. Dernière image en date, ce quartier s'était transformé en une manière de terrain de foire pour soldats américains en permission de Vietnam. Mais, la guerre ayant pris fin, seuls s'y sentaient encore la bassesse et l'opportunisme sans joie qui avaient fait des beaux jours qu'on essayait de prolonger au mieux. L'odeur qui y régnait était toujours celle d'un désespoir tropical tout droit sorti des champs de bataille qui, à cette époque-là, ne se trouvaient qu'à quelques heures d'avion de Sydney. Les jeunes gens en chemises hawaiiennes fraîchement lavées et repassées qui y débarquaient alors n'avaient pas eu le temps de se débarrasser de la terreur puante qui les habitait.

Les piliers de bar y étaient maintenant tous du coin, jeunes gens des faubourgs et footballeurs des diverses équipes de l'Etat. On y rencontrait aussi des touristes japonais qui avaient envie de découvrir ce que le pays pouvait bien produire en dehors de son blé, de ses minerais, de sa laine et de quelques merveilles naturelles que d'aucuns élevaient au rang de sites sacrés tandis que le reste de la population n'y voyait que fatras de Disneyland géologique — quand encore il y voyait quelque chose.

La guerre était finie, mais Silver Dollar et Texas Tavern, les tripots n'avaient pas disparu. Ni non plus les boîtes de strip-tease, les cinémas pornos, les palais du flipper et de la machine à sous, les fast-foods et les cahutes de diseuses de bonne aventure avec leurs petites tables couvertes de velours et leurs jeux de tarots; c'était à tous les coins de rues qu'on trouvait des traîne-savates, des badauds, des dealers de ceci et de cela — et derrière, dans les venelles jonchées de détritus, dont certains seulement avaient été empilés dans des sacs en plastique, les seringues ensanglantées, parfois même les corps vautrés qui disaient tout. Et partout sur les trottoirs, en pleine lumière, déambulaient, en bottes et collants, des filles dont certaines avaient depuis longtemps cessé de l'être et d'autres ne l'étaient pas encore tout à fait, tandis que dans les jardins publics, autour des fontaines, ou au bar du Rex, se pressaient des garçons en T-shirts et pantalons de parachutistes.

Tout cela était nettement plus sordide qu'avant. Les gros bonnets qui en profitaient savaient rester invisibles : certains d'entre eux faisant, si la presse ne se trompait pas, partie des cercles d'affaires que fréquentait Vic, on ne se montrait pas dans ces lieux. Mais y envoyait de bas exécuteurs qui, eux, n'hésitaient pas à parader au grand jour, tout le quartier en ayant un air insolemment innocent et corrompu, comme si elle-même trompeuse, cette corruption qui s'étalait partout ne le faisait que pour mieux titiller et abuser son monde.

Mais corruption il y avait, et réellement. De ce qui avait jadis habité la tête des gamins que l'on expédiait ici afin que, pendant quelques jours au moins, ils fussent libres du carnage qui les terrorisait, il était resté une manière de suintement qui avait si profondément infecté les lieux qu'à avoir un tant soit peu de nez pour la sentir, c'était la proximité même de la mort que plus que partout ailleurs dans la ville on pouvait encore y déceler. Vulgaire et banale, elle imprégnait tout et qu'on le sût ou pas, attirait bien du monde.

Venir à la Croix, c'était vouloir contempler des monstres et, moyennant finances, frôler des choses interdites ou dangereuses ; voir se conclure des marchés plus ou moins louches tandis qu'en se cognant ici et là, une bille de flipper allumait des lampes et faisait défiler des numéros ; écouter des prédicateurs affolés promettre le châtiment ou la purification immédiate ; regarder des morceaux d'agneau cracher leur graisse en tournant sur des broches ; baver devant le spectacle de jeunes garçons en casquette d'un blanc sale et aux avant-bras enfarinés battant de la pâte à pizza derrière des vitrines couvertes de buée.

Ils s'assirent à la terrasse et commandèrent des cafés. Les trois visiteurs regardaient partout.

Un peu plus bas dans la rue, il y avait du remue-ménage. En T-shirt, grosses bottes et pantalon à bretelles, un jeune homme à l'air dépenaillé — il avait les cheveux rasés autour des oreilles et sur le crâne une crête dont les pointes faisaient penser à des plumes — jouait de l'harmonica en sautillant lourdement sur le trottoir. Un petit terrier noir et blanc dansait à ses pieds en jappant. Jambes largement écartées à même le pavé sale, une fille était assise, la tête adossée à un mur.

Trois jeunes types en blouson de cuir les martyrisaient. Le petit chien leur mordillait les talons, l'un après l'autre, ils lui flanquaient de grands coups de pied. Le bonhomme à l'harmonica avait des mitaines aux mains et, tel un enfant, ne cessait de détourner la tête comme s'il voulait faire disparaître ses bourreaux en refusant de les regarder.

Sur le trottoir était posée une casquette au fond de laquelle se trouvaient quelques pièces. L'un des trois voyous se pencha en avant, en ramassa une poignée, se redressa, tourna et retourna les pièces dans ses mains, puis les distribua à ses copains en riant.

La jeune fille les insulta, puis, voyant que, refusant de rien faire, son compagnon continuait de jouer, se mit soudain à marteler les jambes de ce dernier à coups de poing. Les voyous qui avaient commencé de s'éloigner s'arrêtèrent, pivotèrent sur leurs talons et, joueur d'harmonica qui continuait de jouer et fille qui lui décochait des coups de poing, observèrent la scène avec joie. Et en rirent. Le petit chien se rua aussitôt sur eux, mais s'arrêta net lorsqu'ils le menacèrent, resta là, immobile, à aboyer.

Le jeune homme et la jeune fille s'engueulèrent encore un peu. Enfin elle se radossa au mur, tandis que, dansant dans ses lourdes bottes, il entamait à l'harmonica une gigue très folle et très aiguë, hochant la tête et faisant des petits signes aux passants qui, intimidés, s'éloignaient. Pour finir il cessa de jouer, se pencha vers le trottoir, y ramassa sa casquette, en vida le contenu dans sa main, la posa n'importe comment sur sa tête et appela son chien, qui arriva tout de suite en courant. Tricotant des jambes sur le trottoir sale, la fille se releva, ensemble ils remontèrent la rue, dans la direction de Vic et de ses invités.

Alors seulement celui-ci découvrit de qui il s'agissait.

Cela faisait plus de sept ans qu'il ne l'avait pas revu. Il avait l'air meurtri, s'était décoloré les cheveux et portait une boucle d'oreille. Ses bretelles et ses bottes, mais aussi quelque chose de nerveux dans la manière dont il tenait ses épaules, lui donnaient l'air d'un enfant de dix ans qui a beaucoup souffert des violences d'un adulte exaspéré ou naturellement brutal. Arrivé devant leur table, le jeune homme s'arrêta, puis, au bout d'un moment, sourit d'un air plus malicieux que vraiment idiot. Vic s'aperçut qu'il avait perdu ses dents de devant. Le jeune homme s'approcha d'eux et leur mit sa casquette sous le nez.

Sous la mitaine, la main était crasseuse. D'un blanc bleuâtre, la peau de l'avant-bras, qui était nu, faisait penser au ventre d'un poisson. Debout derrière lui, la jeune fille s'agitait en hochant la tête de droite et de gauche, les yeux fermés. Le petit terrier noir et blanc sautillait sur place.

Les visiteurs commencèrent à chercher de la monnaie dans leurs poches. L'air aristocratique et pointilleux, le Suédois faisait tout ce qu'il pouvait pour ne pas voir ce grand déballage de misère locale. Il en était dégoûté, c'était clair, et en avait aussi un peu peur. Il n'entendait rien aux règles d'un endroit où, croyait-il, la mendicité n'avait pas cours.

Les Japonais, eux, ricanaient. Le spectacle les divertissait. L'un d'eux ayant jeté un billet de cinq dollars dans la casquette qu'on lui tendait, Greg porta un doigt méprisant à sa tempe dans un semblant de salut militaire.

Vic n'avait toujours pas bougé. Il ne se sentait ni humilié ni honteux en présence de tous ces gens. A ses yeux, ils n'existaient même pas. Seule brûlait en lui une colère folle, contre le Suédois surtout. Contre ce dégoût propret avec lequel celui-ci jeta enfin une pièce dans la casquette, comme si, avec le bras au bout duquel elle se trouvait, sa main était soudain sortie de rien, comme si ce qu'il avait devant lui ne valait même pas la peine qu'on s'y arrête un instant.

Le jeune homme n'en semblait nullement décontenancé. Avec son sourire grimaçant et vide, avec ses hochements de tête puérils et saccadés, il donnait l'impression de n'y être pour rien et de ne pas vouloir s'opposer à ce qui se passait. L'instant lui pesait même si peu qu'il en avait l'air léger comme plume : Vic le revit en train de danser comme un pantin dans ses bottes, mais un pantin qu'aucune ficelle n'eût plus retenu.

« Sauf que c'est à moi qu'il est attaché », pensa-t-il ensuite, et fut brusquement saisi de l'envie de se lever pour le dire haut et fort, comme ça, tout net, avec tout ce qu'il y pourrait mettre de dignité et tant pis s'il ne lui en restait aucune. Pour dire, oui : ouvertement et d'un cœur par trop égaré pour pouvoir même seulement chercher refuge dans la fierté, ce que déjà il se disait à lui-même : « C'est bien ça qui me terrorisait, ça que je voyais se profiler à l'horizon, ça que, je le savais, je n'aurais jamais la force d'empêcher. Et maintenant, mon Dieu, nous y sommes. »

Eclatante, la lumière du soleil jouait sur le plateau de la table et les rebords des verres, effleurait les coins des bâtiments, en flaques se perdait dans les vitrines, illuminait les plus hautes feuilles des arbres environnants. Il était trois heures de l'après-midi. Il ne rêvait pas.

Il garda le silence. Sans lever la tête, il commença à sortir son portefeuille de sa poche, les autres le regardant sans comprendre tandis qu'avant même qu'il ait pu l'ouvrir, le mendiant ou le gredin, ou autre, tendait la main en avant et, y allant d'un petit rire idiot, le lui arrachait des mains. L'ouvrait d'un coup sec, en tirait deux, trois, quatre billets... de vingt dollars, qui sait ? non ! c'étaient des billets de cinquante !... puis, en riant à nouveau, le lui jetait sur la table.

Alors qu'il y avait un commissariat à moins de cinquante mètres ! Insensé.

Vic ne leva pas une fois la tête. Le regard du jeune homme, voilà ce qu'il ne pouvait supporter, mais n'avait aucun mal à imaginer. Du jeune homme... du gamin, oui ! D'un gamin qui avait plus de trente ans ! Et qui l'eût défié, certes, mais vaguement, comme un lapin effarouché, comme s'il était lui-même menacé par un bonhomme dont il lui fallait constamment se méfier — celui-là même dont, au plus profond de son être, il ne cessait de s'enivrer, celui qui lui décochait des regards de glace, mais tournés vers l'intérieur, celui qui toujours lui étirait les lèvres en un sourire méprisant.

Greg resta immobile un instant, l'air satisfait, à palper ses billets. Puis, perdant confiance, il empoigna la fille qui tanguait sur le trottoir et s'éloigna en la tirant par le bras.

Les visiteurs regardaient dans le vide. Petite tranche de vie locale ou secret embarrassant, ils ne saisissaient toujours pas la portée de ce qui venait de se jouer sous leurs yeux et Vic se fichait pas mal de les éclairer là-dessus. De fait, c'était d'eux qu'il se fichait complètement. S'étant redressé en vacillant, il prit la note et alla payer à la caisse. Il fallut bien le suivre.

On retrouva la voiture. Le chauffeur la surveillait en

faisant les cent pas sur le trottoir, un cornet de glace à la main. La Croix était un quartier où il aimait bien avoir l'œil — de ce côté-là, Brad était plutôt malin.

Il devina tout de suite qu'il y avait quelque chose qui clochait. Après avoir déposé le Suédois, puis les deux Japs, il jeta un coup d'œil dans le rétroviseur, mais cette fois-ci ne s'arrêta pas à son image : il voulait savoir. le « Vieux Mercanti » (ainsi l'appelait-il lorsqu'il roulait les mécaniques devant ses copains) s'était affalé dans un coin de la banquette, près de la portière. Il avait l'air d'avoir reçu un direct au foie. Brad tourna la tête de façon à lui montrer un peu plus que sa nuque. Comme s'il l'interrogeait.

Alors seulement le vieillard parut retrouver ses esprits et lui demanda de le conduire dans un endroit où il ne l'avait jamais encore emmené — bien au-delà de la réserve de chasse de Ku-ring-gai... jusqu'à l'embouchure du Hawkesbury ? Oui. Même qu'il le fit alors arrêter devant un petit magasin de rien du tout, là, au bord du fleuve, et que lui, il fut bien obligé de l'attendre pendant une éternité. Et qu'à un moment donné, il y avait eu une espèce de vieille cinglée toute chauve qui lui avait offert une tasse de thé et que brusquement — pourquoi ? il n'avait jamais réussi à le savoir —, la brindezingue s'était foutue en rogne et avait commencé à lui mener un train d'enfer.

16

Le boom, le vrai, était enfin arrivé. Tout ce qu'on avait connu avant n'était rien à côté. Là où on avait compté en millions, c'était maintenant en centaines de millions qu'il fallait penser. On n'avait jamais rien vu de tel.

Chaque fois qu'il passait à la télé, Jenny faisait la tête et se taisait.

Ce n'était pas lui qui l'inquiétait — elle le connaissait, le Vic. Elle n'en savait certes toujours pas plus long sur lui qu'avant — que faisait-il ? mystère —, mais s'était déjà trouvée dans la même pièce que lui, l'avait reçu jusque dans sa cuisine, l'avait vu siroter du thé en regardant par-dessus sa tasse, manger des crêpes. N'ignorant rien de la façon dont il avait le dos des mains couvert de rides, elle savait même comment il sentait. Non, ce n'était pas ça qui l'inquiétait. Ce qu'elle n'arrivait pas à imaginer, c'était ce qu'il pouvait bien faire pour avoir ainsi accès au monde de la télé, des infos et autres. Comment avait-il réussi à y entrer ? Pour l'Embarcadère, elle savait : c'était par Digger. Mais la télé, c'était autre chose, non ?

Dès qu'on y prononçait son nom, dès que, tout sourire et confiance en lui, il se montrait à l'écran avec ses chemises à rayures, ses cheveux bien brossés et sa tête si bronzée que c'en devenait vrai, tout ce qu'elle voyait lui semblait faux. Ecouter ce qu'ils racontaient et y croire ? Même un petit peu ? Il n'y avait vraiment pas moyen. Les Infos ! Jenny faisait la gueule et un, deux, trois, quatre, etc. commençait à compter dans sa tête jusqu'au moment où enfin on le virait de l'écran.

Vic avait toujours joué ses coups au plus près. Toute sa réussite lui venait de ce que, sans jamais hésiter à assumer la responsabilité de ses actes, il savait prendre des risques, se taire et garder la tête froide. Ma était la seule personne à laquelle il se confiait : elle était si calme ! Il était toujours prêt à lui dire tout ce qu'elle voulait savoir, elle n'avait qu'à le lui demander. Alex, lui, n'avait droit qu'aux renseignements qu'il ne pouvait pas faire autrement que de lui donner.

Si Vic avait pris Alex à son service, c'était parce que celui-ci faisait partie de la famille, mais aussi — réaliste comme il l'était, Vic l'avait vu tout de suite —, parce qu'il possédait les qualités mêmes dont il était, lui, entièrement dépourvu. Et dont, de fait, il n'avait aucune envie de s'embarrasser. Savoir consulter, tenir les registres et faire attention aux comptes, ces qualités ressortissaient toutes à une prudence qui l'agaçait, mais qui, semblait-il, était très exactement ce que l'époque exigeait. En choisissant quelqu'un de la famille, Vic s'était aussi dit qu'il pourrait, peut-être, avoir quelque ascendant sur lui.

Et s'était trompé : Alex était un grand têtu qui s'en tenait à ses choix de vie avec un fanatisme que Vic ne pouvait pas plus ignorer que contourner.

Cela dit, Alex était entièrement dévoué à sa boîte. Répondre de tout, pour lui, il n'y avait que ça qui comptait. Ouvrait-il la bouche qu'il avait aussitôt toutes les données du problème — et bien sûr et toujours l'approbation du conseil d'administration avec lequel il avait étudié l'affaire jusque dans les moindres détails. Il ne comprenait pas son patron. Ou plutôt si, le comprenait, mais était incapable de traiter avec lui.

« C'est un vrai dinosaure, se plaignait-il aux rares personnes dont il était sûr qu'elles n'iraient pas le répéter à son oncle. Ça marchait autrefois, du temps où on tirait à vue, comme les gros péquenauds. Jouer l'homme-orchestre, c'était faisable et, il faut le reconnaître, de ce côté-là, il est assez génial. Mais aujourd'hui, on en est à un autre stade et c'est nettement plus compliqué. Sauf que ça, il accepte pas. Je suis obligé de le surveiller sans arrêt. Vous avez pas idée des tours qu'il a dans son sac. »

« Non mais, dis, pourquoi, tu râles ? lui demandait Vic

lorsque, après de longues tractations, il finissait par risquer un coup et abattait ses cartes sur le marché. On se serait pas fait de l'argent la fois d'avant ? Est-ce que j'ai jamais joué quoi que ce soit qui nous aurait mis dans le rouge ? Et l'affaire de Riverdale, hein ? Qui c'est qui nous l'a fait, ce petit caca ? »

Il savait qu'Alex l'avait à l'œil : monsieur lui passait ses caprices et le traitait en petit garçon. Alex avait un groupe de supporters qui tous pensaient plus ou moins comme lui et n'avaient qu'une idée en tête : bloquer le patron et tellement le ficeler qu'à la fin on pourrait l'éjecter en douceur. Après les avoir longtemps surveillés, Vic commença à regarder un peu plus loin. Renifler les coups tordus, il avait le nez pour ça. S'apprêtait-on à lui jouer un mauvais tour qu'une manière de sixième sens l'en avertissait dans l'instant. C'était un vieux routier, aucun signe avant-coureur ne lui échappait. Dès qu'il fut sûr et certain de ce qui se tramait, il prit ses dispositions — seul, comme toujours, et sans en parler à personne. Tant pis si Alex avait trempé dans l'affaire : il le prendrait sur le fait et ne le ménagerait pas. Dans le cas contraire, celui-ci ne pourrait être que ravi car, ravi, il le serait, non ? et drôlement étonné aussi de constater que le Vieux avait tout prévu et désamorcé.

L'heure était venue de frapper fort. Il en avait besoin. Besoin de l'excitation qui l'avait déjà pris, besoin de l'occasion que cela lui donnerait de leur montrer une bonne fois pour toutes de quoi il était capable. Quand tout serait fin prêt, il abattrait son jeu et les regarderait droit dans les yeux.

Il avait ses propres conseillers, naturellement — comment s'en passer à l'époque où l'on vivait ? Mais, eux aussi, il les avait laissés dans le noir. Il aurait été bien d'en parler à Ma, il n'avait aucune envie de la tromper, mais Ma avait quand même près de quatre-vingt-dix ans et, quoique toujours aussi lucide, se débattait à nouveau dans des angoisses qu'il avait peur d'attraper.

La seule personne à laquelle il pouvait s'en ouvrir était Digger. Non seulement il le lui devait, mais, avantage supplémentaire, Digger n'aurait évidemment rien de sérieux à lui opposer. Il l'aurait pu, oui — les moments n'avaient pas manqué où son ami lui avait paru bien sceptique. Cela dit, la finance n'était pas son élément. Le danger et, surtout, la beauté de la chose lui échappaient.

Malgré tous les efforts qu'il avait jusqu'alors déployés pour ne pas aller le voir, Vic avait quand même fini par descendre de plus en plus souvent à l'Embarcadère afin d'avoir quelqu'un qui l'écoute pendant qu'inlassablement il passait en revue tous les détails de l'affaire. Qui approchait du dénouement. Et dont le plan était impeccable — aucun doute n'était permis sur ce point : il avait tout envisagé. Il n'empêche : avant de démarrer, il fallait bien en reparler, encore et encore, sans cesse la voir se déployer dans le seul endroit où il pouvait la contrôler jusque dans ses moindres aspects : sa tête.

Digger, lui, avait déjà remarqué une ou deux choses qui le laissaient perplexe. Des choses que Vic avait dites en passant, mais d'une manière qui lui avait fait dresser l'oreille. Ceci, entre autres : le marché était « nerveux ». Le mot l'avait frappé. Sans doute parce qu'il lui était déjà venu à l'esprit en pensant à Vic.

C'est qu'il en parlait beaucoup, de son « sang-froid » ! Qu'est-ce qu'il pouvait en être fier ! Alors que s'il y avait une chose que savait Digger, c'était bien que Vic était plutôt du genre brûlant de fièvre. Mais comment en juger ? Ne l'ayant jamais vu dans ce genre de circonstances, Digger ne pouvait dire si c'était là son état normal ou si, oui ou non, cette fièvre était une manière de sous-produit habituel de l'état de sang-froid. Il aurait aimé en parler à quelqu'un — à Ellie, c'eût été le mieux : elle aurait évidemment su à quoi s'en tenir —, mais Vic le pressait tellement de se taire que jamais il n'avait osé briser le secret.

Dieu sait pourtant si celui-ci le mettait à l'agonie. Digger en arrivait même à se demander jusqu'à quel point un tel silence était nécessaire — hormis pour satisfaire aux besoins de Vic : cela n'avait-il pas en effet pour conséquence de les unir dans une manière de conspiration dont Vic était, naturellement, le seul à connaître les règles ? Si, pour finir, Digger ravalait ses doutes, c'était bien parce que, dans cette affaire où tant de choses reposaient sur la discrétion et la confiance, il craignait de les dire tout haut et d'ainsi déclencher la chose même qu'il entendait éviter : une rupture d'équilibre qui serait fatale à son ami.

« Qu'est-ce qui se passe ? gémissait Jenny. Qu'est-ce qu'y fout à venir ici à tout bout d' champ ? Qu'est-ce qu'y veut, hein ? Et va pas me dire qu'y veut rien pa'ce que là, j' te croirais pas. »

17

Vic remua. Puis s'éveilla : c'était bien pendant qu'il dormait que la secousse l'avait ébranlé. A un moment donné, la force de gravité avait dû l'oublier, un bref instant. Certes, il retrouvait la terre, mais l'impression étrange, d'arrachement peut-être même, qu'il en éprouvait encore, était celle d'un homme qui réintègre un corps qui ne lui appartient plus. Sa main, quand il la levait, lui paraissait plus éloignée, d'un autre poids au bout de son bras. Ou alors, qui sait ? était toujours alanguie de sommeil ? Il la bougea un peu, pour la dégourdir.

Il n'avait aucun doute sur l'endroit où il se trouvait. Il se trouvait dans la chambre à coucher de sa villa de Turramurra. Mais, plus que sa position dans l'espace, c'était l'espace qui l'habitait dont il avait maintenant conscience. Des échos en montaient, en lui arrivant lui disaient de vastes immensités : la pierre qui tombe y parcourait d'énormes distances. Elle avait touché le fond, le bruit de son impact encore et encore remontait vers lui, était fragment de rêve, mais d'un rêve qui aurait eu l'inhabituelle faculté de franchir toutes les barrières qui séparent le sommeil de la veille et d'ainsi se faire entendre.

Que signifiait ? De se croire aussi libre que l'oiseau qui s'arrache à la terre pour mieux, et plus vite encore, se sentir redescendre, interminablement piquer, comme le caillou qui fend l'air ?

Et si ce n'était pas un rêve, mais quelque accident physique, pourquoi toutes ces histoires de pierres et d'attraction terrestre ?

Il changea de place sur le lit, y resta un instant sans bouger, les yeux tout à fait immobiles dans leurs orbites, grands ouverts sur le plafond qu'ils fixaient. Une seconde plus tard il dormait.

Au fur et à mesure que la journée avançait — et elle n'avait, hormis cela, toujours rien d'anormal —, ce rêve, ou les sensations qui l'avaient accompagné, ne cessa de lui revenir par à-coups. Il n'arrivait pas à s'en débarrasser. C'était alors pendant des minutes entières que tout ce qu'il voyait ou touchait s'auréolait de lumière, machine à café ou gobelet en polystyrène, nul objet, même le plus ordinaire, n'y échappait.

Et cette lumière était celle de son rêve, celle, il le voyait maintenant, dans laquelle tout, jusqu'à son propre corps, avait baigné, avait été enveloppé d'une phosphorescence qui, dans sa collante lourdeur, expliquait aussi bien l'épuisement qu'il avait ressenti, et ressentait encore, dans ses membres, que l'espèce de scintillement qu'il découvrait partout. La sensation n'était pas désagréable, mais, étrange, altérait son être. Les tendresses qui lui venaient étaient puériles, qui s'attachaient à des objets dont n'importe quel adulte eût trouvé sot de s'éprendre avec autant de violence. Le porte-mine rétractable qu'il prenait dans sa main (et la façon dont il s'y logeait), les ronds de soleil qu'un verre d'eau projetait sur son bureau, par exemple. « Mais qu'est-ce qui m'arrive ? » se demandait-il.

Dans ces moments qui l'assaillaient par vagues, il éprouvait un bonheur intense, certes, mais d'une nature qu'il n'avait que rarement connue ; sans même parler du fait qu'à son avis au moins, rien de tout cela ne s'expliquait. La légèreté qu'il ressentait avait à voir avec la jeunesse, avec l'image qu'il s'était jadis faite de ce qu'être jeune et amoureux pouvait dire.

Et d'où cela lui venait-il ? Car cela n'avait rien d'un souvenir dans lequel il eût pu se reconnaître. L'impression était nouvelle, à laquelle il trouvait pourtant une certaine nostalgie, comme si, s'introduisant dans la mémoire d'un autre, il était soudain aussi ému par les souvenirs qu'il y découvrait que par les siens propres. Un feu après l'autre, des instants de bonheur lui venaient, mais si mal reliés à la moindre cause identifiable qu'il crut aux effets d'une drogue.

Pour le surprendre, ces états lui plaisaient si fort qu'il s'y laissait aller.

Il fit tout ce qu'il faisait d'habitude : il jeta un coup d'œil aux rapports boursiers qui lui étaient arrivés de New York pendant la nuit, puis, après avoir étudié ceux de Hong Kong et de Tokyo, passa aux cotations australiennes. Tout allait bien, on ne peut mieux même : le Cavendish avait gagné deux centimes et si la Cathedral restait stable, le Randall était en hausse de trois. Tout marchait bien et, même, dépassait ses prévisions les plus optimistes.

Pendant un moment en effet, il avait craint que le marché ne s'emballe à la hausse. Il n'en était rien. Ses conseillers — ils avaient la tête sur les épaules, adoraient les statistiques et, du genre sceptique, ne rêvaient jamais (eux, se lancer dans des manœuvres insensées ?!) — l'avaient assuré que la tendance était régulière et ne s'inverserait pas tout d'un coup. De vrais experts. C'est vrai aussi qu'avec les centaines de milliers de dollars que lui coûtaient leurs avis... Leur verser de pareilles sommes et ne pas les écouter ? C'eût été bien idiot.

Jadis, oui, il avait été une époque où, une intuition lui venant, il s'en serait remis aux petits frissons qui alors lui auraient, ou ne lui auraient pas, parcouru la nuque. Mais les forces en présence sur le marché étaient aujourd'hui d'une telle complexité qu'il n'était plus possible de les appréhender tout seul. Même lui devait le reconnaître. Ce qui se passait à Sydney dépendant de ce qui se produisait à Tokyo et à New York, c'était à chaque instant qu'on avait besoin de conseils. Il n'empêche : cela le hérissait toujours autant.

La situation dans laquelle il se trouvait présentait quand même un avantage : tout serait fini dans deux ou trois jours. L'affaire, oui, serait définitivement close.

Comme d'habitude, il appela Alex à onze heures pile. La consultation était rituelle. Elle se faisait par téléphone, chacun se trouvant ainsi dans l'impossibilité de se livrer à ses petites tricheries habituelles et, partant, plus à même d'évaluer sainement l'état du marché.

Vic ayant attaqué sur le mode plaisant — il se sentait d'humeur à exulter —, Alex passa aussitôt sur la défensive. Il était difficile de lui parler, à ce monsieur, à moins de s'en tenir aux chiffres. Cela dit, aucun doute n'était permis : il n'avait aucune idée de ce qui était en train de se jouer. « Prends garde à toi, Alex », lui lança Vic en guise d'adieu habituel.

A deux heures, il quitta son bureau pour aller prendre l'air et, en arrivant sur le trottoir, fut tellement surpris de découvrir que l'humeur dans laquelle il se trouvait avait gagné toute la ville qu'il se demanda si ce n'était pas cela que son corps avait senti — quelque accident météorologique dans la haute atmosphère, les premiers souffles d'un courant d'air qui s'y fût déclenché et maintenant seulement se prenait à envahir le continent ?

C'était la mi-octobre, la douceur était printanière. Les filles portaient des robes à manches courtes, les jeunes gens se promenant la veste jetée en travers des épaules. Beaucoup faisaient du jogging. Contours des immeubles et murs bas, tout semblait auréolé d'une lumière citronnée avec laquelle il se sentait en harmonie, qu'à certains moments même il croyait susciter. Comme il se sentait bien !

Il décida d'aller voir Felix. Il y avait longtemps qu'il ne l'avait pas fait. Ils burent un café en bavardant. Brad volait enfin de ses propres ailes. Plus à l'aise pour vanter ses mérites, Felix le fit à mots mesurés : Brad s'était lancé dans la location de voitures et, marié, réussissait dans la vie.

Vic rentra au bureau et, sans raison aucune, décida d'appeler Ellie.

— Non, non, tout va bien, lui dit-il lorsque enfin elle arriva du fond de son jardin.

Il se sentait un peu bête : avoir tout simplement envie de lui dire combien il était heureux... Elle le devinerait au ton de sa voix, en faire une histoire semblait idiot.

— Je voulais juste te parler, dit-il.

A trois heures, il appela le garage et demanda qu'on lui sorte sa voiture du parking. Il prendrait le volant. Il irait passer une heure ou deux chez Digger. Il était toujours, il le sentait bien, dans l'univers de son rêve. L'Embarcadère.

Sans pouvoir dire l'heure qu'il était, ni non plus le point qu'il avait atteint (le trajet faisait une bonne cinquantaine de kilomètres), il eut brusquement l'impression que la lumière changeait. Que son humeur s'assombrissant d'un coup, comme cela lui était déjà souvent arrivé, sa joie n'avait été que passagère, que le résultat d'un concours de circonstances physiologiques ou mentales qui déjà disparaissait, aussi vite et inexplicablement qu'il lui était venu. Son cœur se serra, la barre qui lui pesait sur la poitrine devenant bientôt si douloureuse, et si forte la crampe qui lui engourdissait le bras, qu'il finit par ne plus se sentir capable de tenir le volant. Il se gara sur le bas-côté en terre battue, se reposa un instant, puis engagea sa voiture dans une saignée entre les buissons. S'arrêta enfin et s'affala sur le volant. Il ne voyait plus rien. « Vaudrait mieux rentrer », se dit-il, mais ouvrit la portière et descendit.

Il avait dû dormir un peu, ou s'évanouir. Et dans cet effondrement de la conscience avait retrouvé son rêve. Sauf que loin d'en être un, il le voyait bien maintenant, c'était, oui, un instant qu'il avait vraiment vécu dans son enfance. Il avait réintégré son corps de neuf ans et, vêtu d'un vieux pantalon en serge retenu par des bretelles, se tenait pieds nus, tout son être tendu comme un arc, au bord des dunes. Le jour allait poindre, déjà des éclats de lumière s'allumaient d'un bout à l'autre de la plage. Tels étaient bien ces moments où, sûr du bond qui, l'arrachant à lui-même, allait lui faire connaître un autre avenir, il restait longtemps immobile, sentait l'animal se tapir et se ramasser en lui-même, prêt enfin, s'abandonnait à son élan.

Alors il s'envolait en une longue courbe qui le portait, se retrouvait comme suspendu dans les airs, libéré de la pesanteur, au plus haut de lui-même, devant l'instant qui allait se déclarer. Sauf que, cette fois-là, car il y en avait eu d'autres, il avait dû retomber dans une vie qui n'était pas la bonne, comment expliquer autrement le sentiment d'étrangeté qu'il éprouvait maintenant ? Il s'était trompé de vie. Tout ce qui lui était arrivé depuis lors, tout, s'était déroulé dans une existence qui, pas plus qu'elle ne lui était destinée, n'était celle qu'il avait connue jusqu'à ce moment-là.

Etait-ce possible ? Tout ?

Oui, tout cela était vrai, tout cela avait eu lieu, tout cela lui était arrivé, à lui. C'était un fait, et il comptait au nombre de ceux que n'oublient pas les gens qui s'arrêtent à ce genre de choses, les gens qui, événements et entreprises, consignent tout afin de déclarer que cela fait une vie, voire, lorsqu'il y est suffisamment de matière, un grand moment de l'histoire. A ceci près que dans tout cela, il le voyait bien, rien ne s'accordait au destin qui lui avait été promis. Celui-ci était autre, au tracé duquel il ne s'était arraché que par pure volonté.

Au plus profond de lui-même, il l'avait toujours su. L'avait senti en voyant le petit garçon qui salissait ses cols de chemise enfoncer, tous les matins, ses grands pieds dans ses chaussures. Plus tard, en le regardant traîner dans les rues et contempler, la conscience lourde, les longues files d'hommes qui attendaient qu'on leur fît l'aumône, toujours il avait repéré la place vide qu'il aurait dû occuper dans la queue, s'était demandé à quel moment il lui faudrait enfin payer le prix de sa fuite.

La Thaïlande, c'était autre chose : la Thaïlande, c'était prévu. A ce moment-là en effet, Dieu sait comment, ses deux vies s'étaient croisées. Comme il l'avait vu clairement, le vieux type à cheveux blancs (« Celui que je suis maintenant », se dit-il), qui, à la tête de la file, lui avait brusquement passé à travers le corps ! Alors, oui, il s'était trouvé à sa vraie place.

Il repensa à tous ces matins où, la tête encore lourde de sommeil, il venait s'asseoir dans la cuisine de Meggsie et cherchait une forme de vie plus adaptée à son corps (dans laquelle, s'entend, celui-ci se fût trouvé plus maladroit) que celle qu'il avait maintenant. Plus facile, non, elle ne le serait pas, il en était certain. Plus en conformité avec ce quelque chose qu'il avait peur de perdre en lui-même, mais que, pour autant, il n'arrivait jamais à comprendre vraiment.

Une fois encore, il sentit que, dans son corps, le gamin de neuf ans se préparait à bondir. Il s'envolait. Un instant arraché à la terre, il était de nouveau comme en suspens dans les airs, enfin apercevait ce dans quoi il allait réellement retomber : sa vie à lui, la vraie, celle qui l'attendait depuis toujours, la dure, celle que lui avaient donnée son père et sa mère. Mais l'attraction terrestre était trop forte. Jamais il ne pourrait la tenir assez longtemps en échec pour découvrir tous les détails dont cette existence était faite. Une fois de plus, la force des choses s'emparait de lui et le tirait vers le bas. La vie qu'il retrouva était bien la sienne, celle qu'il habitait. Il en reprenait le poids, en avait déjà la poitrine, le ventre et l'aine entièrement écrasés, lorsque, de toute la force de son corps, il s'abattit sur des pierres coupantes. Alors seulement, sa vie ne le quitta plus.

Plus tard, en revenant à lui, il fut surpris de se retrouver au cœur d'une nuit profonde où il n'était de lumière qu'aux endroits où les premières étoiles commençaient à pointer. « Où suis-je ? » se demanda-t-il sans trop savoir si les ténèbres qui l'entouraient étaient celles d'un lieu particulier ou de l'état dont il sortait.

Mais, en retrouvant ses esprits, il prit conscience des petites pierres coupantes sur lesquelles il gisait et là, tout près de lui, sentit aussi qu'un grand édifice de bruit se construisait, œuvre de quelles créatures, il n'aurait su le dire. Grenouilles ? Grillons ?

Il se redressa un peu, regarda autour de lui, mais il n'y avait rien à voir.

Il pensa qu'il avait dû venir en voiture, mais il n'y avait pas de voiture aux alentours. Et la lumière n'était pas assez forte pour qu'on pût se repérer.

Il se souvint, parce que son corps s'en souvenait, d'un instant de grande douleur. Il en était encore nimbé, non plus déjà physiquement, mais dans la conscience qui le tenait de ne pas avoir récupéré l'usage, à tout le moins plein et entier, de ses membres. Il avait du mal à juger de choses qui auraient dû lui paraître évidentes. L'endroit exact où, par exemple, se trouvaient ses doigts. Sans parler de toutes ces sensations qu'il éprouvait et qui, pour autant qu'il le savait, n'avaient de lien avec rien. La douceur d'un printemps, la délicatesse d'une brise effleurant les bras nus d'une femme. Car rien de tout cela ne semblant avoir de rapport avec le temps qu'il faisait, ce devait être que son esprit s'emportait. Il était assis au cœur de rien et ne savait où aller.

Même la décision qu'il fallait prendre lui fut retirée. Une nouvelle et terrifiante angoisse — ou bien était-ce seulement physique ? il n'aurait su le dire — lui étreignant le cœur, il fut soudain terrassé. Etendu de côté, la joue dans les pierres qui le coupaient, il se tordait, sans cesse se poussait dans le noir étouffant de cette nuit, ou si c'en était une autre plus profonde, éperdument la désirait, voulait s'enfoncer dans son enveloppe, la refermer sur lui, s'y débattre jusqu'à ce que le souffle enfin lui manque.

Il avait dû ramper. A force de toujours et encore se pousser au cœur des herbes, il avait beaucoup avancé et reposait maintenant dans une manière de nid que, la terreur l'empêchant de respirer, il s'y était creusé en tremblant de tous ses membres.

Le soleil s'était levé. De gros oiseaux battaient lourdement des ailes au-dessus de lui. Il tourna un rien la tête et s'aperçut qu'il n'était pas du tout réveillé. Dans le rêve qui le tenait, son agonie, dont il était nettement séparé, avait pris la forme d'un chat qui, les poils collés par la sueur, gisait à quelques centimètres de sa main recroquevillée. Tête carrée et fourrure grossière, l'animal avait tout du haret qui, au bout d'une ou deux générations, est retourné à l'état sauvage. Couchée à deux pas de lui, hors d'atteinte, la bête l'observait.

Il la regarda de plus près, il cligna les paupières, ce n'était pas un fantôme, il ne rêvait pas. L'animal avait reçu un coup de pelle, ou peut-être de hache, en travers de la tête et, la face à moitié emportée, avait rampé jusque-là pour mourir. Il grondait, son œil unique fixé sur lui. Vic se demanda si la bête le menaçait ou, qui sait ? le suppliait de l'aider. Des mouches se pressaient à même ses chairs sanguinolentes, la créature tentant de les chasser à grands coups de griffes acérées.

Vic gisait dans l'herbe et, la tête posée en travers de son bras tendu, regardait le chat qui, à deux pas de lui, souffrait les affres de l'agonie.

— « J'ai déjà vu ça cent fois, songea-t-il, et je m'en suis toujours sorti. J'ai survécu. J'ai toujours survécu. Survivre, je ne connais que ça. »

Mais le chat, il le voyait, était en train de mourir. Il le regarda encore. « Mon pauvre coco, pensa-t-il, je t'aiderais bien si je le pouvais. Je saurais mettre fin à tes douleurs. »

Longtemps l'homme et le chat se regardèrent, de très près, et le chat connut les derniers instants, mais ne mourut pas. Il souffrait, mais comment ? se demandait Vic. Quelle sorte de conscience peut donc avoir un chat ? Les chats ont-ils seulement une conscience ?

« Je suis désolé pour toi », dit-il tout haut et fut surpris d'entendre le son de sa voix.

Le chat n'entendit pas, ou ne comprit pas. Dans l'un comme dans l'autre cas, cela ne changeait rien. De son œil unique l'animal continuait de le regarder, Vic n'ayant toujours aucune idée de ce que celui-ci pouvait bien penser.

18

Il était dix heures du matin. La cuisinière tirait juste ce qu'il fallait, répandait une bonne chaleur, et Jenny se sentait exceptionnellement satisfaite, ce qui, pour elle, voulait dire en paix avec le monde, contente de la manière dont tout se mettait en place autour d'elle, comme si, pour une fois, elle était fin prête. Elle attendait de pouvoir sortir des scones de son four.

Il faisait chaud, mais pas trop. On était en octobre. La cour ondulait un peu à l'endroit où, par vagues, la chaleur montait d'une plaque de tôle que Digger avait laissée dehors. Les feuilles du poivrier ondulaient elles aussi. Une demi-douzaine de pies s'étaient posées sous l'étendoir. Elles étaient excitées. Ver, petit oiseau ou autre, quelqu'un « en prenait plein la tête. Les pies, les pies ! Gaffe aux yeux ! ». Elles n'hésitaient pas : passer trop près des nids et ça y était, elles piquaient, droit devant, à la tête. « Gaffe aux yeux ! »

Assise à la fenêtre, Jenny rêvait, suivait tout à la fois les événements qui se déroulaient dans la cour et ceux qui se passaient dans sa cuisine : là-bas, les gros oiseaux qui besognaient, vite, vite, qu'on en finisse, nom de Dieu, c'est pas croyable ! ici, la chaleur qui ondulait au-dessus de la plaque, plus loin dans son esprit, pas trop quand même, les scones qui cuisaient sur la plaque — c'était pour le petit déjeuner de Digger, la pâte montait joliment, se craquelait sur le dessus, devait déjà dorer. Les scones seraient prêts dans cinq minutes. Jenny remua lourdement sur sa chaise.

Les scones ! Elle les sortit du four et n'en crut pas ses yeux. Alors qu'à peine une minute plus tôt elle se sentait si bien ! Elle tint la plaque brûlante droit devant elle et regarda ce qu'elle avait fait, elle. Non, pas elle : quelqu'un d'autre. C'était toujours la même chose : enfin on se sent sûre de soi et voilà ce qui arrive. Non, elle n'en croyait pas ses yeux. Elle regarda si longtemps sa plaque que celle-ci commença à lui brûler les doigts à travers le tissu élimé du napperon. Elle la jeta sur l'évier en jurant, elle fit la moue, elle se frotta les mains sur la poitrine et recompta, avec son doigt cette fois. Treize, il y en avait toujours treize. Comment cela se faisait-il ? Comment était-ce arrivé ? Comme si elle ne faisait pas toujours extrêmement attention ! Quelqu'un, mais qui ? avait dû en rajouter un pendant qu'elle avait le dos tourné.

Mais pour qui ? Toute la question était là. A qui voulait-on jeter le mauvais sort ? Et puis... lequel était-ce, ce treizième ? Comme si, bien levés et croustillants, ils ne se ressemblaient pas tous comme des frères ! C'est que les scones, elle s'y connaissait. Son atout maître, oui. Sauf qu'il n'y avait toujours pas moyen de savoir lequel c'était.

Mais qu'il le fallait. Parce que c'était ça, ou tout balancer à ces putains de pies et que là, pratique et philosophie, soixante-neuf ans de son existence s'y opposaient. « Qui point ne jette, point ne manque », telle était la règle. Jette-les, ces scones, et tu verras qu'un jour, forcément, tu t'en souviendras et qu'alors t'auras faim, même que ça t' fera les pieds.

Toute à la crainte de commettre une deuxième erreur, mais... était-ce bien elle qui avait commis la première ? elle s'en remit à certaine puissance intérieure qui, elle l'espérait, ne la lâcherait pas au dernier moment, et serrant fort les paupières, ouvrit grands les doigts, la peau en était émoussée, piquetée de taches de rousseur et couverte de callosités, là, au-dessous des ongles, laissa glisser la paume de sa main sur les scones. Puis, l'esprit enfin vide de toute pensée, elle en prit un.

Allez... pourvu que ce soit le bon ! C'était le bon, elle avait de bonnes raisons de le croire. Comme si ces tours de passe-passe, elle ne savait pas, elle aussi, les faire, quand il le fallait. N'empêche, se dit-elle, où avait-elle eu la tête ?... Non mais, qu'est-ce qu'il avait foutu, son bon sens ? « piqué un roupillon ? » Faire tout ça de pâte, parce que d'abord, y avait eu ça, et en coller un treizième sur la plaque ! Si c'était elle qui l'y avait collé...

Bon, et maintenant ? Qu'est-ce qu'il fallait en faire ? Le jeter dans la braise ?

Elle regarda le scone qui trônait sur l'évier. Innocent, qu'on avait l'air !

Elle tortilla un rien la bouche, le ramassa sans adresse, poussa la porte-moustiquaire d'un coup d'épaule, sortit. Les pies étaient toujours là, tout en noir et blanc, grosses comme des chats sauvages, ces salopes ! C'est qu'elles l'avaient déjà repérée à la porte de derrière. Qu'elles l'observaient, mais n'en laissaient rien voir. « Ah bon ? pensa-t-elle. Eh ben, j'ai juste ce qu'y vous faut ! »

« Petit, petit ! chantonna-t-elle en traversant la cour. Devinez qui c'est qui vient ? Oui, oui, c'est votre bonne vieille copine ! La mère Jenny !... Dites, vous savez pas c' que j'ai dans la main, hein ? Vous savez pas ? Eh ben, regardez ! Alors, qui c'est qui l' veut ? Qui c'est qui va se l'avaler, ce mauvais sort ? » Elle jeta le joli petit scone tout doré au milieu des oiseaux, comme une pierre. Les grandes bêtes noires et blanches se ruèrent, roulèrent vers leur proie, en jacassant, en donnant de l'aile et du bec, se déchirèrent en gueulant à qui mieux mieux.

L'une d'entre elles s'en saisit enfin. Jenny la regarda l'avaler d'un seul coup, les autres fonçant aussitôt sous ses ailes pour lui piquer les miettes.

« Et voilà ! » se dit-elle comme si elle éprouvait une certaine satisfaction à jouer avec des forces aussi redoutables. Parce qu'à côté du mauvais sort, et qui sait si l'on n'en mourrait pas étouffé ? voire pire ? il y avait aussi la possibilité de tout remettre au droit, de tout faire rentrer dans l'ordre parce que non, c'est vrai, ce scone en plus, c'était quand même une erreur.

Celui qui en prendrait plein la tête ? Ce ne se serait pas de sa faute à elle. Ce serait quelqu'un d'autre qui en aurait décidé. Elle ? Elle n'aurait jamais fait que de le leur jeter à la tête, ce mauvais sort. Elle n'aurait pas choisi. La gloutonnerie, voilà ce qui aurait choisi. Car, bien sûr, c'était la plus gloutonne et la plus forte de toutes qui l'avait bouffé.

Elle regarda le gros oiseau — déjà, on nettoyait ses plumes — et pouffa. Elle savait quelque chose dont il n'avait, lui, aucune idée. « Moi, j' connais un chat qui va te régler ton compte, se dit-elle en le regardant faire le fier. Même que ce s'ra un haret. Ou alors un gamin avec une fronde. Bah ! Bon débarras ! » Elle s'en moquait. Elle avait détourné le mauvais sort. De Digger et d'elle-même.

Elle aurait bien aimé continuer à surveiller sa pie, histoire d'être sûre, mais elle n'en avait plus le temps. Les épaules lourdes, elle revint dans sa cuisine, y retrouva la plaque posée sur l'évier et eut un haut-le-cœur. Elle aurait peut-être mieux fait de jeter toute la fournée. Sauf que se lancer dans ce genre de folie, sauf que balancer de la bouffe parce qu'on a tellement la trouille qu'on sait plus distinguer le bien du mal, c'était courir à sa perte. Même que c'était comme ça qu'on finissait par tout jeter.

Elle avait pris une décision. C'était ça l'important et, tant qu'à faire de prendre une décision, mieux valait prendre la bonne, d'instinct. Commencer à avoir peur de commettre une erreur, y avait rien de mieux pour en faire une, même que quand on faisait une petite, on finissait toujours par en faire une grosse.

Parce que c'était ça qui l'avait effrayée lorsqu'elle avait découvert le petit treizième. Que ç'ait été le début de quelque chose.

Une heure plus tard, ou à peu près, elle accrochait du linge à l'étendoir lorsqu'elle s'aperçut que les pies faisaient du barouf dans lcs buissons. « Ha, ha! sc dit-cllc. Et mit la dernière épingle au drap qu'elle venait d'étendre — il gonfla et se remplit de lumière —, puis, laissant le reste de sa lessive dans son panier, s'avança un peu dans l'herbe pour voir de quoi il s'agissait. En avoir enfin le cœur net. Les gros oiseaux étaient surexcités.

Sauf que ce qui s'offrit à sa vue lorsqu'elle écarta les herbes qui avaient envahi le chemin n'était pas du tout une pie, mais un chat — un gros chat haret, noir, avec des reflets roux —, et que ce chat se tourna brusquement vers elle, qu'il gronda et qu'elle en eut le souffle coupé : il lui manquait la moitié de la figure ! Quelqu'un la lui avait arrachée avec le tranchant d'une pelle. Un mec qui devait en avoir marre qu'on lui pique ses poulets. Le chat la regarda d'un air si lamentable et souffrant qu'en dépit des grondements qu'il poussait, elle en fut toute saisie. La pauvre bête était en train de crever.

Elle s'était déjà détournée pour essayer de trouver quelque chose pour l'achever, une pierre, n'importe quoi, lorsqu'elle découvrit encore autre chose. Une main ! Il y avait une main qui sortait de l'herbe !

« Doux Jésus ! pensa-t-elle. Tu parles d'une journée ! »

Le cœur battant, elle écarta les hautes herbes, un homme roula à ses pieds. Il la regardait droit dans les yeux.

C'était Vic.

Elle fut prise de panique. S'était-il empoisonné ? Etait-ce elle qui l'avait tué ! Mais... c'était bien aux pies qu'elle l'avait donné, son scone ! Comme si elle n'en avait pas vu une le manger !

Elle se pencha au-dessus de lui, l'air affolé, en gémissant un peu. De ses yeux qui roulaient dans leurs orbites, Vic suivait les moindres mouvements qu'elle faisait. Il avait la bouche humide et sa langue remuait, mais aucun son ne montait de ses lèvres.

Elle s'agenouilla à côté de lui afin de desserrer le col de sa chemise qui semblait l'étouffer, Vic l'attrapa par le poignet, serra. Elle se dégagea d'une secousse et, dans sa main enfin libre, découvrit une petite pierre lisse de la taille d'un rognon. Celle-ci en avait même la couleur. L'espace d'un instant, Jenny crut qu'il l'avait dégobillée et la regarda fixement.

Parce que la pierre avait aussi la taille d'un scone. Encore chaud.

Vic roula sur le flanc, ramena ses jambes sous lui comme un bébé, resta ainsi lové dans le nid d'herbe qu'il s'était creusé en gigotant.

— Qu'est-ce qui se passe ? lui demanda-t-elle.

Elle avait pensé enfant, bébé même, et s'était radoucie.

Elle lui prit la main et lui caressa le visage. Au bout d'un moment, elle s'assit sur les talons, le redressa un peu, puis le serra contre sa poitrine. Et commença à le bercer tandis que, toujours en face d'elle, le chat l'observait de son œil unique. Vic se laissa aller dans les bras de Jenny, elle lui en avait voulu, elle oublia. Lui pardonna tout, cela n'avait plus aucune importance.

Vic avait enfoui son visage entre ses seins, Jenny y sentait la moiteur de sa bouche. Elle se mit à pleurer. Elle sentait ses lèvres sur sa poitrine, aurait aimé pouvoir l'allaiter — si c'était ça qu'il voulait —, mais sa poitrine était sèche. L'était depuis plus de quarante ans : les nonnes, un jour, lui avaient pris son lait avec une pompe. Ce qu'elle avait pu les supplier de n'en rien faire ! Toute la nuit durant, cette nuit-là, elle avait rêvé de bouches qui la tétaient ; à la fin même, elle s'était moquée de savoir si c'étaient des bouches de nourrissons, de petits veaux, d'agnelets, qu'importe, qui suçaient les richesses qui s'écoulaient de son corps, car celui-ci était censé en nourrir un autre et non pas se faire pressurer par une machine pendant que, quelque part, au loin, son propre nourrisson avait faim ; ou s'il n'avait pas faim, tétait un autre lait, pas celui qui, pareil à nul autre au monde, lui était destiné ; et tout le reste de sa vie, le pauvre, il le saurait et pleurerait — le monde lui avait volé quelque chose que jamais plus il ne retrouverait. Jamais, après cela, Jenny n'avait cessé d'étudier les visages qu'elle voyait : un jour, elle le croyait, elle reconnaîtrait celui de l'enfant pour lequel elle avait eu tout ce lait et qui, peut-être, le cherchait encore.

Il devait avoir quarante-trois ans, à condition qu'il fût encore en vie. Et quarante-trois ans après, il y avait ça. Vic.

Elle l'étreignit fort, puis, quand ses larmes eurent tari, l'écarta de sa poitrine et lui dit doucement :

— Ecoutez, m'sieur. Je vous abandonne pas, mais y faut quand même que j'aille chercher Digger, d'accord ?... D'accord ? Je reviens dans deux minutes. D'accord ?

Elle se releva. Le chat était toujours là, allongé par terre, la tête tournée vers elle. Jenny fut obligée de faire le tour de l'animal.

— T'en fais pas, lui dit-elle. Toi non plus, je t'oublie pas. Je m'occuperai de toi plus tard.

Elle courut jusqu'au jardin en appelant Digger entre ses dents. Enfin à portée de voix, elle hurla le nom de son frère. Dans l'instant, celui-ci se montra au coin du magasin.

19

Ellie et Digger se promenaient sur une pelouse en terrasse surplombant un petit ravin sauvage tout en éboulis rougeâtres, gommiers géants et angophores qui semblaient jaillir de la roche. Derrière eux s'étendait la maison basse que Vic avait fait construire dans le style ranch d'éleveur. Une tasse de thé à la main, ils étaient sortis regarder les oiseaux qui, nombreux, peuplaient indistinctement le jardin et le ravin au-dessous, la frontière où de sauvage qu'elle était la nature devenait domestique et organisée étant difficilement repérable bien qu'au regard, ici en crêtes, là en rejets pointus et autres explosions ou ruissellements d'une teinte plus sombre, le jardin offrît une plus grande variété d'arbres et de plantes. En quelques secondes, Digger reconnut des roitelets bleus, des mainates bavards, trois perroquets roses et deux variétés de mange-miel, toutes créatures qu'Ellie lui avait maintes fois décrites dans ses lettres. Sans l'avoir jamais vu, il connaissait déjà ce jardin jusque dans ses moindres recoins, aussi bien même que si ç'eût été le sien.

Ellie claudiquait un peu. Cela le surprit : maladie ou accident, elle ne lui avait jamais signalé le moindre ennui de santé. Cette légère atteinte à son intégrité physique et, il s'en aperçut au bout d'un moment, ce n'était pas la seule, lui fit soudain entrevoir tout ce que leur correspondance avait peut-être laissé de côté dans la vie de son amie. Mais lui fit aussi comprendre qu'ils auraient sans doute encore plus de choses à se dire.

Son sourire n'avait pas changé, ni non plus l'aisance que,

presque aussitôt, ils avaient éprouvée en se retrouvant ensemble.

Elle était très calme. Sa mère, lui dit-elle, avait été tellement affectée par le charivari qu'avait suscité l'affaire qu'il le fallait bien.

La veille au soir, les reporters les avaient en effet purement et simplement assiégées. Ils avaient envahi l'allée, devant et derrière, n'avaient pas cessé de taper aux portes, de surgir à telle et telle autre fenêtre, avaient planté leurs caméras sur la pelouse comme s'il s'agissait d'un terrain de camping. Personne ne leur avait témoigné la moindre sympathie, n'avait même seulement respecté leur douleur. Pour autant qu'elle avait pu en juger, l'événement n'était, à leurs yeux, rien de plus qu'un « sujet d'actualité ». Ellie, qui avait toujours haï, et craint, le côté public de la vie qu'elle avait menée avec Vic, en avait été profondément écœurée. Sa mère et elle avaient été obligées de tirer tous les rideaux et de s'enfermer comme des prisonnières. Même alors, ils avaient continué de frapper aux portes et aux fenêtres et de les appeler en hurlant. Jusqu'au moment où, soudain très excités, ils avaient tout remballé avant de filer. Un événement de portée mondiale s'étant produit entre-temps, la mort de Vic qui, un autre jour, eût fait la une de tous les journaux, n'avait eu droit qu'à un encadré en première page, avec renvoi à la troisième.

Quant à Albert Keen, le très mystérieux millionnaire dont l'ascension et la chute de rien à rien avait duré exactement trente et un jours, il fallait aller à la page financière, et bien y lire entre les lignes, pour avoir une idée de ce qui lui était arrivé. Un vacillement après l'autre, la relation des faits s'y perdait toujours dans les nuages de poussière qui avaient accompagné l'effondrement de son empire invisible.

Tout le Groupe Needham en ressortait affaibli, et gravement. Sur ce point au moins, l'article était clair, Alex et deux directeurs de grande banque hésitant même à se prononcer sur l'avenir de la firme.

— Tu as vu ce que disent les journaux ? lui demanda-t-elle.

— Oui. Mais la presse, tu sais...

— Non, non, le reprit-elle, c'est vrai.

Il la regarda de près afin de deviner ce qu'elle savait. Etait-elle en train de le sonder ?

— Vic s'était lancé dans une grande opération. Quoi, au juste, je l'ignore. Au contraire d'Alex. Toujours est-il que c'était un truc assez fou. Pas illicite, non... ou alors, pas entièrement : jamais Vic ne s'y serait risqué. Tu sais comme il était. Il n'empêche. Il semblerait bien que nous...

Feuilles allongées, feuilles en forme de cœur, feuilles pointues comme des épées, cascades de couleurs et tourbillons de feu, Ellie regarda rêveusement les frondaisons du jardin en paliers.

— D'après Alex, reprit-elle, ce serait grave. Le pauvre garçon n'a plus toute sa tête.

— C'est de ma faute, dit brusquement Digger. J'étais dans le coup. Tu ne le savais pas ?

C'était un aveu, il n'avait aucune raison de se vanter.

— Si. Alex me l'avait dit. Mais... tu n'y connaissais rien.

— Il se servait juste de mon nom, reprit-il en sentant bien que, maintenant que Vic n'était plus là pour lui donner corps, son explication semblait un peu irréelle. On dirait que je suis ruiné.

Alors elle le regarda. Le comique de la situation leur apparut aussitôt à l'un comme à l'autre, Digger ayant même un instant l'impression que Vic s'était mis à en rire. C'était très exactement là le genre de chose qui aurait pu le ravir.

Ils marchèrent encore un peu.

— Tu crois que je pourrais venir te voir, s'enquit-il, ou bien préfères-tu que nous continuions à nous écrire ?

Elle réfléchit un instant.

— Je ne sais pas, lui répondit-elle avec calme. Et si tu m'écrivais un mot pour me le demander ?

Il était encore trop tôt pour se dire tout ce qu'il faudrait bien finir par s'avouer. L'écrire serait peut-être plus facile.

Ils s'assirent sur un banc sous les arbres, se prirent un instant par la main.

— Digger, dit-elle enfin, il faut que j'aille retrouver ma mère. Tu veux que je t'appelle un taxi pour aller à la gare ?

— Non, dit-il. Miséreux comme je le suis à nouveau, il vaudrait peut-être mieux que je réapprenne à marcher, tu ne crois pas ?

La promenade fut chaude. Pour un mois d'octobre, la température était déjà très élevée. A un moment donné, il dut s'arrêter et ôter son chapeau afin de s'aérer un peu la tête. Des petits carrés d'herbes folles qui bordaient l'asphalte montait une odeur de poussière et de graminées à laquelle se mêlaient certains effluves qui, âcres, mais pas déplaisants, disaient clairement qu'il y avait des chiens dans les parages. Deux ou trois d'entre eux le dépassèrent en trottinant : on était de sortie, on vaquait à ses affaires, en laissant ici et là un repère odorant, quelques gouttes à chaque arrêt, pas plus, comme s'il fallait bien marquer son passage en cette manière élémentaire certes, mais ô combien personnelle.

Digger se ravit de la légèreté avec laquelle ils filaient sur leurs pattes griffues, l'oreille pendante, la truffe au ras du sol. C'est qu'ils savaient ce qu'ils faisaient, les chiens. Ils pouvaient vous apprendre des choses. Digger se remit à marcher.

Une liste avait commencé à s'égrener dans sa tête. Il laissa faire. « Burton, Cable, Carwardine, Cooley, Cooper, Crane... » Il venait juste après.

« Curran. » Il lâcha les deux syllabes de son nom et, se sentant brusquement étouffer, eut du mal à poursuivre.

« Curran, Victor Charles », un nom sur une liste et rien de plus. Sauf que... n'avaient-ils pas, en tout et malgré tout, été aussi proches que deux hommes pouvaient jamais l'être ? Comment cela avait-il pu se produire ?

En un éclair il le revit tel qu'il lui était apparu, juste derrière Doug, quelques jours à peine avant la capitulation, et une fois encore éprouva, avec une violence qu'il n'aurait pas crue possible — le temps n'avait-il, décidément, aucun sens ? —, l'aversion qu'il avait aussitôt ressentie. Ou plutôt non, car, plus caché, son sentiment allait plus loin encore, l'impression qui lui était alors venue : chez l'un comme chez l'autre, au plus profond de leurs deux natures, ce serait toujours l'inimitié. Là, dans quelque partie de leur être qui à jamais resterait inaccessible aussi bien au regard intérieur qu'à l'exercice de la raison, oui, ce serait bien à cela qu'on se tiendrait. Sauf que, pour finir, rien de tel ne s'était produit. Que, ne pouvant guère faire autrement, c'est vrai, ils s'étaient laissé mener par la loi de l'accident. Celui, ô combien monstrueux, qui avait tué Mac, celui, plus étrange encore, qui, plus tard, leurs fièvres allant et venant, les avait jetés à une dépendance physique tellement forte que l'hostilité instinctive des premiers jours même n'y avait pas résisté — à moins que, dès le début, tout cela n'ait été que le signe inversé d'une affinité plus profonde ? D'une affinité telle qu'ils eussent très bien pu la rater pendant quarante ans, et de fort loin, si l'accident ne s'était pas ainsi imposé comme ultime régulateur de leurs deux existences ?

L'accident ? Mais de quelle force plus mystérieuse l'« accident » pouvait-il bien être le nom dans leur langage inadéquat ?... « Daley, Dannagher, Deeks, Dewhurst, Dixon. »

Il continua de marcher. Arriva aux premiers magasins : un supermarché aux vitrines couvertes de réclames de lessive et de boîtes de salade de fruits en solde, un café rempli de jeux vidéo devant lesquels des gamins étaient tout courbés, complètement à leurs parties, secouaient les épaules de droite et de gauche pour éviter des pluies d'astéroïdes, la cahute d'un marchand de journaux avec, en gros titres, les nouvelles du jour affichées sur un panneau : le krach de Wall Street et, tout en bas, mais en lettres gigantesques, et cela lui suffisait amplement, l'annonce de la chute de l'empire Curran.

Digger s'immobilisa pour regarder les six lettres du nom qui s'étalait devant lui. Une chose était ce qu'elles disaient sur le panneau, une autre, et toute différente, ce qu'organisées en deux syllabes noyées parmi tant d'autres, elles évoquaient à son esprit. Autre chose encore que ce qu'il connaissait de l'homme.

Il reprit sa liste à l'endroit où il s'était arrêté. « Doig, Dooley, Doone, Durani, Dwyer... » Quand donc en verrait-il jamais la fin ?

20

Ses grands pieds fermement plantés dans la poussière, l'enfant s'est assis sur la première des trois marches qui de la véranda descendent vers la cour de devant.

C'est l'après-midi et il est chaud. De l'autre côté de la rue se dressent d'autres maisons, exactement semblables à la leur, en planches à recouvrement, avec un toit en tôle ondulée rouge et une clôture. Le numéro de la maison est inscrit au-dessus du portail. Eux, c'est le six. Il a quatre ans. Six, Marlin Street. Il s'appelle Victor Charles Curran. Vic.

Il ne se souvient pas d'avoir jamais habité ailleurs. Le soir, des gens viennent jouer au poker. Bruit, fumée, rires. Il a le droit de leur apporter des bouteilles de bière. Elles ont comme une robe de paille autour du ventre. Et quand elles sont vides, il les ressort de la maison et va les ranger dans la soupente, avec les autres. Les « cadavres », qu'ils appellent ça.

Sa mère travaille pour des dames. Elle est assise à côté de lui, tout à côté, sur une chaise qu'elle a apportée de la cuisine. Elle a posé son ouvrage sur ses genoux, elle ne pense à rien d'autre, elle a mis ses lunettes sur son nez. A ses pieds, une petite valise en carton est ouverte. C'est là qu'elle range ses échantillons de fil. Il y en a de toutes les couleurs, de toutes les tailles.

Des fois, pour qu'il se tienne tranquille quand il n'a personne avec qui jouer, elle lui donne la permission de les sortir de la valise et de les regrouper par couleurs. Aujourd'hui, elle lui a confié une tâche autrement plus difficile. Elle lui a donné une aiguille et un morceau de fil mouillé à un bout. Cela fait maintenant plus d'une heure qu'encore et encore il essaie d'arriver à ce truc qui, il le sait, n'a pourtant rien de sorcier, mais qu'il trouve si difficile.

De temps en temps, juste pour se convaincre qu'on peut y parvenir, il approche l'aiguille de son œil — pour en voir le trou plus clairement.

Quand on met le trou de l'aiguille près de son œil, on y voit tout le ciel à travers. C'est un grand trou, avec beaucoup de bleu dedans. Quand on l'abaisse un peu, on y voit toute la maison d'en face. Celle des Jenkins, là où habitent Trudy et Jack.

C'est drôle. Un coup on peut y voir une maison, avec le toit et tout et tout, et le coup d'après on n'arrive même pas à y faire passer un petit bout de coton de rien du tout. Ça fait un bon moment qu'il essaie, qu'il cligne de l'œil et se contracte la mâchoire d'un air décidé ; de blanc qu'il était quand il a commencé, son bout de fil est devenu tout crasseux. Ça, c'est à cause de ses mains. Il pose l'aiguille sur la marche, très soigneusement, puis le bout de fil, et frotte ses mains à son short. Et recommence. Regarde à nouveau par le trou de l'aiguille.

Y voit, là, un camion se garer devant chez Jack. Et deux filles, Milly et Jane Benson, se balancer sur le portail de leur maison. Et encore un petit garçon en short gris qui essaie de faire du vélo. Le vélo vacille, le petit garçon pose son pied nu sur le bitume pour le stabiliser, recommence. Il doit avoir un an de plus que lui, peut-être même a-t-il sept ans. Mais... voilà que ce petit garçon, c'est lui !

Il n'en revient pas. Il regarde sa mère, mais sa mère se contente de lui sourire : elle ne trouve rien de bizarre à cela.

Des hommes commencent à rentrer de la mine. Bientôt il fera noir. Quand il approche l'aiguille de son œil, il n'y voit plus que de la fumée. Le trou est presque noir.

Le petit garçon qui essayait de faire du vélo y arrive maintenant sans aucun mal, il a pigé le truc. A peine s'il vacille encore un peu de temps en temps. Il commence même à faire de l'épate. Il fait des huit sur la route, il est très content de lui, il rit. Il n'y aura bientôt plus de lumière, il n'a, lui, toujours pas réussi à enfiler son aiguille.

Il se concentre. Il met ses mains en position, là, comme ça, il se ramasse, de tout son corps. Il va réussir.

Bientôt.

DU MÊME AUTEUR

Aux Éditions Albin Michel

HARLAND ET SON DOMAINE

Aux Éditions Lieu Commun

L'ENFANT DU PAYS BARBARE